세상이 변해도
배움의 즐거움은
변함없도록

시대는 빠르게 변해도
배움의 즐거움은
변함없어야 하기에

어제의 비상은
남다른 교재부터
결이 다른 콘텐츠
전에 없던 교육 플랫폼까지

변함없는 혁신으로
교육 문화 환경의 새로운 전형을
실현해왔습니다.

비상은 오늘, 다시 한번
새로운 교육 문화 환경을 실현하기 위한
또 하나의 혁신을 시작합니다.

오늘의 내가 어제의 나를 초월하고
오늘의 교육이 어제의 교육을 초월하여
배움의 즐거움을 지속하는 혁신,

바로, 메타인지 기반 완전 학습을.

상상을 실현하는 교육 문화 기업 비상

메타인지 기반 완전 학습

초월을 뜻하는 meta와 생각을 뜻하는 인지가 결합한 메타인지는
자신이 알고 모르는 것을 스스로 구분하고 학습계획을 세우도록 하는
궁극의 학습 능력입니다. 비상의 메타인지 기반 완전 학습 시스템은
잠들어 있는 메타인지를 깨워 공부를 100% 내 것으로 만들도록 합니다.

시·도 교육청 주관 중학영어 듣기능력평가란?

시행 목적	•영어 의사소통능력 향상을 위한 교수·학습 및 평가 방법 개선 •중학교에서의 영어 듣기능력평가 방향 제시		
시행 방침	•2012년부터 한국 교육과정평가원과 EBS 교육방송에 문항 출제 및 녹화, 방송 등을 위탁 •평가 문항은 EBS에서 녹음하고 EBS 라디오(FM)를 통하여 방송 •평가 실시 및 평가 결과의 성적 반영 여부와 방법 등은 학교 성적관리위원회에서 결정 •듣기능력평가 점수는 전국적으로 평균 15~30% 내신 성적에 반영		
시행 계획	•실시 대상 : 중학교 전 학년 •실시 횟수 : 연 2회 •문항 수 : 학년 당 20문항	•방송 시간 : 11:00~11:20(20분) •방송 매체 : EBS 라디오(FM)	

시험 경향				
	대화 및 담화 수준	**중1** 대화 : 20~60 words 담화 : 20~50 words	**중2** 대화 : 35~75 words 담화 : 35~65 words	**중3** 대화 : 50~90 words 담화 : 50~80 words
	내용	•범교과적 소재를 바탕으로 중학교 교육과정의 내용과 수준에 맞춰 출제됨. •5~8개의 단어로 이루어진 단문 문장이 주를 이룸. •중학교 과정 기본 단어 중에서도 어려운 어휘는 출제 가능성이 낮은 편임.		
	선택지	2013년부터 5지선다형		
	녹음 발음	2013년부터 영국식 영어 발음 문항 학년 당 2~3개 내외 출제(이전에는 모든 문항 미국식 영어 발음)		

중학영어 듣기능력평가 유형 분석(2학년)

문제 유형		2014	2015	2016	2017	2018. 4	계
그림 정보 파악	사물	2	2	2	2	1	9
	날씨	2	2	2	2	1	9
심정 파악		2	2	2	2	1	9
한 일 / 할 일 파악		4	4	4	4	2	18
장소 추론		2	2	2	2	1	9
의도 파악		2	2	2	2	1	9
숫자 정보 파악	시간		1	1		1	3
	금액	1		1	1		3
	숫자	1					1
	날짜				1		1
특정 정보 파악		3	3	3	2	1	12
주제 파악		2	2	2	2	1	9
언급하지 않은 것			1	3	4	2	10
내용 일치 / 불일치		3	4	2	2	1	12
목적 파악		1	2	2	2	1	8
이유 파악		3	2	2	2	2	9
직업 및 장래 희망			1				1
관계 추론		2	2	2	2	1	9
요청, 부탁한 일 파악		2	2	2	2	1	9
속담 추론		2					2
어색한 대화 찾기		2	2				4
그림 상황에 어울리는 대화 찾기				2	2	1	5
알맞은 응답 찾기		4	4	4	4	2	18

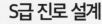
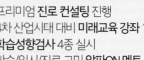

visang

중학영어 듣기모의고사

미니 단어장

중학영어 듣기모의고사

미니 단어장

visang

2

중학영어 듣기모의고사

미니 단어장

각 회차별 주요 어휘 정리

☐	weather report	일기 예보
☐	thunderstorm	폭풍우, 뇌우
☐	hang	걸다
☐	cheat	부정행위를 하다
☐	seaside	해변, 바닷가
☐	storybook	이야기책, 동화책
☐	type	유형, 종류
☐	choice	선택
☐	cover	덮다
☐	peer	또래
☐	basically	기본적으로, 근본적으로
☐	academic	학문적인
☐	recruit	모집하다
☐	department store	백화점
☐	view	경치, 경관
☐	trail	오솔길
☐	convenient	편리한
☐	credit card	신용카드
☐	on the spot	즉석에서, 그 자리에서
☐	swimming suit	수영복
☐	fashionable	유행하는
☐	flight	비행(편)
☐	blanket	담요
☐	feed	먹이를 주다
☐	miss	그리워하다

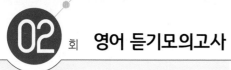

☐ occasional	가끔의
☐ indoors	실내에서
☐ electronic	전자의
☐ confused	당황한
☐ notice	안내문
☐ take out	(밖으로) 내놓다
☐ trash	쓰레기
☐ passenger	승객
☐ remain	남다
☐ principal	교장
☐ counselor	상담 전문가
☐ expert	전문가
☐ figure out	~을 알아내다
☐ related to	~와 관련된
☐ expectation	기대
☐ appliance	(가정용) 기기
☐ including	~을 포함하여
☐ show around	여기저기를 보여주다
☐ stain	얼룩
☐ stay up	안 자고 깨어 있다
☐ on time	제시간에
☐ deadline	기한, 마감 일자
☐ hallway	복도
☐ retirement	은퇴
☐ ceremony	식, 의식

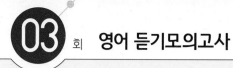

☐ chance	가능성
☐ sticky	끈적거리는
☐ national treasure	국보
☐ dawn	새벽
☐ advise	충고하다
☐ be supposed to	~하기로 되어 있다
☐ moment	순간
☐ embarrassing	당황스러운
☐ soap	비누
☐ contest	대회
☐ celebrate	축하하다
☐ success	성공
☐ safely	안전하게
☐ promise	약속하다
☐ put up	~을 게시하다, 내붙이다
☐ neighborhood	이웃, 인근
☐ marine	바다의, 해양의
☐ exhibit	전시품
☐ improve	개선하다
☐ commute	통근하다
☐ earthquake	지진
☐ beat	(게임, 시합에서) 이기다
☐ recognize	인식하다
☐ step on	~을 밟다
☐ empty	빈

01	가능성	
02	끈적거리는	
03	국보	
04	새벽	
05	충고하다	
06	~하기로 되어 있다	
07	순간	
08	당황스러운	
09	비누	
10	대회	
11	축하하다	
12	성공	
13	안전하게	
14	약속하다	
15	~을 게시하다, 내붙이다	
16	이웃, 인근	
17	바다의, 해양의	
18	전시품	
19	개선하다	
20	통근하다	
21	지진	
22	(게임, 시합에서) 이기다	
23	인식하다	
24	~을 밟다	
25	빈	

6

☐	outdoor	야외의
☐	guess	알아맞히다, 알아내다
☐	break down	고장 나다
☐	rest	휴식
☐	unpack	(짐을) 풀다
☐	pass away	사망하다
☐	private	조용히 있을 수 있는
☐	have a cold	감기에 걸리다
☐	emergency	비상사태
☐	note	~에 주목하다
☐	orderly	질서 있는, 정연한
☐	manner	방식, 태도
☐	lose weight	체중을 줄이다
☐	grocery	식료품
☐	deliver	배달하다
☐	briefcase	서류 가방
☐	original	원래의
☐	pocket money	용돈
☐	run out of	~을 다 써 버리다
☐	in particular	특히
☐	discover	발견하다
☐	terrific	훌륭한, 멋진
☐	hand in	제출하다
☐	search	검색하다
☐	get over	~을 극복하다

01	야외의	
02	알아맞히다, 알아내다	
03	고장 나다	
04	휴식	
05	(짐을) 풀다	
06	사망하다	
07	조용히 있을 수 있는	
08	감기에 걸리다	
09	비상사태	
10	~에 주목하다	
11	질서 있는, 정연한	
12	방식, 태도	
13	체중을 줄이다	
14	식료품	
15	배달하다	
16	서류 가방	
17	원래의	
18	용돈	
19	~을 다 써 버리다	
20	특히	
21	발견하다	
22	훌륭한, 멋진	
23	제출하다	
24	검색하다	
25	~을 극복하다	

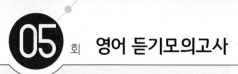
☐	perfect	완벽한
☐	disappointed	실망한, 낙담한
☐	fear	두려움
☐	give up	포기하다
☐	effort	노력, 수고
☐	be allowed to	~하는 것이 허용되다
☐	attendant	승무원
☐	folk	민속의, 전통적인
☐	directly	직접적으로
☐	donate	기부하다
☐	disturb	방해하다
☐	take off	벗다
☐	landscape	풍경화
☐	except	(~를) 제외하고는
☐	dentist	치과
☐	book	예매하다
☐	dish	요리
☐	pharmacy	약국
☐	breathe	숨을 쉬다
☐	nervous	초조해하는
☐	remind	상기시키다
☐	announcement	발표
☐	broom	빗자루
☐	ahead of	~ 앞에
☐	patient	환자

01	완벽한	
02	실망한, 낙담한	
03	두려움	
04	포기하다	
05	노력, 수고	
06	~하는 것이 허용되다	
07	승무원	
08	민속의, 전통적인	
09	직접적으로	
10	기부하다	
11	방해하다	
12	벗다	
13	풍경화	
14	(~를) 제외하고는	
15	치과	
16	예매하다	
17	요리	
18	약국	
19	숨을 쉬다	
20	초조해하는	
21	상기시키다	
22	발표	
23	빗자루	
24	~ 앞에	
25	환자	

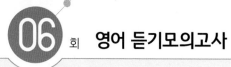

☐	temperature	기온, 온도
☐	snowy	눈이 덮인
☐	choose	고르다, 선택하다
☐	during	~ 동안
☐	annoying	짜증나는, 거슬리는
☐	in line	줄을 서서
☐	at least	적어도
☐	floor	층
☐	share	공유하다
☐	turn down	거절하다
☐	check	살피다, 점검하다
☐	popular	인기 있는
☐	get lost	길을 잃다
☐	keep in mind	명심하다
☐	look up	(정보를) 찾아보다
☐	prepare	준비하다
☐	instead of	~ 대신에
☐	give it a try	시도하다
☐	relief	안도, 안심
☐	get better	호전되다
☐	light	가벼운
☐	dynamic	활기 있는
☐	grandparent	조부모
☐	whole	전체의, 모든
☐	diligent	부지런한

01	기온, 온도	
02	눈이 덮인	
03	고르다, 선택하다	
04	~ 동안	
05	짜증나는, 거슬리는	
06	줄을 서서	
07	적어도	
08	층	
09	공유하다	
10	거절하다	
11	살피다, 점검하다	
12	인기 있는	
13	길을 잃다	
14	명심하다	
15	(정보를) 찾아보다	
16	준비하다	
17	~ 대신에	
18	시도하다	
19	안도, 안심	
20	호전되다	
21	가벼운	
22	활기 있는	
23	조부모	
24	전체의, 모든	
25	부지런한	

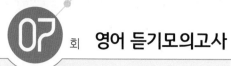

☐	sunshine	햇빛, 햇살
☐	witch	마녀
☐	pointed	뾰족한, 날카로운
☐	package	소포
☐	cheer up	힘을 불러일으키다
☐	postage	우편 요금
☐	receipt	영수증
☐	newest	최신의
☐	fix	수리하다
☐	reply	대답
☐	telescope	망원경
☐	assist	돕다
☐	relative	친척
☐	inform	알리다
☐	install	설치하다
☐	permission	허락, 허가
☐	return	돌려주다
☐	in total	통틀어
☐	be impressed by	~에 감동받다
☐	satisfied	만족스러운
☐	pale	창백한
☐	huge	거대한
☐	a bit	조금, 약간
☐	gather	모이다
☐	case	용기, 통

01	햇빛, 햇살	....
02	마녀	....
03	뾰족한, 날카로운	....
04	소포	....
05	힘을 불러일으키다	....
06	우편 요금	....
07	영수증	....
08	최신의	....
09	수리하다	....
10	대답	....
11	망원경	....
12	돕다	....
13	친척	....
14	알리다	....
15	설치하다	....
16	허락, 허가	....
17	돌려주다	....
18	통틀어	....
19	~에 감동받다	....
20	만족스러운	....
21	창백한	....
22	거대한	....
23	조금, 약간	....
24	모이다	....
25	용기, 통	....

☐	continue	계속되다
☐	be dying to	너무 ~하고 싶다
☐	traffic	교통(량)
☐	director	책임자, 감독
☐	apply for	~에 신청하다, 지원하다
☐	washroom	화장실
☐	absent	결석한
☐	come over to	~에 오다
☐	facility	시설
☐	tap	수도꼭지
☐	unlimited	무한정의
☐	use up	다 써버리다
☐	supply	공급
☐	generation	세대
☐	take a look at	~을 보다
☐	abroad	해외로
☐	competition	경기, 대회
☐	invite	초대하다
☐	be used to	~에 익숙하다
☐	opinion	의견
☐	be bored with	~에 싫증이 나다
☐	find out	알아내다
☐	stomachache	복통
☐	display	전시하다
☐	decade	10년

01	계속되다	
02	너무 ~하고 싶다	
03	교통(량)	
04	책임자, 감독	
05	~에 신청하다, 지원하다	
06	화장실	
07	결석한	
08	~에 오다	
09	시설	
10	수도꼭지	
11	무한정의	
12	다 써버리다	
13	공급	
14	세대	
15	~을 보다	
16	해외로	
17	경기, 대회	
18	초대하다	
19	~에 익숙하다	
20	의견	
21	~에 싫증이 나다	
22	알아내다	
23	복통	
24	전시하다	
25	10년	

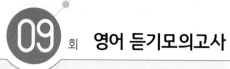

☐	desert	사막
☐	thanks to	~ 덕분에
☐	purse	지갑
☐	endless	끝없는
☐	select	선정하다
☐	waste	낭비하다
☐	fare	요금
☐	get off	~에서 내리다
☐	global warming	지구 온난화
☐	aboard	탑승한
☐	land	착륙하다
☐	ahead of schedule	예정보다 먼저
☐	destination	목적지
☐	require	요구하다
☐	equipment	장비
☐	last	계속되다
☐	rent	대여하다
☐	perm	파마를 해 주다
☐	dye	염색하다
☐	frightened	겁먹은, 무서워하는
☐	turn	차례
☐	talent	재능
☐	elementary school	초등학교
☐	fail	떨어지다, 실패하다
☐	pass	통과하다

01	사막	
02	~ 덕분에	
03	지갑	
04	끝없는	
05	선정하다	
06	낭비하다	
07	요금	
08	~에서 내리다	
09	지구 온난화	
10	탑승한	
11	착륙하다	
12	예정보다 먼저	
13	목적지	
14	요구하다	
15	장비	
16	계속되다	
17	대여하다	
18	파마를 해 주다	
19	염색하다	
20	겁먹은, 무서워하는	
21	차례	
22	재능	
23	초등학교	
24	떨어지다, 실패하다	
25	통과하다	

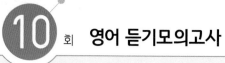

☐	fabric	천
☐	attend	참석하다
☐	ankle	발목
☐	passport	여권
☐	baggage	짐, 수화물
☐	extra	여분의, 추가의
☐	charge	요금
☐	aquarium	수족관
☐	in good condition	몸 상태가 좋은
☐	balanced	균형 잡힌
☐	mental	정신적인
☐	renovation	개조, 보수
☐	remove	제거하다
☐	dirt	먼지
☐	false	잘못된
☐	rumor	소문
☐	as usual	평소처럼
☐	sculpture	조각
☐	for the time being	당분간
☐	be short of	~이 부족하다
☐	arrange	정리하다
☐	upset	속상한
☐	eyesight	시력
☐	symptom	증상
☐	debate	토론

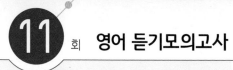
☐	rise	오르다, 올라가다
☐	handle	손잡이
☐	grade	성적, 학점
☐	wonder	궁금하다
☐	pick up	~를 (차에) 태우러 가다
☐	sweep	쓸다
☐	broom	빗자루
☐	public	공공의, 대중의
☐	from now on	이제부터, 지금부터
☐	slippery	미끄러운
☐	delay	미루다, 연기하다
☐	relieved	안도하는
☐	ingredient	재료
☐	unreliable	믿을 수 없는, 신뢰할 수 없는
☐	report	신고하다
☐	violence	폭력, 폭행
☐	favor	호의, 부탁
☐	drawer	서랍
☐	get caught	잡히다
☐	generous	너그러운
☐	mean	의도하다
☐	motorcycle	오토바이
☐	shout	소리치다
☐	distance	거리
☐	bother	괴롭히다

01	오르다, 올라가다	
02	손잡이	
03	성적, 학점	
04	궁금하다	
05	~를 (차에) 태우러 가다	
06	쓸다	
07	빗자루	
08	공공의, 대중의	
09	이제부터, 지금부터	
10	미끄러운	
11	미루다, 연기하다	
12	안도하는	
13	재료	
14	믿을 수 없는, 신뢰할 수 없는	
15	신고하다	
16	폭력, 폭행	
17	호의, 부탁	
18	서랍	
19	잡히다	
20	너그러운	
21	의도하다	
22	오토바이	
23	소리치다	
24	거리	
25	괴롭히다	

☐	pack	(짐을) 싸다
☐	take part in	~에 참여하다
☐	make a mistake	실수를 하다
☐	offer	제공하다
☐	laundry	세탁물
☐	fair	공정한, 공평한
☐	exchange	교환하다
☐	give a concert	콘서트를 열다
☐	perform	공연하다
☐	purchase	구입하다
☐	check-out counter	계산대
☐	pilot	조종사
☐	manage	간신히 해내다
☐	disaster	재난
☐	appreciate	고마워하다
☐	slightly	약간
☐	fever	열
☐	come down	(열이) 내리다, 떨어지다
☐	native	본토의
☐	show up	나타나다
☐	completely	완전히
☐	forgetful	잘 잊어 먹는
☐	aisle	복도
☐	decorate	장식하다
☐	palace	궁, 궁전

01	(짐을) 싸다	
02	~에 참여하다	
03	실수를 하다	
04	제공하다	
05	세탁물	
06	공정한, 공평한	
07	교환하다	
08	콘서트를 열다	
09	공연하다	
10	구입하다	
11	계산대	
12	조종사	
13	간신히 해내다	
14	재난	
15	고마워하다	
16	약간	
17	열	
18	(열이) 내리다, 떨어지다	
19	본토의	
20	나타나다	
21	완전히	
22	잘 잊어 먹는	
23	복도	
24	장식하다	
25	궁, 궁전	

☐	weekly	주간의
☐	block out	~을 차단하다
☐	effectively	효과적으로
☐	compete	경쟁하다, 겨루다
☐	sandy	모래로 뒤덮인
☐	grab	움켜잡다
☐	to be frank with you	솔직히 말해서
☐	spare	여분의
☐	fill up	~을 가득 채우다
☐	celebrity	유명인
☐	present	수여하다
☐	disguise	분장, 변장
☐	show off	~을 자랑하다, 뽐내다
☐	leave	떠나다, 출발하다
☐	post	(안내문 등을) 공고하다
☐	scold	야단치다, 꾸짖다
☐	regulation	규율, 규정
☐	be stolen	도난당하다
☐	agree	동의하다
☐	pole	기둥
☐	serve	대접하다
☐	go well with	~와 잘 어울리다
☐	speed	속도
☐	up to	~까지
☐	freestyle	자유형

01	주간의	
02	~을 차단하다	
03	효과적으로	
04	경쟁하다, 겨루다	
05	모래로 뒤덮인	
06	움켜잡다	
07	솔직히 말해서	
08	여분의	
09	~을 가득 채우다	
10	유명인	
11	수여하다	
12	분장, 변장	
13	~을 자랑하다, 뽐내다	
14	떠나다, 출발하다	
15	(안내문 등을) 공고하다	
16	야단치다, 꾸짖다	
17	규율, 규정	
18	도난당하다	
19	동의하다	
20	기둥	
21	대접하다	
22	~와 잘 어울리다	
23	속도	
24	~까지	
25	자유형	

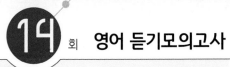

영어 듣기모의고사

☐	on business	업무로, 볼일이 있어
☐	anywhere	어디에서도
☐	drop	떨어뜨리다
☐	mention	언급하다
☐	election	선거
☐	skip	건너뛰다
☐	physical	신체적인
☐	around	약, ~쯤
☐	fall down	넘어지다
☐	pollute	오염시키다
☐	save	절약하다
☐	go down	(작동이) 중단되다
☐	stomachache	복통
☐	in a minute	당장
☐	take a break	잠시 휴식을 취하다
☐	all over the world	전 세계의
☐	personal	개인적인
☐	crowded	붐비는, 혼잡한
☐	dictionary	사전
☐	all kinds of	모든 종류의
☐	capital	수도
☐	gain	얻다
☐	go on a diet	다이어트를 시작하다
☐	confident	자신감 있는
☐	necklace	목걸이

01 업무로, 볼일이 있어

02 어디에서도

03 떨어뜨리다

04 언급하다

05 선거

06 건너뛰다

07 신체적인

08 약, ~쯤

09 넘어지다

10 오염시키다

11 절약하다

12 (작동이) 중단되다

13 복통

14 당장

15 잠시 휴식을 취하다

16 전 세계의

17 개인적인

18 붐비는, 혼잡한

19 사전

20 모든 종류의

21 수도

22 얻다

23 다이어트를 시작하다

24 자신감 있는

25 목걸이

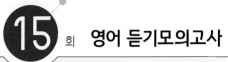
☐	recheck	재검토하다
☐	striped	줄무늬의
☐	pattern	무늬
☐	condition	상태
☐	repair	수리하다
☐	scene	장면
☐	treat	대접하다, 한턱내다
☐	adventure	모험
☐	come up with	~를 생각해내다
☐	plot	줄거리
☐	injured	부상을 당한
☐	exit	출구
☐	location	위치
☐	refill	다시 채우다
☐	president	회장
☐	purpose	목적
☐	lend	빌려주다
☐	stair	계단
☐	extend	연장하다
☐	get in	~에 승차하다
☐	fall asleep	잠이 들다
☐	alarm	경보음
☐	line up	줄을 서다
☐	push	밀다
☐	wrap up	(종이 등으로) 싸다

01	재검토하다	
02	줄무늬의	
03	무늬	
04	상태	
05	수리하다	
06	장면	
07	대접하다, 한턱내다	
08	모험	
09	~를 생각해내다	
10	줄거리	
11	부상을 당한	
12	출구	
13	위치	
14	다시 채우다	
15	회장	
16	목적	
17	빌려주다	
18	계단	
19	연장하다	
20	~에 승차하다	
21	잠이 들다	
22	경보음	
23	줄을 서다	
24	밀다	
25	(종이 등으로) 싸다	

☐ local	지역의
☐ turn into	~으로 변하다
☐ get promoted	승진하다
☐ autograph	사인
☐ rewarding	보람 있는
☐ make a deposit	예금하다
☐ turn around	역전하다
☐ certain	확실한, 틀림없는
☐ treatment	처리
☐ facility	시설, 설비
☐ seaport	항구 도시
☐ fabulous	멋진
☐ diplomat	외교관
☐ curious	호기심이 있는
☐ blonde	금발의
☐ missing	빠진
☐ photographer	사진사, 사진작가
☐ earn money	돈을 벌다
☐ driver's license	운전면허증
☐ take a walk	산책하다
☐ pick	(꽃을) 꺾다
☐ flash	(카메라) 플래시
☐ gesture	몸짓
☐ communicate	소통하다
☐ give a ticket	(위반 딱지를) 떼다

01	지역의	
02	~으로 변하다	
03	승진하다	
04	사인	
05	보람 있는	
06	예금하다	
07	역전하다	
08	확실한, 틀림없는	
09	처리	
10	시설, 설비	
11	항구 도시	
12	멋진	
13	외교관	
14	호기심이 있는	
15	금발의	
16	빠진	
17	사진사, 사진작가	
18	돈을 벌다	
19	운전면허증	
20	산책하다	
21	(꽃을) 꺾다	
22	(카메라) 플래시	
23	몸짓	
24	소통하다	
25	(위반 딱지를) 떼다	

☐	humid	습한
☐	pocket	주머니
☐	tough	힘든, 어려운
☐	field	들판, 밭
☐	various	여러 가지의
☐	damage	해를 끼치다, 훼손하다
☐	artwork	미술품
☐	along	~을 따라
☐	work out	운동하다
☐	aunt	고모, 이모
☐	flowerpot	화분
☐	government	정부
☐	control	통제하다
☐	lead to	~을 야기하다
☐	break into	(건물에) 침입하다
☐	countryside	시골
☐	notice	알아채다, 인지하다
☐	footprint	발자국
☐	area	지역
☐	proud	자랑스러운
☐	thirsty	목이 마른
☐	for a while	잠시 동안
☐	sign up	~에 신청하다
☐	appeal	관심을 끌다, 매력적이다
☐	trendy	최신 유행의

01 습한

02 주머니

03 힘든, 어려운

04 들판, 밭

05 여러 가지의

06 해를 끼치다, 훼손하다

07 미술품

08 ~을 따라

09 운동하다

10 고모, 이모

11 화분

12 정부

13 통제하다

14 ~을 야기하다

15 (건물에) 침입하다

16 시골

17 알아채다, 인지하다

18 발자국

19 지역

20 자랑스러운

21 목이 마른

22 잠시 동안

23 ~에 신청하다

24 관심을 끌다, 매력적이다

25 최신 유행의

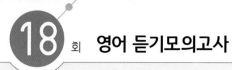
☐	heavily	(양·정도가) 심하게
☐	receive	받다
☐	arrive	도착하다, 배달되다
☐	national	국립의
☐	lie	누워 있다
☐	ground	땅바닥
☐	as soon as	~하자마자
☐	save one's life	생명을 구하다
☐	dynasty	시대, 왕조
☐	shopper	쇼핑객
☐	truth	진실
☐	come out	드러나다
☐	in reality	사실은, 실제로는
☐	lily	백합
☐	avoid	피하다
☐	go out	외출하다
☐	fresh	신선한
☐	break one's words	약속을 어기다
☐	make sense	이치에 맞다
☐	inappropriate	부적절한
☐	be addicted to	~에 중독되다
☐	succeed in	~에 성공하다
☐	solve	(문제를) 풀다
☐	happen	발생하다
☐	past	과거

01	(양·정도가) 심하게	
02	받다	
03	도착하다, 배달되다	
04	국립의	
05	누워 있다	
06	땅바닥	
07	~하자마자	
08	생명을 구하다	
09	시대, 왕조	
10	쇼핑객	
11	진실	
12	드러나다	
13	사실은, 실제로는	
14	백합	
15	피하다	
16	외출하다	
17	신선한	
18	약속을 어기다	
19	이치에 맞다	
20	부적절한	
21	~에 중독되다	
22	~에 성공하다	
23	(문제를) 풀다	
24	발생하다	
25	과거	

☐	graduation	졸업
☐	meaningful	의미 있는
☐	in public	공개적으로
☐	be in one's shoes	~의 입장에 처하다
☐	make fun of	~을 놀리다
☐	face	마주 보다
☐	beverage	음료
☐	support	지지하다
☐	now and for ever	항상
☐	penalty	벌칙
☐	forgive	용서하다
☐	worm	벌레
☐	weapon	무기
☐	get hurt	다치다
☐	impression	인상, 느낌
☐	in detail	상세히
☐	cheerful	쾌활한
☐	put up with	참다, 견디다
☐	anymore	더 이상
☐	explain	설명하다
☐	keep in mind	명심하다
☐	tidy	깔끔한, 단정한
☐	slipper	슬리퍼
☐	infect	감염시키다
☐	run	작동시키다

01	졸업	
02	의미 있는	
03	공개적으로	
04	~의 입장에 처하다	
05	~을 놀리다	
06	마주 보다	
07	음료	
08	지지하다	
09	항상	
10	벌칙	
11	용서하다	
12	벌레	
13	무기	
14	다치다	
15	인상, 느낌	
16	상세히	
17	쾌활한	
18	참다, 견디다	
19	더 이상	
20	설명하다	
21	명심하다	
22	깔끔한, 단정한	
23	슬리퍼	
24	감염시키다	
25	작동시키다	

☐	throughout	~동안 죽, 내내
☐	magic	마술, 마법
☐	stick	지팡이
☐	common	흔한
☐	crown	왕관
☐	inventor	발명가
☐	run out of	~이 다 떨어지다
☐	watermelon	수박
☐	speaking of	~의 얘기가 나왔으니 말인데
☐	appointment	약속
☐	typical	전형적인
☐	elbow	팔꿈치
☐	big fan	열혈 팬
☐	get home	귀가하다
☐	signal	신호
☐	definitely	분명히
☐	break the law	법을 위반하다
☐	spill	쏟다, 흘리다
☐	vase	꽃병
☐	be full of	~로 가득 차다
☐	pass	(시간이) 흐르다
☐	charitable	자선(단체)의
☐	organization	기관, 단체
☐	straight	곧장, 곧바로
☐	take away	~을 치우다

☐	envy	부러워하다
☐	previous engagement	선약
☐	mat	돗자리, 매트
☐	take a nap	낮잠을 자다
☐	put on	~을 바르다
☐	impressive	인상적인
☐	benefit	이점, 혜택
☐	useless	소용없는
☐	to sum up	요약해서 말하면
☐	inconvenience	불편
☐	blame	비난하다, 원망하다
☐	discouraged	낙담한, 낙심한
☐	by oneself	혼자
☐	rate	요금
☐	over budget	예산 초과의
☐	behavior	행동, 행위
☐	talented	재능이 있는
☐	bill	계산서, 청구서
☐	leftover	남은 음식
☐	vending machine	자판기
☐	disagree	동의하지 않다
☐	extreme	극한의
☐	active	활동적인, 활발한
☐	thrilling	아주 신나는
☐	specific	구체적인

01	부러워하다	
02	선약	
03	돗자리, 매트	
04	낮잠을 자다	
05	~을 바르다	
06	인상적인	
07	이점, 혜택	
08	소용없는	
09	요약해서 말하면	
10	불편	
11	비난하다, 원망하다	
12	낙담한, 낙심한	
13	혼자	
14	요금	
15	예산 초과의	
16	행동, 행위	
17	재능이 있는	
18	계산서, 청구서	
19	남은 음식	
20	자판기	
21	동의하지 않다	
22	극한의	
23	활동적인, 활발한	
24	아주 신나는	
25	구체적인	

☐	bundle up	옷을 껴입다
☐	truly	진심으로, 정말로
☐	every time	~할 때마다
☐	yummy	아주 맛있는
☐	weigh	무게가 ~이다
☐	go back	되돌아가다
☐	swear	맹세하다
☐	topic	주제
☐	at most	많아 봐야
☐	nightmare	악몽
☐	discuss	상의하다
☐	lately	최근에
☐	postpone	미루다, 연기하다
☐	stop by	~에 들르다
☐	dizzy	어지러운
☐	take a good rest	푹 쉬다
☐	role	역할
☐	line	대사
☐	pronunciation	발음
☐	stable	안정적인
☐	towel	수건
☐	nearly	거의
☐	just in case	만약을 위해서
☐	simple	간단한
☐	suddenly	갑자기

01	옷을 껴입다	
02	진심으로, 정말로	
03	~할 때마다	
04	아주 맛있는	
05	무게가 ~이다	
06	되돌아가다	
07	맹세하다	
08	주제	
09	많아 봐야	
10	악몽	
11	상의하다	
12	최근에	
13	미루다, 연기하다	
14	~에 들르다	
15	어지러운	
16	푹 쉬다	
17	역할	
18	대사	
19	발음	
20	안정적인	
21	수건	
22	거의	
23	만약을 위해서	
24	간단한	
25	갑자기	

☐	set the table	상을 차리다
☐	knife	칼
☐	take a deep breath	심호흡을 하다
☐	uncomfortable	불편한
☐	lantern	손전등
☐	take a lesson	수업을 받다
☐	shark	상어
☐	sea turtle	바다거북
☐	starfish	불가사리
☐	ancient	고대의
☐	useful	유용한
☐	holiday	(공)휴일
☐	recycle	재활용하다
☐	reduce	줄이다
☐	reservation	예약
☐	copy	복사
☐	nearby	가까운 곳에
☐	special	특별한
☐	wedding	결혼(식)
☐	travel agency	여행사
☐	be ready for	~할 준비가 되다
☐	tourist	관광객
☐	lovely	아름다운
☐	documentary	다큐멘터리
☐	hunter	사냥꾼

01 상을 차리다

02 칼

03 심호흡을 하다

04 불편한

05 손전등

06 수업을 받다

07 상어

08 바다거북

09 불가사리

10 고대의

11 유용한

12 (공)휴일

13 재활용하다

14 줄이다

15 예약

16 복사

17 가까운 곳에

18 특별한

19 결혼(식)

20 여행사

21 ~할 준비가 되다

22 관광객

23 아름다운

24 다큐멘터리

25 사냥꾼

☐	forecast	예보, 예측
☐	for a second	잠시
☐	tray	쟁반
☐	shelf	선반
☐	work on	~에 애쓰다
☐	bomb	폭탄
☐	wooden	나무로 된
☐	contact	연락하다
☐	practice	연습; 연습하다
☐	probably	아마도
☐	silent	조용한
☐	loudly	큰 소리로
☐	wisely	현명하게
☐	look around	둘러보다
☐	throw	던지다
☐	manager	관리자
☐	possible	가능한
☐	get a haircut	머리를 깎다
☐	decide	결정하다
☐	knee	무릎
☐	classmate	반 친구
☐	order	주문
☐	fill out	작성하다
☐	remember	기억하다
☐	trouble	문제

중학영어
듣기모의고사 22회

2

STRUCTURE
구성 및 특징

1 유형공략

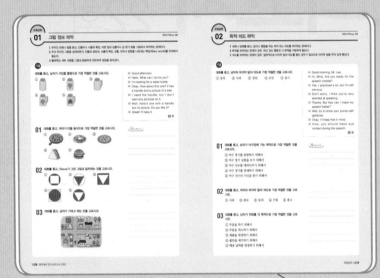

유형 학습으로 기초 다지기

- 최신 기출문제를 통해 유형별로 출제 경향과 핵심 전략 익히기
- Practice를 통해 실전 감각 익히기

2 영어 듣기모의고사 22회

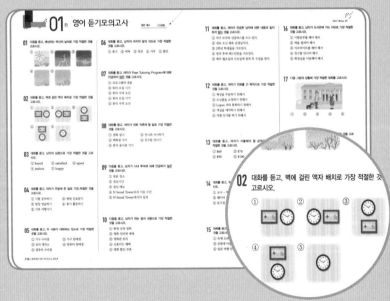

실전 문제로 실력 확인하기

- 최근 3개년 기출 경향에 맞춰 출제된 22회의 모의고사 풀이를 통해 실력 점검
- 실제 기출문제와 동일한 유형을 빠른 속도로 연습하여 실전 대비
- 영국식 발음 문항 연습

3 Dictation Test

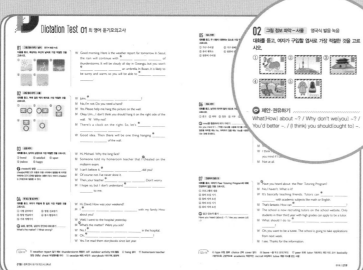

Dictation Test로 실력 다지기

- 받아쓰기 전용 MP3 파일 제공
- 받아쓰기를 통해 문제 풀이에 필요한 핵심 어휘 및 주요 표현을 완벽 이해
- 주요 의사소통 기능에 대한 설명과 발음을 tip으로 완벽 이해

4 기출문제를 활용한 FINAL TEST

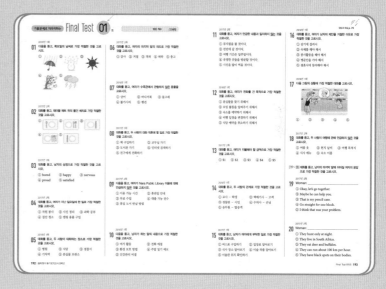

기출문제로 최종 마무리

- 최근 3개년 기출문제를 융합한 FINAL TEST 2회분을 통해 시험 전 최종 점검

부록

미니 단어장

- 각 회차별 핵심 어휘를 단어장을 통해 완벽 학습할 수 있도록 별책 부록으로 제공

CONTENTS
차례

In this age, which believes that there is a short cut to everything, the greatest lesson to be learned is that the most difficult way is, in the long run, the easiest.

모든 것에 지름길이 있다고 믿는 요즘,
최대의 교훈은 가장 어려운 방법으로 배우는 것이
장기적으로 가장 쉽다는 것이다.

소설가 Henry Miller(1891~1980)

PART 1

듣기 시험 유형공략 06

01 그림 정보 파악

1 주어진 대화나 말을 듣고, 인물이나 사물의 특징, 어떤 일의 상황이나 길 찾기 등을 그림에서 파악하는 문제이다.
2 우선 주어진 그림을 살펴보면서, 인물의 생김새, 사물의 특징, 상황, 위치나 방향을 나타내는 핵심어(key words)를 주의해서 듣는다.
3 들려주는 세부 사항을 그림과 꼼꼼하게 대조하여 정답을 찾아낸다.

기출

대화를 듣고, 남자가 구입할 물병으로 가장 적절한 것을 고르시오.

M Good afternoon.
W Hello. What can I do for you?
M I'm looking for a water bottle.
W Okay. How about this one? It has a handle and a picture of a tree.
M I need the handle, but I don't want any pictures on it.
W Well, here's one with a handle but no picture. Do you like it?
M Great! I'll take it.

답 ③

01 대화를 듣고, 여자가 만들 음식으로 가장 적절한 것을 고르시오.

Keyword

02 대화를 듣고, Steve가 그린 그림과 일치하는 것을 고르시오.

03 대화를 듣고, 남자가 가려고 하는 곳을 고르시오.

02 목적·의도 파악

1 대화나 담화를 듣고, 말이나 행동을 하는 목적 또는 의도를 파악하는 문제이다.
2 목적을 파악하는 문제의 경우, 하고 있는 행동과 그 목적을 구분하여 듣는다.
3 의도를 파악하는 문제의 경우, 일반적으로 마지막 말의 의도를 묻는 경우가 많으므로 마지막 말을 주의 깊게 듣는다.

기출

대화를 듣고, 남자의 마지막 말의 의도로 가장 적절한 것을 고르시오.

① 동의 　② 사과 　③ 칭찬 　④ 조언 　⑤ 감사

W Good morning, Mr. Lee.
M Hi, Mina. Are you ready for the speech contest?
W Yes. I practiced a lot, but I'm still nervous.
M Don't worry. I think you're very talented at speaking.
W Thanks. But how can I make my speech better?
M Well, try to show your points with gestures.
W Okay. I'll keep that in mind.
M Also, you should make eye contact during the speech.

답 ④

---

01 대화를 듣고, 남자가 야구장에 가는 목적으로 가장 적절한 것을 고르시오.

① 야구 경기를 관람하기 위해서
② 야구 경기 심판을 보기 위해서
③ 야구 선수를 데려다주기 위해서
④ 야구 경기를 중계하기 위해서
⑤ 야구 선수의 사인을 받기 위해서

Keyword

---

02 대화를 듣고, 여자의 마지막 말의 의도로 가장 적절한 것을 고르시오.

① 사과 　② 위로 　③ 동의 　④ 기원 　⑤ 충고

---

03 대화를 듣고, 남자가 전화를 건 목적으로 가장 적절한 것을 고르시오.

① 주문을 하기 위해서
② 주문을 취소하기 위해서
③ 제품을 변경하기 위해서
④ 불만을 제기하기 위해서
⑤ 배송 날짜를 변경하기 위해서

03 숫자 정보 파악

정답과 해설 **p. 03**

1 대화를 듣고, 개수나 횟수, 시간이나 기간 및 날짜, 금액 등과 같은 숫자 정보를 파악하는 문제이다.

2 여러 가지 숫자나 시간 정보가 언급되므로 집중해서 들으며, 숫자가 나오면 메모를 하는 자세가 필요하다.

3 계산이 따로 필요하거나 함정이 있는 유형이므로 주의하여 들어야 한다.

대화를 듣고, 두 사람이 만날 시각을 고르시오.

① 3:30 p.m. ② 4:00 p.m. ③ 4:30 p.m.

④ 5:00 p.m. ⑤ 5:30 p.m.

W All right. We've almost finished our science project.

M Yeah. But the presentation is on Friday.

W Yes, you're right. We still need to practice.

M And we have only two days left.

W Why don't we get started today?

M Okay. Let's meet here at 4 o'clock this afternoon.

W Oh, sorry. I have a club meeting at 4.

M How about 5:30?

W Sounds good. See you then.

답 ⑤

01 대화를 듣고, 남자가 지불할 금액으로 가장 적절한 것을 고르시오.

① $32 ② $40 ③ $56

④ $64 ⑤ $72

Keyword

02 대화를 듣고, 남자의 나이로 가장 적절한 것을 고르시오.

① 10세 ② 13세 ③ 14세

④ 15세 ⑤ 16세

03 대화를 듣고, 두 사람이 만날 시각으로 가장 적절한 것을 고르시오.

① 4:30 p.m. ② 5:00 p.m.

③ 5:30 p.m. ④ 6:00 p.m.

⑤ 6:30 p.m.

내용 일치·불일치

1 대화나 담화를 듣고, 들려주는 내용과 일치하거나 일치하지 않는 것을 찾는 문제이다.
2 세부 정보를 묻는 유형이므로 선택지를 미리 확인하고 내용을 예상하면서 듣도록 한다.
3 불일치 유형에서는 나머지 선택지의 내용이 한 번씩 언급되므로 내용을 들으면서 선택지를 지워가는 것도 좋은 방법이다.

다음을 듣고, 벼룩시장에 대한 내용과 일치하지 <u>않는</u> 것을 고르시오.

① 금요일에 실시된다.
② 아픈 아이들을 돕기 위한 행사이다.
③ 중고품을 판매한다.
④ 학교 강당에서 열린다.
⑤ 수요일까지 참가 신청이 가능하다.

W Hello, students. We're going to hold a school flea market this Friday. This event is to help the sick children in our town hospital. You can bring your used items to sell such as bags and books. It'll be held on the school playground. If you have any items to sell, please tell Ms. Brown by this Wednesday.

답 ④

01 대화를 듣고, 남자에 대한 설명으로 일치하지 <u>않는</u> 것을 고르시오.

① 학교에 가는 길이다.
② 보통 엄마 차를 타고 학교에 간다.
③ 엄마의 자동차가 고장 나서 지하철을 타려고 한다.
④ 아빠는 출장을 가셨다.
⑤ 여자와 함께 지하철역까지 함께 걸어갈 것이다.

Keyword

02 대화를 듣고, 남자가 만든 노래에 대한 설명으로 일치하는 것을 고르시오.

① 제작하는 데 총 3시간이 걸렸다.
② 다른 사람 도움 없이 혼자 만들었다.
③ 남자의 애완견에 관한 노래이다.
④ 남자는 기타 연주를 했다.
⑤ 음악 선생님이 노래를 불렀다.

03 대화를 듣고, 오늘 남자가 들은 수업에 대한 내용과 일치하지 <u>않는</u> 것을 고르시오.

① 5개 과목의 수업이 있었다.
② 영어, 수학, 과학 수업은 지루했다.
③ 오늘 체육 수업은 재미있었다.
④ 역사 수업이 가장 좋았다.
⑤ 역사 수업에서 영화를 보았다.

1 대화를 듣고, 등장인물이 한 일이나 할 일, 그 밖에 대화 속의 특정 정보 등을 찾는 문제이다.

2 여러 가지 정보가 제공되므로 미리 선택지를 익혀두고, 들으면서 메모를 하는 습관을 길러야 한다.

3 필요한 정보가 직접 언급되지 않는 경우도 있으므로 주어진 내용을 종합하여 답을 찾는 연습이 필요하다.

대화를 듣고, 여자가 City Math Festival에서 한 일로 가장 적절한 것을 고르시오.

① 영화 보기　　② 사진 찍기　　③ 강의 듣기

④ 퍼즐 풀기　　⑤ 축제 안내하기

M Sarah, I heard you went to City Math Festival last Saturday.

W Yes, I did. So many people came to enjoy the festival.

M Were there many fun activities?

W Yes. There were many interesting puzzles and games.

M Oh, I like puzzles. Did you do any puzzles?

W Sadly I couldn't, because the line was too long.

M Then what activities did you do?

W I watched a movie on math history.

답 ①

01 대화를 듣고, 남자가 여자를 위해 할 일로 가장 적절한 것을 고르시오.

① 수건 가져오기　　② 물감 찾아보기

③ 바닥 청소하기　　④ 티셔츠 가져오기

⑤ 꽃병에 꽃 꽂기

Keyword

02 대화를 듣고, 여자가 남자에게 부탁한 일로 가장 적절한 것을 고르시오.

① 가스 잠그기　　② 창문 닫기

③ 화분에 물주기　　④ 우산 챙기기

⑤ 방 청소하기

03 대화를 듣고, 여자가 대화 직후에 할 일로 가장 적절한 것을 고르시오.

① 요리하기　　② 음식 주문하기

③ 친구에게 전화하기　　④ 음식점에 전화하기

⑤ 저녁 식사 장보기

1 대화를 듣고, 인물의 마지막 말에 이어질 응답으로 알맞은 것을 찾는 문제이다.
2 미리 지시문을 보고 마지막 말을 하게 될 사람이 여자인지 남자인지 파악한다.
3 마지막 말이 의문문일 경우 의문사를 주의 깊게 듣는다.

기출

대화를 듣고, 남자의 마지막 말에 이어질 여자의 응답으로 가장 적절한 것을 고르시오.

Woman: _____

① I have a fever.
② It took 40 minutes by bus.
③ I play the piano very well.
④ My favorite food is spaghetti.
⑤ They're blue with white stripes.

M Julia, you look worried. What happened?
W I think I lost my new running shoes.
M Sorry to hear that. Where did you put them last?
W I think I put them in the locker this morning.
M Are you sure?
W Not really. I was in a hurry for the next class.
M Okay. I'll help you to find them. What do your shoes look like?

답 ⑤

01 대화를 듣고, 남자의 마지막 말에 이어질 여자의 응답으로 가장 적절한 것을 고르시오.

① Let's go there together.
② Don't worry. I'll wake you up.
③ The alarm didn't go off at that time.
④ The field trip was canceled because of rain.
⑤ Can you turn down the music? It's too loud.

Keyword

02 대화를 듣고, 여자의 마지막 말에 이어질 남자의 응답으로 가장 적절한 것을 고르시오.

① Okay. Let's go together.
② I was very moved by his story.
③ Why not? Let's study together.
④ My favorite artwork is *Sunflowers*.
⑤ Vincent van Gogh is from the Netherlands.

03 대화를 듣고, 여자의 마지막 말에 이어질 남자의 응답으로 가장 적절한 것을 고르시오.

① Do you want a bigger size?
② I like flower patterns, too.
③ It comes in many different colors.
④ How would you like to pay for it?
⑤ I agree with you. It's too big for you.

I have learned that success is to be measured not so much

by the position that one has reached in life as by the obstacles which

he has overcome while trying to succeed.

성공이란 그가 인생에서 도달해 온 지위가 아니라,
그가 성공하기 위해 애쓰는 과정에서 극복해 온
장애물에 의해 측정되는 것이라고 나는 배웠노라.

연설가 Booker Washington(1856~1915)

PART 2

중학영어 듣기모의고사

맞은 개수 /20문항

01 다음을 듣고, 예상되는 부산의 날씨로 가장 적절한 것을 고르시오.

02 대화를 듣고, 벽에 걸린 액자 배치로 가장 적절한 것을 고르시오.

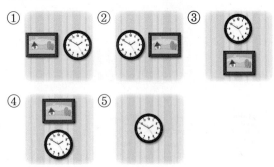

03 대화를 듣고, 남자의 심정으로 가장 적절한 것을 고르시오.

① bored   ② satisfied   ③ upset
④ jealous   ⑤ happy

04 대화를 듣고, 여자가 주말에 한 일로 가장 적절한 것을 고르시오.

① 시험 공부하기   ② 병원 진료받기
③ 합창 연습하기   ④ 봉사 활동하기
⑤ 가족 여행가기

05 대화를 듣고, 두 사람이 대화하는 장소로 가장 적절한 곳을 고르시오.

① 가구 수리점   ② 가구 판매점
③ 유리 제작소   ④ 컴퓨터 판매점
⑤ 컴퓨터 수리점

06 대화를 듣고, 남자의 마지막 말의 의도로 가장 적절한 것을 고르시오.

① 충고   ② 허락   ③ 칭찬   ④ 거부   ⑤ 불만

07 대화를 듣고, 여자가 Peer Tutoring Program에 대해 언급하지 않은 것을 고르시오.

① 프로그램의 내용
② 튜터 모집 시기
③ 튜터 자격 요건
④ 튜티 모집 시기
⑤ 튜티 자격 요건

08 대화를 듣고, 여자가 대화 직후에 할 일로 가장 적절한 것을 고르시오.

① 전화 걸기   ② 언니와 식사하기
③ 백화점 가기   ④ 친구들 만나기
⑤ 중국 음식점 가기

09 다음을 듣고, 남자가 시내 투어에 대해 언급하지 않은 것을 고르시오.

① 방문 장소
② 점심시간
③ 점심 메뉴
④ N Seoul Tower로의 이동 수단
⑤ N Seoul Tower에서의 일정

10 다음을 듣고, 남자가 하는 말의 내용으로 가장 적절한 것을 고르시오.

① 현재 상영 영화
② 영화 인터넷 예매
③ 영화관 위치
④ 신용카드 혜택
⑤ 영화 할인 쿠폰

11 대화를 듣고, 여자가 언급한 남자에 대한 내용과 일치하지 <u>않는</u> 것을 고르시오.

① 야구 모자와 선글라스를 쓰고 있다.
② 새로 오신 체육 선생님이다.
③ 2학년 학생들을 가르친다.
④ 방과 후에 배드민턴을 가르친다.
⑤ 매주 월요일과 수요일에 방과 후 수업을 한다.

12 대화를 듣고, 여자가 전화를 건 목적으로 가장 적절한 것을 고르시오.

① 책상을 주문하기 위해서
② 모닝콜을 요청하기 위해서
③ Lopez 씨와 통화하기 위해서
④ 객실을 예약하기 위해서
⑤ 작별 인사를 하기 위해서

13 대화를 듣고, 여자가 지불해야 할 금액으로 가장 적절한 것을 고르시오.

① $60 ② $70 ③ $80
④ $90 ⑤ $100

14 대화를 듣고, 두 사람의 관계로 가장 적절한 것을 고르시오.

① 교사 – 학생 ② 의사 – 환자
③ 웨이터 – 손님 ④ 승무원 – 승객
⑤ 문구점 주인 – 손님

15 대화를 듣고, 여자가 남자에게 부탁한 일로 가장 적절한 것을 고르시오.

① 숙제 도와주기 ② 일본어 함께 배우기
③ 공항에 마중 나가기 ④ 여행지 추천해 주기
⑤ 일본 여행 안내하기

16 대화를 듣고, 남자가 도서관에 가는 이유로 가장 적절한 것을 고르시오.

① 시험공부를 해야 해서
② 책을 빌려야 해서
③ 아르바이트를 해야 해서
④ 친구를 만나야 해서
⑤ 화장실을 이용해야 해서

17 다음 그림의 상황에 가장 적절한 대화를 고르시오.

① ② ③ ④ ⑤

18 다음을 듣고, 여자가 편지에서 언급하지 <u>않은</u> 것을 고르시오.

① 토론토에 가는 날짜 ② 토론토에 가는 이유
③ 민우의 주소 ④ 여자와 민우의 관계
⑤ 여자의 이름

[19~20] 대화를 듣고, 여자의 마지막 말에 이어질 남자의 응답으로 가장 적절한 것을 고르시오.

19 Man: _____

① I like watching TV.
② I don't like watching movies.
③ I was so touched by the movie.
④ I went to the movies with my mom.
⑤ I was busy doing a lot of homework.

20 Man: _____

① Today. ② Next year.
③ Last week. ④ Every month.
⑤ For one year.

Dictation Test 01 회 영어 듣기모의고사

01 [그림 정보 파악 – 날씨] 영국식 발음 녹음
다음을 듣고, 예상되는 부산의 날씨로 가장 적절한 것을
고르시오.

① ② ③
④ ⑤

W Good morning. Here is the weather report for tomorrow. In Seoul, the rain will continue with ❶＿＿＿＿ ＿＿＿＿ ＿＿＿＿ of thunderstorms. It will be cloudy all day in Gwangju, but you won't ❷＿＿＿＿ ＿＿＿＿ ＿＿＿＿ an umbrella. In Busan, it is likely to be sunny and warm, so you will be able to ❸＿＿＿＿ ＿＿＿＿ ＿＿＿＿.

02 [그림 정보 파악 – 사물]
대화를 듣고, 벽에 걸린 액자 배치로 가장 적절한 것을
고르시오.

① ② ③
④ ⑤

W John, ❶＿＿＿＿ ＿＿＿＿ ＿＿＿＿ ＿＿＿＿?
M No, I'm not. Do you need a hand?
W Yes. Please help me hang this picture on the wall.
M Okay. Um..., I don't think you should hang it on the right side of the wall. W Why not?
M There's a clock on the right. So, let's ❷＿＿＿＿ ＿＿＿＿ ＿＿＿＿ ＿＿＿＿ ＿＿＿＿.
W Good idea. Then there will be one thing hanging ❸＿＿＿＿ ＿＿＿＿ ＿＿＿＿ of the wall.

03 [심정 파악]
대화를 듣고, 남자의 심정으로 가장 적절한 것을 고르시오.
① bored   ② satisfied   ③ upset
④ jealous   ⑤ happy

ⓟ cheated의 발음 //////////////////////////////
cheated처럼 [t]가 모음과 모음 사이에서 발음될 때 미국영
어에서는 [t]가 [r]처럼 발음되는 경향이 있다. 따라서 cheated
는 [치릳]으로 발음할 수 있다.

W Hi, Michael. Why the long face?
M Someone told my homeroom teacher that I ⓟcheated on the midterm exam.
W I can't believe it. ❶＿＿＿＿ ＿＿＿＿ ＿＿＿＿, did you?
M Of course not. I've never done it.
W Then, your teacher ❷＿＿＿＿ ＿＿＿＿ ＿＿＿＿. Don't worry.
M I hope so, but I don't understand ❸＿＿＿＿ ＿＿＿＿ ＿＿＿＿ to me.

04 [한 일 / 할 일 파악]
대화를 듣고, 여자가 주말에 한 일로 가장 적절한 것을
고르시오.
① 시험 공부하기   ② 병원 진료받기
③ 합창 연습하기   ④ 봉사 활동하기
⑤ 가족 여행가기

😮 슬픔, 불만족, 실망의 원인에 대해 묻기 //////////
What's the matter? / What wrong?

W Hi, David. How was your weekend?
M I ❶＿＿＿＿ ＿＿＿＿ ＿＿＿＿ ＿＿＿＿ with my family. How about you?
W Well, I went to the hospital yesterday.
M What's the matter? Were you sick?
W No. I ❷＿＿＿＿ ＿＿＿＿ ＿＿＿＿ in the hospital.
M Oh, ❸＿＿＿＿ ＿＿＿＿ ＿＿＿＿ ＿＿＿＿ ＿＿＿＿?
W Yes. I've read them storybooks since last year.

Ⓦords **01 weather report** 일기 예보 **thunderstorm** 폭풍우, 뇌우 **outdoor activity** 야외 활동   **02 hang** 걸다   **03 homeroom teacher** 담임 선생님 **cheat** 부정행위를 하다   **04 seaside** 해변, 바닷가 **storybook** 이야기책, 동화책

05 장소 추론

대화를 듣고, 두 사람이 대화하는 장소로 가장 적절한 곳을 고르시오.

① 가구 수리점　　② 가구 판매점
③ 유리 제작소　　④ 컴퓨터 판매점
⑤ 컴퓨터 수리점

W How may I help you?

M Hi, do you have a computer desk?

W Sure. We have ❶＿＿＿＿ ＿＿＿＿ ＿＿＿＿ ＿＿＿＿ ＿＿＿＿.

M Can you recommend one?

W Okay. How about this one? It's strong. It can ❷＿＿＿＿ ＿＿＿＿ ＿＿＿＿ ＿＿＿＿, like a computer, a printer and even speakers.

M Sounds great. I'll take it.

W Good choice. We provide ❸＿＿＿＿ ＿＿＿＿ ＿＿＿＿ ＿＿＿＿ ＿＿＿＿, too. It can cover the desk.

06 의도 파악

대화를 듣고, 남자의 마지막 말의 의도로 가장 적절한 것을 고르시오.

① 충고　② 허락　③ 칭찬　④ 거부　⑤ 불만

😮 **mind를 활용하여 허가 구하기** ////////////////
Do you mind if I ~?처럼 mind를 사용해 허가를 구하는 질문을 허락할 때는 No, 허락하지 않을 때는 Yes를 사용한다는 것에 유의한다.

M Hi, Jenny. What are you doing here?

W Hey, Peter. I'm waiting for a bus. I'm ❶＿＿＿＿ ＿＿＿＿ ＿＿＿＿ ＿＿＿＿ Mr. Clark.

M But you look a little worried.

W The bus hasn't ❷＿＿＿＿ ＿＿＿＿ ＿＿＿＿ ＿＿＿＿. I'm going to be late. I should call Mr. Clark. (pause) Oh, no!

M Why? What's wrong?

W I think I ❸＿＿＿＿ ＿＿＿＿ ＿＿＿＿ ＿＿＿＿ ＿＿＿＿😮. Do you mind if I use your cellphone?

M Not at all.

07 언급하지 않은 것

대화를 듣고, 여자가 Peer Tutoring Program에 대해 언급하지 않은 것을 고르시오.

① 프로그램의 내용
② 튜터 모집 시기
③ 튜터 자격 요건
④ 튜티 모집 시기
⑤ 튜티 자격 요건

😮 **알고 있는지 묻기** ///////////////////////////////
Have you heard (about) ~? / Are you aware (of) ~?

W 😮 Have you heard about the Peer Tutoring Program?

M No, I haven't. What is it?

W It's basically teaching friends. Tutors can ❶＿＿＿＿ ＿＿＿＿ ＿＿＿＿ with academic subjects like math or English.

M That's fantastic. How can ❷＿＿＿＿ ＿＿＿＿ ＿＿＿＿ ＿＿＿＿?

W The school is now recruiting tutors on the school website. Only students in their third year with high grades can apply to be a tutor.

M What should I do to ❸＿＿＿＿ ＿＿＿＿ ＿＿＿＿ ＿＿＿＿?

W Oh, you want to be a tutee. The school is going to take applications from next week.

M I see. Thanks for the information.

📖 **Words** **05 type** 유형, 종류　**choice** 선택　**cover** 덮다　**06 leave** ~을 두고 오다(가다)　**07 peer** 또래　**tutor** 가르치다; 개인 지도 교사　**basically** 기본적으로, 근본적으로　**academic** 학문적인　**recruit** 모집하다　**tutee** 개별 지도를 받는 사람

Dictation Test ✏️

대화를 듣고, 여자가 대화 직후에 할 일로 가장 적절한 것을 고르시오.

① 전화 걸기　　② 언니와 식사하기
③ 백화점 가기　　④ 친구들 만나기
⑤ 중국 음식점 가기

😀 의도 표현하기 ////////////////////

I'm thinking of ~. / I'm going to ~. / I'm planning to ~.

M What are you going to do this evening?
W I'm thinking of ❶ _____ _____ _____ _____ _____ with my sister. Why?
M Well, Mijin and I are having dinner at a new Chinese restaurant.
W Really? What time?
M We will meet at 6 o'clock at the restaurant. ❷ _____ _____ _____ to come?
W Absolutely. I ❸ _____ _____ _____ _____ _____. I think we can go shopping tomorrow.
M Okay, see you later.

다음을 듣고, 남자가 시내 투어에 대해 언급하지 <u>않은</u> 것을 고르시오.

① 방문 장소
② 점심시간
③ 점심 메뉴
④ N Seoul Tower로의 이동 수단
⑤ N Seoul Tower에서의 일정

M Hello, My name is Kim Suhyeon and I'll ❶ _____ _____ _____ _____ _____. We're going to take a tour of the city for ❷ _____ _____ _____ _____. First, we will visit city hall and Deoksugung Palace. At noon, we will have lunch together at a restaurant near the palace. After lunch, we'll take a bus to N Seoul Tower. We will enjoy ❸ _____ _____ _____ _____ _____ there and then take a walk along a trail.

다음을 듣고, 남자가 하는 말의 내용으로 가장 적절한 것을 고르시오.

① 현재 상영 영화
② 영화 인터넷 예매
③ 영화관 위치
④ 신용카드 혜택
⑤ 영화 할인 쿠폰

M Let me tell you ❶ _____ _____ _____ _____ _____ online. First, click the movie and the date you want. Then, you will see ❷ _____ _____ _____ _____ which are showing that movie. Among them, click the one that is most convenient for you. After that, ❸ _____ _____ _____ _____ and the number of seats. You can pay online or in cash or by credit card on the spot. Some credit cards offer a discount, so don't forget to check it!

Words 　**08** department store 백화점　absolutely 그럼, 물론이지　**09** tour guide 여행 가이드　view 경치, 경관　trail 오솔길　**10** convenient 편리한　credit card 신용카드　on the spot 즉석에서, 그 자리에서

11 내용 일치 / 불일치 영국식 발음 녹음

대화를 듣고, 여자가 언급한 남자에 대한 내용과 일치하지 **않는** 것을 고르시오.

① 야구 모자와 선글라스를 쓰고 있다.
② 새로 오신 체육 선생님이다.
③ 2학년 학생들을 가르친다.
④ 방과 후에 배드민턴을 가르친다.
⑤ 매주 월요일과 수요일에 방과 후 수업을 한다.

M Jisu, do you know ❶ _____ _____ _____ _____?

W Do you mean the man with a baseball cap and sunglasses?

M Yes, him.

W That's Mr. Smith, our school's new P. E. teacher. He teaches only first year students.

M Oh, I see. Then how do you know him if he ❷ _____ _____ _____ _____ _____?

W I take his after-school class.

M Do you mean your badminton class?

W Yeah, I meet him ❸ _____ _____ _____ _____.

12 목적 파악

대화를 듣고, 여자가 전화를 건 목적으로 가장 적절한 것을 고르시오.

① 책상을 주문하기 위해서
② 모닝콜을 요청하기 위해서
③ Lopez 씨와 통화하기 위해서
④ 객실을 예약하기 위해서
⑤ 작별 인사를 하기 위해서

😊 흔히 잘못 사용하고 있는 표현 ////////////////
morning call (×) → wake-up call (O)
hand phone (×) → cell(mobile) phone (O)
eye shopping (×) → window shopping (O)

[*Telephone rings.*]

M Front desk, how can I help you?

W Hi, this is room 505.

M Yes, Ms. Lopez. What's the matter with you?

W ❶ _____ _____ _____ _____ a wake-up call tomorrow morning?

M Sure. What time ❷ _____ _____ _____ _____ _____, Ms. Lopez?

W I need two calls, one at 6 and the other at 6:10.

M No problem. We will call you in the morning. Is there anything else we can do for you?

W No, ❸ _____ _____ _____ _____. Thanks.

13 숫자 정보 파악 – 금액

대화를 듣고, 여자가 지불해야 할 금액으로 가장 적절한 것을 고르시오.

① $60   ② $70   ③ $80
④ $90   ⑤ $100

😊 환영하기 ////////////////
Welcome (to our shop). / Glad you're here. / Glad you could come.

M Welcome to our shop.

W I'm ❶ _____ _____ _____ _____ _____.

M We offer a twenty percent discount on swimwear.

W I want to buy one for my husband.

M This one is ❷ _____ _____ _____. It is very fashionable and comes in one-size-fits-all.

W How much is it?

M The original price is 100 dollars.

W Okay. I'll ❸ _____ _____ _____ _____ _____.

─────

Words **11 P. E. (Physical Education)** 체육 **after-school class** 방과 후 수업 **12 front desk** 안내 데스크 **wake-up call** (호텔 등에서의) 모닝콜 **13 swimming suit** 수영복(= swimwear) **fashionable** 유행하는 **one-size-fits-all** 모든 사람에게 맞는

Dictation Test ✍️

14 관계 추론

대화를 듣고, 두 사람의 관계로 가장 적절한 것을 고르시오.

① 교사 – 학생   ② 의사 – 환자
③ 웨이터 – 손님   ④ 승무원 – 승객
⑤ 문구점 주인 – 손님

W Sir, ❶ _____ _____ _____ _____ _____?
M Yes, please. What's the flight number? I need it for the arrival card.
W You're taking CA 101 flight, sir.
M CA 101. Thank you, and ❷ _____ _____ _____ _____ _____?
W No problem. Anything else?
M Would you please ❸ _____ _____ _____ _____ _____? It's a little cold.
W Of course. I'll be right back.
M Thank you again.
W You're welcome.

15 부탁한 일 파악   영국식 발음 녹음

대화를 듣고, 여자가 남자에게 부탁한 일로 가장 적절한 것을 고르시오.

① 숙제 도와주기   ② 일본어 함께 배우기
③ 공항에 마중 나가기   ④ 여행지 추천해 주기
⑤ 일본 여행 안내하기

W What are you planning to do after school?
M Nothing special. Why?
W I heard ❶ _____ _____ _____ _____.
M Yes, I lived in Osaka three years ago.
W Actually, I have Japanese homework to do today. And I was wondering if ❷ _____ _____ _____ _____ _____.
M Sure, but I can help you only for 1 hour. I have to go to the airport to ❸ _____ _____ _____ _____ at 7 p.m.
W One hour will be enough. Thanks.

16 이유 파악

대화를 듣고, 남자가 도서관에 가는 이유로 가장 적절한 것을 고르시오.

① 시험공부를 해야 해서
② 책을 빌려야 해서
③ 아르바이트를 해야 해서
④ 친구를 만나야 해서
⑤ 화장실을 이용해야 해서

W Brian, where are you going?
M I'm going to the library.
W Library? Are you going to ❶ _____ or borrow some books?
M Neither of them. Actually, I'm ❷ _____ _____ _____ _____ in the library.
W You mean you work there?
M Yes, ❸ _____ _____ _____ and clean the restroom.

📖 **Words** **14 flight** 비행(편) **blanket** 담요   **15 plan to** ~할 계획이다 **worder** ~일지 모르겠다 **help ~ out** ~를 도와주다   **16 borrow** 빌리다 **neither** (둘 중) 어느 것도 ~아니다 **mean** 의미하다 **arrange** 정리하다, 배열하다 **restroom** 화장실

17 그림 상황에 어울리는 대화 찾기

다음 그림의 상황에 가장 적절한 대화를 고르시오.

① ② ③ ④ ⑤

① **M** Can you _____ _____ _____?
　W No problem.
② **M** Can I take my dog to the museum?
　W I'm sorry. Animals are not allowed in the museum.
③ **M** He's my new dog. Isn't he cute?
　W How lovely! What's his name?
④ **M** My dog doesn't ❷ _____ _____ _____ _____ _____.
　W Let me check him.
⑤ **M** Which animal ❸ _____ _____ _____, dogs or cats?
　W I prefer dogs to cats.

18 언급하지 않은 것

다음을 듣고, 여자가 편지에서 언급하지 <u>않은</u> 것을 고르시오.

① 토론토에 가는 날짜　② 토론토에 가는 이유
③ 민우의 주소　④ 여자와 민우의 관계
⑤ 여자의 이름

💬 희망, 기대 표현하기 ///////////////////////////
I hope to see you soon. / I'm looking forward to seeing you soon.

W Dear Minwoo,
I'm going to Toronto on December 14th because my parents have to work there. So I'll go to ❶ _____ _____ _____ in Toronto. I'll tell you many things about the new place through e-mails. Please ❷ _____ _____ _____ your cellphone number, too. I'll call you if needed. I'll miss you there. Good-bye and ❸ _____ _____. I hope to see you soon.　Your best friend, Jina

[19~20] 대화를 듣고, 여자의 마지막 말에 이어질 남자의 응답으로 가장 적절한 것을 고르시오.

19 알맞은 응답 찾기

Man: _____

① I like watching TV.
② I don't like watching movies.
③ I was so touched by the movie.
④ I went to the movies with my mom.
⑤ I was busy doing a lot of homework.

M You look so happy. Did you do anything interesting last weekend?
W Yes, I ❶ _____ _____ _____ _____ _____ and it was wonderful. How was yours?
M I also ❷ _____ _____ _____ _____ with my family. We went on a picnic on Saturday and watched a movie on TV on Sunday.
W Sounds good. Did you ❸ _____ _____ _____?
M We watched *It's a Wonderful Life*.
W Oh, I've seen it before. How did you like it?

20 알맞은 응답 찾기

Man: _____

① Today.　② Next year.
③ Last week.　④ Every month.
⑤ For one year.

W ❶ _____ _____ _____ _____, Chris?
M I'm studying Korean because I have a Korean language class today.
W Wow! I didn't know you're learning Korean. Teach me something.
M You can use this expression when you ❷ _____ _____ _____ _____ _____. Repeat after me. "Masisseoyo."
W "Masisseoyo." What does that mean?
M It means "It's delicious."
W I see. How long ❸ _____ _____ _____ learning Korean?

📖 **Words** 　**17** feed 먹이를 주다　prefer *A* to *B* B보다 A를 선호하다　**18** international 국제적인　through ~을 통해　if needed 필요하다면　miss 그리워하다　**19** go camping 캠핑 가다　**20** language 언어　repeat 따라 하다

01 다음을 듣고, 금요일의 날씨로 가장 적절한 것을 고르시오.

02 대화를 듣고, 남자가 구입할 물건으로 가장 적절한 것을 고르시오.

03 대화를 듣고, 마지막에 여자가 느꼈을 심정으로 가장 적절한 것을 고르시오.
① scary   ② worried   ③ surprised
④ relieved   ⑤ disappointed

04 대화를 듣고, 남자가 오전에 한 일로 가장 적절한 것을 고르시오.
① 축구하기   ② 책 읽기   ③ 독후감 쓰기
④ 책 빌리기   ⑤ 쓰레기 버리기

05 다음을 듣고, 방송이 이루어지는 장소로 가장 적절한 곳을 고르시오.
① 지하철   ② 시내버스   ③ 비행기
④ 유람선   ⑤ 버스 정류장

06 다음을 듣고, 말하는 사람의 의도로 가장 적절한 것을 고르시오.
① 칭찬   ② 항의   ③ 조언   ④ 사과   ⑤ 축하

07 대화를 듣고, 남자가 여행 계획에 대해 언급하지 않은 것을 고르시오.
① 여행의 동반자
② 여행 장소
③ 교통수단
④ 여행 기간
⑤ 숙박 장소

08 대화를 듣고, 남자가 앞으로 할 일로 가장 적절한 것을 고르시오.
① 걸어서 출근하기
② 대중교통을 이용하기
③ 자전거로 출근하기
④ 회사 근처로 이사하기
⑤ 출근 시간을 앞당기기

09 다음을 듣고, 남자가 10대들의 스트레스 원인으로 언급하지 않은 것을 고르시오.
① 성적   ② 과제   ③ 시험
④ 주변의 기대   ⑤ 대학 선택

10 다음을 듣고, 여자가 하는 말의 내용으로 가장 적절한 것을 고르시오.
① 유용한 전자기기
② 사무실 에티켓
③ 쉽고 간단한 조리법
④ 화재 대피 요령
⑤ 전자레인지 사용 방법

11 대화를 듣고, 남자가 언급한 내용과 일치하지 <u>않는</u> 것을 고르시오.

① 학교 건물을 보고 실망했다.
② 대부분의 선생님들이 친절하다고 느꼈다.
③ 담임 선생님으로부터 짝꿍을 소개 받았다.
④ 학급 회장에게 학교의 이곳저곳을 소개 받았다.
⑤ 학급 회장과 즐거운 시간을 보냈다.

12 대화를 듣고, 남자가 상점에 온 목적으로 가장 적절한 것을 고르시오.

① 옷을 사기 위해서
② 옷을 교환하기 위해서
③ 옷을 환불받기 위해서
④ 선물을 사기 위해서
⑤ 상품에 대해 항의하기 위해서

13 대화를 듣고, 영화를 보러 갈 인원수를 고르시오.
① 3명　② 4명　③ 5명　④ 6명　⑤ 7명

14 대화를 듣고, 두 사람의 관계로 가장 적절한 것을 고르시오.

① 교통경찰 – 운전자
② 택시 기사 – 승객
③ 관광 가이드 – 관광객
④ 비행기 승무원 – 탑승객
⑤ 공항 안내원 – 공항 이용객

15 대화를 듣고, 여자가 남자에게 부탁한 일로 가장 적절한 것을 고르시오.

① 함께 공부하기　② 약 사다 주기
③ 휴식 취하기　④ 책 반납하기
⑤ 병원에 데려다주기

16 대화를 듣고, 남자가 교무실에 가는 이유로 가장 적절한 것을 고르시오.

① 선생님께 상담을 받기 위해서
② 교장 선생님을 만나기 위해서
③ 선생님께 과제를 제출하기 위해서
④ 수업 시간에 늦게 입실해서
⑤ 수업 시간에 소란을 피워서

17 다음 그림의 상황에 가장 적절한 대화를 고르시오.

①　②　③　④　⑤

18 대화를 듣고, 남자가 취미로 언급하지 <u>않은</u> 것을 고르시오.

① 캠핑 가기　② 스케이트보드 타기
③ 음악 감상하기　④ 노래하기
⑤ 춤추기

[19~20] 대화를 듣고, 남자의 마지막 말에 이어질 여자의 응답으로 가장 적절한 것을 고르시오.

19 Woman: _____

① No. I've never taken that test.
② Yes. I can solve the math problem.
③ No. You don't need to worry about it.
④ Yes. Many students have a fear of science.
⑤ Yes. Let's study together at the school library.

20 Woman: _____

① He made a trip to Europe.
② He ran a farm in his hometown.
③ He wants to be a police officer, too.
④ He had a nice dinner with our family.
⑤ He will do volunteer work for poor people.

Dictation Test 02회 영어 듣기모의고사

01 그림 정보 파악 – 날씨

다음을 듣고, 금요일의 날씨로 가장 적절한 것을 고르시오.

① ② ③
④ ⑤

W Good evening. We had changeable spring weather last week. Unluckily, we have ❶ _____ _____ _____ _____ . It will be windy and cloudy Monday through Wednesday. Occasional showers ❷ _____ _____ _____ _____ _____ . We will have a sunny day on Friday. However, you'd better ❸ _____ _____ _____ _____ _____ because it will rain again.

02 그림 정보 파악 – 사물

대화를 듣고, 남자가 구입할 물건으로 가장 적절한 것을 고르시오.

① ② ③
④ ⑤

W May I help you?
M I would like to buy a watch.
W ❶ _____ _____ _____ _____ _____ , an electronic one or an analog one?
M An analog type. I ❷ _____ _____ _____ _____ with a leather band.
W How about this model? It is brand-new.
M Wow! Its design is fantastic. Is this watch waterproof?
W No, it isn't. How about this one? This model is waterproof.
M Oh, good! I'll ❸ _____ _____ .

03 심정 파악

대화를 듣고, 마지막에 여자가 느꼈을 심정으로 가장 적절한 것을 고르시오.

① scary ② worried ③ surprised
④ relieved ⑤ disappointed

ⓟ **park의 발음** //////////////////////////////////////
park처럼 단어의 끝이 [k]로 소리 나는 동사는 -ed를 붙였을 때 [d]가 아닌 [t]로 소리 나서 [팍트]하고 발음된다.

☻ **안도감 표현하기** //////////////////////////////////
Thank goodness! / What a relief! / I'm relieved to hear ~.

M Lisa, what's the matter? You look confused.
W ⓟ I parked my bike here in the morning, ❶ _____ _____ _____ _____ .
M What?
W I always park here. I don't know ❷ _____ _____ _____ .
M That's too bad.
W The bike was a birthday present from my parents.
M Look there! There is a notice. It says that all the bikes were moved ❸ _____ _____ _____ behind the building. It's because of the school event.
W ☻ Thank goodness!

Words 01 changeable 변덕스러운 similar 비슷한, 유사한 occasional 가끔의 indoors 실내에서 02 electronic 전자의 analog 아날로그 식의 brand-new 완전 새것의 waterproof 방수가 되는 03 confused 당황한 park 주차하다 notice 안내문 parking lot 주차장

04 한 일 / 할 일 파악   영국식 발음 녹음

대화를 듣고, 남자가 오전에 한 일로 가장 적절한 것을
고르시오.

① 축구하기   ② 책 읽기   ③ 독후감 쓰기
④ 책 빌리기   ⑤ 쓰레기 버리기

M Mom, I'm going out to play soccer. I'll be back before it gets dark.
W Did you ❶ _____ _____ _____ _____ _____?
   You said it was due tomorrow.
M I finished reading the book this morning. I'm going to write the
   report after dinner.
W Are you sure ❷ _____ _____ _____ _____?
M Of course, Mom. Just trust me.
W All right. By the way, can you ❸ _____ _____ _____
   _____ when you go out?
M No problem.

05 장소 추론

다음을 듣고, 방송이 이루어지는 장소로 가장 적절한
곳을 고르시오.

① 지하철   ② 시내버스   ③ 비행기
④ 유람선   ⑤ 버스 정류장

M Attention, please. Passengers, there ❶ _____ _____ _____
   _____ _____ at the next station. So we are going to
   ❷ _____ _____ _____ _____ for three minutes.
   Please ❸ _____ _____ _____ _____. I repeat, we will
   wait at this stop for three minutes. We're really sorry about that.

06 의도 파악

다음을 듣고, 말하는 사람의 의도로 가장 적절한 것을
고르시오.

① 칭찬 ② 항의 ③ 조언 ④ 사과 ⑤ 축하

W As principal of our school, I have something to say. When
   ❶ _____ _____ _____ _____ _____, what do you
   usually do? Do you talk about them with your parents or friends? I
   think that the school counselor in our school can ❷ _____
   _____ _____ _____ to you. She is an expert to
   ❸ _____ _____ _____ _____. Please don't hesitate to
   visit her. She's always waiting for your visit.

07 언급하지 않은 것

대화를 듣고, 남자가 여행 계획에 대해 언급하지 <u>않은</u>
것을 고르시오.

① 여행의 동반자
② 여행 장소
③ 교통수단
④ 여행 기간
⑤ 숙박 장소

W Do you have ❶ _____ _____ _____ _____ _____?
M I'm going on a trip with my family to Jeju-do.
W Sounds like fun! Are you going to fly?
M No, we will go ❷ _____ _____ _____ _____.
W How long will you stay there?
M For four days.
W That's good. You should visit Seopjikoji. The beach is so beautiful.
M We will. I ❸ _____ _____ _____ _____ _____.

Words **04** book report 독후감 due ~하기로 되어 있는 take out (밖으로) 내놓다 trash 쓰레기   **05** passenger 승객 remain 남다
06 principal 교장 counselor 상담 전문가 helping hand 도움 expert 전문가 figure out ~을 알아내다   **07** stay 머물다

Dictation Test ✍

08 한 일 / 할 일 파악

대화를 듣고, 남자가 앞으로 할 일로 가장 적절한 것을 고르시오.

① 걸어서 출근하기
② 대중교통을 이용하기
③ 자전거로 출근하기
④ 회사 근처로 이사하기
⑤ 출근 시간을 앞당기기

W Why are you late again?
M I'm sorry. The traffic was so heavy. The bus I was on ❶ _____ _____ _____ _____.
W Don't you live close to the company?
M Yes, but it's ❷ _____ _____ _____ _____ to work. It takes about 40 minutes on foot.
W Why don't you ❸ _____ _____ _____ _____ _____?
M Okay. I'll try it from tomorrow.

09 언급하지 않은 것

다음을 듣고, 남자가 10대들의 스트레스 원인으로 언급하지 <u>않은</u> 것을 고르시오.

① 성적   ② 과제   ③ 시험
④ 주변의 기대 ⑤ 대학 선택

💬 study, stress의 다양한 의미

• study: '공부; 공부하다'라는 의미 외에도 '연구; 연구하다, 조사하다'라는 뜻으로 두루 쓰인다.
• stress: 명사로서는 '스트레스, 압박, 긴장'의 의미이며, 동사로서는 전치사 out과 함께 쓰여 stress out(스트레스를 받다)으로 활용된다.

M According to a recent study, most teens think that ❶ _____ _____ _____ _____ are at the top of their stress list. For example, ❷ _____ _____, homework and examinations could cause teens' stress. Also, teens can be stressed out because of ❸ _____ _____ _____ of their parents and teachers.

10 주제 파악 영국식 발음 녹음

다음을 듣고, 여자가 하는 말의 내용으로 가장 적절한 것을 고르시오.

① 유용한 전자기기
② 사무실 에티켓
③ 쉽고 간단한 조리법
④ 화재 대피 요령
⑤ 전자레인지 사용 방법

W This is ❶ _____ _____ _____ _____ that can be found almost everywhere, including homes, offices and convenience stores. With this, you can cook food quickly and easily. All you have to do is open the door, put in your food, and ❷ _____ _____ _____. Within a few minutes, you can enjoy delicious hot food. But when you use this, you must avoid metal plates. They might ❸ _____ _____ _____.

11 내용 일치 / 불일치

대화를 듣고, 남자가 언급한 내용과 일치하지 <u>않는</u> 것을 고르시오.

① 학교 건물을 보고 실망했다.
② 대부분의 선생님들이 친절하다고 느꼈다.
③ 담임 선생님으로부터 짝꿍을 소개 받았다.
④ 학급 회장에게 학교의 이곳저곳을 소개 받았다.
⑤ 학급 회장과 즐거운 시간을 보냈다.

💬 기쁨 표현하기

I'm happy(glad, delighted) to hear that. / I feel so happy(glad, delighted) about that.

W How was the first day at your new school?
M Good. But I was ❶ _____ _____ _____ _____ the old school building.
W How were the teachers?
M Most of them were friendly. My classroom teacher ❷ _____ _____ _____ _____ _____.
W Were your classmates friendly, too?
M Yes. Especially, the president of my class ❸ _____ _____ _____ _____ _____. I had a pleasant time with him.
W I'm happy to hear that.

📚 Words   **08 on foot** 걸어서   **09 teen** 10대(= teenager) **related to** ~와 관련된 **expectation** 기대   **10 appliance** (가정용) 기기 **including** ~을 포함하여 **press** 누르다 **metal** 금속의 **plate** 접시, 그릇 **cause a fire** 화재를 내다   **11 show around** 여기저기를 보여주다

12 목적 파악

대화를 듣고, 남자가 상점에 온 목적으로 가장 적절한 것을 고르시오.

① 옷을 사기 위해서
② 옷을 교환하기 위해서
③ 옷을 환불받기 위해서
④ 선물을 사기 위해서
⑤ 상품에 대해 항의하기 위해서

W Welcome to J Jeans. What can I do for you?

M Hi, I bought these blue jeans here yesterday. But when I got home, I found this stain on the right side. I didn't notice it ❶ _____ _____ _____ _____.

W Oh, I see. Do you want to exchange them for another pair?

M Actually, I'd like to ❷ _____ _____ _____.

W Okay. Did you bring the receipt?

M Yes, here you are.

W All right. Please ❸ _____ _____ _____ _____.

M Thank you so much.

13 숫자 정보 파악 – 인원수 영국식 발음 녹음

대화를 듣고, 영화를 보러 갈 인원수를 고르시오.

① 3명 ② 4명 ③ 5명 ④ 6명 ⑤ 7명

😊 **미래를 의미하는 현재진행형** //////////////////////
가까운 미래에 이미 계획되어 있는 일을 나타낼 때에는 현재진행형이 미래시제를 대신해 쓸 수 있다.
ex) I'm having dinner with Zen tonight.
　　(나는 오늘 밤에 Zen과 저녁을 먹을 거야.)

M Jimin, some of our classmates are going to the movies tomorrow. Do you ❶ _____ _____ _____ _____ _____?

W What movie and what time?

M We're planning to watch the new *Spiderman* series at 4:00 p.m.

W Can I ask ❷ _____ _____ _____?

M Mina, Yuri, Jisung and Minsu are coming. So, there will be five including me. Would you like to join us?

W Okay, I'd love to. Where shall we meet?

M Let's meet ❸ _____ _____ _____ _____ _____.

W Good. See you tomorrow.

14 관계 추론

대화를 듣고, 두 사람의 관계로 가장 적절한 것을 고르시오.

① 교통경찰 – 운전자
② 택시 기사 – 승객
③ 관광 가이드 – 관광객
④ 비행기 승무원 – 탑승객
⑤ 공항 안내원 – 공항 이용객

M Where to?

W To the airport, please.

M Do you mind if I ask you ❶ _____ _____ _____ _____?

W No, I don't. I'm coming back to America. How long does it usually take from here to the airport?

M About 30 minutes ❷ _____ _____ _____ _____ _____.

W Is the traffic okay now?

M I guess so.

W Good. I've been ❸ _____ _____ _____ _____. I need to get there by 5:30.

📖 **Words**　**12 jeans** (청)바지　**stain** 얼룩　**notice** 알아차리다, 인지하다　**get a refund** 환불받다　**13 including** ~을 포함하여　**14 airport** 공항
fly to ~까지 비행기로 가다　**guess** ~으로 추측된다

Dictation Test ✏️

15 부탁한 일 파악

대화를 듣고, 여자가 남자에게 부탁한 일로 가장 적절한 것을 고르시오.

① 함께 공부하기　　② 약 사다 주기
③ 휴식 취하기　　　④ 책 반납하기
⑤ 병원에 데려다주기

M You look bad. What's wrong with you?

W I ❶_____ _____ _____ _____ _____ studying for today's science test.

M You'd better _____ ❷_____ _____ _____ _____ after the test.

W I'll do that. Um..., may I ask you a favor?

M What is it?

W ❸_____ _____ _____ _____ _____ to the school library for me?

M Yes, I can.

W Thanks a lot.

16 이유 파악

대화를 듣고, 남자가 교무실에 가는 이유로 가장 적절한 것을 고르시오.

① 선생님께 상담을 받기 위해서
② 교장 선생님을 만나기 위해서
③ 선생님께 과제를 제출하기 위해서
④ 수업 시간에 늦게 입실해서
⑤ 수업 시간에 소란을 피워서

W Where are you going ❶_____ _____ _____ _____?

M I'm going to the teachers' office. I need to talk to Mr. Brown.

W You did something wrong, didn't you? Were you late for class?

M No, I didn't anything wrong. I was ❷_____ _____ _____ _____.

W Then, why do you have to see him?

M I need to ❸_____ _____ _____ _____ right now. The deadline is today.

W Okay, but don't run in the hallway.

17 그림 상황에 어울리는 대화 찾기

다음 그림의 상황에 가장 적절한 대화를 고르시오.

① ② ③ ④ ⑤

💬 **관심에 대해 묻기** ///////////////////////
Are you interested in ~? / What are you interested in? / Do you find ~ interesting?

① M Can I help you?
　 W No, thanks. I'm ❶_____ _____ _____.
② M Are you interested in making films?
　 W Yes, I want to ❷_____ _____ _____ _____ in the future.
③ M What movies do you like?
　 W I like sci-fi movies.
④ M Can I get two tickets for *Black Panther*?
　 W I'm afraid the tickets are ❸_____ _____ _____ for that movie.
⑤ M How about going to the movies this Saturday?
　 W Why not? What time shall we meet?

Words　**15 stay up** 안 자고 깨어 있다　**16 on time** 제시간에　**deadline** 기한, 마감 일자　**hallway** 복도(= hall)　**17 look around** 둘러보다　**sci-fi (science-fiction)** 공상 과학　**sold out** 표가 매진된

18 [언급하지 않은 것]

대화를 듣고, 남자가 취미로 언급하지 <u>않은</u> 것을 고르시오.

① 캠핑 가기　　　② 스케이트보드 타기
③ 음악 감상하기　④ 노래하기
⑤ 춤추기

W　What interests you the most?

M　❶ _____ _____ _____ _____ nowadays. I enjoy camping and skateboarding.

W　How about listening to music?

M　I don't like ❷ _____ _____ _____ _____, but I like singing and dancing.

W　Oh, do you? I like both, too. Why don't we take part in ❸ _____ _____ _____ _____?

M　Sounds great!

[19~20] 대화를 듣고, 남자의 마지막 말에 이어질 여자의 응답으로 가장 적절한 것을 고르시오.

19 [알맞은 응답 찾기]

Woman: _____

① No. I've never taken that test.
② Yes. I can solve the math problem.
③ No. You don't need to worry about it.
④ Yes. Many students have a fear of science.
⑤ Yes. Let's study together at the school library.

😮 걱정, 두려움 묻기 ////////////////////////////////////
What's the problem with you? / What are you afraid of? / What worries you now?

M　I don't ❶ _____ _____ _____ _____ today.

W　Minwoo, you look worried. ❷ What's the problem with you?

M　There will be a science test next Friday. I'm worried about it because it's ❷ _____ _____ _____ _____.

W　I got the same test last year. As you said, it was not easy.

M　Can you ❸ _____ _____ _____ _____?

20 [알맞은 응답 찾기]　영국식 발음 녹음

Woman: _____

① He made a trip to Europe.
② He ran a farm in his hometown.
③ He wants to be a police officer, too.
④ He had a nice dinner with our family.
⑤ He will do volunteer work for poor people.

M　I heard that your father had a retirement ceremony.

W　I went there yesterday.

M　Your father was a police officer, right?

W　Yes. My father has worked ❶ _____ _____ _____ _____ for thirty years.

M　Wow! I would like to ❷ _____ _____ _____ _____ to your father.

W　Thank you.

M　Then, what is your father ❸ _____ _____ _____ _____ _____?

📖 **Words** **18 nowadays** 요즘에는　**both** 둘 다　**take part in** ~에 참가하다　**talent show** 장기 자랑　**20 retirement** 은퇴　**ceremony** 식, 의식
respect 존경(심), 경의

01 다음을 듣고, 베이징의 오늘 날씨로 가장 적절한 것을 고르시오.

①  ② ③

④ ⑤

02 대화를 듣고, 여자가 구입할 엽서로 가장 적절한 것을 고르시오.

① ② ③

④ ⑤

03 대화를 듣고, 어젯밤에 남자가 느꼈을 심정으로 가장 적절한 것을 고르시오.

① upset ② excited ③ interested
④ hopeful ⑤ cautious

04 대화를 듣고, 남자가 학교 축제에서 한 일로 가장 적절한 것을 고르시오.

① 춤추기
② 노래 부르기
③ 악기 연주하기
④ 연극 공연하기
⑤ 마술 쇼 공연하기

05 대화를 듣고, 두 사람이 대화하는 장소로 가장 적절한 곳을 고르시오.

① 경찰서 ② 병원 ③ 소방서
④ 학교 양호실 ⑤ 보석 상점

06 대화를 듣고, 남자의 마지막 말의 의도로 가장 적절한 것을 고르시오.

① 감사 ② 허락 ③ 사과 ④ 축하 ⑤ 변명

07 대화를 듣고, 남자가 자전거를 탈 때 주의 사항으로 언급하지 않은 것을 고르시오.

① 안전모 착용 ② 운동화 착용
③ 고장 여부 확인 ④ 휴대 전화 사용 금지
⑤ 음악 듣기 금지

08 대화를 듣고, 여자가 대화 직후에 할 일로 가장 적절한 것을 고르시오.

① 동네 산책하기 ② 포스터 만들기
③ 동물 병원에 들르기 ④ 고양이와 사진 찍기
⑤ 이메일로 사진 보내기

09 다음을 듣고, 여자가 해양 박물관에 대해 언급하지 않은 것을 고르시오.

① 박물관의 위치
② 티켓 구매처
③ 티켓 가격
④ 음식물 반입 여부
⑤ 사진 촬영 가능 여부

10 다음을 듣고, 남자가 하는 말의 내용으로 가장 적절한 것을 고르시오.

① 대기 오염의 원인
② 대중교통의 편리성
③ 자전거 통학 시 유의 사항
④ 건강을 유지하기 위한 방법
⑤ 대기 오염을 줄이기 위한 방법

11 대화를 듣고, 남자가 언급한 내용과 일치하지 <u>않는</u> 것을 고르시오.

① 대만으로 여행을 갈 계획이었다.
② 다음 주 금요일에 여행을 떠날 계획이었다.
③ 건강상의 이유로 여행을 취소했다.
④ 항공사로부터 환불을 받지 못할 것이다.
⑤ 환불되지 않는 비행기 표를 구매했다.

12 대화를 듣고, 남자가 전화를 건 목적으로 가장 적절한 것을 고르시오.

① to return his pencil sharpener
② to ask if they sell pencil sharpeners
③ to ask how to fix his pencil sharpener
④ to complain about his pencil sharpener
⑤ to order a pencil sharpener over the phone

13 대화를 듣고, 두 사람이 점심 식사를 할 시각을 고르시오.
① 11:00   ② 11:30   ③ 12:00
④ 12:30   ⑤ 13:00

14 대화를 듣고, 두 사람의 관계로 가장 적절한 것을 고르시오.
① 시민 – 경찰관   ② 감독 – 운동선수
③ 연극배우 – 감독   ④ 디자이너 – 패션모델
⑤ 고객 – 판매원

15 대화를 듣고, 여자가 남자에게 부탁한 일로 가장 적절한 것을 고르시오.
① 차를 빌려주는 것   ② 차를 사 주는 것
③ 차를 태워 주는 것   ④ 차를 수리해 주는 것
⑤ 아버지를 도와주는 것

16 대화를 듣고, 여자가 집에 늦게 온 이유로 가장 적절한 것을 고르시오.
① 막차를 놓쳐서   ② 차가 고장 나서
③ 시계가 고장 나서   ④ 일이 너무 많아서
⑤ 시계를 잃어버려서

17 다음 그림의 상황에 가장 적절한 대화를 고르시오.

①   ②   ③   ④   ⑤

18 다음을 듣고, 여자가 공부에 집중하는 방법으로 언급하지 <u>않은</u> 것을 고르시오.
① Make a task list.
② Find a good place.
③ Don't listen to music.
④ Take breaks.
⑤ Don't give up.

[19~20] 대화를 듣고, 여자의 마지막 말에 이어질 남자의 응답으로 가장 적절한 것을 고르시오.

19 Man: _____
① For two months.
② Not far from here.
③ Two large gardens.
④ Only twice a week.
⑤ At least for three hours.

20 Man: _____
① You don't seem to be messy.
② I mean I'll buy you more closets.
③ You'd better buy more clothes if you need.
④ You don't put your clothes back in their places.
⑤ You often clean your room yourself.

Dictation Test 03회 영어 듣기모의고사

01 그림 정보 파악 – 날씨

다음을 듣고, 베이징의 오늘 날씨로 가장 적절한 것을 고르시오.

① ② ③
④ ⑤

M Good morning. This is Eric Parker with ABC World Weather. In New York, we will see a clear and beautiful sky all day. In London, it will be cloudy with **❶**_____ _____ _____ _____ in the afternoon. Let's **❷**_____ _____ _____. In Tokyo, it will be a hot and sticky day while in Beijing, it will **❸**_____ _____ _____ _____ _____.

02 그림 정보 파악 – 사물   영국식 발음 녹음

대화를 듣고, 여자가 구입할 엽서로 가장 적절한 것을 고르시오.

① ② ③
④ ⑤

😊 제안·권유하기 //////////////////////
What(How) about ~? / Why don't we(you) ~? /
You'd better ~. / (I think) you should(ought to) ~.

M What are you doing, Suji?
W **❶**_____ _____ _____ _____ for my pen pal in South Africa.
M Oh, you have a pen pal? I didn't know that. **❷**_____ _____ _____ _____ find a good one.
W Thanks. That would be great.
M What about this one with puppies?
W It's cute. But I want something more traditional. I want the postcard **❸**_____ _____ _____ _____.
M I see. Then, you should buy this one with Namdaemun.
W That's good. I know that it's Korea's national treasure number 1.

03 심정 파악

대화를 듣고, 어젯밤에 남자가 느꼈을 심정으로 가장 적절한 것을 고르시오.

① upset   ② excited   ③ interested
④ hopeful   ⑤ cautious

W You seem to be tired.
M I couldn't sleep at all **❶**_____ _____ _____ _____.
W What happened?
M He **❷**_____ _____ _____ _____ _____. It made me crazy.
W So, did you say anything to him?
M Yes. I advised him not to play the piano at night. But I'm not sure that he'll **❸**_____ _____ _____.

📖 Words **01** chance 가능성 sticky 끈적거리는 yellow dust 황사   **02** pen pal 펜팔, 편지 친구 South Africa 남아프리카 공화국 national treasure 국보   **03** seem ~처럼 보이다 noisy 시끄러운 dawn 새벽 advise 충고하다(cf. advice 충고)

04 한 일 / 할 일 파악

대화를 듣고, 남자가 학교 축제에서 한 일로 가장 적절한 것을 고르시오.

① 춤추기
② 노래 부르기
③ 악기 연주하기
④ 연극 공연하기
⑤ 마술 쇼 공연하기

M Mom, I'm home.
W How did it go with the school festival, Jack? ❶_____ _____ _____ _____ _____ with your friends, weren't you?
M Yes, we were, but we changed the plan at the last moment.
W What do you mean?
M Well..., Mike didn't bring the music file, so we couldn't ❷_____ _____ _____ _____.
W What did you do, then?
M We sang together. It was embarrassing at first, but we enjoyed it. The rest of the students sang with us.
W I'm so glad that ❸_____ _____ _____.

05 장소 추론

대화를 듣고, 두 사람이 대화하는 장소로 가장 적절한 곳을 고르시오.

① 경찰서   ② 병원   ③ 소방서
④ 학교 양호실   ⑤ 보석 상점

🔵 궁금증 표현하기 ////////////////////////
I wonder if you can ~. / I want to know if you can ~. / I'd like to know if you can ~.

W Hi, Minsu. Why did you come here? What's wrong?
M Hi, Ms. Anderson, I wonder if you can help me with this ring.
W Let me see. The ring seems to be ❶_____ _____ _____ _____ _____.
M Yes. It hurts a lot.
W ❷_____ _____ _____ oil or soap?
M Yes, but it didn't work.
W Then there's nothing I can do here. I'll take you to the hospital.
M But I ❸_____ _____ _____ _____ after lunch.
W Don't worry. I'll tell your homeroom teacher about this.

06 의도 파악

대화를 듣고, 남자의 마지막 말의 의도로 가장 적절한 것을 고르시오.

① 감사 ② 허락 ③ 사과 ④ 축하 ⑤ 변명

🔵 didn't you의 발음 ////////////////////////
[t]나 [d]로 끝나는 단어의 바로 뒤에 [ju:]로 시작되는 단어가 오면, 둘이 합해져서 [tʃ]나 [dʒ]로 발음이 되어 마치 [츄]나 [쥬]처럼 들리게 된다. 따라서 didn't you는 [디든트 유]가 아니라 [디든츄]처럼 발음된다.

W Hi, Brian.
M Hi, Minji. I heard ❶_____ _____ _____ _____ in the dance contest. Congratulations!
W Thanks. I was quite lucky.
M No, I don't think so. ❷_____ _____ _____ _____, 🅟 didn't you?
W Well, that's true.
M I'm so happy to have a friend like you. Let's have a party ❸_____ _____ _____ _____.

📖 Words **04** be supposed to ~하기로 되어 있다 moment 순간 embarrassing 당황스러운 rest 나머지 end well 끝을 잘 맺다 **05** tight 꽉 조여 있는 soap 비누 work 효과가 있다 **06** contest 대회 practice 연습하다 celebrate 축하하다 success 성공

Dictation Test

07 언급하지 않은 것 영국식 발음 녹음

대화를 듣고, 남자가 자전거를 탈 때 주의 사항으로 언급하지 않은 것을 고르시오.

① 안전모 착용　　② 운동화 착용
③ 고장 여부 확인　④ 휴대 전화 사용 금지
⑤ 음악 듣기 금지

M Surprise! This bike is for your birthday.

W I can't believe it! Thanks, Dad!

M My pleasure. But you should ❶ _____ _____ _____ _____. First, make sure to wear a helmet when you ride the bike.

W I promise I will. Don't worry, Dad.

M Do ❷ _____ _____.

W All right. Now, can I try the bike?

M There's one more thing. ❸ _____ _____ _____ _____ when you ride the bike.

W What about listening to music?

M No way! That's dangerous, too!

08 한 일 / 할 일 파악

대화를 듣고, 여자가 대화 직후에 할 일로 가장 적절한 것을 고르시오.

① 동네 산책하기　　② 포스터 만들기
③ 동물 병원에 들르기　④ 고양이와 사진 찍기
⑤ 이메일로 사진 보내기

ⓟ neighborhood의 발음
neighborhood[néibərhùd]처럼 gh가 묵음으로 소리 나는 단어들이 있다. thought[θɔːt], daughter[dɔ́ːtər], weight[weit] 등도 마찬가지로 gh가 소리 나지 않는다.

M Jenny, where are you running to?

W My cat ran away from my house.

M Oh, my. I'll help you find him.

W Thanks. But what should I do ❶ _____ _____ _____ _____ _____?

M I think ❷ _____ _____ _____ _____ _____ in the ⓟ neighborhood. Do you have a picture of him?

W Yes.

M Then I'll make a poster ❸ _____ _____ _____ _____ _____.

W Thank you. I'll email his picture to you right now.

09 언급하지 않은 것

다음을 듣고, 여자가 해양 박물관에 대해 언급하지 않은 것을 고르시오.

① 박물관의 위치
② 티켓 구매처
③ 티켓 가격
④ 음식물 반입 여부
⑤ 사진 촬영 가능 여부

😊 희망, 기대 표현하기
We hope ~. / We're looking forward to ~.

W Hello, everyone. Welcome to the Marine Museum. We are going to open in ten minutes. You can buy ❶ _____ _____ _____ _____ _____ by the entrance. Tickets cost $15 for adults and $7 for children. Please ❷ _____ _____ _____ _____ _____ or drinks inside. You may take pictures if you want. Some of the exhibits are very old and can break easily, so ❸ _____ _____ _____ _____ _____. We hope you enjoy the exhibits.

Words　07 safely 안전하게 helmet 헬멧 promise 약속하다 sneakers 스니커즈, 운동화　08 put up ~을 게시하다, 내붙이다 neighborhood 이웃, 인근　09 marine 바다의, 해양의 ticket booth 매표소 entrance 입구 inside 안에, 안으로 exhibit 전시품

10 주제 파악

다음을 듣고, 남자가 하는 말의 내용으로 가장 적절한 것을
고르시오.

① 대기 오염의 원인
② 대중교통의 편리성
③ 자전거 통학 시 유의 사항
④ 건강을 유지하기 위한 방법
⑤ 대기 오염을 줄이기 위한 방법

M The air is getting dirtier and dirtier. There is something you can do to improve the city's air quality. You can leave your car and ❶ _____ _____ _____ _____. If it is too hard to do that every day, you can try taking the bus or subway every other day. You can ❷ _____ _____ _____ if your workplace is not that far. It will ❸ _____ _____ _____ _____, too. Why don't you try getting around a different way from tomorrow?

11 내용 일치 / 불일치

대화를 듣고, 남자가 언급한 내용과 일치하지 <u>않는</u> 것을
고르시오.

① 대만으로 여행을 갈 계획이었다.
② 다음 주 금요일에 여행을 떠날 계획이었다.
③ 건강상의 이유로 여행을 취소했다.
④ 항공사로부터 환불을 받지 못할 것이다.
⑤ 환불되지 않는 비행기 표를 구매했다.

😠 화냄 표현하기 //////////////////////////////
I'm upset(annoyed). / I can't stand ~. / ~ is
(very) annoying(irritating).

M I can't believe it!   W What's up?
M Do you remember that I was planning to take a trip to Taiwan?
W Sure. You are leaving next Friday, right?
M That was my plan. But I ❶ _____ _____ _____ _____ _____ because of the earthquake.
W Oh. I heard ❷ _____ _____ _____ _____ in Taiwan yesterday.
M The airline told me that they wouldn't ❸ _____ _____ _____ because I bought a nonrefundable ticket. I'm so upset.
W That's too bad.

12 목적 파악

대화를 듣고, 남자가 전화를 건 목적으로 가장 적절한 것을
고르시오.

① to return his pencil sharpener
② to ask if they sell pencil sharpeners
③ to ask how to fix his pencil sharpener
④ to complain about his pencil sharpener
⑤ to order a pencil sharpener over the phone

[*Telephone rings.*]
W This is Laura Smith at ABC Mart. How may I help you?
M Hello. I wonder if you have pencil sharpeners.
W Sure. We have ❶ _____ _____ _____ _____ _____.
M Good. How much are they on average?
W ❷ _____ _____ _____ from $10 to $30.
M Thanks. I'll ❸ _____ _____ _____.
W Okay. I'll wait for you.

13 숫자 정보 파악 – 시각

대화를 듣고, 두 사람이 점심 식사를 할 시각을 고르시오.

① 11:00   ② 11:30   ③ 12:00
④ 12:30   ⑤ 13:00

M Jina, it's already 11:30. I've finished my homework.
W Oh, have you?
M If you've finished yours, ❶ _____ _____ _____ _____ _____?
W Not yet. It'll take about thirty more minutes to finish mine.
M I see, let's have lunch then.
W Sorry, but I have to go to the post office ❷ _____ _____ _____ _____.
M Then how about an hour later from now?
W Okay. See you then ❸ _____ _____ _____ _____.

📖 **Words** **10** improve 개선하다 every other day 격일로 commute 통근하다 workplace 직장 **11** Taiwan 대만 earthquake 지진 nonrefundable 환불되지 않는 **12** pencil sharpener 연필깎이 on average 평균적으로 **13** parcel 소포

Dictation Test

14 관계 추론

대화를 듣고, 두 사람의 관계로 가장 적절한 것을 고르시오.

① 시민 – 경찰관 ② 감독 – 운동선수
③ 연극배우 – 감독 ④ 디자이너 – 패션모델
⑤ 고객 – 판매원

😊 기억이나 망각 여부 묻기 ///////////////

Don't you remember ~? / I wonder if you remember ~. / You haven't forgotten ~, have you?

W Mr. Brown, I'm so nervous now.
M Try to calm down, Jenny. I'm sure ❶_____ _____ _____ Claire.
W Do you really think so?
M Sure. Don't you remember you've practiced really hard?
W Yes, I do. I did my best ❷_____ _____ _____ _____ you taught me.
M If you don't forget those skills, you'll surely beat her.
W I see.
M And be sure to ❸_____ _____ _____ _____ _____ all the time.

15 부탁한 일 파악

대화를 듣고, 여자가 남자에게 부탁한 일로 가장 적절한 것을 고르시오.

① 차를 빌려주는 것 ② 차를 사 주는 것
③ 차를 태워 주는 것 ④ 차를 수리해 주는 것
⑤ 아버지를 도와주는 것

W Jinsoo, can you ❶_____ _____ _____ _____ to my home?
M Didn't you bring your car?
W No. My dad is using the car today.
M Then, I'll drive you home.
W Thanks. And I'm thinking of ❷_____ _____ _____.
M Don't! I'll drive you ❸_____ _____ _____ _____. Buying another car is a waste of money.
W You're really good. Thanks again!

16 이유 파악 영국식 발음 녹음

대화를 듣고, 여자가 집에 늦게 온 이유로 가장 적절한 것을 고르시오.

① 막차를 놓쳐서 ② 차가 고장 나서
③ 시계가 고장 나서 ④ 일이 너무 많아서
⑤ 시계를 잃어버려서

😊 비난 거부하기 ///////////////

It's not my fault. / Don't blame me. / It was just a mistake.

M It's already 11 p.m. What makes you come home late?
W I'm terribly sorry, Dad.
M What happened? Did you ❶_____ _____ _____ _____?
W No.
M Then did you have ❷_____ _____ _____ _____ _____?
W No, but it's not my fault. ❸_____ _____ _____ and I didn't recognize it.
M Oh, really? Don't be late next time.

Words **14 calm down** 진정하다 **beat** (게임, 시합에서) 이기다 **surely** 확실히, 분명히 **be sure to** 반드시 ~을 해라 **15 give ~ a ride** ~를 태워 주다 **waste** 낭비 **16 terribly** 대단히, 몹시 **fault** 잘못, 책임 **recognize** 인식하다

17 그림 상황에 어울리는 대화 찾기

다음 그림의 상황에 가장 적절한 대화를 고르시오.

① ② ③ ④ ⑤

① **W** Excuse me. You're _____ _____ _____ _____.

M I'm terribly sorry. I didn't realize it.

② **W** Is this seat taken?

M No, it's empty. Go ahead and sit down.

③ **W** These shoes will ❷ _____ _____ _____.

M Can I try them on?

④ **W** Is ❸ _____ _____ _____ _____ city hall?

M Yes, it is.

⑤ **W** How can I get to the department store?

M You should take bus number sixteen.

18 언급하지 않은 것   영국식 발음 녹음

다음을 듣고, 여자가 공부에 집중하는 방법으로 언급하지 않은 것을 고르시오.

① Make a task list.
② Find a good place.
③ Don't listen to music.
④ Take breaks.
⑤ Don't give up.

W Many students have a tough time ❶ _____ _____. Here are some tips for you. First, you have to ❷ _____ _____ _____ on what you should study. Second, you should find a good place to study. You can listen to music if it helps you concentrate on studying. And ❸ _____ _____ _____ _____ whenever you feel tired. Finally, you shouldn't give up.

[19~20] 대화를 듣고, 여자의 마지막 말에 이어질 남자의 응답으로 가장 적절한 것을 고르시오.

19 알맞은 응답 찾기

Man: _____

① For two months.
② Not far from here.
③ Two large gardens.
④ Only twice a week.
⑤ At least for three hours.

W I can't believe this. There ❶ _____ _____ _____ _____ _____.

M You're right. When I first came here, it was just an empty place.

W Grandpa, now it's a beautiful garden. I love it!

M Happy to hear that.

W You worked really hard ❷ _____ _____ _____ _____, didn't you?

M Yes. And I've been still working on it.

W Really? How long ❸ _____ _____ _____ _____ a day?

20 알맞은 응답 찾기

Man: _____

① You don't seem to be messy.
② I mean I'll buy you more closets.
③ You'd better buy more clothes if you need.
④ You don't put your clothes back in their places.
⑤ You often clean your room yourself.

😊 동의나 이의 여부 묻기 //////////////////

Don't you agree? / Would(Do) you agree with me?

M Jane, ❶ _____ _____ _____ _____ _____.

W Dad, there's a reason for that.

M I'm curious about it, dear. Please tell me about it.

W That's because I don't have ❷ _____ _____ _____ _____ _____. Don't you agree?

M Well..., yes. But I think ❸ _____ _____ _____ _____ _____.

W What do you mean, Dad?

🎧 **Words** 　**17** step on ~을 밟다 fit (옷이나 신발 등이) 맞다 be headed for ~로 향하다 　**18** focus on ~에 집중하다 make a list 목록을 만들다 concentrate 집중하다 　**19** empty 빈 garden 정원 　**20** messy 지저분한, 엉망인 closet 옷장

01 다음을 듣고, 내일 날씨로 가장 적절한 것을 고르시오.

① ② ③

④  ⑤

02 대화를 듣고, 여자가 잃어버린 물건으로 가장 적절한 것을 고르시오.

① ② ③

④ ⑤

03 대화를 듣고, 남자의 심정으로 가장 적절한 것을 고르시오.

① angry　② bored　③ tired
④ excited　⑤ disappointed

04 대화를 듣고 남자가 주말에 한 일로 가장 적절한 것을 고르시오.

① 캠핑 가기　② 세차하기
③ TV 보기　④ 차 수리하기
⑤ 영화관 가기

05 대화를 듣고, 두 사람이 대화하는 장소로 가장 적절한 곳을 고르시오.

① 체육관　② 선실　③ 뷔페식당
④ 극장　⑤ 수영장

06 대화를 듣고, 여자의 마지막 말의 의도로 가장 적절한 것을 고르시오.

① 위로　② 감사　③ 제안　④ 사과　⑤ 칭찬

07 대화를 듣고, 여자가 식당 예약에 대해 언급하지 않은 것을 고르시오.

① 예약 시간　② 예약 인원　③ 예약 메뉴
④ 예약자 이름　⑤ 예약자 연락처

08 대화를 듣고, 남자가 대화 직후에 할 일로 가장 적절한 것을 고르시오.

① 창문 닫기　② 에어컨 켜기
③ 난방기 끄기　④ 환기시키기
⑤ 밖에 나가기

09 대화를 듣고, 여자가 응원 연습에 대해 언급하지 않은 것을 고르시오.

① 주간 연습 횟수　② 내일 연습 시작 시간
③ 준비물　④ 연습 장소
⑤ 응원팀 이름

10 다음을 듣고, 여자가 하는 말의 내용으로 가장 적절한 것을 고르시오.

① 분실물 보관소 위치
② 화재 진압법
③ 층별 매장 안내
④ 공연 일정
⑤ 비상 시 대피 방법

11 대화를 듣고, 여자가 언급한 내용과 일치하지 <u>않는</u> 것을 고르시오.

① 방학 동안 체중을 감량했다.
② 저녁 6시 이후에 음식을 먹지 않았다.
③ 매일 아침마다 조깅을 했다.
④ 일주일에 세 번 수영을 했다.
⑤ 잠을 충분히 잤다.

12 대화를 듣고, 남자가 전화를 건 목적으로 가장 적절한 것을 고르시오.

① 주문을 확인하기 위해서
② 주문을 취소하기 위해서
③ 배송지를 확인하기 위해서
④ 배달 시간을 변경하기 위해서
⑤ 주문 내역을 변경하기 위해서

13 대화를 듣고, 여자가 받을 거스름돈으로 가장 적절한 것을 고르시오.

① $3   ② $6   ③ $7   ④ $9   ⑤ $13

14 대화를 듣고, 두 사람의 관계로 가장 적절한 것을 고르시오.

① 아빠 – 딸   ② 친구 – 친구
③ 아빠 – 엄마   ④ 은행원 – 손님
⑤ 선생님 – 학생

15 대화를 듣고, 여자가 남자에게 부탁한 일로 가장 적절한 것을 고르시오.

① 외식하기   ② 함께 장보기
③ 간식 만들기   ④ 과일 사 오기
⑤ 저녁 식사 준비하기

16 대화를 듣고, 남자가 역사학자가 되고 싶은 이유로 가장 적절한 것을 고르시오.

① 근사해 보여서
② 전 세계를 여행하고 싶어서
③ 현대사를 전공하고 싶어서
④ 기술자가 되는 것이 힘들어서
⑤ 역사적인 미스터리를 좋아해서

17 다음 그림의 상황에 가장 적절한 대화를 고르시오.

① ② ③ ④ ⑤

18 다음을 듣고, 남자가 지켜야 할 규칙으로 언급하지 <u>않은</u> 것을 고르시오.

① 시험 시작 전에 교실에 들어가야 한다.
② 답을 쓸 때 연필을 사용하면 안 된다.
③ 시험 보기 전에 휴대 전화를 제출해야 한다.
④ 시험 보는 도중에 다른 사람을 보면 안 된다.
⑤ 시험이 끝나면, 즉시 답안지를 제출해야 한다.

[19~20] 대화를 듣고, 남자의 마지막 말에 이어질 여자의 응답으로 가장 적절한 것을 고르시오.

19 Woman: _____

① It is about 830 kg.
② I am 160 centimeters tall.
③ There should be an answer.
④ It takes about 10 hours to get there.
⑤ It is taller than any other building.

20 Woman: _____

① You can kill two birds with one stone.
② Keep practicing. Practice makes perfect.
③ There's no way. Don't cry over spilt milk.
④ Don't be afraid. Out of sight, out of mind.
⑤ It's just a ball. Don't judge a book by its cover.

01 [그림 정보 파악 – 날씨] 영국식 발음 녹음

다음을 듣고, 내일 날씨로 가장 적절한 것을 고르시오.

① ② ③ ④ ⑤

M Good evening. This is the weather report. We had a sunny and clear sky today. But _____ _____ _____ _____ from tonight to tomorrow afternoon. If you are planning outdoor activities, ❷ _____ _____ _____ _____ _____ for two days. You can enjoy sunny days from the day after tomorrow. Make sure ❸ _____ _____ _____ _____ for two days.

02 [그림 정보 파악 – 사물]

대화를 듣고, 여자가 잃어버린 물건으로 가장 적절한 것을 고르시오.

① ② ③ ④ ⑤

M Amy, ❶ _____ _____ _____ _____?
W I lost my bag. I don't know ❷ _____ _____ _____ _____.
M ❿ Sorry to hear that. I'll help you find it. What does it look like?
W It's ❸ _____ _____ _____ _____. It is a round one with a flower pattern.
M Anything else?
W It has a teddy bear key ring on it.
M Okay. Let's find it.

❿ sorry to hear의 발음 ///////////////////////////
강세를 받지 않는 전치사, 관사, 접속사 등은 모음이 약화되어 [ə]로 발음된다. I'm sorry to hear that.에서 to는 강세를 받지 않으므로 [투]가 아니라 [터] 정도로 들린다.

03 [심정 파악]

대화를 듣고, 남자의 심정으로 가장 적절한 것을 고르시오.

① angry   ② bored   ③ tired
④ excited   ⑤ disappointed

❤ 의도 표현하기 //////////////////////////////////
I'm thinking of ~. / I'm going(planning) to ~.

M Mom, is there anything else to buy?
W Yes, Peter. There is ❶ _____ _____ _____. Guess what?
M Come on, Mom.
W I'm thinking of buying you new shoes. Your shoes are too old.
M Do you mean it? I didn't expect you ❷ _____ _____ _____ _____. Thank you!
W You're welcome. Then let's go ❸ _____ _____ _____ _____.

ⓦords **01 outdoor** 야외의 **activity** 활동 **put off** (시간, 날짜를) 연기하다 **make sure** ~할 것을 명심하다 **02 long face** 시무룩한 얼굴 **shoulder bag** 숄더백 **key ring** 열쇠고리 **03 guess** 알아맞히다, 알아내다 **expect** 기대하다

04 한 일 / 할 일 파악

대화를 듣고 남자가 주말에 한 일로 가장 적절한 것을 고르시오.

① 캠핑 가기　　　② 세차하기
③ TV 보기　　　④ 차 수리하기
⑤ 영화관 가기

W Andrew, how was your weekend?
M It was terrible. I'll never forget it.
W Why? You said ❶ _____ _____ _____ with your family.
M Yes, we were going to, but we couldn't.
W What happened?
M ❷ _____ _____ _____ _____ _____ as soon as we started the car. So, we had to come back home by bus.
W I can't believe it! So what did you do after that?
M We ❸ _____ _____ _____ _____ and watched TV all day.

05 장소 추론

대화를 듣고, 두 사람이 대화하는 장소로 가장 적절한 곳을 고르시오.

① 체육관　　　② 선실　　　③ 뷔페식당
④ 극장　　　⑤ 수영장

🎧 buffet의 발음 ////////////////////////////
buffet[bəféi]는 우리가 흔히 말하는 [뷔페]가 아니라 [버페이]로 발음된다. buffet처럼 프랑스어에 어원을 둔 단어는 가급적 원래 음에 근접하게 발음하는 것이 원칙이다. recipe [레서피], bouquet [부케이] 등이 그러하다.

W Oh, this room is much better than I expected.
M Yes. We can ❶ _____ _____ _____ _____ in this cabin.
W Let's unpack first and ❷ _____ _____ _____.
M Okay. I heard that a buffet restaurant, a theater and a swimming pool are on this cruise ship.
W Really? I would like to swim.
M Then, let's ❸ _____ _____ _____ _____.

06 의도 파악

대화를 듣고, 여자의 마지막 말의 의도로 가장 적절한 것을 고르시오.

① 위로　② 감사　③ 제안　④ 사과　⑤ 칭찬

😢 슬픔 표현하기 ////////////////////////////
I feel really sad. / I'm so sad(unhappy). / That makes me really sad.

W I heard ❶ _____ _____ _____ _____. I'm very sorry to hear the news.
M Thanks, Jina. I feel really sad. He was a warm and admirable person.
W I know. You were lucky to have ❷ _____ _____ _____ _____.
M I miss him already.　W Don't ❸ _____ _____.

07 언급하지 않은 것　영국식 발음 녹음

대화를 듣고, 여자가 식당 예약에 대해 언급하지 않은 것을 고르시오.

① 예약 시간　　② 예약 인원　　③ 예약 메뉴
④ 예약자 이름　　⑤ 예약자 연락처

😢 실망 표현하기 ////////////////////////////
What a pity(shame)! / That's very disappointing. / I feel (very) disappointed.

[*Telephone rings.*]
M Seaside Restaurant. How can I help you?
W I'd like to ❶ _____ _____ _____ _____ _____ at 7 in the evening.　M Great. How many are in your party?
W Eight. Oh, could we ❷ _____ _____ _____ _____?
M I'm sorry, but all of our rooms are booked for tomorrow.
W What a pity! But that's okay.
M ❸ _____ _____ _____ _____ _____ and phone number?
W It's Catherine White, and my cellphone number is 010-1234-5678.
M Thank you so much, Mrs. White. We will see you tomorrow evening.

Words **04** **break down** 고장 나다　**05** **rest** 휴식　**cabin** (배의) 객실, 선실　**unpack** (짐을) 풀다　**06** **pass away** 사망하다　**admirable** 존경스러운 **lose heart** 낙담하다　**07** **party** 일행　**private** 조용히 있을 수 있는　**pity** 유감

Dictation Test

08 한 일 / 할 일 파악

대화를 듣고, 남자가 대화 직후에 할 일로 가장 적절한 것을 고르시오.

① 창문 닫기　　　　② 에어컨 켜기
③ 난방기 끄기　　　④ 환기시키기
⑤ 밖에 나가기

mind가 포함된 허락 요청에 답하기
• 허락하는 경우
　Not at all. / No, I don't. / Of course not.
• 허락하지 않는 경우
　Yes, I mind. / Of course. / Yes. It's not possible.

W It is noisy outside. I can't ❶ _____ _____ _____ _____.
M Little kids are playing hide-and-seek.
W Do you mind ❷ _____ _____ _____ _____ _____?
M Not at all. Go ahead.
W Thank you. (*pause*) That's much better.
M Do you want me to ❸ _____ _____ _____ _____ _____?
W Yes. please. It is getting hot.

09 언급하지 않은 것

대화를 듣고, 여자가 응원 연습에 대해 언급하지 <u>않은</u> 것을 고르시오.

① 주간 연습 횟수　　② 내일 연습 시작 시간
③ 준비물　　　　　　④ 연습 장소
⑤ 응원팀 이름

[*Telephone rings.*]
W Hello, Mike. I heard ❶ _____ _____ _____ _____.
　How do you feel?
M Not bad, thanks.
W ❷ _____ _____ _____ _____ cheerleading practice.
M How often do we practice a week?
W Twice a week and we are going to meet at 4 p.m. tomorrow.
M Okay. What should I bring?
W Bring white gloves. Oh, one more thing! You have to come to the students' hall, ❸ _____ _____ _____ _____.
M I see. Thank you for calling.

10 주제 파악　영국식 발음 녹음

다음을 듣고, 여자가 하는 말의 내용으로 가장 적절한 것을 고르시오.

① 분실물 보관소 위치
② 화재 진압법
③ 층별 매장 안내
④ 공연 일정
⑤ 비상 시 대피 방법

W Good afternoon, ladies and gentlemen. Let me tell you ❶ _____ _____ _____ _____. We have two emergency exits on this floor. They are at the both ends of this hall. Please note which is ❷ _____ _____ _____ _____ _____. In addition, if there's a fire, please stay calm and go to the nearest exit. When you go out, you should ❸ _____ _____ _____ _____. Thank you.

Words **08** hide-and-seek 숨바꼭질　air conditioner 에어컨　**09** have a cold 감기에 걸리다　cheerleading 응원　glove 장갑　students' hall 학생회관　**10** emergency 비상사태　note ~에 주목하다　in addition 게다가　orderly 질서 있는, 정연한　manner 방식, 태도

11 　내용 일치 / 불일치　영국식 발음 녹음

대화를 듣고, 여자가 언급한 내용과 일치하지 <u>않는</u> 것을 고르시오.

① 방학 동안 체중을 감량했다.
② 저녁 6시 이후에 음식을 먹지 않았다.
③ 매일 아침마다 조깅을 했다.
④ 일주일에 세 번 수영을 했다.
⑤ 잠을 충분히 잤다.

must have p.p.
must have p.p.는 '~했음에 틀림없다'는 뜻으로 과거의 사실에 대한 강한 추측을 나타낼 때 쓰는 표현이다.

M　Minji, you lost some weight, didn't you?
W　That's right. I ❶_____ _____ _____ _____ _____ during the summer vacation.
M　What did you do?
W　I ate less and didn't eat anything after 6 in the evening.
M　Didn't you do any exercise?
W　Of course! ❷_____ _____ _____ _____ and went swimming twice a week.
M　Wow! You must have been very busy.
W　That's right. But I ❸_____ _____ _____ _____ _____. That's also very important.
M　You're right.

12 　목적 파악

대화를 듣고, 남자가 전화를 건 목적으로 가장 적절한 것을 고르시오.

① 주문을 확인하기 위해서
② 주문을 취소하기 위해서
③ 배송지를 확인하기 위해서
④ 배달 시간을 변경하기 위해서
⑤ 주문 내역을 변경하기 위해서

물질명사의 단위
a carton of milk / a piece of paper / a loaf of bread / a spoonful of salt / a slice of cheese

[*Telephone rings.*]
W　Hello, Lucky Supermarket. How can I help you?
M　Hello. I bought some groceries online and ❶_____ _____ _____ _____ _____.
W　Please ❷_____ _____ _____ _____ _____.
M　LS13523.
W　You ordered two cartons of milk and three boxes of cereal, right?
M　Yes, and I want to add five bottles of water. Is it possible?
W　Sure. ❸_____ _____ _____ _____ _____ by 6 p.m. Thanks.

13 　숫자 정보 파악 - 금액

대화를 듣고, 여자가 받을 거스름돈으로 가장 적절한 것을 고르시오.

① $3　② $6　③ $7　④ $9　⑤ $13

가격 묻기
How much is it? / How much does it cost? / How much do I have to pay for that?

W　Please help me. I'm looking for ❶_____ _____ _____ _____.
M　How do you like this backpack?
W　Great. How much is it?
M　It's $37.
W　It's too expensive. ❷_____ _____ _____ _____, please.
M　Then, how about this briefcase? The original price is $24. But ❸_____ _____ _____ _____ $21.
W　Good! I'll take it. Here's $30.

Words　**11 lose weight** 체중을 줄이다　**jog** 조깅하다　**twice** 두 번　**12 grocery** 식료품　**order number** 주문 번호　**carton** (음식이나 음료를 담는) 갑, 통　**cereal** 시리얼, 곡류　**deliver** 배달하다　**13 briefcase** 서류 가방　**original** 원래의

Dictation Test

14 관계 추론

대화를 듣고, 두 사람의 관계로 가장 적절한 것을 고르시오.

① 아빠 – 딸　　　② 친구 – 친구
③ 아빠 – 엄마　　④ 은행원 – 손님
⑤ 선생님 – 학생

W　Please give me some money.
M　What do you need some money for?
W　I want to buy a gift for my best friend, Karen.
M　But I heard _____ _____ _____ _____ pocket money.
W　I ran out of money ❷ _____ _____ _____ _____.
M　Sweetie, I think you are using more money than your pocket money. You should ❸ _____ _____ _____ _____ _____.
W　Yes, I see what you mean.

15 부탁한 일 파악

대화를 듣고, 여자가 남자에게 부탁한 일로 가장 적절한 것을 고르시오.

① 외식하기　　　② 함께 장보기
③ 간식 만들기　　④ 과일 사 오기
⑤ 저녁 식사 준비하기

W　What do you think of *bibimbap* for dinner?
M　I'd love it. Are we going ❶ _____ _____ _____?
W　Well, I'm going to cook *bibimbap* at home.
M　Then, do you want me to buy things at a grocery store ❷ _____ _____ _____ _____?
W　Good. Yes, please.
M　Okay. I'll ❸ _____ _____ _____ _____ _____.
W　Oh, I want fruit, oranges and bananas in particular.

16 이유 파악

대화를 듣고, 남자가 역사학자가 되고 싶은 이유로 가장 적절한 것을 고르시오.

① 근사해 보여서
② 전 세계를 여행하고 싶어서
③ 현대사를 전공하고 싶어서
④ 기술자가 되는 것이 힘들어서
⑤ 역사적인 미스터리를 좋아해서

W　❶ _____ _____ _____ _____ _____ be in the future?
M　Well, I wanted to be an engineer before, but now I want to be a historian.
W　Why did you ❷ _____ _____ _____?
M　It's because I love discovering mysteries in history all over the world.
W　Wow, sounds terrific!
M　Yes. Ancient history, especially, ❸ _____ _____ _____ _____.

Words　**14 pocket money** 용돈　**run out of** ~을 다 써 버리다　**15 eat out** 외식하다　**in particular** 특히　**16 historian** 역사학자　**discover** 발견하다　**mystery** 미스터리　**terrific** 훌륭한, 멋진　**attract** (흥미를) 끌다

17 그림 상황에 어울리는 대화 찾기

다음 그림의 상황에 가장 적절한 대화를 고르시오.

① ② ③ ④ ⑤

① M What time is it now?
　W It's ten to five.
② M Are you _____ _____ _____ ?
　W Yes, I'd like the chicken salad and a glass of orange juice.
③ M This watch looks nice. How much is it?
　W It's $100.
④ M Did you watch the soccer game yesterday?
　W No, ❷ _____ _____ _____ . How was it?
⑤ M What a nice watch! Where did you get it?
　W My father ❸ _____ _____ _____ _____ _____ .

18 언급하지 않은 것

다음을 듣고, 남자가 지켜야 할 규칙으로 언급하지 **않은** 것을 고르시오.

① 시험 시작 전에 교실에 들어가야 한다.
② 답을 쓸 때 연필을 사용하면 안 된다.
③ 시험 보기 전에 휴대 전화를 제출해야 한다.
④ 시험 보는 도중에 다른 사람을 보면 안 된다.
⑤ 시험이 끝나면, 즉시 답안지를 제출해야 한다.

M As principal of our school, I hope you ❶ _____ _____ _____ _____ in the midterm exam. First, you should enter the classroom before the test starts. Second, you should not use a pencil, but a black pen ❷ _____ _____ _____ _____ _____ . Third, don't turn your head to others during the test. Finally, when the test time is up, ❸ _____ _____ _____ _____ _____ immediately.

[19~20] 대화를 듣고, 남자의 마지막 말에 이어질 여자의 응답으로 가장 적절한 것을 고르시오.

19 알맞은 응답 찾기

Woman: _____

① It is about 830 kg.
② I am 160 centimeters tall.
③ There should be an answer.
④ It takes about 10 hours to get there.
⑤ It is taller than any other building.

M I wonder what the tallest building in the world is.
W I think it is in Dubai.
M Do you know ❶ _____ _____ _____ _____ _____ ?
W Well..., why don't we search for it on the Internet?
M That's a great idea. ❷ _____ _____ _____ _____ right away.
W Okay. Hold on. (pause) I was right. It is Burj Khalifa in Dubai.
M Then ❸ _____ _____ _____ _____ ?

20 알맞은 응답 찾기

Woman: _____

① You can kill two birds with one stone.
② Keep practicing. Practice makes perfect.
③ There's no way. Don't cry over spilt milk.
④ Don't be afraid. Out of sight, out of mind.
⑤ It's just a ball. Don't judge a book by its cover.

설명 요청하기
What do you mean by that? / Could you explain about that? / Tell me about that more clearly.

W You look worried. What's wrong with you?
M We play basketball in P. E. class, and ❶ _____ _____ _____ .
W What do you mean by that?
M I mean I am so poor at catching balls. So, I ❷ _____ _____ _____ _____ .
W A basketball doesn't hurt you. You ❸ _____ _____ _____ _____ _____ .
M How can I get it over?

Words **17** order 주문하다 watch 손목시계　**18** enter 들어가다, 들어오다 hand in 제출하다 answer sheet 답안지 immediately 즉시　**19** search 검색하다 hold on 기다려, 멈춰　**20** be poor at ~에 서투르다 get over ~을 극복하다

01 대화를 듣고, 현재 날씨로 가장 적절한 것을 고르시오.

02 대화를 듣고, 남자가 구입할 물건으로 가장 적절한 것을 고르시오.

03 대화를 듣고, 여자의 심정으로 가장 적절한 것을 고르시오.

① bored   ② lonely   ③ terrific
④ nervous   ⑤ discouraged

04 대화를 듣고, 여자가 어제 한 일로 가장 적절한 것을 고르시오.

① 새 옷 구입
② 학용품 구입
③ 언니의 생일 선물 구입
④ 도서관에서 책 빌리기
⑤ 도서관에 책 반납하기

05 대화를 듣고, 두 사람이 대화하는 장소로 가장 적절한 곳을 고르시오.

① 공항   ② 기내   ③ 지하철역
④ 기차 승강장   ⑤ 버스 정류장

06 대화를 듣고, 여자의 마지막 말의 의도로 가장 적절한 것을 고르시오.

① 거절   ② 감사   ③ 부탁   ④ 제안   ⑤ 초대

07 대화를 듣고, 남자가 민속촌에서 할 수 있는 일로 언급하지 않은 것을 고르시오.

① 전통 음식 체험
② 전통 결혼식 구경
③ 민속 악기 배우기
④ 전통 음악과 춤 관람
⑤ 민속놀이 체험

08 대화를 듣고, 여자가 대화 직후에 할 일로 가장 적절한 것을 고르시오.

① 약 사다 주기
② 자장면 요리해 주기
③ 중국요리 시켜 주기
④ 얼음팩 가져다주기
⑤ 가려운 곳 긁어 주기

09 다음을 듣고, 여자가 새 세미나실에 대해 언급하지 않은 것을 고르시오.

① 기금 마련 방법   ② 예약 방법
③ 이용 시간   ④ 세미나실 개수
⑤ 이용 시 주의 사항

10 다음을 듣고, 남자가 하는 말의 내용으로 가장 적절한 것을 고르시오.

① 음악의 정서 순환 효과
② 음악의 집중력 증진 효과
③ 학습 상황에서 음악의 역효과
④ 한 번에 한 가지 과제에 집중하기
⑤ 최근 인기 있는 음악 장르

11 대화를 듣고, 남자의 사진에 대한 설명과 일치하는 것을 고르시오.

① 작년 가을에 찍었다.
② 만리장성에 있는 낙서를 찍었다.
③ 남자가 스스로를 찍은 사진이다.
④ 사진 속 남자는 풍경화를 그리고 있다.
⑤ 영화의 한 장면을 찍었다.

12 대화를 듣고, 남자가 전화를 건 목적으로 가장 적절한 것을 고르시오.

① 아이들과 야구하기 위해서
② 시험공부 방법을 묻기 위해서
③ 층간 소음에 대해 항의하기 위해서
④ 전화를 잘못 건 것을 사과하기 위해서
⑤ 공사 시작 날짜를 알리기 위해서

13 대화를 듣고, 두 사람이 만날 시각을 고르시오.

① 3:00 　② 3:30 　③ 5:00
④ 5:30 　⑤ 6:00

14 대화를 듣고, 두 사람의 관계로 가장 적절한 것을 고르시오.

① 손님 – 서점 직원
② 행인 – 경찰관
③ 버스 기사 – 승객
④ 야구 선수 – 야구팬
⑤ 관객 – 매표소 직원

15 대화를 듣고, 남자가 여자를 위해 할 일로 가장 적절한 것을 고르시오.

① 소고기 사다 주기
② 맛있는 요리 대접하기
③ 요리 선생님 소개해 주기
④ 불고기 조리법 가르쳐 주기
⑤ 어버이날 선물 함께 사러 가기

16 대화를 듣고, 남자가 마스크를 사러 가는 이유로 가장 적절한 것을 고르시오.

① 기침이 심해서 　　② 날씨가 추워서
③ 미세 먼지 때문에 　④ 얼굴에 상처가 나서
⑤ 멋을 내기 위해서

17 다음 그림의 상황에 가장 적절한 대화를 고르시오.

① 　　② 　　③ 　　④ 　　⑤

18 다음을 듣고, 여자가 청소하는 날에 대해 언급하지 **않은** 것을 고르시오.

① 오늘은 교내 청소가 실시된다.
② 방송실에서 최신곡을 틀어 줄 것이다.
③ 신청곡은 문자 메시지로 신청할 수 있다.
④ 최 선생님이 각 반의 청소 구역을 정해 줄 것이다.
⑤ 반장은 청소 도구를 가지러 교무실에 가야 한다.

[19~20] 대화를 듣고, 남자의 마지막 말에 이어질 여자의 응답으로 가장 적절한 것을 고르시오.

19 Woman: _____

① I'm not late for school.
② I don't want to eat breakfast.
③ I'll take the sandwich to school.
④ I don't know how to make a sandwich.
⑤ It's the most delicious one I've ever had.

20 Woman: _____

① Dr. Johnson will have lunch soon.
② Make a reservation two days before.
③ You don't have to wait for a long time.
④ Of course, but make sure you aren't late.
⑤ There's another hospital around the corner.

Dictation Test 05회 영어 듣기모의고사

01 그림 정보 파악 – 날씨

대화를 듣고, 현재 날씨로 가장 적절한 것을 고르시오.

① ② ③ ④ ⑤

W Have you ever been to Art Festival?

M Yes, I have. It's an outdoor event.

W Right. I'm going to go there with Sujin tomorrow. But I'm afraid that ❶ _____ _____ _____ _____.

M ❷ _____ _____ _____ _____ _____, it's cloudy now.

W However, the weather forecast said there would be ❸ _____ _____ _____ _____ _____. I believe in it.

M Sure, it will be perfect. Not to worry.

02 그림 정보 파악 – 사물

대화를 듣고, 남자가 구입할 물건으로 가장 적절한 것을 고르시오.

① ② ③ ④ ⑤

M Mom, ❶_____ _____ _____ _____ _____?

W No, I haven't. Search the closet.

M I've already searched for it there, but I couldn't find it.

W Then, you'd better buy a new one. Yours is too small and too old.

M No, I don't need a new backpack. I think I can borrow one from Jack. Instead, I have to buy ❷ _____ _____ _____ _____ _____.

W Your father already bought it for you. I think you ❸ _____ _____ _____ _____ _____.

M Okay, let's go shopping then.

03 심정 파악

대화를 듣고, 여자의 심정으로 가장 적절한 것을 고르시오.

① bored ② lonely ③ terrific
④ nervous ⑤ discouraged

😎 **능력 부인하기** ///////////////////////////////////
I don't know how to ~. / I'm not good at ~.

M You don't look good. What's wrong with you?

W I did my best, but ❶ _____ _____ _____ _____ the math test.

M Was it difficult?

W I don't think so. Most of my friends ❷ _____ _____ _____ _____.

M I'm sorry to hear that.

W I'm very disappointed. I don't know how to get over my math fear.

M Don't give up. Math needs ❸ _____ _____ _____.

📖 Words ‍ **01 perfect** 완벽한 **not to worry** 걱정할 것 없다 　 **02 backpack** 배낭 **hiking boot** 등산화 **pants** 바지 　 **03 disappointed** 실망한, 낙담한 **fear** 두려움 **give up** 포기하다 **effort** 노력, 수고

050 | 중학영어 듣기모의고사 **2**학년

04 한 일 / 할 일 파악   영국식 발음 녹음

대화를 듣고, 여자가 어제 한 일로 가장 적절한 것을 고르시오.

① 새 옷 구입
② 학용품 구입
③ 언니의 생일선물 구입
④ 도서관에서 책 빌리기
⑤ 도서관에 책 반납하기

M Hi, Jisu. Did you ❶_____ _____ _____ _____? You were on your way to the library when we met.

W I was. But I forgot it was Monday yesterday. The library was closed.

M Oh, I totally forgot, too. So, did you ❷_____ _____ _____ _____? W No, I went to the shopping mall.

M Did you ❸_____ _____ _____? It looks new.

W No, it's my sister's. I bought some school supplies.

05 장소 추론

대화를 듣고, 두 사람이 대화하는 장소로 가장 적절한 곳을 고르시오.

① 공항   ② 기내   ③ 지하철역
④ 기차 승강장   ⑤ 버스 정류장

도움 제안하기 /////////////////////////
May I help you? / Can I give you a hand? / Let me help you.

M ❶May I help you, ma'am?

W Yes. _____ _____ _____ _____ on the plane. Can I get back on the plane and bring it back?

M You are not allowed to ❷_____ _____ _____ _____.

W What can I do then?

M I'll call an attendant and tell her to look for your wallet.

W Thank you very much.

M ❸_____ _____ _____ _____ _____ and the seat number.   W It's OZ 101. My seat was 16A.

06 의도 파악

대화를 듣고, 여자의 마지막 말의 의도로 가장 적절한 것을 고르시오.

① 거절   ② 감사   ③ 부탁   ④ 제안   ⑤ 초대

W What are you ❶_____ _____ _____ _____ _____?

M I am planning a trip to Jeju-do.

W It's a beautiful and interesting place. You should go.

M Have you ever been to Jeju-do?

W Yes. I've been there twice, but I still want to go there again.

M The problem is flight tickets. ❷_____ _____ _____ _____ _____ during the summer vacation season.

W Why don't you ❸_____ _____ _____ _____? It's much cheaper.

07 언급하지 않은 것

대화를 듣고, 남자가 민속촌에서 할 수 있는 일로 언급하지 **않은** 것을 고르시오.

① 전통 음식 체험
② 전통 결혼식 구경
③ 민속 악기 배우기
④ 전통 음악과 춤 관람
⑤ 민속놀이 체험

impressive의 발음 /////////////////////////
한 단어 안에서 같은 자음이 반복될 경우에는 뒤에 오는 자음만 소리를 낸다. impressive는 [임프레스이브]가 아니라 [임프레시브]가 된다. impossible, appreciate 등의 단어도 마찬가지다.

W Have you ever heard about a Korean Folk Village?

M No, I haven't. I wonder what that place is like.

W It is a traditional Korean town. You can ❶_____ _____ _____ _____ _____.

M Like Korean traditional houses and food?

W Even more. You can watch a traditional wedding and ❷_____ _____ _____ _____ _____, too.

M Sounds very impressive. Is there a program where I can learn Korean culture directly?

W Sure. You can ❸_____ _____ _____ _____ and handcrafts.

Words 　**04 totally** 완전히, 전적으로 **school supplies** 학용품　**05 get back** ~에 돌아가다 **be allowed to** ~하는 것이 허용되다 **attendant** 승무원　**06 by sea** 해로로, 뱃길로　**07 folk** 민속의, 전통적인 **wedding** 결혼(식) **directly** 직접적으로 **handcraft** 수공예품

Dictation Test

08 한 일 / 할 일 파악

대화를 듣고, 여자가 대화 직후에 할 일로 가장 적절한 것을 고르시오.

① 약 사다 주기
② 자장면 요리해 주기
③ 중국요리 시켜 주기
④ 얼음팩 가져다주기
⑤ 가려운 곳 긁어 주기

W Look at your arms. They're all red.
M It's because of the *jajangmyeon* I ate in the Chinese restaurant. I'm allergic to shrimp.
W ❶ _____ _____ _____ _____ _____ if you were allergic?
M I didn't realize that it was ❷ _____ _____ _____.
W I see. Do you want me ❸ _____ _____ _____ _____ _____?
M Will you? I have a fever.

09 언급하지 않은 것 영국식 발음 녹음

다음을 듣고, 여자가 새 세미나실에 대해 언급하지 <u>않은</u> 것을 고르시오.

① 기금 마련 방법   ② 예약 방법
③ 이용 시간   ④ 세미나실 개수
⑤ 이용 시 주의 사항

😊 **감사하기** /////////////////////////////
We really (do) appreciate ~. / Thanks for ~.

W As you know, we have new seminar rooms in the school building. Some of your parents and ❶ _____ _____ _____ to make these seminar rooms possible. We really appreciate the donations. If you want to use a room, you should make a reservation ❷ _____ _____ _____ _____. The rooms are available from nine to six on weekdays. Please do not eat any food in the rooms. Also, please make sure ❸ _____ _____ _____ _____ _____ when you leave a room.

10 주제 파악 영국식 발음 녹음

다음을 듣고, 남자가 하는 말의 내용으로 가장 적절한 것을 고르시오.

① 음악의 정서 순환 효과
② 음악의 집중력 증진 효과
③ 학습 상황에서 음악의 역효과
④ 한 번에 한 가지 과제에 집중하기
⑤ 최근 인기 있는 음악 장르

M It is true that people love listening to music. This is especially true for students, so they often listen to music while they study. But according to a study, ❶ _____ _____ _____ _____. It is not easy to ❷ _____ _____ _____ _____ at the same time. Many students focus more on the music than the subject they are studying. You'd better take the headphones off if you want to ❸ _____ _____ _____ _____.

11 내용 일치 / 불일치

대화를 듣고, 남자의 사진에 대한 설명과 일치하는 것을 고르시오.

① 작년 가을에 찍었다.
② 만리장성에 있는 낙서를 찍었다.
③ 남자가 스스로를 찍은 사진이다.
④ 사진 속 남자는 풍경화를 그리고 있다.
⑤ 영화의 한 장면을 찍었다.

W Wow, I like this picture.
M Thank you. It's my favorite picture.
W Where and ❶ _____ _____ _____ _____ _____?
M It was taken at the Great Wall of China last summer. I ❷ _____ _____ _____ _____ and my friend took a picture of me.
W It seems like ❸ _____ _____ _____ _____ _____.
M It really does. That's why I like the picture.

📖 **Words** **08 allergic to** ~에 대해 알레르기가 있는 **shrimp** 새우(*pl.* shrimp(shrimps))   **09 graduate** 졸업생 **donate** 기부하다 **weekday** 주중, 평일   **10 disturb** 방해하다 **concentration** 집중력 **concentrate(focus) on** ~에 집중하다 **take off** 벗다   **11 landscape** 풍경화

12 목적 파악

대화를 듣고, 남자가 전화를 건 목적으로 가장 적절한 것을 고르시오.

① 아이들과 야구하기 위해서
② 시험공부 방법을 묻기 위해서
③ 층간 소음에 대해 항의하기 위해서
④ 전화를 잘못 건 것을 사과하기 위해서
⑤ 공사 시작 날짜를 알리기 위해서

😊 유감이나 동정 표현하기 ////////////////////////
I'm sorry to hear that. / That's a pity[shame].

[*Telephone rings.*]
W Hello?
M Hello, I'm Thomas from downstairs. Can I ask you a favor?
W Sure, what is it?
M I cannot focus on studying ❶ _____ _____ _____ _____. I'm having a midterm exam tomorrow.
W I'm sorry to hear that, but the noise may not be from my house. There's ❷ _____ _____ _____ _____.
M Oh, really? I'm sorry.
W No problem. Good luck with ❸ _____ _____ _____.
M Thank you, Ms. Mcguire.

13 숫자 정보 파악 – 시각

대화를 듣고, 두 사람이 만날 시각을 고르시오.

① 3:00　　② 3:30　　③ 5:00
④ 5:30　　⑤ 6:00

M Jane, I'm afraid I can't make it at 3 o'clock this afternoon.
W Do you mean we'd better ❶ _____ _____ _____?
M Actually, yes.
W Mm.... When will you be okay?
M How about at 5 o'clock? I have to ❷ _____ _____ _____ _____ at 3:30.
W Then ❸ _____ _____ _____ _____ _____ than that.
M Fine. See you then.

14 관계 추론

대화를 듣고, 두 사람의 관계로 가장 적절한 것을 고르시오.

① 손님 – 서점 직원
② 행인 – 경찰관
③ 버스 기사 – 승객
④ 야구 선수 – 야구팬
⑤ 관객 – 매표소 직원

M Hello, I'd like ❶ _____ _____ _____ for LA vs. New York.
W Okay. The baseball game is on July 3rd, at 3 o'clock in the afternoon. And there are yellow, red and green seats.
M I'd like ❷ _____ _____ _____ _____ for the yellow seats.
W They are $60.
M Can I ❸ _____ _____ _____ _____?
W Of course.

Words **12** noise 소음　midterm (한 학기) 중간의　except (~를) 제외하고는　**13** schedule 일정　dentist 치과　**14** book 예매하다　seat 자리, 좌석　pay 지불하다

Dictation Test

15 한 일 / 할 일 파악

대화를 듣고, 남자가 여자를 위해 할 일로 가장 적절한 것을 고르시오.

① 소고기 사다 주기
② 맛있는 요리 대접하기
③ 요리 선생님 소개해 주기
④ 불고기 조리법 가르쳐 주기
⑤ 어버이날 선물 함께 사러 가기

🔻 능력 부인하기 //////////////////////////
I'm not good at ~. / I don't know how to ~.

W ❶ _____ _____ _____ for Parents' Day?

M I'm going to cook *bulgogi* for my dad.

W That's a great idea. I'll just buy a small present for my parents. I wish ❷ _____ _____ _____ _____ _____.

M Do you want me to tell you how to cook *bulgogi*?

W It's no use. I'm not good at cooking.

M Believe me. *Bulgogi* is ❸ _____ _____ _____ _____ _____ to cook.

W Oh, yeah? Then you are my cooking teacher for today.

16 이유 파악

대화를 듣고, 남자가 마스크를 사러 가는 이유로 가장 적절한 것을 고르시오.

① 기침이 심해서   ② 날씨가 추워서
③ 미세 먼지 때문에   ④ 얼굴에 상처가 나서
⑤ 멋을 내기 위해서

W John, where are you going?

M I'm going to the pharmacy.

W Did you ❶ _____ _____ _____ ?

M No. I'm going to buy a mask.

W Why are you going to buy it?

M It's ❷ _____ _____ _____ _____ _____. Just look at the sky. It's gray. I'm worried about breathing in the dirty air. Fine dust can really ❸ _____ _____ _____.

W Oh, you're right. I think I should get a mask with you.

17 그림 상황에 어울리는 대화 찾기

다음 그림의 상황에 가장 적절한 대화를 고르시오.

① ② ③ ④ ⑤

① M I'm ❶ _____ _____ _____ _____ _____ tomorrow.

W Don't worry. You'll do well.

② M You look excited. What's up?

W My mom bought me a new smartphone because I did well on the test.

③ M Did you hand in the English paper?

W Oh, I almost forgot. Thanks for reminding me.

④ M Why don't we ❷ _____ _____ _____ _____ ?

W Um.... Let me think about it.

⑤ M Look! I ❸ _____ _____ _____ _____ on the test.

W Good job! I'm so proud of you.

Words **15** Parents' Day 어버이날 dish 요리   **16** pharmacy 약국 catch a cold 감기에 걸리다 fine dust 미세 먼지 breathe 숨을 쉬다
17 nervous 초조해하는 remind 상기시키다 perfect score 만점

054 | 중학영어 듣기모의고사 **2**학년

18 내용 일치 / 불일치

다음을 듣고, 여자가 청소하는 날에 대해 언급하지 **않은** 것을 고르시오.

① 오늘은 교내 청소가 실시된다.
② 방송실에서 최신곡을 틀어 줄 것이다.
③ 신청곡은 문자 메시지로 신청할 수 있다.
④ 최 선생님이 각 반의 청소 구역을 정해 줄 것이다.
⑤ 반장은 청소 도구를 가지러 교무실에 가야 한다.

asked to의 발음 ///////////////////////////
asked to는 [애스투]처럼 발음된다. [k], [t]의 두 개의 자음이 발음상의 편의를 위해 탈락된다.

W Good afternoon, students. It's Cleaning Day at our school. Here in the broadcasting booth, we're going to **①** _____ _____ _____ _____ for you. If there's a song you want to listen to, you can **②** _____ _____ _____ to 060-8999. Before we begin our broadcasting, here's an announcement from Ms. Choi. Class leaders are asked to come to the teachers' office to get brooms and garbage bags. We hope you **③** _____ _____ _____ _____.

[19~20] 대화를 듣고, 남자의 마지막 말에 이어질 여자의 응답으로 가장 적절한 것을 고르시오.

19 알맞은 응답 찾기

Woman: _____

① I'm not late for school.
② I don't want to eat breakfast.
③ I'll take the sandwich to school.
④ I don't know how to make a sandwich.
⑤ It's the most delicious one I've ever had.

맛에 대한 만족도 묻기 ///////////////////////
How do you like it? / How does it taste? / Is the taste all right?

M Hoyoung, are you still in the restroom? What are you doing?
W I told you I'm taking a shower. I'm almost finished.
M Please hurry, **①** _____ _____ _____ _____ for school.
W (opening the door) I'm done, Dad. I'm sorry to **②** _____ _____ _____ _____.
M It's okay. Go and have breakfast quickly.
W Wow, did you **③** _____ _____ _____ _____, Dad?
M I did. How do you like it?

---

20 알맞은 응답 찾기 영국식 발음 녹음

Woman: _____

① Dr. Johnson will have lunch soon.
② Make a reservation two days before.
③ You don't have to wait for a long time.
④ Of course, but make sure you aren't late.
⑤ There's another hospital around the corner.

W Can I help you?
M Yes. I'd like to **①** _____ _____ _____ _____ the doctor. How long do I have to wait?
W You have seven people ahead of you.
M Seven people?
W Yes, we have **②** _____ _____ _____ _____ _____.
M I see. How long will it take then?
W It'll take less than an hour.
M Can I **③** _____ _____ _____ _____ during the time?

Words **18** broadcasting booth 방송실 announcement 발표 broom 빗자루 garbage bag 쓰레기봉투 **19** restroom 화장실 take a shower 샤워를 하다 **20** make an appointment with ~와 약속을 하다 ahead of ~앞에 patient 환자

01 다음을 듣고, 내일 날씨로 가장 적절한 것을 고르시오.

① 　② 　③

④ 　⑤

02 대화를 듣고, 남자가 구입할 컵으로 가장 적절한 것을 고르시오.

① 　② 　③

④ 　⑤

03 대화를 듣고, 여자의 심정으로 가장 적절한 것을 고르시오.

① angry　　　　② shocked
③ pleased　　　④ satisfied
⑤ disappointed

04 대화를 듣고, 남자가 대화 직후에 할 일로 가장 적절한 것을 고르시오.

① 표 예매하기　　　② 간식 준비하기
③ 잡지 구매하기　　④ 경기장 위치 묻기
⑤ 화장실 다녀오기

05 대화를 듣고, 두 사람이 대화하는 장소로 가장 적절한 곳을 고르시오.

① 서점　　② 문구점　　③ 도서관
④ 박물관　⑤ 영화관

06 다음을 듣고, 말하는 사람의 의도로 가장 적절한 것을 고르시오.

① 감사　② 격려　③ 사과　④ 칭찬　⑤ 부탁

07 다음을 듣고, 남자가 영어를 잘하기 위한 방법으로 언급하지 않은 것을 고르시오.

① 매일 학습하기
② 함께 공부할 친구 찾기
③ 학습 진도표 만들기
④ 단어장 가지고 다니기
⑤ 인터넷 자료 활용하기

08 대화를 듣고, 여자가 대화 직후에 할 일로 가장 적절한 것을 고르시오.

① 컴퓨터 다시 켜기
② 바이러스 검사하기
③ 불필요한 파일 삭제하기
④ 서비스 센터에 컴퓨터 맡기기
⑤ 시스템 프로그램 업데이트하기

09 다음을 듣고, 남자가 현재 학교에서 인기 있는 운동 종목으로 언급하지 않은 것을 고르시오.

① 농구　　　② 야구　　　③ 배드민턴
④ 축구　　　⑤ 수영

10 다음을 듣고, 여자가 하는 말의 내용으로 가장 적절한 것을 고르시오.

① 지도를 쉽게 읽는 방법
② 등산 코스를 정하는 방법
③ 캠핑 장소를 고르는 방법
④ 등산에 꼭 가져가야 하는 것
⑤ 산에서 길을 잃었을 때 대처 방법

11 대화를 듣고, 여자의 비행 일정에 대한 내용으로 일치하는 것을 고르시오.

① 구매 매수: 5장　　② 행선지: 부산
③ 출발 요일: 토요일　④ 출발 시간: 오후 7시
⑤ 비행시간: 40분

12 대화를 듣고, 남자가 전화를 건 목적으로 가장 적절한 것을 고르시오.

① 전화 요청 문자가 와서
② 약속을 연기하기 위해서
③ 과학 과제를 묻기 위해서
④ 전화번호부를 빌리기 위해서
⑤ 친구의 전화번호를 묻기 위해서

13 대화를 듣고, Linda의 현재 신장으로 가장 적절한 것을 고르시오.

① 155cm　② 162cm　③ 165cm
④ 168cm　⑤ 171cm

14 대화를 듣고, 두 사람의 관계로 가장 적절한 것을 고르시오.

① 가수 – 기자　　② 작곡가 – 가수
③ 영화배우 – 기자　④ 영화배우 – 감독
⑤ 관광객 – 여행 가이드

15 대화를 듣고, 여자가 남자에게 부탁한 일로 가장 적절한 것을 고르시오.

① 사진 찍기　　② 동생 돌보기
③ 축제 함께 가기　④ 사진기 빌리기
⑤ 모임 시간 연기하기

16 대화를 듣고, 여자가 대회 참가를 망설인 이유로 가장 적절한 것을 고르시오.

① 시험공부를 해야 해서
② 준비 기간이 충분하지 않아서
③ 대회 당일에 중요한 일이 있어서
④ 사람들 앞에 서는 것이 두려워서
⑤ 함께 대회에 나갈 파트너가 없어서

17 다음 그림의 상황에 가장 적절한 대화를 고르시오.

①　　②　　③　　④　　⑤

18 대화를 듣고, 남자가 잠을 푹 자기 위한 방법으로 언급하지 않은 것을 고르시오.

① 차 마시기　　② 운동하기
③ 우유 마시기　④ 음악 듣기
⑤ 가벼운 저녁 먹기

[19~20] 대화를 듣고, 여자의 마지막 말에 이어질 남자의 응답으로 가장 적절한 것을 고르시오.

19 Man: _____

① You shouldn't miss it.
② Eating fresh seafood is best.
③ I went there with my family.
④ It's Haeundae, a beautiful beach.
⑤ My grandparents love Busan best.

20 Man: _____

① Never mind. I'm okay.
② That's right. I totally agree with you.
③ I didn't mean it. Don't get me wrong.
④ Don't worry. I'm sure you can do well.
⑤ Thank you for asking. You are so kind.

Dictation Test 06회 영어 듣기모의고사

01 그림 정보 파악 – 날씨

다음을 듣고, 내일 날씨로 가장 적절한 것을 고르시오.

① ② ③
④ ⑤

W Here's the weather forecast for tomorrow. It is snowing now, but ❶ _____ _____ _____ _____ _____. Tomorrow, we will ❷ _____ _____ _____ _____ and it is going to continue for a couple of days. However, the temperature will still be low and the snow on the roads will be frozen. You should be careful when you drive ❸ _____ _____ _____ _____.

02 그림 정보 파악 – 사물 영국식 발음 녹음

대화를 듣고, 남자가 구입할 컵으로 가장 적절한 것을 고르시오.

① ② ③
④ ⑤

W What are you doing on the Internet?
M ❶ _____ _____ _____ _____ for Kate. Can you help me choose one?
W Of course. What do you have in mind?
M This one with a heart on it. What do you think?
W I think it's too simple.
M What about this one? The cat is so cute.
W Well, why don't you buy her ❷ _____ _____ _____ _____ _____? How about a mug with her name on it?
M Yeah. This website says we can print ❸ _____ _____ _____ _____ _____. It can be a very special gift for her.

03 심정 파악

대화를 듣고, 여자의 심정으로 가장 적절한 것을 고르시오.

① angry
② shocked
③ pleased
④ satisfied
⑤ disappointed

M What's up?
W You know my classmate, Sewan.
M Yes, I know him. What's wrong with him?
W He ❶ _____ _____ _____ _____ _____ all the time.
M Boys like playing soccer.
W I want to study during the break, but I ❷ _____ _____ _____ _____ _____.
M I understand. It ❸ _____ _____ _____ _____.
W I think I should talk about it with Sewan.

Words 01 temperature 기온, 온도 icy 얼음에 뒤덮인 snowy 눈이 덮인 02 mug 머그잔 choose 고르다, 선택하다 simple 단순한 print 찍다, 새기다 03 classmate 반 친구 during ~ 동안 break 휴식 (시간) annoying 짜증나는, 거슬리는

04 한 일 / 할 일 파악

대화를 듣고, 남자가 대화 직후에 할 일로 가장 적절한 것을 고르시오.

① 표 예매하기   ② 간식 준비하기
③ 잡지 구매하기   ④ 경기장 위치 묻기
⑤ 화장실 다녀오기

😊 **궁금증 표현하기** ////////////////////////////
I wonder ~. / I'm curious about ~. / I'd be (very) interested to know ~. / Can someone tell me about ~?

M Look at those ❶ _____ _____ _____, Mom.
W Yeah. It's quite long.
M I wonder how long it will take ❷ _____ _____ _____ _____ _____.
W I guess it may take at least 30 minutes.
M It will be boring then. Oh, how about reading a magazine together, Mom?
W Good idea. But we didn't bring one.
M Don't worry. I'll go to ❸ _____ _____ _____ _____ _____ and buy one.

05 장소 추론

대화를 듣고, 두 사람이 대화하는 장소로 가장 적절한 곳을 고르시오.

① 서점   ② 문구점   ③ 도서관
④ 박물관   ⑤ 영화관

M Excuse me. Can I ask you something?
W Of course. What is it?
M Where can I ❶ _____ _____ _____ _____ _____?
W They're in Section C on the second floor.
M Thanks. Well, how long ❷ _____ _____ _____ _____?
W ❸ _____ _____ _____, but you need an ID card.
M I see. Thanks.

06 의도 파악

다음을 듣고, 말하는 사람의 의도로 가장 적절한 것을 고르시오.

① 감사 ② 격려 ③ 사과 ④ 칭찬 ⑤ 부탁

[*Answering machine beeps.*]
W Hi, Jennifer. This is Mina. I am calling to say sorry. I always ❶ _____ _____ _____ _____ _____. But I had to ❷ _____ _____ _____ when you asked me to go to the mall today. I was not feeling good. I got another bad grade on the math test. My parents will be very disappointed, and I think I am going to ❸ _____ _____ _____ _____ _____. Please don't be upset. I promise I will go shopping with you next time.

07 언급하지 않은 것 영국식 발음 녹음

다음을 듣고, 남자가 영어를 잘하기 위한 방법으로 언급하지 <u>않은</u> 것을 고르시오.

① 매일 학습하기
② 함께 공부할 친구 찾기
③ 학습 진도표 만들기
④ 단어장 가지고 다니기
⑤ 인터넷 자료 활용하기

😊 **의무 표현하기** /////////////////////////////
You have to ~. / You should(ought to) ~. / You're expected to ~.

M Many of you want to know how to speak English better. ❶ _____ _____ _____ _____ for you. First, you have to try to study something every day. And it can be helpful to find friends to study, ❷ _____ _____ _____ _____ _____. Also, try to carry a vocabulary book of useful words and phrases. Lastly, ❸ _____ _____ _____ _____ on the Internet can help you.

📙 Words   **04** in line 줄을 서서   at least 적어도   convenience store 편의점   **05** section 구역   floor 층   ID card 신분증(= identification card)
       06 share 공유하다   turn down 거절하다   tutor 가정교사   **07** helpful 도움이 되는   vocabulary 어휘   phrase 구(句)   lastly 마지막으로

Dictation Test

08 한일/할일파악

대화를 듣고, 여자가 대화 직후에 할 일로 가장 적절한 것을 고르시오.

① 컴퓨터 다시 켜기
② 바이러스 검사하기
③ 불필요한 파일 삭제하기
④ 서비스 센터에 컴퓨터 맡기기
⑤ 시스템 프로그램 업데이트하기

W Mike, can I ask you ❶ _____ _____ _____ _____?
M Sure. What is it?
W It's too slow. I don't know why.
M Did you check for viruses?
W I already did, but ❷ _____ _____ _____ _____.
M How about deleting junk files, then?
W Junk files?
M Yes, there can be unnecessary files. They can ❸ _____ _____ _____ _____. W Okay, I'll try.

09 언급하지 않은 것 영국식 발음 녹음

다음을 듣고, 남자가 현재 학교에서 인기 있는 운동 종목으로 언급하지 않은 것을 고르시오.

① 농구 ② 야구 ③ 배드민턴
④ 축구 ⑤ 수영

😊 비교하기 ///////////////////////////////////
not as(so) ~ as ...는 '…만큼 ~하지 않은'이라는 뜻으로 두 대상을 비교할 때 쓰는 표현이다.

M Students in our school love to play ❶ _____ _____ _____ _____ _____. Popular sports for the boys are basketball and baseball while the girls like volleyball and badminton. ❷ _____ _____ _____ _____ _____ both boys and the girls is soccer. Swimming is not as popular as the other sports, but many students answered they would like ❸ _____ _____ _____ _____.

10 주제 파악

다음을 듣고, 여자가 하는 말의 내용으로 가장 적절한 것을 고르시오.

① 지도를 쉽게 읽는 방법
② 등산 코스를 정하는 방법
③ 캠핑 장소를 고르는 방법
④ 등산에 꼭 가져가야 하는 것
⑤ 산에서 길을 잃었을 때 대처 방법

W Have you ever gotten lost on a hike? It can happen to anybody. ❶ _____ _____ _____ the following. First, as soon as you get lost, stop. If you move without a plan, ❷ _____ _____ _____ _____ _____. Second, ask yourself, "How did I get to this place? Was I going north or south?" Third, ❸ _____ _____ _____ _____ and try to find out where you are. Make a plan and move. One more thing. Don't panic, and stay calm.

11 내용 일치/불일치

대화를 듣고, 여자의 비행 일정에 대한 내용으로 일치하는 것을 고르시오.

① 구매 매수: 5장 ② 행선지: 부산
③ 출발 요일: 토요일 ④ 출발 시간: 오후 7시
⑤ 비행시간: 40분

🔊 island의 발음 ///////////////////////////////////
island[áilənd]처럼 l 앞에서 s가 묵음으로 발음되는 단어들이 있다. '복도, 통로'를 뜻하는 aisle[ail]의 s도 묵음이다.

W Hello, ❶ _____ _____ _____ _____ four airplane tickets to Jeju Island.
M When ❷ _____ _____ _____ _____ _____?
W This Friday.
M What time do you want to leave, in the morning or in the afternoon?
W The earlier, the better.
M There are tickets leaving at 7 a.m. and ❸ _____ _____ _____ _____ about forty minutes.
W I'll take that. Thanks!

📖 Words 08 check 살피다, 점검하다 delete 삭제하다 junk 가치 없는 09 popular 인기 있는 volleyball 배구 10 get lost 길을 잃다 keep in mind 명심하다 north 북쪽 south 남쪽 take out 꺼내다 panic 허둥대다 11 book 예약하다

12 [목적 파악]

대화를 듣고, 남자가 전화를 건 목적으로 가장 적절한 것을 고르시오.

① 전화 요청 문자가 와서
② 약속을 연기하기 위해서
③ 과학 과제를 묻기 위해서
④ 전화번호부를 빌리기 위해서
⑤ 친구의 전화번호를 묻기 위해서

😮 **전화와 관련된 용어** ////////////////////////////
phone number (전화번호) / phone directory (전화번호부) / text message (문자 메시지) / Don't text while you're driving. (운전 중에 문자를 보내지 마세요.)

[*Cellphone rings.*]

W Hi, Michael. What's up?

M Hi, Jimin. Do you know Mina's phone number?

W I think I know. Why ❶ _____ _____ _____ _____ _____ ?

M She and I are in the same group for a science project. I ❷ _____ _____ _____ _____ _____ about our project.

W Well, I have to look it up in my phone directory.

M Then can you text her number to me?

W Okay. Just ❸ _____ _____ _____ _____ and wait for a minute.

M Thank you.

13 [숫자 정보 파악 – 수치] 영국식 발음 녹음

대화를 듣고, Linda의 현재 신장으로 가장 적절한 것을 고르시오.

① 155cm   ② 162cm   ③ 165cm
④ 168cm   ⑤ 171cm

M Linda, is this ❶ _____ _____ _____ _____ _____ ?

W Yes, it is. We took it during the last summer vacation.

M Who's this boy? He ❷ _____ _____ _____ _____ .

W He's my younger brother, William. He is three centimeters taller than me.

M Then is he 165 centimeters tall?

W No, he isn't. He is 168 centimeters tall now. And I'm still three centimeters ❸ _____ _____ _____ .

14 [관계 추론]

대화를 듣고, 두 사람의 관계로 가장 적절한 것을 고르시오.

① 가수 – 기자   ② 작곡가 – 가수
③ 영화배우 – 기자   ④ 영화배우 – 감독
⑤ 관광객 – 여행 가이드

W It's great to meet you.

M Nice to meet you, too.

W Is it your ❶ _____ _____ _____ _____ _____ ?

M Yes. I've always wanted to come and finally I'm here!

W Do you know what the most popular song of yours is in Korea?

M Maybe *I'm Yours*? That's my favorite song, too.

W Right. ❷ _____ _____ _____ _____ _____ to Korean fans?

M Okay. Hello. Thank you for loving my songs. I hope many people will come to my concert and ❸ _____ _____ _____ _____ _____ .

Words **12 project** 프로젝트, 계획 **look up** (정보를) 찾아보다 **phone directory** 전화번호부 **hang up** 전화를 끊다 **13 still** 여전히 **14 finally** 마침내 **fan** 팬

Dictation Test

15 부탁한 일 파악

대화를 듣고, 여자가 남자에게 부탁한 일로 가장 적절한 것을 고르시오.

① 사진 찍기　　　② 동생 돌보기
③ 축제 함께 가기　④ 사진기 빌리기
⑤ 모임 시간 연기하기

ⓟ little의 발음 /////////////////////////////////
little, water, matter, letter 등의 어휘에서 [t] 소리는 [r]로 바뀌어 [리를], [워럴], [매럴], [레럴]처럼 발음된다.

[*Cellphone rings.*]

M　Hi, Lisa. What's up?

W　Hi, Paul. ❶ _____ _____ _____ _____ _____ to today's club meeting.

M　Why? We are planning to ❷ _____ _____ _____ _____ _____.

W　I know, but I have to take care of my little ⓟ brother.

M　Aren't you ❸ _____ _____ _____ _____ _____?

W　Yeah, I am. So..., if you have a camera, can I ask you to do that instead of me?

M　Okay, I can.

W　Thank you.

16 이유 파악

대화를 듣고, 여자가 대회 참가를 망설인 이유로 가장 적절한 것을 고르시오.

① 시험공부를 해야 해서
② 준비 기간이 충분하지 않아서
③ 대회 당일에 중요한 일이 있어서
④ 사람들 앞에 서는 것이 두려워서
⑤ 함께 대회에 나갈 파트너가 없어서

M　What are you looking at?

W　I'm looking at the sign-up sheet for the speech contest.

M　Are you going to enter it?

W　I want to, but it's so ❶ _____ _____ _____ _____ _____ in front of many people.

M　Hey, you said you wanted ❷ _____ _____ _____ _____ _____, didn't you?

W　Yeah, I did.

M　❸ _____ _____ _____ _____ in front of a crowd.

W　You're right. I should give it a try.

17 그림 상황에 어울리는 대화 찾기

다음 그림의 상황에 가장 적절한 대화를 고르시오.

① ② ③ ④ ⑤

ⓞ 안도감 표현하기 ////////////////////////
That's a relief. / What a relief! / Thank goodness. / I'm relieved(glad) to hear ~.

① M　How often ❶ _____ _____ _____ _____ _____?

W　Three times a day.

② M　What ❷ _____ _____ _____ _____ _____ _____ in the future?

W　I want to be a pharmacist.

③ M　I think I'm over my cold.

W　That's a relief.

④ M　What's wrong with your dog?

W　He doesn't eat at all.

⑤ M　My grandmother is sick in bed.

W　I hope ❸ _____ _____ _____ _____.

Words 　15 **prepare** 준비하다　**instead of** ~ 대신에　16 **look at** ~을 보다　**sign-up sheet** 참가 신청서(*cf.* sign up 신청하다)　**speech contest** 웅변대회　**enter** (대회 등에) 참가하다　**give it a try** 시도하다　17 **pharmacist** 약사　**relief** 안도, 안심　**get better** 호전되다

18 언급하지 않은 것

대화를 듣고, 남자가 잠을 푹 자기 위한 방법으로 언급하지 않은 것을 고르시오.

① 차 마시기 ② 운동하기
③ 우유 마시기 ④ 음악 듣기
⑤ 가벼운 저녁 먹기

😊 생각할 시간 요청하기 /////////////////////////////

Let me see(think). / Just a moment. / May I think about that for a moment?

W I couldn't sleep well last night. ❶_____ _____ _____
_____ three a.m.
M Oh, that's too bad.
W Do you know how to get a good night's sleep?
M Let me see. ❷_____ _____ _____ _____
or warm milk?
W I do that every day.
M Then, listen to music.
W What kind of music is good?
M It should be soft music. Plus, ❸_____ _____ _____
_____ _____.
W Thanks for your tips. I'll try them.

[19~20] 대화를 듣고, 여자의 마지막 말에 이어질 남자의
응답으로 가장 적절한 것을 고르시오.

19 알맞은 응답 찾기

Man: _____

① You shouldn't miss it.
② Eating fresh seafood is best.
③ I went there with my family.
④ It's Haeundae, a beautiful beach.
⑤ My grandparents love Busan best.

W Do you ❶_____ _____ _____ _____ the summer
vacation?
M Not really. What about you?
W I'm going to visit my friend in Busan.
M That's nice. Busan is ❷_____ _____ _____ _____
_____.
W Have you been there before?
M Of course, many times. My grandparents live there.
W Really? ❸_____ _____ _____ _____ _____ in
Busan?

20 알맞은 응답 찾기

Man: _____

① Never mind. I'm okay.
② That's right. I totally agree with you.
③ I didn't mean it. Don't get me wrong.
④ Don't worry. I'm sure you can do well.
⑤ Thank you for asking. You are so kind.

M What are you doing? You look busy.
W ❶_____ _____ _____ _____ for social studies class
today.
M What's it about?
W It's about the festivals all around the world. ❷_____ _____
_____ for the whole week.
M I know ❸_____ _____ _____ _____. When is the
presentation?
W Next class. Oh, I feel so nervous.

Ⓦords **18 soft** 감미로운 **light** 가벼운   **19 dynamic** 활기 있는 **grandparent** 조부모   **20 presentation** 발표 **social studies** 사회(학)
whole 전체의, 모든 **diligent** 부지런한

01 다음을 듣고, 금요일의 날씨로 가장 적절한 것을 고르시오.

① ② ③
④ ⑤

02 대화를 듣고, 여자가 구입할 모자로 가장 적절한 것을 고르시오.

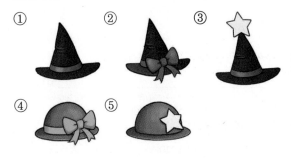

① ② ③
④ ⑤

03 대화를 듣고, 여자의 심정으로 가장 적절한 것을 고르시오.

① bored   ② lonely   ③ grateful
④ gloomy   ⑤ regretful

04 대화를 듣고, 여자가 어제 한 일로 가장 적절한 것을 고르시오.

① 엄마와 산책하기   ② 피자 먹기
③ 수학 시험 보기   ④ 자전거 구입하기
⑤ 생일 파티하기

05 대화를 듣고, 두 사람이 대화하는 장소로 가장 적절한 곳을 고르시오.

① 시장   ② 극장   ③ 공항
④ 버스 정류장 ⑤ 우체국

06 다음을 듣고, 말하는 사람의 의도로 가장 적절한 것을 고르시오.

① 거절   ② 불만   ③ 사과   ④ 감사   ⑤ 소개

07 대화를 듣고, 두 사람이 '별 관측의 밤'에 가져가지 않을 것을 고르시오.

① 담요   ② 사진기   ③ 망원경
④ 간식   ⑤ 침낭

08 대화를 듣고, 남자가 대화 직후에 할 일로 가장 적절한 것을 고르시오.

① 손님 접대하기   ② 거실 청소하기
③ 저녁 식사 준비하기   ④ 친척에게 전화하기
⑤ 생일 케이크 주문하기

09 다음을 듣고, 여자가 도서관 이용에 대해 언급하지 않은 것을 고르시오.

① 도서관 위치   ② 도서관 이용 시간
③ 도서 보유 권수   ④ 대출 기간
⑤ 대출 시 필요한 것

10 다음을 듣고, 여자가 하는 말의 내용으로 가장 적절한 것을 고르시오.

① 다양한 통신 수단
② 컴퓨터 중독의 심각성
③ 컴퓨터 끄는 법
④ 컴퓨터실 이용 규칙
⑤ 적절한 컴퓨터 이용 시간

11 다음을 듣고, 심사위원이 말하는 내용과 일치하지 <u>않는</u> 것을 고르시오.

① 영어 연극 대회의 결과를 발표하고 있다.
② 2등은 '피노키오', 3등은 '신데렐라'를 공연했다.
③ 1등은 '백설 공주와 일곱 난쟁이'를 공연했다.
④ 1등을 수상한 팀의 대표는 서유나이다.
⑤ 수상자 모두 부상을 받게 되었다.

12 대화를 듣고, 남자가 전화를 건 목적으로 가장 적절한 것을 고르시오.

① 방문 약속을 하기 위해서
② 분실물을 찾아 주기 위해서
③ 기차 예약을 확인하기 위해서
④ 수리된 전화기를 찾아가기 위해서
⑤ 노부인에게 감사를 전하기 위해서

13 대화를 듣고, 남자가 지불해야 할 금액으로 가장 적절한 것을 고르시오.

① $3   ② $7   ③ $10   ④ $13   ⑤ $17

14 대화를 듣고, 두 사람의 관계로 가장 적절한 것을 고르시오.

① fan - staff   ② interviewer - actor
③ director - actor   ④ movie fan - actor
⑤ interviewer - director

15 대화를 듣고, 두 사람이 내일 할 일로 가장 적절한 것을 고르시오.

① 코트 구입하기   ② 소풍 가기
③ 비옷 수선하기   ④ 병원 방문하기
⑤ 일행 모집하기

16 대화를 듣고, 여자가 초조해하는 이유로 가장 적절한 것을 고르시오.

① 오디션이 얼마 남지 않아서
② 같이 춤 출 파트너가 없어서
③ 극장에 늦을까 봐 걱정되어서
④ 춤을 추다가 틀릴 것 같아서
⑤ 오디션에서 떨어질 것 같아서

17 다음 그림의 상황에 가장 적절한 대화를 고르시오.

①   ②   ③   ④   ⑤

18 다음을 듣고, 여자가 오늘 일정에 대해 언급하지 <u>않은</u> 것을 고르시오.

① 대피 훈련이 있을 것이다.
② 오후에는 수업이 없을 것이다.
③ 학생들은 체육관에 모여야 한다.
④ 비디오 영상을 시청할 것이다.
⑤ 훈련은 오후 세 시에 끝날 것이다.

[19~20] 대화를 듣고, 여자의 마지막 말에 이어질 남자의 응답으로 가장 적절한 것을 고르시오.

19 Man: _____

① They look like hyenas.
② Sorry, I don't like them.
③ Yes, I'm satisfied with them.
④ Well, I'm not sure about that.
⑤ No, I don't want to go to Africa at all.

20 Man: _____

① Don't buy too much.
② Don't be disappointed.
③ Why don't you buy them?
④ Do you really like to buy them?
⑤ In my opinion, they will love them!

01 그림 정보 파악 – 날씨

다음을 듣고, 금요일의 날씨로 가장 적절한 것을 고르시오.

① ② ③
④ ⑤

M It's time for the weather report for this week. We had a lot of sunny days last week. We will ❶_____ _____ _____ _____ _____. It's going to be sunny until this Wednesday. It will be cloudy on Thursday, and it will start raining in the night. The rain will continue until Saturday morning, but we will ❷_____ _____ _____ in the afternoon. The weather ❸_____ _____ _____ _____ _____ on Sunday.

02 그림 정보 파악 – 사물   영국식 발음 녹음

대화를 듣고, 여자가 구입할 모자로 가장 적절한 것을 고르시오.

① ② ③
④ ⑤

😊 **동의나 이의 여부 묻기** //////////////////////////
Don't you think so? / Don't you agree with me? / What do you think?

M Kate, what are you looking at on the monitor?
W I have to buy a hat. I'm going to play ❶_____ _____ _____ _____ _____ in the school play.
M Oh, I see. The hat should be pointed, right?
W Yes.
M I think ❷_____ _____ _____ _____ _____ will be nice. Don't you think so?
W Well, I don't agree with you. The hat shouldn't be cute.
M How about this one with ❸_____ _____ _____ _____ _____?
W That's better. I'll order it right now.

03 심정 파악   영국식 발음 녹음

대화를 듣고, 여자의 심정으로 가장 적절한 것을 고르시오.

① bored   ② lonely   ③ grateful
④ gloomy   ⑤ regretful

😊 **감사하기와 감사에 답하기** //////////////////////////
• 감사하기: Thanks. / Thank you for ~. / I appreciate ~.
• 감사에 답하기: You're welcome. / No problem. / My pleasure.

[Telephone rings.]
M Hello, this is Jean. Did you get what I sent?
W Yes, thanks. Your package ❶_____ _____ _____ _____. How did you know my birthday?
M It's easy to remember. It's December 24th, every Christmas Eve.
W I don't know ❷_____ _____ _____. Thanks again.
M You're welcome. I know it's hard to live alone without your family. I'd hope the present ❸_____ _____ _____ _____.
W You are such a kind man.

Words 01 sunshine 햇빛, 햇살 clear (날씨가) 맑은 02 play 연기하다; 연극 witch 마녀 pointed 뾰족한, 날카로운 right now 즉시
03 package 소포 bright 발랄한, 생기 있는 cheer up 힘을 불러일으키다

04 　한 일 / 할 일 파악

대화를 듣고, 여자가 어제 한 일로 가장 적절한 것을 고르시오.

① 엄마와 산책하기　② 피자 먹기
③ 수학 시험 보기　④ 자전거 구입하기
⑤ 생일 파티하기

😮 놀람 표현하기 //////////////////////
That's surprising! / What a surprise! / I can't believe it.

M　You look happy today.
W　Yes, I'm so happy. My mom told me she will ❶ _____ _____ _____ _____, pizza.
M　Why? You did something great?
W　Yes. I ❷ _____ _____ _____ _____ yesterday and got a perfect score.
M　😮 That's surprising! Congratulations!
W　Thanks. My mom is also going to ❸ _____ _____ _____ _____ _____ on my birthday.

05 　장소 추론

대화를 듣고, 두 사람이 대화하는 장소로 가장 적절한 곳을 고르시오.

① 시장　② 극장　③ 공항
④ 버스 정류장　⑤ 우체국

🅟 receipt의 발음 //////////////////////
receipt[risíːt]처럼 [p] 소리가 나지 않는 단어들이 있다. cupboard(찬장), psychology(심리학), corps(군대) 등이 대표적인 예이다.

M　I'd like to ❶ _____ _____ _____.
W　Where to?
M　To Canada. How much is the postage?
W　It costs two dollars per kilogram.
M　How much do I have to pay for this?
W　Let me see. You'll ❷ _____ _____ _____ _____ worth four dollars and twenty cents.
M　Okay, here you are. May I have the receipt?
W　Sure, ❸ _____ _____ _____.

06 　의도 파악

다음을 듣고, 말하는 사람의 의도로 가장 적절한 것을 고르시오.

① 거절　② 불만　③ 사과　④ 감사　⑤ 소개

😮 불평하기 //////////////////////
I want to complain about ~. / I'm not happy about ~.

W　I bought the newest video camera at your store last Sunday. However, a problem came up, and I want to complain about it. I can ❶ _____ _____ _____ _____ _____, but it doesn't play the file. I'd like to ❷ _____ _____ _____. I don't want it to be fixed. I'll be ❸ _____ _____ _____ _____.

📙 **Words** **05** postage 우편 요금　cost (비용이) ~ 들다　per ~마다, ~당　worth ~의 가치가 있는　receipt 영수증　wait a second 잠깐 기다리다 **06** newest 최신의　come up 생기다, 발생하다　record 녹화하다　full refund 전액 환불　fix 수리하다　reply 대답

Dictation Test

대화를 듣고, 두 사람이 '별 관측의 밤'에 가져가지 않을 것을 고르시오.

① 담요   ② 사진기   ③ 망원경
④ 간식   ⑤ 침낭

W   Tomorrow is Star-Watching Night.

M   Yes. ❶ _____ _____ _____ _____ we'll have a clear sky tomorrow.

W   That's great. But it may be cold. Don't ❷ _____ _____ _____ _____ _____.

M   Okay. What else do we need?

W   We need a camera, a telescope and some snacks.

M   Do we need a sleeping bag?

W   No, it's too cold to sleep outside. We'll ❸ _____ _____ _____ _____ _____.

M   Sounds nice. I can't wait!

대화를 듣고, 남자가 대화 직후에 할 일로 가장 적절한 것을 고르시오.

① 손님 접대하기   ② 거실 청소하기
③ 저녁 식사 준비하기   ④ 친척에게 전화하기
⑤ 생일 케이크 주문하기

W   David, are you busy? I need your help.

M   I'm not busy. ❶ _____ _____ _____ _____ you, Mom?

W   Today is grandpa's birthday. Some of ❷ _____ _____ _____ _____ _____ tonight. They are going to arrive here soon.   M   Okay. What shall I do first?

W   I will order a birthday cake and make dinner for them. Why don't you start to ❸ _____ _____ _____ _____?

M   Okay.

다음을 듣고, 여자가 도서관 이용에 대해 언급하지 않은 것을 고르시오.

① 도서관 위치   ② 도서관 이용 시간
③ 도서 보유 권수   ④ 대출 기간
⑤ 대출 시 필요한 것

W   Hello, ABC Middle School students! This is ❶ _____ _____ _____. Today, I'd like to tell you about our library system. The library is on the second floor of the main building. It opens at 9 a.m. and closes at 5 p.m. There are about ten thousand books of ❷ _____ _____ _____ _____ _____. You can read books here or borrow them. ❸ _____ _____ _____ bring your student ID card when you visit to borrow books. Thanks.

다음을 듣고, 여자가 하는 말의 내용으로 가장 적절한 것을 고르시오.

① 다양한 통신 수단
② 컴퓨터 중독의 심각성
③ 컴퓨터 끄는 법
④ 컴퓨터실 이용 규칙
⑤ 적절한 컴퓨터 이용 시간

W   Hello, students. I'd like to inform you about some ⓟ important things before class. As you know, there are some rules when you ❶ _____ _____ _____ _____. First, you must not ❷ _____ _____ _____ _____ _____ without teacher's permission. Second, you must always turn off the computers when you leave the room. Lastly, ❸ _____ _____ _____ _____ in the room. I hope you will follow the rules.

ⓟ **important thing의 발음** ////////////////////
important[impɔːrtnt]의 중간에 있는 [t]는 약화되어 [임포른트]처럼 소리 나고, 마지막 [t]는 뒤따르는 thing의 [θ]의 영향으로 탈락되어 전체가 [임포른띵]처럼 발음된다.

Ⓦords   **07** blanket 담요   telescope 망원경   **sleeping bag** 침낭   **08** assist 돕다   relative 친척   **09** librarian 사서   genre 장르   **borrow** 빌리다   **10** inform 알리다   install 설치하다   permission 허락, 허가

11 내용 일치 / 불일치

다음을 듣고, 심사위원이 말하는 내용과 일치하지 <u>않는</u> 것을 고르시오.

① 영어 연극 대회의 결과를 발표하고 있다.
② 2등은 '피노키오', 3등은 '신데렐라'를 공연했다.
③ 1등은 '백설 공주와 일곱 난쟁이'를 공연했다.
④ 1등을 수상한 팀의 대표는 서유나이다.
⑤ 수상자 모두 부상을 받게 되었다.

M As a member of the jury, I'd like to say "Thank you" to you all. I'll now _____ _____ _____ of this English play contest. Are you ready for it? Third place goes to *Cinderella*, and ❷_____ _____ _____ *Pinocchio*. And finally, the winner of the play contest is Yuna Seo and her team, *Snow White and the Seven Dwarfs*! Everyone, ❸_____ _____ _____ _____ _____!

12 목적 파악

대화를 듣고, 남자가 전화를 건 목적으로 가장 적절한 것을 고르시오.

① 방문 약속을 하기 위해서
② 분실물을 찾아 주기 위해서
③ 기차 예약을 확인하기 위해서
④ 수리된 전화기를 찾아가기 위해서
⑤ 노부인에게 감사를 전하기 위해서

ⓟ **returned it의 발음** ///////////////////////
returned[rité:rnd]와 it[it]이 연달아 이어지면 [d]와 [i]가 자연스럽게 만나 [di]처럼 소리 난다. 즉, [리터언딧]과 유사한 발음이 된다.

[*Telephone rings.*]
M ❶_____ _____ _____ _____ Jimin Lee, please?
W She's not in. This is her mother. Who's calling, please?
M This is the Lost and Found center.
W Oh, what's up?
M Jimin Lee left her mobile phone on the subway last night. ❷_____ _____ _____ _____ ⓟ it and returned it to us.
W How kind! I'll ❸_____ _____ _____ _____ _____. Thank you for calling.

13 숫자 정보 파악 – 금액

대화를 듣고, 남자가 지불해야 할 금액으로 가장 적절한 것을 고르시오.

① $3 ② $7 ③ $10 ④ $13 ⑤ $17

W Can I help you?
M Yes. I need three black pens.
W Each one is $1. Do you ❶_____ _____ _____?
M Yes. I also need two sketchbooks and a paintbrush, too.
W Here they are.
M How ❷_____ _____ _____ _____?
W Two sketchbooks and a paintbrush are $7 in total.
M Okay, I'll ❸_____ _____ _____.

14 관계 추론

대화를 듣고, 두 사람의 관계로 가장 적절한 것을 고르시오.

① fan – staff
② interviewer – actor
③ director – actor
④ movie fan – actor
⑤ interviewer – director

😊 **주제 바꾸기** ///////////////////////
Let's move on to ~. / By the way, ~. / I'd like to say something else ~,

W Mr. Clark, congratulations on ❶_____ _____ _____ _____ _____. What made you go into the movies?
M My mother was a good actress and I've always ❷_____ _____ _____ _____ _____.
W All right, let's move on to the next question. When is your happiest moment as an actor?
M Whenever I hear that people ❸_____ _____ _____ _____ _____, I'm proud of myself.

📖 **Words** **11 jury** 심사위원단 **announce** 발표하다, 알리다 **place** (경기, 대회의) 순위 **12 Lost and Found** 분실물 보관소 **return** 돌려주다 **13 paintbrush** 그림 그리는 붓 **in total** 통틀어 **14 go into** ~에 입문하다 **whenever** ~할 때마다 **be impressed by** ~에 감동받다

Dictation Test

15 한 일 / 할 일 파악

대화를 듣고, 두 사람이 내일 할 일로 가장 적절한 것을 고르시오.

① 코트 구입하기 ② 소풍 가기
③ 비옷 수선하기 ④ 병원 방문하기
⑤ 일행 모집하기

W It's cloudy today. If it rains tomorrow, will we ❶ _____ _____ _____ _____ _____?

M Yes. It's unchangeable.

W Are you sure? We might catch a cold.

M Come on! ❷ _____ _____ _____ _____ doesn't matter to us.

W But I don't want to be sick.

M Then I'll prepare a raincoat for you. Now ❸ _____ _____ _____ _____?

W Okay. I'll go.

16 이유 파악

대화를 듣고, 여자가 초조해하는 이유로 가장 적절한 것을 고르시오.

① 오디션이 얼마 남지 않아서
② 같이 춤 출 파트너가 없어서
③ 극장에 늦을까 봐 걱정되어서
④ 춤을 추다가 틀릴 것 같아서
⑤ 오디션에서 떨어질 것 같아서

M What's the matter? You look pale.

W I'm really nervous now.

M What for? Do you have a test?

W No. I have to go to the theater to ❶ _____ _____ _____ of the audition. I ❷ _____ _____ _____ _____ last week.

M Take it easy. It'll be all right.

W I hope so. However, I'm still worried about ❸ _____ _____ _____ _____ _____.

M I can go there with you.

17 그림 상황에 어울리는 대화 찾기

다음 그림의 상황에 가장 적절한 대화를 고르시오.

① ② ③ ④ ⑤

① W Look! I ❶ _____ _____ _____ _____ _____!
  M Wow! It's huge!

② W What's your favorite pastime?
  M I like ❷ _____ _____ _____ _____.

③ W The phone call was a voice phishing scam.
  M What did he say?

④ W Did you know the price of fish is really high these days?
  M No, ❸ _____ _____ _____ _____.

⑤ W Have you seen the movie *Big Fish*?
  M No, I haven't. What is it about?

Words **15** unchangeable 바꿀 수 없는 raincoat 우비, 비옷 satisfied 만족스러운 **16** pale 창백한 What for? 무엇 때문에?(= Why?) pass (시험에) 합격하다 **17** huge 거대한 pastime 취미 voice phishing 보이스 피싱(전화 사기)

18 [언급하지 않은 것] 영국식 발음 녹음

다음을 듣고, 여자가 오늘 일정에 대해 언급하지 <u>않은</u> 것을 고르시오.

① 대피 훈련이 있을 것이다.
② 오후에는 수업이 없을 것이다.
③ 학생들은 체육관에 모여야 한다.
④ 비디오 영상을 시청할 것이다.
⑤ 훈련은 오후 세 시에 끝날 것이다.

W May I have your attention, students? As you know, there was an earthquake yesterday. Today, we are going to ❶_____ _____ _____ _____ at school. There will be no classes in the afternoon. Please finish your lunch a bit early and ❷_____ _____ _____ _____ _____ by one o'clock. You will watch a video clip there and ❸_____ _____ _____. Don't be late!

[19~20] 대화를 듣고, 여자의 마지막 말에 이어질 남자의 응답으로 가장 적절한 것을 고르시오.

19 [알맞은 응답 찾기]

Man: _____

① They look like hyenas.
② Sorry, I don't like them.
③ Yes, I'm satisfied with them.
④ Well, I'm not sure about that.
⑤ No, I don't want to go to Africa at all.

M You know what? I heard ❶_____ _____ _____ _____ _____ came to the National Zoo.
W Wow! How about ❷_____ _____ _____ _____ this Sunday?
M Do you like wild animals?
W Of course, I do. Do you know ❸_____ _____ _____ _____ _____ there?
M Cheetahs, lions, some snakes and so on.
W Oh, really? I'd like to see hyenas, too. Do you know whether hyenas came or not?

20 [알맞은 응답 찾기]

Man: _____

① Don't buy too much.
② Don't be disappointed.
③ Why don't you buy them?
④ Do you really like to buy them?
⑤ In my opinion, they will love them!

💬 **의견 묻기** ////////////////////////////////
What do you think of ~? / How do you feel about ~? / What is your opinion(view) ~?

M You look worried. Is something wrong?
W Yes. It's my parents' wedding anniversary this Saturday. But I haven't decided ❶_____ _____ _____ _____ _____.
M What do you think of getting a necktie for your dad and a scarf for your mom?
W Sounds good, but I ❷_____ _____ _____ _____. How about buying mobile phone cases?
M Wow, that's a good idea!
W I hope ❸_____ _____ _____ _____.

📖 **Words** **18** escape drill 대피 훈련 a bit 조금, 약간 gather 모이다 **19** wild animal 야생 동물 hyena 하이에나 **20** wedding anniversary 결혼기념일 case 용기, 통

01 다음을 듣고, 토요일의 날씨로 가장 적절한 것을 고르시오.

02 대화를 듣고, 남자가 구입할 접시로 가장 적절한 것을 고르시오.

03 대화를 듣고, 여자의 심정으로 가장 적절한 것을 고르시오.

① angry   ② excited   ③ surprised
④ bored   ⑤ disappointed

04 대화를 듣고, 남자가 마라톤 대회를 위해 할 일로 가장 적절한 것을 고르시오.

① 헬스클럽 등록하기   ② 대회 일정 확인하기
③ 대회 본부 방문하기   ④ 참가 신청서 작성하기
⑤ 마라톤 복장 구입하기

05 대화를 듣고, 두 사람이 대화하는 장소로 가장 적절한 곳을 고르시오.

① library   ② bookstore
③ post office   ④ subway station
⑤ school cafeteria

06 대화를 듣고, 여자의 마지막 말의 의도로 가장 적절한 것을 고르시오.

① 부탁   ② 사과   ③ 추천   ④ 동의   ⑤ 허가

07 대화를 듣고, 여자가 주문한 음식이 <u>아닌</u> 것을 고르시오.

① 햄버거 스테이크   ② 샐러드
③ 탄산음료   ④ 포도 주스
⑤ 아이스크림

08 대화를 듣고, 여자가 남자를 위해 할 일로 가장 적절한 것을 고르시오.

① 병문안 가기   ② 책 반납하기
③ 선생님 심부름하기   ④ 영어 공부 도와주기
⑤ 숙제 대신 제출하기

09 다음을 듣고, 남자가 호텔 이용에 대해 언급하지 <u>않은</u> 것을 고르시오.

① 수영장 위치
② 수영장 운영시간
③ 사우나 위치
④ 헬스클럽 이용시간
⑤ 비즈니스 라운지 이용시간

10 다음을 듣고, 여자가 하는 말의 내용으로 가장 적절한 것을 고르시오.

① 매일 샤워하기
② 물 아껴 쓰기
③ 올바른 양치 방법
④ 태양 에너지의 유용성
⑤ 미래의 대체 에너지

11 대화를 듣고, art class에 대한 내용으로 일치하지 <u>않는</u> 것을 고르시오.

① 중학생을 위한 강좌이다.
② 회화와 미술의 역사에 대한 수업이다.
③ 수업료는 무료이다.
④ 화요일과 목요일마다 수업이 있다.
⑤ 준비물은 필요하지 않다.

12 대화를 듣고, 여자가 공항에 가는 목적으로 가장 적절한 것을 고르시오.

① 해외여행을 가기 위해서
② 공항에서 일을 하기 위해서
③ 공항에서 일하는 친구를 만나기 위해서
④ 해외여행을 가는 친구를 배웅하기 위해서
⑤ 외국에서 돌아오는 친구를 환영하기 위해서

13 대화를 듣고, 대회에 응원을 하러 올 친구의 수를 고르시오.

① 4명 ② 5명 ③ 6명 ④ 7명 ⑤ 8명

14 대화를 듣고, 두 사람의 관계로 가장 적절한 것을 고르시오.

① 교사 – 학생   ② 소방관 – 시민
③ 가이드 – 관광객   ④ 건축업자 – 공무원
⑤ 교통 경찰관 – 운전자

15 대화를 듣고, 여자가 남자에게 부탁한 일로 가장 적절한 것을 고르시오.

① 숙제 도와주기   ② 함께 운동하기
③ 병원에 함께 가기   ④ 함께 병문안 가기
⑤ 적절한 운동 제안하기

16 대화를 듣고, 남자가 학교에 급히 가는 이유로 가장 적절한 것을 고르시오.

① 수업에 늦지 않기 위해서
② 친구들과 숙제를 하기 위해서
③ 축구 경기에 늦지 않기 위해서
④ 과제물을 제출하기 위해서
⑤ 교실에 두고 온 지갑을 찾기 위해서

17 다음 그림의 상황에 가장 적절한 대화를 고르시오.

①   ②   ③   ④   ⑤

18 대화를 듣고, 두 사람이 전시회에 대해 언급하지 <u>않은</u> 것을 고르시오.

① 개최 장소   ② 시작 날짜
③ 전시 품목   ④ 입장료
⑤ 티켓 구입 방법

[19~20] 대화를 듣고, 남자의 마지막 말에 이어질 여자의 응답으로 가장 적절한 것을 고르시오.

19 Woman: _____

① That sounds fun.
② Fortunately, I'm okay.
③ No. We'd better take a taxi.
④ Okay. Let's meet at the bus stop.
⑤ I think I should be more careful.

20 Woman: _____

① Sure. I'd love to learn it, too.
② Not really. I don't like skating.
③ Not at all. Come over anytime.
④ No problem. I'll teach you soon.
⑤ Yes. My favorite sport is skating.

Dictation Test 08회 영어 듣기모의고사

01 그림 정보 파악 – 날씨

다음을 듣고, 토요일의 날씨로 가장 적절한 것을 고르시오.

① ② ③ ④ ⑤

M Good morning. This is the weekly weather report. On Monday, it will be sunny in the afternoon, but it's ❶ _____ _____ _____ _____ _____ . On Tuesday, the rain will stop in the morning and it will ❷ _____ _____ _____ _____ _____ . On Wednesday, it will start to rain again, and ❸ _____ _____ _____ _____ _____ until Saturday. But we will have sunny weather on Sunday. Thank you.

02 그림 정보 파악 – 사물   영국식 발음 녹음

대화를 듣고, 남자가 구입할 접시로 가장 적절한 것을 고르시오.

① ② ③ ④ ⑤

W How can I help you?
M I'm ❶ _____ _____ _____ _____ _____ .
W Okay. How about this round one with a heart pattern?
M It looks nice. But ❷ _____ _____ _____ _____ _____ .
W All right. Then, this dish with a big flower pattern in the middle is really popular.
M I love it. I'll take it.
W Great. ❸ _____ _____ _____ _____ _____ for you.

03 심정 파악

대화를 듣고, 여자의 심정으로 가장 적절한 것을 고르시오.

① angry   ② excited   ③ surprised
④ bored   ⑤ disappointed

😊 소요 시간 묻고 답하기
How long does it take to ~? / How many hours does it take to ~? — It takes about 30 minutes (by car, by train, on foot).

W Dad, how long does it take to get to grandparents' house?
M It takes about 30 minutes.
W I hope we arrive soon. ❶ _____ _____ _____ _____ Grandma and Grandpa.
M There's not much traffic here. So we can get there quite soon.
W Did Grandma make apple pies?
M ❷ _____ _____ _____ for her lovely granddaughter.
W I ❸ _____ _____ _____ _____ _____ .

Words **01 continue** 계속되다 **02 dish** 접시 **round** 둥근 **square** 정사각형 모양의 **03 be dying to** 너무 ~하고 싶다 **traffic** 교통(량) **quite** 꽤, 상당히 **surely** 확실히, 분명히 **granddaughter** 손녀

04 한일 / 할일 파악

대화를 듣고, 남자가 마라톤 대회를 위해 할 일로 가장 적절한 것을 고르시오.

① 헬스클럽 등록하기　② 대회 일정 확인하기
③ 대회 본부 방문하기　④ 참가 신청서 작성하기
⑤ 마라톤 복장 구입하기

[*Telephone rings.*]

W　Hello, this is Emma Yoon, the director of the Seoul Marathon Festival.

M　Hi, I'd like to ____ ____ ____ ____ ____. How can I apply for it?

W　You need to ❷ ____ ____ ____ ____. You can download it on our homepage.

M　Should I mail the form after filling it in?

W　You can either email or mail it.

M　❸ ____ ____ ____ ____ your e-mail address?

W　It is also on our homepage.　M　I see. Thank you.

05 장소 추론

대화를 듣고, 두 사람이 대화하는 장소로 가장 적절한 곳을 고르시오.

① library　② bookstore
③ post office　④ subway station
⑤ school cafeteria

W　Aren't you Peter Jackson?　M　Oh, you're Mary, right?

W　Yes. I ❶ ____ ____ ____ ____ you here.

M　Me, neither. Do you like books?

W　Not much. I ❷ ____ ____ ____ ____ ____ for my friend. Tomorrow is her birthday.

M　I see. By the way, do you ❸ ____ ____ ____ ____ and new friends?　W　Yes. I like both.

06 의도 파악

대화를 듣고, 여자의 마지막 말의 의도로 가장 적절한 것을 고르시오.

① 부탁　② 사과　③ 추천　④ 동의　⑤ 허가

M　Mom, I'm home.

W　Jack, ❶ ____ ____ ____ ____ ?

M　I was at the library ❷ ____ ____ ____ ____.

W　Oh, will you go to the library again today?

M　Yes, I will. I'm going there after lunch. Why?

W　Good! I want you ❸ ____ ____ ____ ____ to the library. Today is the due date.

07 특정 정보 파악

대화를 듣고, 여자가 주문한 음식이 <u>아닌</u> 것을 고르시오.

① 햄버거 스테이크　② 샐러드
③ 탄산음료　④ 포도 주스
⑤ 아이스크림

M　May I help you?

W　Yes. I want a hamburger steak with a fresh salad.

M　Okay. Do you need a coke?

W　No. I want ❶ ____ ____ ____ ____.

M　Okay. Which do you want for dessert, ice cream or coffee?

W　Ice cream, please. And ❷ ____ ____ ____ ____ a washroom?

M　It's at ❸ ____ ____ ____ ____.

W　Thanks.

Words **04 director** 책임자, 감독　**apply for** ~에 신청하다, 지원하다　**fill out(in)** ~을 작성하다　**mail** (우편으로) 부치다　**05 both** 둘 다　**06 due date** 기한일, 반납일　**07 instead** 대신에　**washroom** 화장실

Dictation Test

08 한일 / 할일 파악

대화를 듣고, 여자가 남자를 위해 할 일로 가장 적절한 것을 고르시오.

① 병문안 가기　　② 책 반납하기
③ 선생님 심부름하기　　④ 영어 공부 도와주기
⑤ 숙제 대신 제출하기

헤어질 때 인사하기
See you later(again). / Take care. / Have a nice day.

W　Hello, Jack. I ❶ _____ _____ _____ _____ _____. Are you okay?

M　Yes, ❷ _____ _____ _____ _____. Thanks, Susie. Do we have homework or something?

W　Oh, we'll have an English quiz tomorrow.

M　Really? What should I do?

W　Don't worry. I can help you after school.

M　Thanks. ❸ _____ _____ _____ _____ at five? Just come over to my house.　W　Okay. See you later. Bye.

09 언급하지 않은 것

다음을 듣고, 남자가 호텔 이용에 대해 언급하지 <u>않은</u> 것을 고르시오.

① 수영장 위치
② 수영장 운영시간
③ 사우나 위치
④ 헬스클럽 이용시간
⑤ 비즈니스 라운지 이용시간

M　Thank you for visiting Seoul Hotel. We have a large swimming pool ❶ _____ _____ _____ _____ _____. You can use the pool from 8 a.m. to 9 p.m. Next to the swimming pool, there is a fitness club and sauna. They are open 24 hours. Guests can ❷ _____ _____ _____ _____ for free. We also have a business lounge. You can use the computers and printers. We hope ❸ _____ _____ _____ _____ at our hotel.

10 주제 파악　영국식 발음 녹음

다음을 듣고, 여자가 하는 말의 내용으로 가장 적절한 것을 고르시오.

① 매일 샤워하기
② 물 아껴 쓰기
③ 올바른 양치 방법
④ 태양 에너지의 유용성
⑤ 미래의 대체 에너지

W　Do you shower for more than ten minutes? Do you ❶ _____ _____ _____ with the tap on? If you answered "yes" to either of the questions, you are wasting water. Water is not an unlimited resource like wind power or solar energy. It ❷ _____ _____ _____ _____. If we do not consider the limited supply of water the earth has, our next generation ❸ _____ _____ _____ _____ _____ of it. Please think twice and use water wisely.

11 내용 일치 / 불일치

대화를 듣고, art class에 대한 내용으로 일치하지 <u>않는</u> 것을 고르시오.

① 중학생을 위한 강좌이다.
② 회화와 미술의 역사에 대한 수업이다.
③ 수업료는 무료이다.
④ 화요일과 목요일마다 수업이 있다.
⑤ 준비물은 필요하지 않다.

제안·권유하기
How(What) about ~? / Why don't you ~? / You'd(You had) better ~. / (I think) you should(ought to) ~.

W　Andrew, come here and ❶ _____ _____ _____ this ad.

M　What is it for?

W　Art classes for middle school students. They offer painting and history of art classes for free.

M　Sixth Avenue? It's ❷ _____ _____ _____ _____.

W　Right. How about taking one of the classes together?

M　Good idea. When are the painting classes?

W　On Tuesdays and Thursdays. We just need to ❸ _____ _____ _____ _____.

M　Okay. Let's go and see what the class is like.

Words　**08 absent** 결석한　**come over to** ~에 오다　**09 basement level** 지하층　**facility** 시설　**10 tap** 수도꼭지　**unlimited** 무한정의　**solar energy** 태양 에너지　**use up** 다 써버리다　**supply** 공급　**generation** 세대　**11 take a look at** ~을 보다　**avenue** ~가(街)

12 목적 파악　영국식 발음 녹음

대화를 듣고, 여자가 공항에 가는 목적으로 가장 적절한 것을 고르시오.

① 해외여행을 가기 위해서
② 공항에서 일을 하기 위해서
③ 공항에서 일하는 친구를 만나기 위해서
④ 해외여행을 가는 친구를 배웅하기 위해서
⑤ 외국에서 돌아오는 친구를 환영하기 위해서

소망 표현하기

「I wish+주어+동사의 과거형」은 '~라면(하면) 좋을 텐데'라는 뜻으로, 현재에 이룰 수 없는 소망을 나타낼 때 쓰는 표현이다.

M　Sujin, where are you going?
W　I'm going to the airport.
M　Are you going abroad?
W　I wish I could, but _____ _____ _____ _____ _____ for that. ❶
M　Then, why are you going there?
W　I'm going to _____ _____ _____ _____ _____. ❷
M　Oh? Is your friend _____ _____ _____? ❸
W　No, she actually works there.

13 숫자 정보 파악 – 인원수

대화를 듣고, 대회에 응원을 하러 올 친구의 수를 고르시오.

① 4명　② 5명　③ 6명　④ 7명　⑤ 8명

W　Mark, will your friends _____ _____ _____ _____ ❶ _____ on Friday?
M　Yes. All of my best friends will be in the competition.
W　Oh, those five boys?
M　Yes. Mom, can you buy them lunch on that day?
W　Sure. I'll bring hamburger sets for six including you. Is it okay?
M　Wait, Mom. Could you _____ _____ _____ _____? ❷
W　Why?
M　I invited a new friend, Brian, and _____ _____ _____ ❸ _____ _____.

14 관계 추론

대화를 듣고, 두 사람의 관계로 가장 적절한 것을 고르시오.

① 교사 – 학생　　② 소방관 – 시민
③ 가이드 – 관광객　④ 건축업자 – 공무원
⑤ 교통 경찰관 – 운전자

금지하기

You can't(mustn't, shouldn't) ~. / Don't ~. /
You'd better not ~.

W　Excuse me, sir.
M　Oh, did I do something wrong?
W　Yes. You can't drive this way. This is a one-way street.
M　Oh, I didn't know that because I'm _____ _____ ❶ _____.
W　Are you a traveler?
M　Yes. I'm from America and I'm not _____ _____ _____ ❷ _____ _____ in Korea.
W　I understand. _____ _____ _____ _____ ❸ in Korea?
M　Just for two days. By the way, must I pay a fine or something?
W　No. You don't have to. But please be careful next time.

Words　**12 abroad** 해외로　**wish** 소망하다　**return** 돌아오다　**13 competition** 경기, 대회　**invite** 초대하다　**14 one-way street** 일방통행로
traveler 여행객　**be used to** ~에 익숙하다　**traffic sign** 교통 표지(판)

Dictation Test

15 부탁한 일 파악

대화를 듣고, 여자가 남자에게 부탁한 일로 가장 적절한 것을 고르시오.

① 숙제 도와주기
② 함께 운동하기
③ 병원에 함께 가기
④ 함께 병문안 가기
⑤ 적절한 운동 제안하기

ⓟ stop의 발음 ////////////////////////////////
stop[stɑp]처럼 [st]의 [t] 소리는 우리말의 [ㄸ]와 같은 소리가 난다.

M Liz, _____ _____ _____ _____ these days.
W Well, I get tired easily. I don't know why.
M Why don't you go to see a doctor?
W I did, but he said there's no problem.
M Hmm...., in my opinion, you seem to need exercise.
W Exercise? I'm ❷_____ _____ _____ _____ by myself.
   Maybe I'll stop doing it soon. Can you exercise with me?
M Sure. ❸_____ _____ _____ from tomorrow morning.

16 이유 파악

대화를 듣고, 남자가 학교에 급히 가는 이유로 가장 적절한 것을 고르시오.

① 수업에 늦지 않기 위해서
② 친구들과 숙제를 하기 위해서
③ 축구 경기에 늦지 않기 위해서
④ 과제물을 제출하기 위해서
⑤ 교실에 두고 온 지갑을 찾기 위해서

W Minsu, ❶_____ _____ _____ _____?
M To the school.
W It's Sunday today. Do you have a soccer game or something?
M No. I just found out ❷_____ _____ _____ _____ _____ in the classroom.
W Oh, really? I hope it's still there.
M Yeah. That's why ❸_____ _____ _____ _____.

17 그림 상황에 어울리는 대화 찾기

다음 그림의 상황에 가장 적절한 대화를 고르시오.

① ② ③ ④ ⑤

❤ 음식 권하기 ////////////////////////////////
Would you like some ~? / Do you want some more ~? / Please try some ~.

① W Are you ❶_____ _____ _____?
   M Yes, I'd like a chicken sandwich.
② W Would you like some more spaghetti?
   M No, thanks. I'm full.
③ W What kind of food do you like?
   M I like Italian food.
④ W I ❷_____ _____ _____.
   M You shouldn't have eaten that much.
⑤ W Did you ❸_____ _____ _____ _____?
   M Yeah, I love cooking.

📖 **Words** **15** opinion 의견 be bored with ~에 싫증이 나다 by oneself 혼자서 **16** find out 알아내다 in a hurry 서둘러, 급히 **17** ready to ~할 준비가 된 stomachache 복통

18 언급하지 않은 것   영국식 발음 녹음

대화를 듣고, 두 사람이 전시회에 대해 언급하지 <u>않은</u> 것을 고르시오.

① 개최 장소　　　② 시작 날짜
③ 전시 품목　　　④ 입장료
⑤ 티켓 구입 방법

🗣 알고 있는지 묻기 ////////////////////
Are you aware of ~? / Have you heard (about) ~? / You know ~ (, don't you)?

M　Are you aware of the Barbie doll exhibition?

W　Yes, it will be held at Crystal Hall from May I, right?

M　Exactly. I heard they will display Barbie dolls produced ❶ _____
_____ _____ _____ _____.

W　Terrific! As you know, my hobby is collecting Barbie dolls.

M　That's why ❷ _____ _____ _____ _____ _____.

W　Thanks. Do you know how I can buy a ticket?

M　You can buy tickets online. ❸ _____ _____ _____
_____ the website address.

W　Okay. Thanks a lot.

[19~20] 대화를 듣고, 남자의 마지막 말에 이어질 여자의 응답으로 가장 적절한 것을 고르시오.

19 알맞은 응답 찾기

Woman: _____

① That sounds fun.
② Fortunately, I'm okay.
③ No. We'd better take a taxi.
④ Okay. Let's meet at the bus stop.
⑤ I think I should be more careful.

M　Cindy, you're late.

W　I'm sorry, Mr. Lee.

M　Can you ❶ _____ _____ _____ _____?

W　❷ _____ _____ _____ _____ _____, there was a car accident.

M　A car accident? Tell me more about it.

W　A car ❸ _____ _____ _____ I was on.

M　Oh, my! Are you all right?

---

20 알맞은 응답 찾기

Woman: _____

① Sure. I'd love to learn it, too.
② Not really. I don't like skating.
③ Not at all. Come over anytime.
④ No problem. I'll teach you soon.
⑤ Yes. My favorite sport is skating.

🗣 장래 희망에 대해 묻기 ////////////////////
What do you want to be in the future? / What would you like to do in the future?

M　Mirae, what do you want to be in the future?

W　I want ❶ _____ _____ _____ _____ _____ in the Olympic Games.

M　Oh, I didn't know that. By the way, in which sport do you want to win the medal?

W　In skating. Actually, ❷ _____ _____ _____ a few months ago.

M　Really? Do you mind ❸ _____ _____ _____ _____
_____ your skating?

📖 Words　**18 barbie doll** 바비 인형　**display** 전시하다　**decade** 10년　　**19 reason** 이유, 까닭　**car accident** 교통사고　　**20 medalist** 메달 수상자

01 대화를 듣고, 현재의 날씨로 가장 적절한 것을 고르시오.

①   ②   ③

④  ⑤

02 대화를 듣고, 여자가 생일 선물로 받고 싶어 하는 물건으로 가장 적절한 것을 고르시오.

①   ②   ③

④   ⑤

03 대화를 듣고, 여자의 심정으로 가장 적절한 것을 고르시오.

① proud   ② unhappy   ③ gloomy
④ shocked   ⑤ unexcited

04 대화를 듣고, 두 사람이 할 일로 가장 적절한 것을 고르시오.

① TV 시청하기   ② 농구하기
③ 집 지키기   ④ 자전거 타기
⑤ DVD 감상하기

05 대화를 듣고, 두 사람이 대화하는 장소로 가장 적절한 곳을 고르시오.

① 공항   ② 버스   ③ 택시
④ 학교   ⑤ 비행기

06 대화를 듣고, 여자의 마지막 말의 의도로 가장 적절한 것을 고르시오.

① 격려   ② 축하   ③ 추천   ④ 부탁   ⑤ 허가

07 대화를 듣고, 여자가 지구 온난화를 늦추기 위해 할 일로 언급하지 않은 것을 고르시오.

① 재활용하기   ② 재사용하기
③ 나무 심기   ④ 에너지 절약하기
⑤ 대중교통 이용하기

08 대화를 듣고, 남자가 점심시간에 할 일로 가장 적절한 것을 고르시오.

① 영어 숙제하기   ② 영어 수업 듣기
③ 선생님과 점심 먹기   ④ 영어 선생님 만나기
⑤ 숙제 가지러 집에 들르기

09 다음을 듣고, 기장이 안내 방송에서 언급하지 않은 것을 고르시오.

① 비행기 편명   ② 현재 시간
③ 목적지   ④ 도착 시간
⑤ 목적지의 현재 날씨

10 다음을 듣고, 여자가 하는 말의 내용으로 가장 적절한 것을 고르시오.

① 요가의 효능
② 에어로빅 회원 모집
③ 건강한 식단 제안
④ 걷기 운동의 장점
⑤ 자전거 타기의 위험성

11 다음을 듣고, 할인에 대한 내용과 일치하지 <u>않는</u> 것을 고르시오.

① 오렌지 – 30% 할인

② 포도 – 30% 할인

③ 바나나 – 20% 할인

④ 멜론 – 30% 할인

⑤ 3만 원 이상 구매 시, 비누 증정

12 대화를 듣고, 남자가 전화를 건 목적으로 가장 적절한 것을 고르시오.

① 티켓을 구매하기 위해서

② 영화를 함께 보기 위해서

③ 영화 정보를 제공하기 위해서

④ 티켓 예매를 부탁하기 위해서

⑤ 도움을 달라고 부탁하기 위해서

13 대화를 듣고, 남자가 지불해야 할 금액으로 가장 적절한 것을 고르시오.

① $2 ② $12 ③ $16 ④ $18 ⑤ $20

14 대화를 듣고, 두 사람의 관계로 가장 적절한 것을 고르시오.

① 아빠 – 딸 ② 팀 동료 – 팀 동료

③ 코치 – 운동선수 ④ 오빠 – 여동생

⑤ 영업 사원 – 고객

15 대화를 듣고, 남자가 여자에게 요청한 일로 가장 적절한 것을 고르시오.

① 책 주문하기

② 서점 방문하기

③ 주문 취소하기

④ 우편으로 책 보내기

⑤ 배송 상태 확인하기

16 대화를 듣고, 여자가 헤어스타일에 만족하지 않는 이유로 가장 적절한 것을 고르시오.

① 머릿결이 상해서

② 머리카락이 짧아서

③ 머리색이 너무 밝아서

④ 머리색이 너무 어두워서

⑤ 머리카락이 엉겨 붙어서

17 다음 그림의 상황에 가장 적절한 대화를 고르시오.

① ② ③ ④ ⑤

18 다음을 듣고, 수지가 초등학교 때 배운 것으로 언급하지 <u>않은</u> 것을 고르시오.

① 바이올린 ② 첼로 ③ 탭 댄스

④ 스키 ⑤ 프랑스어

[19~20] 대화를 듣고, 남자의 마지막 말에 이어질 여자의 응답으로 가장 적절한 것을 고르시오.

19 Woman: _____

① Please eat out tonight.

② That is a helpful cleanser.

③ I will eat up the dishes first.

④ How about exercise together?

⑤ Would you clean the living room?

20 Woman: _____

① That's worse.

② I appreciate your help.

③ You had better give it up.

④ Why don't you study harder?

⑤ Thank you for cheering me up!

01 [그림 정보 파악 – 날씨]
대화를 듣고, 현재의 날씨로 가장 적절한 것을 고르시오.

① ② ③ ④ ⑤

M How are you today?
W Well, everything is wonderful ❶_____ _____ _____ _____. I feel like I'm in a desert.
M You can say that again. When I got to school this morning, I was ❷_____ _____ _____.
W But is it cool in the classroom thanks to the air conditioner?
M No, we often have to turn it off to save energy. How about your classroom?
W We often ❸_____ _____ _____ _____. Anyway, it's hot all day.
M Yes, it's like mid-summer.

02 [그림 정보 파악 – 사물]
대화를 듣고, 여자가 생일 선물로 받고 싶어 하는 물건으로 가장 적절한 것을 고르시오.

① ② ③ ④ ⑤

선호에 대해 묻기
Which color do you prefer, A or B? / Do you prefer A to B? / Do you like A more than B?

M ❶_____ _____ _____ _____ for your birthday present?
W Mm.... Let me think. I've not decided yet.
M How about a purse? You told me ❷_____ _____ _____ _____ _____.
W Right, but I bought one already.
M Then, ❸_____ _____ _____ _____ _____?
W Yes. Actually, I need a big one.
M Which color do you prefer, red or green?
W A red-colored one.

03 [심정 파악]
대화를 듣고, 여자의 심정으로 가장 적절한 것을 고르시오.
① proud   ② unhappy   ③ gloomy
④ shocked   ⑤ unexcited

M Hello, Ms. Wilson. You have ❶_____ _____ _____.
W That's because I am preparing a party for my son. I ❷_____ _____ _____ _____ _____.
M Why are you having a party?
W My son was selected as the MVP of the final football game. I'm so happy that ❸_____ _____ _____ _____ _____.
M Oh, great! Congratulations!

Words 01 desert 사막 wet with sweat 땀으로 젖은 thanks to ~ 덕분에 low 낮게 mid-summer 한여름 02 purse 지갑 03 endless 끝없는 select 선정하다 MVP 최우수 선수(= most valuable player) final game 결승전 so ~ that ... 너무 ~해서 …하다

04 한 일 / 할 일 파악

대화를 듣고, 두 사람이 할 일로 가장 적절한 것을 고르시오.

① TV 시청하기　② 농구하기
③ 집 지키기　④ 자전거 타기
⑤ DVD 감상하기

W What did you do today?
M ❶ _____ _____ _____ _____ and watched DVDs all day.
W You should not waste your vacation watching DVDs. Let's do something fun together. ❷ _____ _____ _____ _____ _____ along the river?
M I don't think that's fun.
W Why don't we ❸ _____ _____ _____ _____ _____?
M That's better. Let's go now.

05 장소 추론

대화를 듣고, 두 사람이 대화하는 장소로 가장 적절한 곳을 고르시오.

① 공항　② 버스　③ 택시　④ 학교　⑤ 비행기

😊 감사에 답하기 ///////////////////////////
Don't mention it. / (It was) my pleasure. / No problem.

W Are you going ❶ _____ _____ _____ _____?
M Yes.
W How much is the fare?
M It's one thousand and two hundred won.
W Thanks. Well, ❷ _____ _____ _____ _____ to the airport?
M ❸ _____ _____ _____ _____ at the next stop.
W Thank you very much.
M 😊 Don't mention it.

06 의도 파악

대화를 듣고, 여자의 마지막 말의 의도로 가장 적절한 것을 고르시오.

① 격려　② 축하　③ 추천　④ 부탁　⑤ 허가

W Simon, it's already two o'clock. Why don't we have some lunch?
M Oh, ❶ _____ _____ _____ _____ _____ reading my novel.
W Where do you want to go?
M I heard there's a famous Indian restaurant ❷ _____ _____ _____. Have you ever been there?
W Oh, you mean New Delhi. I ate there last week with my family.
M How was it?
W I bet ❸ _____ _____ _____ _____.

07 언급하지 않은 것

대화를 듣고, 여자가 지구 온난화를 늦추기 위해 할 일로 언급하지 않은 것을 고르시오.

① 재활용하기　② 재사용하기
③ 나무 심기　④ 에너지 절약하기
⑤ 대중교통 이용하기

W It is so hot these days, Greg.
M Right. It's spring now, but it's already too hot. Do you know ❶ _____ _____ _____ _____?
W Yes. It's because of global warming.
M Right. I learned it at school. Then, what can we do to ❷ _____ _____ _____ _____?
W There are some ways like recycling, reusing, saving energy and so on.
M Anything else?
W Don't forget ❸ _____ _____ _____ _____.

Words 　**04 waste** 낭비하다　**05 international** 국제적인, 세계적인　**fare** 요금　**get off** ~에서 내리다　**06 lose track of time** 시간 가는 줄 모르다　**Indian** 인도의　**away** 떨어져, 떨어진 곳에　**bet** (~이) 틀림없다　**07 global warming** 지구 온난화

Dictation Test

08 한 일 / 할 일 파악

대화를 듣고, 남자가 점심시간에 할 일로 가장 적절한 것을 고르시오.

① 영어 숙제하기 　② 영어 수업 듣기
③ 선생님과 점심 먹기 　④ 영어 선생님 만나기
⑤ 숙제 가지러 집에 들르기

허가 여부 묻기

May(Can) I ~? / Is it all right(okay) if I ~? / Do you mind if I ~? / I wonder if I could ~.

M　Ms. Han. May I go home now?

W　What's the matter with you?

M　I didn't bring my homework for the English class.

W　You must not ❶ _____ _____ _____ because of that.

M　But the English teacher is going to ❷ _____ _____ _____ _____ _____ if I don't hand it in.

W　Let me think. Mm..., I will ❸ _____ _____ _____ _____ during lunchtime.

M　Thank you.

09 언급하지 않은 것　영국식 발음 녹음

다음을 듣고, 기장이 안내 방송에서 언급하지 않은 것을 고르시오.

① 비행기 편명 　② 현재 시간
③ 목적지 　④ 도착 시간
⑤ 목적지의 현재 날씨

M　Good morning, passengers. This is ❶ _____ _____ _____. I'd like to welcome you aboard flight FL90. The time is 9:20 a.m. The weather looks good, and ❷ _____ _____ _____ _____ in Rome approximately ten minutes ahead of schedule. The weather in Rome is clear and sunny. I'll talk to you again before ❸ _____ _____ _____ _____. Thank you and enjoy your flight.

10 주제 파악　영국식 발음 녹음

다음을 듣고, 여자가 하는 말의 내용으로 가장 적절한 것을 고르시오.

① 요가의 효능
② 에어로빅 회원 모집
③ 건강한 식단 제안
④ 걷기 운동의 장점
⑤ 자전거 타기의 위험성

W　These days, many people enjoy many different kinds of exercise such as yoga, biking, and aerobics. But many doctors say that walking is ❶ _____ _____ _____ _____ _____ of exercise. It is cheap, easy, and does not require any equipment. The only problem is sometimes the weather isn't good for you ❷ _____ _____ _____. Don't worry. In that case, you can try to walk more in your school or at your workplace. ❸ _____ _____ _____ ten thousand steps a day?

Words　**08** give ~ a low mark ~에게 점수를 낮게 주다　**09** aboard 탑승한 land 착륙하다 approximately 대략, 약 ahead of schedule 예정보다 먼저 reach 도달하다 destination 목적지　**10** aerobics 에어로빅 require 요구하다 equipment 장비

11 　내용 일치 / 불일치

다음을 듣고, 할인에 대한 내용과 일치하지 <u>않는</u> 것을 고르시오.

① 오렌지 – 30% 할인
② 포도 – 30% 할인
③ 바나나 – 20% 할인
④ 멜론 – 30% 할인
⑤ 3만 원 이상 구매 시, 비누 증정

ⓟ Attention의 발음 ////////////////////////

[n] 소리 뒤에 -tion이나 -tial이 따라올 경우에는 [t]가 아닌 [ʃ]로 발음된다. 따라서 attention은 [어텐션], mention은 [멘션], essential은 [에센셜]로 소리 난다.

M **ⓟ** Attention, shoppers! We will ❶ _____ _____ _____ _____ _____ fruit for the next 30 minutes. Oranges and grapes are 30 percent off. Bananas and melons are 20 percent off now. There are more discounted products. If you buy more than 30,000 won, you can get some soap ❷ _____ _____ _____ _____. Hurry! ❸ _____ _____ _____ _____ only 30 minutes.

12 　목적 파악

대화를 듣고, 남자가 전화를 건 목적으로 가장 적절한 것을 고르시오.

① 티켓을 구매하기 위해서
② 영화를 함께 보기 위해서
③ 영화 정보를 제공하기 위해서
④ 티켓 예매를 부탁하기 위해서
⑤ 도움을 달라고 부탁하기 위해서

[*Cellphone rings.*]

W Hello? Jane speaking.
M Jane, this is Jim. Are you busy now?
W No, what's up?
M What are you ❶ _____ _____ _____ _____?
W I'm not sure. Why?
M I have two ❷ _____ _____ _____ _____ _____, *Super Heroes.*
W *Super Heroes?* It's very popular, isn't it?
M Yes! How about watching the movie with me?
W ❸ _____ _____ _____, I'll be in.

13 　숫자 정보 파악 – 금액　 영국식 발음 녹음

대화를 듣고, 남자가 지불해야 할 금액으로 가장 적절한 것을 고르시오.

① $2　② $12　③ $16　④ $18　⑤ $20

W Welcome to Morgan's Ski.
M Hi, ❶ _____ _____ _____ _____ _____. How can I rent skis and skiwear?
W First, you should become a member of our shop. If you do that, ❷ _____ _____ _____ _____ at a 20% discount.
M Okay. How much is the membership fee?
W It's $20. ❸ _____ _____ _____ _____ _____, we will give you a 10% discount.
M Good. I'll join as a member. And I'll pay in cash.

Words 　**11** discounted 할인된 product 생산품, 상품 last 계속되다 　**12** popular 인기 있는 in that case 그렇다면 　**13** rent 대여하다 skiwear 스키복 membership fee 회비

Dictation Test

14 [관계 추론] 영국식 발음 녹음

대화를 듣고, 두 사람의 관계로 가장 적절한 것을 고르시오.

① 아빠 – 딸　　　　② 팀 동료 – 팀 동료
③ 코치 – 운동선수　④ 오빠 – 여동생
⑤ 영업 사원 – 고객

😊 **축하, 칭찬하기** //////////////////////////
You did a good job! / Good boy(girl)! / Excellent!

M　You did a good job on the court.
W　Thank you.
M　Just _____ _____ _____ _____ _____.
W　Yes. What are they?
M　Practice ❷ _____ _____ _____ _____. And make sure not to hesitate to shoot the ball.
W　Okay. I'll do that. I'd really like to win this middle school championship.
M　Good! I'll also ❸ _____ _____ _____ _____ _____ you. Let's call it a day. See you at the gym tomorrow.

15 [요청한 일 파악]

대화를 듣고, 남자가 여자에게 요청한 일로 가장 적절한 것을 고르시오.

① 책 주문하기
② 서점 방문하기
③ 주문 취소하기
④ 우편으로 책 보내기
⑤ 배송 상태 확인하기

[*Telephone rings.*]
M　Hello?
W　Hello. I'm calling from Daehan Books. May I speak to Mr. Smith?
M　This is John Smith.
W　Hi. The book you requested has just arrived.
M　That's good news. ❶ _____ _____ _____ _____ _____ for two weeks.
W　I'm sorry it took us a long time to get it. Will you come here ❷ _____ _____ _____ _____?
M　I don't have time to visit the store this week. Could you send the book by mail?
W　We can do that, but you will need to ❸ _____ _____ _____ _____. Is that okay?
M　That's not a problem.

16 [이유 파악]

대화를 듣고, 여자가 헤어스타일에 만족하지 <u>않는</u> 이유로 가장 적절한 것을 고르시오.

① 머릿결이 상해서
② 머리카락이 짧아서
③ 머리색이 너무 밝아서
④ 머리색이 너무 어두워서
⑤ 머리카락이 엉겨 붙어서

M　Is that you, Jina? You changed your hairstyle. You look so different.
W　Yeah, I ❶ _____ _____ _____ _____ _____.
M　You also changed your hair color, didn't you?
W　That's right. I dyed it, too. Do you like it?
M　Yes, I like your new hairstyle.
W　But ❷ _____ _____ _____ _____ the color. It's too light.
M　Do you think so? Then ❸ _____ _____ _____ _____ a little darker.
W　I think I should.

📖 **Words** **14** court (테니스, 농구 등의) 코트　keep in mind 명심하다　shoot the ball 공을 던지다　championship 선수권 대회　Let's call it a day. 오늘은 이만 하자.　**15** by mail 우편으로　delivery fee 배달료　**16** perm 파마를 해 주다　dye 염색하다

17 그림 상황에 어울리는 대화 찾기

다음 그림의 상황에 가장 적절한 대화를 고르시오.

① ② ③ ④ ⑤

😊 **안심시키기** //////////////////////////
Don't be frightened. / (I'm sure) everything will be okay(all right).

① W Let's go to the concert this Saturday.
   M Sounds great. What time shall we meet?
② W I ❶_____ _____ _____ _____.
   M 😊 Don't be frightened. Everything will be all right.
③ W I finally passed the audition.
   M Congratulations! You ❷_____ _____ _____!
④ W Who is the boy singing on the stage?
   M Oh, that's Minsu. He's my class captain.
⑤ W It's your turn. Please ❸_____ _____ _____.
   M Okay. I'll do my best.

18 언급하지 않은 것

다음을 듣고, 수지가 초등학교 때 배운 것으로 언급하지 않은 것을 고르시오.
① 바이올린   ② 첼로   ③ 탭 댄스
④ 스키   ⑤ 프랑스어

😊 **과거의 일에 대한 추측 말하기** //////////////
「must+have+p.p.」는 '~했었음에 틀림없다'는 의미로서 과거에 대한 강한 추측을 나타낸다.
ex) She must have been so busy.
   (그녀는 바빴음에 틀림없어.)

W Susie is a girl of many talents. She plays the violin very well. She ❶_____ _____ _____ _____ when she was eight. She also learned ❷_____ _____ _____ _____ _____. She learned to ski from her parents when she was 10 years old. ❸_____ _____ _____ _____ before she went to middle school. I'm sure she 😊 must have been so busy when she was young.

[19~20] 대화를 듣고, 남자의 마지막 말에 이어질 여자의 응답으로 가장 적절한 것을 고르시오.

19 알맞은 응답 찾기

Woman: _____

① Please eat out tonight.
② That is a helpful cleanser.
③ I will eat up the dishes first.
④ How about exercise together?
⑤ Would you clean the living room?

W James, can you help me clean the house?
M Mom, you cleaned the house yesterday.
W We ❶_____ _____ _____ _____.
M I can't, however. A TV show I'm dying to watch will start soon.
W I'm very busy and have a lot of work to do today. ❷_____ _____ _____ _____, son.
M Okay. ❸_____ _____ _____ _____ first?

20 알맞은 응답 찾기

Woman: _____

① That's worse.
② I appreciate your help.
③ You had better give it up.
④ Why don't you study harder?
⑤ Thank you for cheering me up!

😊 **격려하기** //////////////////////////////
Don't give up! / You can do it! / That's all right. / You'll do better next time.

M How was today's English speaking test?
W It was so hard. I didn't do well. So my teacher said that I ❶_____ _____ _____ _____ _____ next Monday.
M That's too bad. 😊 Don't give up! ❷_____ _____ _____ _____ next time.
W But I'm afraid that I'm going to ❸_____ _____ _____.
M Try harder, and you will pass the next test.

📖 Words **17 have butterflies in one's stomach** 긴장하다 **frightened** 겁먹은, 무서워하는 **turn** 차례 **18 talent** 재능 **tap dancing** 탭 댄스 추기 **elementary school** 초등학교 **19 be dying to** ~하고 싶어서 못 견디다 **20 fail** 떨어지다, 실패하다 **pass** 통과하다

01 다음을 듣고, 목요일의 날씨로 가장 적절한 것을 고르시오.

02 대화를 듣고, 여자가 찾고 있는 필통으로 가장 적절한 것을 고르시오.

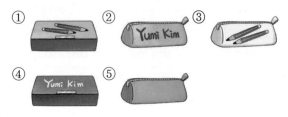

03 대화를 듣고, 남자의 심정으로 가장 적절한 것을 고르시오.

① interested   ② nervous
③ delighted   ④ indifferent
⑤ disappointed

04 대화를 듣고, 남자가 체육대회에서 한 일로 가장 적절한 것을 고르시오.

① 달리기   ② 축구
③ 팔씨름   ④ 응원
⑤ 줄다리기

05 대화를 듣고, 두 사람이 대화하는 장소로 가장 적절한 곳을 고르시오.

① 은행   ② 도서관   ③ 공항
④ 우체국   ⑤ 백화점

06 대화를 듣고, 남자의 마지막 말의 의도로 가장 적절한 것을 고르시오.

① 사과   ② 감사   ③ 추천   ④ 부탁   ⑤ 허가

07 대화를 듣고, 남자가 건강을 유지하는 방법으로 언급하지 <u>않은</u> 것을 고르시오.

① 균형 잡힌 식사   ② 숙면 취하기
③ 규칙적인 운동   ④ 원만한 교우 관계
⑤ 충분한 수분 섭취

08 대화를 듣고, 여자가 오후에 할 일이 <u>아닌</u> 것을 고르시오.

① 동생 돌보기   ② 청소하기
③ 채소 구매하기   ④ 친구의 숙제 돕기
⑤ 음식 만들기

09 다음을 듣고, 남자가 Sarah에 대해 언급하지 <u>않은</u> 것을 고르시오.

① 나이   ② 특기
③ 통학 방법   ④ 사는 곳
⑤ 장래 희망

10 다음을 듣고, 여자가 하는 말의 내용으로 가장 적절한 것을 고르시오.

① 체육관 이용 안내
② 체육관 공사 일정
③ 체육대회 일정
④ 체육 방과 후 수업 안내
⑤ 체육관 청소 협조 부탁

11 대화를 듣고, 여름 방학에 대한 설명으로 일치하는 것을 고르시오.

① 여름 방학이 일주일 일찍 시작된다.
② 여름 방학이 평소보다 늦게 시작된다.
③ 방학에 대한 소문은 사실로 밝혀졌다.
④ 여름 방학은 7월 20일에 시작한다.
⑤ 여름 방학까지는 2주가 남았다.

12 대화를 듣고, 남자가 전화를 건 목적으로 가장 적절한 것을 고르시오.

① 지갑 수선에 대해 문의하기 위해서
② 약속 장소의 변경을 알리기 위해서
③ 지갑을 갖다 달라고 부탁하기 위해서
④ 회의 시간에 늦는다고 말하기 위해서
⑤ 버스 정류장의 위치를 알아보기 위해서

13 대화를 듣고, 두 사람이 만날 시각을 고르시오.

① 4:30   ② 5:00   ③ 5:30
④ 6:00   ⑤ 6:30

14 대화를 듣고, 두 사람의 관계로 가장 적절한 것을 고르시오.

① 기자 – 화가   ② 면접관 – 지원자
③ 사진작가 – 모델   ④ 신문 판매원 – 고객
⑤ 미술관 직원 – 관람객

15 대화를 듣고, 여자가 대화 직후에 할 일로 가장 적절한 것을 고르시오.

① 집 청소하기   ② 상점에 가기
③ 필요한 물건 적기   ④ 초대장 보내기
⑤ 손님 마중 나가기

16 대화를 듣고, 남자가 도서관에 가려는 이유로 가장 적절한 것을 고르시오.

① 청소 봉사를 하기 위해서
② 학생증을 찾기 위해서
③ 책을 반납하기 위해서
④ 책을 기증하기 위해서
⑤ 도서관 회원증을 만들기 위해서

17 다음 그림의 상황에 가장 적절한 대화를 고르시오.

①   ②   ③   ④   ⑤

18 대화를 듣고, 남자가 자기의 증상에 대해 언급하지 <u>않은</u> 것을 고르시오.

① 두통   ② 어지러움
③ 고열   ④ 콧물
⑤ 목 아픔

[19~20] 대화를 듣고, 남자의 마지막 말에 이어질 여자의 응답으로 가장 적절한 것을 고르시오.

19 Woman: _____

① I wonder if you like the class or not.
② I'm not interested in any programs.
③ I'll be busy this summer. I can't join you.
④ It was great to take those classes with you.
⑤ I'm also curious about the stars. Let's take it.

20 Woman: _____

① No problem. I can help you.
② I don't know when it is held.
③ No. I'd be happy if you come.
④ Cheer up. You can win the contest.
⑤ Let's prepare for the contest together.

Dictation Test 10회 영어 듣기모의고사

01 그림 정보 파악 – 날씨
다음을 듣고, 목요일의 날씨로 가장 적절한 것을 고르시오.

① ② ③
④ ⑤

W Good morning, everyone. We will _____ _____ _____ _____ _____. But it will start to rain from tomorrow through Wednesday. The rain will ❷_____ _____ _____. On Thursday, it will be sunny and bright again. But, on Friday, it will ❸_____ _____ _____ _____.

02 그림 정보 파악 – 사물
대화를 듣고, 여자가 찾고 있는 필통으로 가장 적절한 것을 고르시오.

① ② Yumi Kim ③
④ Yumi Kim ⑤

W Excuse me, Mr. David. Have you seen my pencil case in this classroom?
M Hi, Yumi. I've collected ❶_____ _____ _____ in my drawer. What does it look like?
W It is ❷_____ _____ _____, and it has a zipper.
M Is your name on it?
W No, but it has ❸_____ _____ _____ _____ in the center.
M Let me see. Is this yours?   W Yes, that's right. Thank you.

03 심정 파악
대화를 듣고, 남자의 심정으로 가장 적절한 것을 고르시오.
① interested   ② nervous
③ delighted   ④ indifferent
⑤ disappointed

😡 싫어하는 것 표현하기 ////////////////////////
I hate to ~. / I don't like to ~.

M Mom, ❶_____ _____ _____ _____?
W Your aunt. Her family can't visit us today.
M What? I was looking forward to seeing Brian and Jeremy.
W Well, they have to ❷_____ _____ _____ _____ _____.
M No way. They promised to come, didn't they?
W Yes, they did. But they said they totally forgot to attend the wedding.
M Mom, I hate to ❸_____ _____ _____ _____ _____.

04 한 일 / 할 일 파악
대화를 듣고, 남자가 체육대회에서 한 일로 가장 적절한 것을 고르시오.
① 달리기   ② 축구
③ 팔씨름   ④ 응원
⑤ 줄다리기

😊 유감이나 동정 표현하기 ////////////////////////
That's a pity[shame]. / I'm sorry to hear ~. / That's too bad.

W How was ❶_____ _____ _____ _____?
M It was great. I had a lot of fun.
W Did you ❷_____ _____ _____ _____ _____?
M I was planning to, but I couldn't because I hurt my ankle this morning.
W Oh, that's a pity. Is it okay now?
M Yes. It felt much better in the afternoon, so I joined the tug of war.
W At least, you didn't ❸_____ _____ _____ _____.

Words 01 from ~ through ... ~에서 …까지 02 pencil case 필통 fabric 천 zipper 지퍼 03 totally 완전히 attend 참석하다
04 ankle 발목 tug of war 줄다리기

090 | 중학영어 듣기모의고사 2학년

05 | 장소 추론

대화를 듣고, 두 사람이 대화하는 장소로 가장 적절한 곳을
고르시오.

① 은행   ② 도서관   ③ 공항

④ 우체국   ⑤ 백화점

M Hello. May I ❶_____ _____ _____ _____ _____,
please?

W Yes, here they are.

M ❷_____ _____ _____ _____ _____ will you be
checking in?

W Two.

M Your baggage is three kilograms over the limit. ❸_____ _____
_____ _____ an extra charge of $37.

W No problem.

M Thank you. Have a nice flight.

06 | 의도 파악   영국식 발음 녹음

대화를 듣고, 남자의 마지막 말의 의도로 가장 적절한 것을
고르시오.

① 사과 ② 감사 ③ 추천 ④ 부탁 ⑤ 허가

W ❶_____ _____ _____ _____ _____ an aquarium?

M Yes.

W I'm thinking of going to an aquarium with my friends tomorrow. But
I don't know ❷_____ _____ _____ _____ _____.

M Then ❸_____ _____ _____ _____ a good place.

W Oh, thanks.

M How about going to the Dolphin Aquarium? It is the best place I've
ever been to. You can see a dolphin show twice a week.

07 | 언급하지 않은 것

대화를 듣고, 남자가 건강을 유지하는 방법으로 언급하지
않은 것을 고르시오.

① 균형 잡힌 식사   ② 숙면 취하기

③ 규칙적인 운동   ④ 원만한 교우 관계

⑤ 충분한 수분 섭취

😮 **강조하기** ////////////////////////////////////

It is important to do regular exercise. / I want to
stress the importance of doing regular exercise.

W Chris, I'm curious about ❶_____ _____ _____ _____
_____ in good condition.

M Okay, let me tell you the secret. First, you must eat a balanced diet
and ❷_____ _____ _____ _____ _____.

W And?

M And it is important to do regular exercise.

W Anything else?

M I think keeping good relationships with my friends is also helpful. It's
❸_____ _____ _____ _____ _____.

W Interesting. I'll try them to be healthy.

📖 **Words** **05 passport** 여권 **baggage** 짐, 수화물 **check in** (짐을) 부치다 **over the limit** 한도를 초과하여 **extra** 여분의, 추가의 **charge** 요금
06 aquarium 수족관 **twice** 두 번 **07 in good condition** 몸 상태가 좋은 **balanced** 균형 잡힌 **diet** 식사, 식단 **mental** 정신적인

Dictation Test

08 한 일 / 할 일 파악

대화를 듣고, 여자가 오후에 할 일이 <u>아닌</u> 것을 고르시오.
① 동생 돌보기　　　② 청소하기
③ 채소 구매하기　　④ 친구의 숙제 돕기
⑤ 음식 만들기

M Mary, I wonder if you can help me with my English homework this afternoon.

W Sorry, I can't help you this afternoon. I ❶_____ _____ _____ _____ _____ before Mom comes back home.

M Is your mom coming from a business trip?

W Yes, so I have to take care of my sister and clean the house.

M Oh, ❷_____ _____ _____ _____ this afternoon.

W Yeah. Besides, I need to buy some vegetables and make food for Mom.　　M Your mom will be happy.

W I hope so. Anyway, I'm ❸_____ _____ _____ _____ _____.

09 언급하지 않은 것　영국식 발음 녹음

다음을 듣고, 남자가 Sarah에 대해 언급하지 <u>않은</u> 것을 고르시오.
① 나이　　　　　　② 특기
③ 통학 방법　　　　④ 사는 곳
⑤ 장래 희망

☺ **다른 사람 소개하기**
I'd like to introduce ~. / I'd like you to meet ~.

M I'd like to introduce my friend Sarah. She's an eighteen-year-old high school student living in Busan. She ❶_____ _____ _____ _____ every morning because her school is near her house. She's energetic and ❷_____ _____ _____. She loves taking care of animals. She has different kinds of pets including hedgehogs and iguanas. She ❸_____ _____ _____ _____ _____ in the future.

10 주제 파악

다음을 듣고, 여자가 하는 말의 내용으로 가장 적절한 것을 고르시오.
① 체육관 이용 안내
② 체육관 공사 일정
③ 체육대회 일정
④ 체육 방과 후 수업 안내
⑤ 체육관 청소 협조 부탁

☺ **상기시켜 주기**
Remember to ~. / Don't forget to ~.

W Attention, please. The school gym renovations are finally finished. All students can use the gym from tomorrow. During school hours, it is used for P. E. classes, and ❶_____ _____ _____ _____ _____ during lunchtime and after school. Before you enter the gym, remember to remove ❷_____ _____ _____ _____ _____. Please help to ❸_____ _____ _____ _____. Thank you.

11 내용 일치 / 불일치

대화를 듣고, 여름 방학에 대한 설명으로 일치하는 것을 고르시오.
① 여름 방학이 일주일 일찍 시작된다.
② 여름 방학이 평소보다 늦게 시작된다.
③ 방학에 대한 소문은 사실로 밝혀졌다.
④ 여름 방학은 7월 20일에 시작한다.
⑤ 여름 방학까지는 2주가 남았다.

M What good news!　　W What news?

M Summer vacation is going to start 10 days ❶_____ _____.

W I heard about that, too. However, ❷_____ _____ _____ _____ _____.

M What does "false rumor" mean?

W It means ❸_____ _____ _____ _____ _____. The vacation starts on July 21st as usual. We have two weeks left.

M I'm disappointed.

Ⓦords　**08** business trip 출장　**09** energetic 활동적인　hedgehog 고슴도치　iguana 이구아나　vet 수의사　**10** gym 체육관　renovation 개조, 보수　remove 제거하다　dirt 먼지　**11** false 잘못된(↔ true)　rumor 소문　as usual 평소처럼

12 목적 파악

대화를 듣고, 남자가 전화를 건 목적으로 가장 적절한 것을 고르시오.

① 지갑 수선에 대해 문의하기 위해서
② 약속 장소의 변경을 알리기 위해서
③ 지갑을 갖다 달라고 부탁하기 위해서
④ 회의 시간에 늦는다고 말하기 위해서
⑤ 버스 정류장의 위치를 알아보기 위해서

😟 걱정, 두려움 표현하기 ////////////////////////
I'm worried(anxious) about ~. / I'm scared (frightened, terrified) to ~.

[*Telephone rings.*]

W Hello.

M Hello, Annie? It's me. Is Mom at home?

W No. She's out now. What's the matter, Dad?

M I left my wallet on the sofa.

W Do you want me ❶ _____ _____ _____ _____ now?

M Yes, I don't have ❷ _____ _____ _____ _____ . 😟 I'm worried about being late for the meeting.

W Don't worry, Dad. I'll ❸ _____ _____ _____ _____ _____ .

M Thanks. I'll be waiting at the bus stop.

13 숫자 정보 파악 – 시각

대화를 듣고, 두 사람이 만날 시각을 고르시오.

① 4:30   ② 5:00   ③ 5:30
④ 6:00   ⑤ 6:30

W Jiho, I have baseball game tickets. How about going to ❶ _____ _____ _____ _____ _____ ?

M Let me see. Wow, these are the tickets for my favorite team's game.

W Good. Then meet me at five thirty at the subway station.

M The game starts at six, right?

W Yes.

M Then let's meet an hour ❷ _____ _____ _____ _____ . I'll ❸ _____ _____ _____ .

W How sweet of you! See you then.

14 관계 추론   영국식 발음 녹음

대화를 듣고, 두 사람의 관계로 가장 적절한 것을 고르시오.

① 기자 – 화가
② 면접관 – 지원자
③ 사진작가 – 모델
④ 신문 판매원 – 고객
⑤ 미술관 직원 – 관람객

M Glad you're here, Ms. Wilson.

W Nice to meet you, Mr. Brown.

M I saw your paintings ❶ _____ _____ _____ _____ . They were excellent.

W Thank you.

M I know all of your works are paintings. Aren't you ❷ _____ _____ _____ _____ ?

W Well, no. I'll continue to focus on painting for the time being.

M Thank you, Ms. Wilson. This interview will be in the newspaper tomorrow.

W It was ❸ _____ _____ _____ _____ .

〔Words〕 **12 sofa** 소파 **return** 돌아가다   **13 sweet** 친절한, 상냥한   **14 painting** 회화, 그림 **exhibition** 전시회 **sculpture** 조각 **for the time being** 당분간

Dictation Test

15 한 일 / 할 일 파악

대화를 듣고, 여자가 대화 직후에 할 일로 가장 적절한 것을 고르시오.

① 집 청소하기   ② 상점에 가기
③ 필요한 물건 적기   ④ 초대장 보내기
⑤ 손님 마중 나가기

W   Brian, I need your help now.

M   What is it, honey?

W   We're having guests this evening. So, ❶ _____ _____ _____ _____.

M   Do you want me to clean the house?

W   No. I've already done it. Can you go to the store and ❷ _____ _____ _____ _____ _____?

M   Sure. You just need to ❸ _____ _____ _____ _____ _____.

W   Okay.

16 이유 파악

대화를 듣고, 남자가 도서관에 가려는 이유로 가장 적절한 것을 고르시오.

① 청소 봉사를 하기 위해서
② 학생증을 찾기 위해서
③ 책을 반납하기 위해서
④ 책을 기증하기 위해서
⑤ 도서관 회원증을 만들기 위해서

W   Jimmy, ❶ _____ _____ _____ _____ _____ on the table for me?

M   Sorry, Susan. I have to go to the library now.

W   Why? You've just been there to return books.

M   I left my student ID card there. I'm worried that ❷ _____ _____ _____ _____.

W   Don't worry. Someone at the library must keep it.

M   I hope so. I'll help you ❸ _____ _____ _____ _____.

17 그림 상황에 어울리는 대화 찾기

다음 그림의 상황에 가장 적절한 대화를 고르시오.

①   ②   ③   ④   ⑤

 화냄에 응대하기

Calm down! / Don't get so angry. / There's nothing to get angry about.

① W   Suho ❶ _____ _____ _____! I'm so upset.

    M   Calm down! I'll get you a new pair.

② W   I bought these glasses yesterday. How do I look?

    W   They ❷ _____ _____ _____ _____.

③ W   I have a speaking contest tomorrow. I'm getting nervous.

    M   Break a leg! You can do it.

④ W   I can't find my glasses.

    M   Do you remember where you put them?

⑤ W   I think ❸ _____ _____ _____ _____ _____.

    M   You're using your smartphone too much.

Words   **15 have guests** 손님을 맞이하다   **be short of** ~이 부족하다   **16 arrange** 정리하다   **throw ~ away** ~을 버리다   **17 upset** 속상한 **look good on** ~와 잘 어울리다   **break a leg!** 행운을 빌어!   **eyesight** 시력

18 언급하지 않은 것 영국식 발음 녹음

대화를 듣고, 남자가 자기의 증상에 대해 언급하지 않은 것을 고르시오.

① 두통 ② 어지러움
③ 고열 ④ 콧물
⑤ 목 아픔

😊 **허락 요청하기** //////////////////////////////

Let me ~. / Do you mind if ~? / Would it be possible ~? / I was wondering if I could ~.

W How can I help you?
M I have a headache. I'm dizzy, too.
W Okay. Let me ❶ _____ _____ _____.
M All right.
W Your temperature is normal. Do you ❷ _____ _____ _____ _____?
M I have a runny nose and a sore throat.
W I think you have a cold. Take these pills, and visit a doctor ❸ _____ _____ _____ _____ _____.

[19~20] 대화를 듣고, 남자의 마지막 말에 이어질 여자의 응답으로 가장 적절한 것을 고르시오.

19 알맞은 응답 찾기

Woman: _____

① I wonder if you like the class or not.
② I'm not interested in any programs.
③ I'll be busy this summer. I can't join you.
④ It was great to take those classes with you.
⑤ I'm also curious about the stars. Let's take it.

🅟 **Good idea의 발음** ///////////////////////

Good idea처럼 첫 단어가 자음으로 끝나고 뒷 단어가 모음으로 시작되는 경우, 연음으로 발음되어 [구다이디어]처럼 소리 난다.

M Mary, ❶ _____ _____ _____ _____ _____ summer school programs?
W No, I haven't. What are they?
M We can ❷ _____ _____ _____ _____ such as Chinese, cooking and star-watching.
W Sounds interesting. I'd love to take one of the classes.
M Then let's take the same class.
W Good idea.
M ❸ _____ _____ _____ the star-watching class. How about you?

20 알맞은 응답 찾기

Woman: _____

① No problem. I can help you.
② I don't know when it is held.
③ No. I'd be happy if you come.
④ Cheer up. You can win the contest.
⑤ Let's prepare for the contest together.

W Hi, Brian.
M Hi, Mina. ❶ _____ _____ _____ _____ today. What's the matter?
W I went to sleep late last night.
M Why?
W I'm ❷ _____ _____ _____ _____ _____ these days.
M Oh, I see. When is the contest held?
W This Friday.
M Do you mind if I ❸ _____ _____ _____ _____ _____?

📖 **Words** **18** dizzy 어지러운 **symptom** 증상 **runny nose** 콧물 **sore** 아픈 **throat** 목 **pill** 알약 **19** **take classes** 수업을 듣다 **20** **debate** 토론 **hold** (회의, 시합 등) 개최하다

01 다음을 듣고, 토요일의 날씨로 가장 적절한 것을 고르시오.

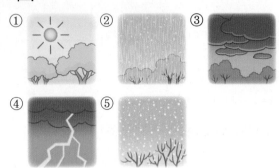

02 대화를 듣고, 남자가 구입할 화분으로 가장 적절한 것을 고르시오.

03 대화를 듣고, 남자의 심정으로 가장 적절한 것을 고르시오.

① funny   ② gloomy   ③ scared
④ angry   ⑤ happy

04 대화를 듣고, 두 사람이 할 일로 가장 적절한 것을 고르시오.

① 남산 등산하기
② 전망대에서 구경하기
③ 타워 관리실에 전화하기
④ 인터넷으로 정보 검색하기
⑤ N 서울타워 사진 찾아보기

05 대화를 듣고, 두 사람이 대화하는 장소로 가장 적절한 곳을 고르시오.

① 공항   ② 집   ③ 교실
④ 버스 정류장   ⑤ 실험실

06 대화를 듣고, 여자의 마지막 말의 의도로 가장 적절한 것을 고르시오.

① 사과   ② 감사   ③ 원망   ④ 격려   ⑤ 권유

07 대화를 듣고, 두 사람이 스키 리조트에 가는 요일로 가장 적절한 것을 고르시오.

① Monday   ② Tuesday
③ Wednesday   ④ Thursday
⑤ Friday

08 대화를 듣고, 남자가 대화 직후에 할 일로 가장 적절한 것을 고르시오.

① 자전거 타기   ② 쇼핑하기
③ 테니스 치기   ④ 기말고사 대비하기
⑤ 신작 영화 살펴보기

09 다음을 듣고, 남자가 냉장고에서 찾지 <u>못한</u> 것을 고르시오.

① carrots   ② eggs   ③ onions
④ cheese   ⑤ ketchup

10 다음을 듣고, 남자가 하는 말의 내용으로 가장 적절한 것을 고르시오.

① 오프라인 쇼핑몰 이용하기
② 모든 일에서 교훈을 얻으려고 노력하기
③ 온라인 쇼핑 사고 시 경찰에게 신고하기
④ 온라인에서 자전거를 저렴하게 구매하기
⑤ 물건 구매 전, 온라인 쇼핑몰의 신뢰성 확인하기

11 다음을 듣고, 방송 내용과 일치하지 <u>않는</u> 것을 고르시오.

① 방송하는 사람은 교장 선생님이다.
② 학교 폭력에 대한 영상을 볼 것이다.
③ 학교 폭력 영상은 20분 분량이다.
④ 1교시 시작 전에 5분간 휴식이 있다.
⑤ 1교시는 9시 20분에 시작한다.

12 대화를 듣고, 남자가 전화를 건 목적으로 가장 적절한 것을 고르시오.

① 외식을 제안하기 위해서
② 피자를 주문하기 위해서
③ 저녁 식사를 부탁하기 위해서
④ 늦은 귀가를 허락 받기 위해서
⑤ 친구 초대를 허락 받기 위해서

13 대화를 듣고, 남자의 예약 시간으로 가장 적절한 것을 고르시오.

① 5 a.m.   ② 6 a.m.   ③ 1 p.m.
④ 5 p.m.   ⑤ 6 p.m.

14 대화를 듣고, 두 사람의 관계로 가장 적절한 것을 고르시오.

① 이웃 – 이웃   ② 꽃 가게 점원 – 손님
③ 공원 관리자 – 시민   ④ 의사 – 환자
⑤ 트레이너 – 헬스장 회원

15 대화를 듣고, 여자가 대화 직후에 할 일로 가장 적절한 것을 고르시오.

① 책상 정리하기   ② 남동생과 대화하기
③ 자물쇠 구입하기   ④ 동생과 자물쇠 열기
⑤ 책상 바꾸기

16 대화를 듣고, 여자가 교무실에 가는 이유로 가장 적절한 것을 고르시오.

① 질문을 하기 위해서
② 반성문을 쓰기 위해서
③ 휴대 전화를 되찾기 위해서
④ 선생님께 사과드리기 위해서
⑤ 담임 선생님과 상담하기 위해서

17 다음 그림의 상황에 가장 적절한 대화를 고르시오.

①   ②   ③   ④   ⑤

18 다음을 듣고, 오늘 남자에게 일어났던 일이 <u>아닌</u> 것을 고르시오.

① 야구 경기를 했다.
② 오토바이에 치일 뻔했다.
③ 집으로 돌아와 책을 챙겼다.
④ 자전거를 타고 도서관에 갔다.
⑤ 공부를 하러 도서관에 갔다.

[19~20] 대화를 듣고, 여자의 마지막 말에 이어질 남자의 응답으로 가장 적절한 것을 고르시오.

19 Man: _____

① It was not too hot.
② We like summer vacation.
③ This summer will be too hot.
④ It has four seasons like Korea.
⑤ I like summer more than winter.

20 Man: _____

① I need more rooms.
② I like to move in the summer.
③ My neighbors will move first.
④ My wife likes this apartment.
⑤ No, thanks. I can handle everything.

Dictation Test 11회 영어 듣기모의고사

01 그림 정보 파악 – 날씨 영국식 발음 녹음

다음을 듣고, 토요일의 날씨로 가장 적절한 것을 고르시오.

① ② ③ ④ ⑤

W Hello, everyone. This is the weather report. It has been cloudy ❶ _____ _____ _____ _____ _____. It's a Friday morning, and it will rain all day. ❷ _____ _____ _____ _____ _____ overnight, and it will be sunny tomorrow. The temperature will rise to 20 degrees Celsius in the afternoon. At night, it will ❸ _____ _____ _____, and the rain will start on Sunday.

02 그림 정보 파악 – 사물

대화를 듣고, 남자가 구입할 화분으로 가장 적절한 것을 고르시오.

① ② ③ ④ ⑤

W Can I help you?

M Yes, I'd like to ❶ _____ _____ _____ for my best friend.

W How about this rectangular-shaped one? It's very popular.

M It's nice, but I don't want it. I want a round-shaped pot with handles.

W Um..., there are two models. Which one ❷ _____ _____ _____?

M I like ❸ _____ _____ _____ _____ _____.

03 심정 파악

대화를 듣고, 남자의 심정으로 가장 적절한 것을 고르시오.

① funny   ② gloomy   ③ scared
④ angry   ⑤ happy

😊 놀람 여부 묻기 ////////////////////////
Are you surprised? / Does that surprise you? /
Were you surprised?

M You promised to buy me a bicycle ❶ _____ _____ _____ _____ on the final exams, didn't you?

W Yes, I did. So, ❷ _____ _____ _____ _____ _____?

M I got a perfect score on this exam. Are you surprised?

W Good job! That's really surprising! I thought ❸ _____ _____ _____ _____.

M Thank you. When shall we go shopping?

W Let's go to buy a bicycle right now!

04 한 일 / 할 일 파악

대화를 듣고, 두 사람이 할 일로 가장 적절한 것을 고르시오.

① 남산 등산하기
② 전망대에서 구경하기
③ 타워 관리실에 전화하기
④ 인터넷으로 정보 검색하기
⑤ N 서울타워 사진 찾아보기

M ❶ _____ _____ _____ _____ _____ in this picture! What is it?

W It is N Seoul Tower. It is on the top of Namsan in Seoul.

M It looks very tall.

W You are right. We can ❷ _____ _____ _____ _____ from the top of it.

M That's wonderful. I wonder how tall the N Seoul Tower is.

W I don't know. ❸ _____ _____ _____ _____ on the Internet.

Words 01 rise 오르다, 올라가다 degree (온도 단위인) 도 Celsius 섭씨의, 섭씨 02 pot 화분 rectangular 직사각형의 handle 손잡이 model (상품의) 모델, 모형 03 grade 성적, 학점 04 view 경관, 전망 wonder 궁금하다

05 장소 추론

대화를 듣고, 두 사람이 대화하는 장소로 가장 적절한 곳을 고르시오.

① 공항　　② 집　　③ 교실
④ 버스 정류장　⑤ 실험실

ⓟ **know의 발음** //////////////////////////
know[nou]처럼 k가 발음되지 않는 단어들이 있다. 예를 들어, knife[naif], knock[na:k], knowledge[na:lidʒ]의 k도 소리 나지 않는다.

W　Do you know when Sujin's flight arrives?
M　Yes, I do. The flight will ＿＿＿＿ ＿＿＿＿ ＿＿＿＿ ＿＿＿＿ at 5:30 p.m.
W　Do you mind if I go with you to pick her up?
M　Of course not. But we should ❷＿＿＿＿ ＿＿＿＿ ＿＿＿＿ ＿＿＿＿ before going there.
W　Okay. ❸＿＿＿＿ ＿＿＿＿ ＿＿＿＿ ＿＿＿＿ with a broom.
M　Then, I'll arrange all the desks.

06 의도 파악

대화를 듣고, 여자의 마지막 말의 의도로 가장 적절한 것을 고르시오.

① 사과　② 감사　③ 원망　④ 격려　⑤ 권유

😠 **충고하기** ///////////////////////////////
Why don't you ~? / You'd better ~. / (I think) you should(ought to) ~.

W　You should not ❶＿＿＿＿ ＿＿＿＿ ＿＿＿＿ ＿＿＿＿ ＿＿＿＿.
M　Why not?
W　Making much noise is not ❷＿＿＿＿ ＿＿＿＿ ＿＿＿＿ ＿＿＿＿ ＿＿＿＿.
M　In all public places?
W　Yes. Why don't you stop listening to music loudly from now on?
M　Okay, I'm sorry. I'll ❸＿＿＿＿ ＿＿＿＿ ＿＿＿＿ ＿＿＿＿.

07 특정 정보 파악　영국식 발음 녹음

대화를 듣고, 두 사람이 스키 리조트에 가는 요일로 가장 적절한 것을 고르시오.

① Monday　　② Tuesday
③ Wednesday　④ Thursday
⑤ Friday

W　It's snowing too much to go to the ski resort.
M　Yes. I think we can't ❶＿＿＿＿ ＿＿＿＿ ＿＿＿＿ ＿＿＿＿. The weather report says ❷＿＿＿＿ ＿＿＿＿ ＿＿＿＿ ＿＿＿＿ ＿＿＿＿ today.
W　I think so, too. The road may be very slippery.
M　What about going skiing tomorrow?
W　You mean Thursday? I have plans with my friend that day. ❸＿＿＿＿ ＿＿＿＿ ＿＿＿＿ ＿＿＿＿ ＿＿＿＿ after tomorrow, then.
M　Um..., okay!

Ⓦords　**05 pick up** ~를 (차에) 태우러 가다　**sweep** 쓸다　**broom** 빗자루　**06 loudly** 크게　**noise** (듣기 싫은) 소리, 소음　**public** 공공의, 대중의
from now on 이제부터, 지금부터　**07 too ~ to ...** 너무 ~해서 …할 수 없다　**slippery** 미끄러운

Dictation Test

08   한 일 / 할 일 파악

대화를 듣고, 남자가 대화 직후에 할 일로 가장 적절한 것을 고르시오.

① 자전거 타기   ② 쇼핑하기
③ 테니스 치기   ④ 기말고사 대비하기
⑤ 신작 영화 살펴보기

알고 있음 표현하기
I heard that ~. / I've been told that ~. / I'm aware that ~.

W   You look so excited today. What's the occasion?
M   I heard that ❶ _____ _____ _____ _____ _____.
W   So, do you feel relieved?
M   Sure! Will you go bike-riding with me?
W   No, ❷ _____ _____ _____ _____ _____.
M   Then what do you want to do? Go shopping or play tennis?
W   Well, I'd like to see a movie, but I don't know about new movies.
M   Okay, ❸ _____ _____ _____.

09   특정 정보 파악

다음을 듣고, 남자가 냉장고에서 찾지 <u>못한</u> 것을 고르시오.

① carrots   ② eggs   ③ onions
④ cheese   ⑤ ketchup

ⓟ ingredients의 발음
ingredient[ingrí:diənt]와 같이 -nt로 끝나는 단어의 끝소리 [t]는 약화되어 [인그리디언]처럼 들린다. 하지만 복수형으로 쓰여 -s가 붙는 경우에는 [tʃ]에 가까운 소리가 되어 [인그리디언츠]처럼 발음된다.

M   Lisa and I wanted to have an omelet last night. So, we ❶ _____ _____ _____ _____ _____. We could find some ❷ ingredients in the refrigerator such as carrots, potatoes, onions, cheese, and so on. We also found tomato ketchup. However, unfortunately, ❷ _____ _____ _____ _____. We had to ❸ _____ _____ _____ in its place.

10   주제 파악

다음을 듣고, 남자가 하는 말의 내용으로 가장 적절한 것을 고르시오.

① 오프라인 쇼핑몰 이용하기
② 모든 일에서 교훈을 얻으려고 노력하기
③ 온라인 쇼핑 사고 시 경찰에게 신고하기
④ 온라인에서 자전거를 저렴하게 구매하기
⑤ 물건 구매 전, 온라인 쇼핑몰의 신뢰성 확인하기

요약하기
In short, ~. / In brief, ~. / To sum up, ~.

M   I bought a bicycle at an online shopping mall. The shopping mall is ❶ _____ _____ _____. But the price of the bicycle was so cheap that I decided to buy it. I sent money to the mall owner, but ❷ _____ _____ _____ _____ _____. I reported my situation to the police. The policeman solved my problem and I got the money back. In short, ❸ _____ _____ _____ _____ from an unreliable online shopping mall.

11   내용 일치 / 불일치

다음을 듣고, 방송 내용과 일치하지 <u>않는</u> 것을 고르시오.

① 방송하는 사람은 교장 선생님이다.
② 학교 폭력에 대한 영상을 볼 것이다.
③ 학교 폭력 영상은 20분 분량이다.
④ 1교시 시작 전에 5분간 휴식이 있다.
⑤ 1교시는 9시 20분에 시작한다.

M   Attention, students and teachers in the classroom. I'm ❶ _____ _____ _____ _____ _____. Please turn on the TV in your classroom. We will watch an educational video clip ❷ _____ _____ _____. It will last for fifteen minutes. After that, we'll have a 5-minute break. Therefore, the 1st class will ❸ _____ _____ _____ _____, at 9:20. Thank you.

Words   **08 delay** 미루다, 연기하다 **relieved** 안도하는   **09 ingredient** 재료 **put ~ back** ~를 다시 제자리에 갖다 놓다   **10 unreliable** 믿을 수 없는, 신뢰할 수 없는 **report** 신고하다   **11 video clip** (짧게 제작한) 비디오 영상 **violence** 폭력, 폭행

12 목적 파악 영국식 발음 녹음

대화를 듣고, 남자가 전화를 건 목적으로 가장 적절한 것을 고르시오.

① 외식을 제안하기 위해서
② 피자를 주문하기 위해서
③ 저녁 식사를 부탁하기 위해서
④ 늦은 귀가를 허락 받기 위해서
⑤ 친구 초대를 허락 받기 위해서

[Cellphone rings.]

W Hello?

M Mom, it's me. Can I ask you a favor?

W That depends. What is it?

M **❶** _____ _____ _____ _____ _____ to our home to study together?

W Sure. Why don't you **❷** _____ _____ _____ _____ ?

M Are you sure?

W Yeah. **❸** _____ _____ _____ for you.

M Thanks.

13 숫자 정보 파악 – 시각

대화를 듣고, 남자의 예약 시간으로 가장 적절한 것을 고르시오.

① 5 a.m.   ② 6 a.m.   ③ 1 p.m.
④ 5 p.m.   ⑤ 6 p.m.

[Telephone rings.]

W Hello, Dr. Choi's Clinic.

M Hi, this is Jay Wilson. I'm **❶** _____ _____ _____ _____ _____.

W So, you cannot make it at six o'clock this evening, can you?

M Oh, I thought it was at five.

W No, **❷** _____ _____ _____ _____ _____ at six p.m. tonight.

M Sorry. I was confused. I **❸** _____ _____ _____ _____ _____.

W Okay, see you then.

14 관계 추론

대화를 듣고, 두 사람의 관계로 가장 적절한 것을 고르시오.

① 이웃 – 이웃
② 꽃 가게 점원 – 손님
③ 공원 관리자 – 시민
④ 의사 – 환자
⑤ 트레이너 – 헬스장 회원

M How are you? It's a fine day today.

W Yes. It's **❶** _____ _____ _____ _____.

M How often do you exercise here?

W I usually exercise three times a week.

M I often see people running here when I work in **❷** _____ _____ _____ _____.

W This park is **❸** _____ _____ _____.

M Right. Many of the neighbors enjoy this park.

 Words   **12 favor** 호의, 부탁 **That depends.** 상황에 따라 다르다.   **13 be supposed to** ~하기로 되어 있다 **confused** 헷갈리는, 혼란스러운
14 fine 맑은 **neighbor** 이웃

Dictation Test

15 한 일 / 할 일 파악

대화를 듣고, 여자가 대화 직후에 할 일로 가장 적절한 것을 고르시오.

① 책상 정리하기
② 남동생과 대화하기
③ 자물쇠 구입하기
④ 동생과 자물쇠 열기
⑤ 책상 바꾸기

M Sally, where are you going?

W To the mall. I have to buy a lock.

M A lock? What for?

W My younger brother ❶ _____ _____ _____ _____ _____. It makes me angry.

M So are you going to lock the desk?

W Yes. ❷ _____ _____ _____ are in it. I don't want him to look in my desk drawer for fun.

M I think you should talk to him about it first.

W No way! I'll just ❸ _____ _____ _____.

16 이유 파악

대화를 듣고, 여자가 교무실에 가는 이유로 가장 적절한 것을 고르시오.

① 질문을 하기 위해서
② 반성문을 쓰기 위해서
③ 휴대 전화를 되찾기 위해서
④ 선생님께 사과드리기 위해서
⑤ 담임 선생님과 상담하기 위해서

M Hi, Jina. Where are you going?

W To the teacher's office.

M Why?

W I got caught by my science teacher while ❶ _____ _____ _____ _____ _____ to John during science class.

M It is ❷ _____ _____ _____ _____.

W I know. So I'd like to ❸ _____ _____ _____ _____ _____.

M Don't worry. He will forgive you. He is so generous.

17 그림 상황에 어울리는 대화 찾기

다음 그림의 상황에 가장 적절한 대화를 고르시오.

① ② ③ ④ ⑤

😮 요청하기 ////////////////////////////////

Would you mind ~? / Could I ask you to ~? / Can you ~(, please)?

① **W** How much is this copy machine?
   M It is $1,000.

② **W** Would you mind making a copy of this paper?
   M Not at all. Give it to me.

③ **W** Stop copying me! You're embarrassing me.
   M Sorry, ❶ _____ _____ _____ _____.

④ **W** The copy machine doesn't work.
   M I guess a piece of ❷ _____ _____ _____.

⑤ **W** Don't ❸ _____ _____ _____ _____ _____ of the report as a backup.
   M Okay, I won't.

Words 15 **lock** 자물쇠; 잠그다 **drawer** 서랍 **for fun** 재미로 16 **get caught** 잡히다 **be against** ~에 어긋나다, 반대하다 **generous** 너그러운 17 **copy machine** 복사기 **embarrass** 당황스럽게 하다 **mean** 의도하다 **jammed** (막히거나 걸려서) 움직일 수 없는 **backup** 예비(대체)(품)

18 　내용 일치 / 불일치

다음을 듣고, 오늘 남자에게 일어났던 일이 **아닌** 것을 고르시오.

① 야구 경기를 했다.
② 오토바이에 치일 뻔했다.
③ 집으로 돌아와 책을 챙겼다.
④ 자전거를 타고 도서관에 갔다.
⑤ 공부를 하러 도서관에 갔다.

M　Dear Diary, Today, I went to the park and played baseball with my friends until 3 p.m. _____ _____ _____ _____, I was almost hit by a motorcycle. I was so scared that ❷ _____ _____ _____ _____ _____. After I came home, I packed some books to go to the library. I didn't ride a bicycle ❸ _____ _____ _____ _____ _____. I walked there to study science because of the test tomorrow.

[19~20] 대화를 듣고, 여자의 마지막 말에 이어질 남자의 응답으로 가장 적절한 것을 고르시오.

19 　알맞은 응답 찾기　영국식 발음 녹음

Man: _____

① It was not too hot.
② We like summer vacation.
③ This summer will be too hot.
④ It has four seasons like Korea.
⑤ I like summer more than winter.

🔊 **오랜만에 만났을 때 인사하기** ////////////////
Long time no see. / I haven't seen you for ages. / It's been a long time.

W　Hi, Andy. Long time no see!
M　Yes, _____ _____ _____ _____ _____.
W　How have you been?
M　Great. I went to London with my parents.
W　How long were you there?
M　For a month ❷ _____ _____ _____ _____.
W　❸ _____ _____ _____ _____ in London?

20 　알맞은 응답 찾기

Man: _____

① I need more rooms.
② I like to move in the summer.
③ My neighbors will move first.
④ My wife likes this apartment.
⑤ No, thanks. I can handle everything.

M　I'm going to ❶ _____ _____ _____ _____ _____ next Monday.
W　Really? Why?
M　The distance from my house to the office is too far.
W　Do you ❷ _____ _____ _____ _____ _____ ?
M　Yes. My noisy neighbors ❸ _____ _____ _____ _____.
W　I understand. Do you want me to help?

📖 Words　**18 motorcycle** 오토바이　**scared** 무서운, 겁이 난　**shout** 소리치다　**20 move into** ~로 이사 가다　**distance** 거리　**far** 먼　**bother** 괴롭히다

12_회 영어 듣기모의고사

맞은 개수 /20문항

01 대화를 듣고, 모레의 날씨로 가장 적절한 것을 고르시오.

① ② ③

④ ⑤

02 대화를 듣고, 두 사람이 구입할 시계로 가장 적절한 것을 고르시오.

① ② ③

④ ⑤

03 대화를 듣고, 여자의 심정으로 가장 적절한 것을 고르시오.

① sad   ② upset   ③ confident
④ sorrowful   ⑤ depressed

04 대화를 듣고, 여자가 방과 후에 할 일로 가장 적절한 것을 고르시오.

① 배드민턴 치기
② 배드민턴 선수 만나기
③ 배드민턴 가르쳐 주기
④ 동물 병원 가기
⑤ 고양이와 산책하기

05 대화를 듣고, 두 사람이 대화하는 장소로 가장 적절한 곳을 고르시오.

① 운동장   ② 옷 가게   ③ 신발 가게
④ 세탁소   ⑤ 백화점

06 대화를 듣고, 남자의 마지막 말의 의도로 가장 적절한 것을 고르시오.

① 칭찬   ② 감사   ③ 동의   ④ 불평   ⑤ 위로

07 대화를 듣고, 여자가 원하는 신발에 대해 언급하지 <u>않은</u> 것을 고르시오.

① 신발을 신을 사람   ② 신발의 용도
③ 신발의 디자인   ④ 신발의 색깔
⑤ 신발의 사이즈

08 대화를 듣고, 남자가 대화 직후에 할 일로 가장 적절한 것을 고르시오.

① to return a jacket
② to play soccer
③ to buy a jacket
④ to redesign a jacket
⑤ to find a receipt

09 다음을 듣고, 남자가 기금 모음 콘서트에 대해 언급하지 <u>않은</u> 것을 고르시오.

① 기금 마련 목적   ② 개최 장소
③ 개최 날짜   ④ 개최 시간
⑤ 표 가격

10 다음을 듣고, 여자가 하는 말의 내용으로 가장 적절한 것을 고르시오.

① 슈퍼마켓 위치 안내
② 슈퍼마켓 할인 상품 안내
③ 슈퍼마켓 인기 상품 안내
④ 새로 개장한 슈퍼마켓 홍보
⑤ 슈퍼마켓 폐장 및 운영시간 안내

11 대화를 듣고, Chesley Burnett에 대한 설명으로 일치하는 것을 고르시오.

① 그는 실제 하늘을 날 수 있다.
② 그는 만화 속 영웅을 닮고 싶었다.
③ 그의 비행기는 강에 착륙할 수 있는 기능이 있다.
④ 그의 비행기 승객 중에 다친 사람은 극소수이다.
⑤ 그의 비행 기술은 뛰어났음에 분명하다.

12 대화를 듣고, 남자가 전화를 건 목적으로 가장 적절한 것을 고르시오.

① 여자의 집을 잠시 방문하기 위해서
② 여자가 학교에 있는지 확인하기 위해서
③ 집에 가는 길에 교과서를 가져다주기 위해서
④ 교실에 영어 교과서가 있는지 확인하기 위해서
⑤ 영어 교과서를 빌릴 수 있는지 물어보기 위해서

13 대화를 듣고, 여자가 받은 거스름돈의 금액으로 가장 적절한 것을 고르시오.

① $3 ② $3.5 ③ $4 ④ $5 ⑤ $6

14 대화를 듣고, 두 사람의 관계로 가장 적절한 것을 고르시오.

① 약사 – 환자 ② 교사 – 학생
③ 점원 – 손님 ④ 의사 – 간호사
⑤ 승무원 – 탑승객

15 대화를 듣고, 남자가 여자에게 부탁한 일로 가장 적절한 것을 고르시오.

① 영어 공부 도와주기
② 신문 기사 작성하기
③ 철자 오류 점검해 주기
④ 여행지 정보 알려 주기
⑤ 영어 숙제 제출해 주기

16 대화를 듣고, 남자가 동아리 모임에 빠진 이유로 가장 적절한 것을 고르시오.

① 몸이 아파서
② 모임을 잊어서
③ 일이 바빠서
④ 건강 검진을 받아야 해서
⑤ 엄마를 간호해야 해서

17 다음 그림의 상황에 가장 적절한 대화를 고르시오.

① ② ③ ④ ⑤

18 대화를 듣고, 두 사람이 필요한 요리 재료로 언급하지 않은 것을 고르시오.

① 밀가루 ② 버터
③ 설탕 ④ 코코아 가루
⑤ 과일

[19~20] 대화를 듣고, 여자의 마지막 말에 이어질 남자의 응답으로 가장 적절한 것을 고르시오.

19 Man: _____

① Will you ski with me?
② It is going to be cold.
③ May I close the window?
④ I don't have any plans yet.
⑤ I wonder if you can do it.

20 Man: _____

① That sounds bad.
② I think it was great!
③ It takes 30 minutes to get there.
④ You have to visit there several times.
⑤ It's not far from here. I will take you there.

Dictation Test 12회 영어 듣기모의고사

01 그림 정보 파악 – 날씨
대화를 듣고, 모레의 날씨로 가장 적절한 것을 고르시오.

① ② ③ ④ ⑤

😊 설명 요청하기 /////////////////////////////////
What do you mean by that? / Could you explain about that?

W Did you pack your bag ❶ _____ _____ _____ _____ _____?

M I did. I packed some clothes and snacks.

W You are not ready yet, I guess.

M What do you mean by that?

W I mean you ❷ _____ _____ _____ _____ _____.

M Oh, no. Is it going to rain tomorrow?

W It's going to be cloudy tomorrow and the day after tomorrow. Rain is ❸ _____ _____ _____ _____ _____ you return home.

02 그림 정보 파악 – 사물
대화를 듣고, 두 사람이 구입할 시계로 가장 적절한 것을 고르시오.

① ② ③ ④ ⑤

😊 선호 표현하기 /////////////////////////////////
I prefer A to B. / I think A is better than B.

W ❶ _____ _____ _____ _____ _____ for your grandfather.

M Sounds good. Do you ❷ _____ _____ _____ _____, Mom?

W I prefer square ones to round ones.

M How do you like this one?

W I don't like it because it has no numbers.

M What about that one with numbers?

W As your grandpa has a poor eyesight, we had better buy ❸ _____ _____ _____ _____ _____.

M You're right. Let's take that one.

03 심정 파악
대화를 듣고, 여자의 심정으로 가장 적절한 것을 고르시오.

① sad ② upset ③ confident
④ sorrowful ⑤ depressed

W You know what? I'm going to take part in a *taekwondo* contest soon.

M Really? When is it?

W Next Monday. I have only two days left. Why don't you ❶ _____ _____ _____ _____?

M Okay, I'd love to.

W I have a feeling that I'm going to ❷ _____ _____ _____.

M I think you will. But make sure ❸ _____ _____ _____ _____ in the contest.

Words 01 **pack** (짐을) 싸다 02 **wall clock** 벽시계 **have ~ in mind** ~을 염두에 두다 **have a poor eyesight** 시력이 나쁘다 03 **take part in** ~에 참여하다 **make a mistake** 실수를 하다

04 [한일/할일파악] 영국식 발음 녹음

대화를 듣고, 여자가 방과 후에 할 일로 가장 적절한 것을 고르시오.

① 배드민턴 치기
② 배드민턴 선수 만나기
③ 배드민턴 가르쳐 주기
④ 동물 병원 가기
⑤ 고양이와 산책하기

M What do you like to do after school, Susan?
W I ❶ _____ _____ _____ _____ _____ .
M Are you good at playing badminton?
W Yes, I am a badminton player at my school.
M Then, how about playing it with me after school today?
W I'm sorry, I can't. I ❷ _____ _____ _____ _____ _____ to the animal hospital. It has been sick since last Wednesday.
M I'm sorry to hear that. I hope ❸ _____ _____ _____ _____ .

05 [장소 추론]

대화를 듣고, 두 사람이 대화하는 장소로 가장 적절한 곳을 고르시오.

① 운동장　② 옷 가게　③ 신발 가게
④ 세탁소　⑤ 백화점

W Good morning. How can I help you?
M Here are a jacket and two shirts. I ❶ _____ _____ _____ _____ _____ .
W Okay. Anything else?
M Do you offer a shoe cleaning service? My sneakers ❷ _____ _____ _____ _____ .
W Sure. Leave them to us.
M When can I ❸ _____ _____ _____ _____ ?
W On Friday.
M Be sure to be ready by then, please.

06 [의도 파악]

대화를 듣고, 남자의 마지막 말의 의도로 가장 적절한 것을 고르시오.

① 칭찬　② 감사　③ 동의　④ 불평　⑤ 위로

😊 **불평하기** //////////////////////////////////////
It's not fair. / I'm not happy about ~. / I want to complain about ~.

M Mom, I'm leaving.
W Wait! Did you finish cleaning the living room? You promised to ❶ _____ _____ _____ _____ _____ .
M Of course I did. Look! I vacuumed and mopped the floor.
W That's good. What about the bathroom? Did you clean it?
M That's Tony's job. ❷ _____ _____ _____ _____ the bathroom.
W Come on! ❸ _____ _____ _____ _____ now. You should do that.
M 😊 It's not fair!

📖 Words ▸ **04 these days** 요즘에는 **since** ~부터 **get better** 호전되다 　**05 offer** 제공하다 **leave** (처리를) 맡기다 **laundry** 세탁물 　**06 chore** (정기적으로 하는) 일 **vacuum** 진공청소기로 청소하다 **mop** 대걸레로 닦다 **fair** 공정한, 공평한

Dictation Test

07 언급하지 않은 것

대화를 듣고, 여자가 원하는 신발에 대해 언급하지 <u>않은</u> 것을 고르시오.

① 신발을 신을 사람　② 신발의 용도
③ 신발의 디자인　④ 신발의 색깔
⑤ 신발의 사이즈

M Hello. May I help you?

W Yes, please. I'm looking for a pair of shoes for my daughter.

M Does she want sandals like these?

W No, she ❶ _____ _____ _____ _____ _____.

M How about these white running shoes? They're a new design.

W I prefer black shoes. White shoes ❷ _____ _____ _____ _____.

M Okay. Then I ❸ _____ _____ _____ _____ _____.

W I like them. Do you have them in size 10?

W Of course. Just wait a minute.

08 한 일 / 할 일 파악

대화를 듣고, 남자가 대화 직후에 할 일로 가장 적절한 것을 고르시오.

① to return a jacket
② to play soccer
③ to buy a jacket
④ to redesign a jacket
⑤ to find a receipt

W Tommy, you look busy. What's the matter?

M I'd like to ❶ _____ _____ _____, but I don't know where the receipt is.

W Why do you want to exchange it?

M A member of my soccer club has the same one. I don't want to ❷ _____ _____ _____ _____ as him.

W Okay, I fully understand you. Why don't you ❸ _____ _____ _____ _____ _____ ?

M Good idea. What about making a jacket with metal buttons on the shoulders?

W Great!

09 언급하지 않은 것

다음을 듣고, 남자가 기금 모음 콘서트에 대해 언급하지 <u>않은</u> 것을 고르시오.

① 기금 마련 목적　② 개최 장소
③ 개최 날짜　④ 개최 시간
⑤ 표 가격

M Hello, everyone. As mayor of Little Town, I have an important announcement. We're ❶ _____ _____ _____ _____ _____ for the poor people in our town. It will be held at Central Park on April 1. The city orchestra will give a concert, and there will be ❷ _____ _____ _____ _____ by a famous rock group. Tickets are $30 for adults and $20 for children. Enjoy the concert and ❸ _____ _____ _____. Thank you.

📖 **Words** **07 a pair of** 한 켤레의, 한 쌍의　**sandals** 샌들　**lace** 신발 끈　**08 exchange** 교환하다　**09 mayor** 시장, 군수　**fund raising** 기금 모금 **give a concert** 콘서트를 열다　**perform** 공연하다

10 주제 파악　영국식 발음 녹음

다음을 듣고, 여자가 하는 말의 내용으로 가장 적절한 것을 고르시오.

① 슈퍼마켓 위치 안내
② 슈퍼마켓 할인 상품 안내
③ 슈퍼마켓 인기 상품 안내
④ 새로 개장한 슈퍼마켓 홍보
⑤ 슈퍼마켓 폐장 및 운영시간 안내

W　Can I have your attention please? It is 9:50, and we will be closing in 10 minutes. Please bring any items _____ _____ _____ _____ ❶ to one of the check-out counters. We thank you _____ _____ _____ _____ _____ ❷, and remind you that we will be open tomorrow from 9 a.m. to 10 p.m. Thank you and _____ _____ _____ _____ ❸.

11 내용 일치 / 불일치

대화를 듣고, Chesley Burnett에 대한 설명으로 일치하는 것을 고르시오.

① 그는 실제 하늘을 날 수 있다.
② 그는 만화 속 영웅을 닮고 싶었다.
③ 그의 비행기는 강에 착륙할 수 있는 기능이 있다.
④ 그의 비행기 승객 중에 다친 사람은 극소수이다.
⑤ 그의 비행 기술은 뛰어났음에 분명하다.

😀 주제 소개하기 ////////////////////////////

I'd like to tell you about ~. / Now let's talk about ~. / I'd like to say something about ~.

W　😀 I'd like to tell you _____ _____ _____ _____ ❶.
M　Go ahead.
W　He is a pilot, Chesley Burnett. The plane he flew broke down, but _____ _____ _____ _____ _____ ❷ on the river. Thanks to him, nobody got hurt.
M　It's amazing. I don't know how he was able to avoid disaster.
W　That's _____ _____ _____ ❸. His flying skill must be excellent.

12 목적 파악

대화를 듣고, 남자가 전화를 건 목적으로 가장 적절한 것을 고르시오.

① 여자의 집을 잠시 방문하기 위해서
② 여자가 학교에 있는지 확인하기 위해서
③ 집에 가는 길에 교과서를 가져다주기 위해서
④ 교실에 영어 교과서가 있는지 확인하기 위해서
⑤ 영어 교과서를 빌릴 수 있는지 물어보기 위해서

[Cellphone rings.]
W　Hello, Myungjun. What made you call me?
M　Hello, Cindy. Well, I seemed to _____ _____ _____ ❶ _____ _____ on my desk in the classroom.
W　I'm still in the school. What can I do for you?
M　Can you check if my textbook is on the desk and _____ ❷ _____ _____?
W　Sure. I will do it for you. If I find your textbook, should I bring it to you on my way home?
M　I'd really _____ _____ _____ _____ _____ ❸.

13 숫자 정보 파악 – 금액

대화를 듣고, 여자가 받은 거스름돈의 금액으로 가장 적절한 것을 고르시오.

① $3　② $3.5　③ $4　④ $5　⑤ $6

M　Welcome to my garage sale.
W　❶ _____ _____ _____ _____ _____ _____ for my little brother.
M　What ❷ _____ _____ _____ _____ _____?
W　I'm thinking of crayons.
M　We have 12-color and 24-color crayons.
W　How much do they cost?
M　❸ _____ _____ _____, but very cheap. The 12-color is four dollars and the 24-color is six dollars and fifty cents.
W　I'll take the 24-color crayons. Here is ten dollars.

Words　**10 purchase** 구입하다　**check-out counter** 계산대　**11 pilot** 조종사　**manage** 간신히 해내다　**disaster** 재난　**12 call ~ back** ~에게 다시 전화하다　**appreciate** 고마워하다　**13 garage sale** 중고 물품 세일　**slightly** 약간

Dictation Test

14 관계 추론

대화를 듣고, 두 사람의 관계로 가장 적절한 것을 고르시오.

① 약사 – 환자
② 교사 – 학생
③ 점원 – 손님
④ 의사 – 간호사
⑤ 승무원 – 탑승객

ⓟ directly의 발음
directly[diréktli]처럼 t가 단어를 구성하는 철자 가운데에 위치할 때에는 [t]소리가 약화된다. [디렉끌리]와 비슷하게 발음됨에 유의한다.

M　How may I help you?

W　I have a terrible headache.

M　How long _____ _____ _____ _____ _____ _____ ❶ ?

W　Since last night. I _____ _____ _____ _____ ❷, too.

M　You should take this aspirin.

W　How often should I take this?

M　Three times a day, after every meal. If your fever doesn't come down, _____ _____ _____ _____ _____ ❸ directly. ⓟ

W　Okay, thank you.

15 부탁한 일 파악　영국식 발음 녹음

대화를 듣고, 남자가 여자에게 부탁한 일로 가장 적절한 것을 고르시오.

① 영어 공부 도와주기
② 신문 기사 작성하기
③ 철자 오류 점검해 주기
④ 여행지 정보 알려 주기
⑤ 영어 숙제 제출해 주기

W　Hi, Junho. What are you doing?

M　I'm writing an essay about my future job. This will _____ ❶ _____ _____ _____ _____ in my school.

W　What do you want to be in the future?

M　A tour guide. _____ _____ _____ _____ ❷ with others interest me a lot.

W　Great. I'd love to read your essay when it's done.

M　Really? Then can I ask you _____ _____ _____ ❸ _____ _____ when I'm done? You're a native speaker, Jane.

W　No problem. Just leave it to me.

16 이유 파악

대화를 듣고, 남자가 동아리 모임에 빠진 이유로 가장 적절한 것을 고르시오.

① 몸이 아파서
② 모임을 잊어서
③ 일이 바빠서
④ 건강 검진을 받아야 해서
⑤ 엄마를 간호해야 해서

😊 기억이나 망각 표현하기
I completely forgot about that. / I'll never forget ~. / I (don't) remember ~.

W　Andy, were you sick yesterday? _____ _____ ❶ _____ at the club meeting, did you?

M　What club meeting?

W　We have a regular club meeting every Wednesday.

M　Oh, no! I completely forgot about that.

W　You seem to _____ _____ _____ ❷ _____ _____ _____. What's wrong?

M　I don't know. Maybe I should _____ _____ _____ ❸ _____.

W　Don't worry. It's the beginning of the semester, and many things are going on. I'm sure it's nothing more than that.

Words　**14 fever** 열　**aspirin** 아스피린, 진통제　**come down** (열이) 내리다, 떨어지다　**15 essay** 글, 수필　**spelling** 철자법, 맞춤법　**native** 본토의
16 show up 나타나다　**completely** 완전히　**forgetful** 잘 잊어 먹는　**medical checkup** 건강검진　**beginning** 초(반), 시작

17 그림 상황에 어울리는 대화 찾기

다음 그림의 상황에 가장 적절한 대화를 고르시오.

① ② ③ ④ ⑤

① M May I see your passport and boarding pass?
   W Here you are.
② M What is ❶ _____ _____ _____ _____ _____?
   W Sightseeing.
③ M Is this ❷ _____ _____ _____ _____ _____?
   W Yes, it is.
④ M Would you prefer a window seat or an aisle seat?
   W I'd prefer a window seat.
⑤ M ❸ _____ _____ _____ _____ _____ at the airport?
   W You should arrive three hours before departure.

18 언급하지 않은 것

대화를 듣고, 두 사람이 필요한 요리 재료로 언급하지 않은 것을 고르시오.
① 밀가루   ② 버터
③ 설탕   ④ 코코아 가루
⑤ 과일

M What are you doing, Mom?
W I'm ❶ _____ _____ _____ _____ _____ for the party tomorrow. Do you want to help?
M Sure. Do we need flour and eggs?
W Yes, we also need some milk, butter, and sugar.
M What about cocoa powder?
W We don't need any because we're ❷ _____ _____ _____ _____. We just need some fruit to decorate the cake.
M Okay. I'll ❸ _____ _____ _____.

[19~20] 대화를 듣고, 여자의 마지막 말에 이어질 남자의 응답으로 가장 적절한 것을 고르시오.

19 알맞은 응답 찾기

Man: _____

① Will you ski with me?
② It is going to be cold.
③ May I close the window?
④ I don't have any plans yet.
⑤ I wonder if you can do it.

M It's too cold.   W Yes. It's already winter.
M Do you have any plans ❶ _____ _____ _____ _____?
W Actually, I do. I am going to ❷ _____ _____ _____.
M Good for you!
W Yes, I'm really ❸ _____ _____ _____ _____. How about you?

20 알맞은 응답 찾기   영국식 발음 녹음

Man: _____

① That sounds bad.
② I think it was great!
③ It takes 30 minutes to get there.
④ You have to visit there several times.
⑤ It's not far from here. I will take you there.

😊 모르고 있음 표현하기 //////////////////////
I have no idea. / I haven't got a clue.

M Mrs. Wilson, this is ❶ _____ _____ _____ _____ _____, isn't it?   W Yes. I'm happy to be here again.
M Where ❷ _____ _____ _____ _____ _____ first?
W I have no idea. Can you recommend a good place to see?
M Well, have you been to Gyeongbokgung Palace?
W No, but I'd really like to see it. How can I ❸ _____ _____ _____ _____ from here?

Words 　**17** **boarding pass** 탑승권 **sightseeing** 관광 **baggage** 짐 **aisle** 복도　**18** **flour** 밀가루 **cocoa powder** 코코아 가루 **decorate** 장식하다 **ingredient** 재료　**19** **take snowboarding lessons** 스노보드 수업을 받다 **Good for you!** 잘됐구나!　**20** **palace** 궁, 궁전

01 다음을 듣고, 토요일의 날씨로 가장 적절한 것을 고르시오.

02 대화를 듣고, 여자가 구입할 모자로 가장 적절한 것을 고르시오.

03 대화를 듣고, 남자의 심정으로 가장 적절한 것을 고르시오.

① happy   ② bored   ③ excited
④ lucky   ⑤ upset

04 대화를 듣고, 여자가 남자를 위해 할 일로 가장 적절한 것을 고르시오.

① 난방기 켜기   ② 침실 정리하기
③ 병원 예약하기   ④ 방에서 휴식 취하기
⑤ 따뜻한 수프 만들기

05 대화를 듣고, 두 사람이 대화하는 장소로 가장 적절한 곳을 고르시오.

① library   ② City Hall   ③ bus stop
④ post office   ⑤ train station

06 대화를 듣고, 남자의 마지막 말의 의도로 가장 적절한 것을 고르시오.

① 해명   ② 축하   ③ 추천   ④ 사과   ⑤ 감사

07 다음을 듣고, 무엇에 관한 설명인지 가장 적절한 것을 고르시오.

① 택견   ② 유도   ③ 태권도
④ 씨름   ⑤ 레슬링

08 대화를 듣고, 두 사람이 대화 직후에 할 일로 가장 적절한 것을 고르시오.

① 숙제하기   ② 여행 계획 세우기
③ 집안일 하기   ④ 관광 명소 찾아보기
⑤ 저녁 식사하기

09 다음을 듣고, 남자가 여행 전 차량 점검 사항으로 언급하지 않은 것을 고르시오.

① 타이어   ② 와이퍼   ③ 에어백
④ 브레이크   ⑤ 기름

10 다음을 듣고, 여자가 하는 말의 내용으로 가장 적절한 것을 고르시오.

① 옷 잘 입는 방법
② 학교 축제 행사 안내
③ 멋지게 분장하는 방법
④ 멋지게 포즈 취하는 방법
⑤ 재능기부 자원봉사자 모집 안내

11 다음을 듣고, 네 가지의 가장 일반적인 새해 목표에 포함되지 <u>않은</u> 것을 고르시오.

① 다이어트하기　　　② 담배 끊기
③ 운동하기　　　④ 저축하기
⑤ 온라인 게임 안 하기

12 대화를 듣고, 여자가 문화 센터를 방문한 목적으로 가장 적절한 것을 고르시오.

① 태권도를 배우기 위해서
② 태권도 수업을 신청하기 위해서
③ 동생을 데려오기 위해서
④ 기타 수업을 신청하기 위해서
⑤ 음악 수업에 관해 알아보기 위해서

13 대화를 듣고, 두 사람이 집에서 출발할 시각으로 가장 적절한 것을 고르시오.

① 4:00　　　② 4:30　　　③ 4:50
④ 5:00　　　⑤ 5:20

14 대화를 듣고, 두 사람의 관계로 가장 적절한 것을 고르시오.

① 경찰 – 용의자
② 손님 – 자전거 상점 주인
③ 게시판 이용자 – 게시판 관리자
④ 쇼핑몰 구매자 – 쇼핑몰 상담원
⑤ 중고품 구매자 – 중고품 판매자

15 대화를 듣고, 남자가 여자에게 요청한 일로 가장 적절한 것을 고르시오.

① 쇼핑 목록 작성해 주기
② 식료품점에 태워다 주기
③ 달걀 샌드위치 만들어 주기
④ 식료품점에서 음식 사 오기
⑤ 같이 외출하기 위해 기다려 주기

16 대화를 듣고, 남자가 학교에서 혼난 이유로 가장 적절한 것을 고르시오.

① 휴대 전화를 잃어버려서
② 휴대 전화를 가져오지 않아서
③ 선생님의 전화를 받지 않아서
④ 수업 중에 휴대 전화가 울려서
⑤ 학교 규정에 대해 모르고 있어서

17 다음 그림의 상황에 가장 적절한 대화를 고르시오.

①　　②　　③　　④　　⑤

18 대화를 듣고, 여자가 먹은 한국 음식으로 언급하지 <u>않은</u> 것을 고르시오.

① 불고기　　　② 김치
③ 김밥　　　④ 식혜
⑤ 떡

[19~20] 대화를 듣고, 남자의 마지막 말에 이어질 여자의 응답으로 가장 적절한 것을 고르시오.

19 Woman: _____

① Korea developed the KTX.
② The KTX fare is too expensive.
③ An airplane is faster than the KTX.
④ You can buy it using your smartphone.
⑤ It takes 5 hours from Seoul to Busan by car.

20 Woman: _____

① I can teach you how to swim.
② I read various kinds of books.
③ I can swim the butterfly stroke.
④ I was a swimmer at my school.
⑤ I'm looking forward to a vacation.

Dictation Test 13회 영어 듣기모의고사

01 그림 정보 파악 – 날씨

다음을 듣고, 토요일의 날씨로 가장 적절한 것을 고르시오.

① ② ③
④ ⑤

W I'm Sarah Jin with the weekly weather forecast. You can ❶ _____ _____ _____ _____ of this week pleasantly. It's because it will be fine. And the fine weather will ❷ _____ _____ _____ _____ _____. However, it will be cloudy on Thursday and Friday. If you plan to go on a picnic this weekend, ❸ _____ _____ _____ _____ _____. It's because it will rain a lot from Saturday.

02 그림 정보 파악 – 사물

대화를 듣고, 여자가 구입할 모자로 가장 적절한 것을 고르시오.

① ② ③
④ ⑤

M Welcome! What kind of caps are you looking for?
W I want a hat ❶ _____ _____ _____ _____ or at the beach.
M How about this baseball cap? It is ❷ _____ _____ _____ _____ these hats.
W I already have one. Show me another style.
M I think you'll like this one. It does not cover your head, but can ❸ _____ _____ _____ _____.
W Good. I will take it.

03 심정 파악

대화를 듣고, 남자의 심정으로 가장 적절한 것을 고르시오.
① happy　② bored　③ excited
④ lucky　⑤ upset

M Hello, Suji.
W Hi. Did you ❶ _____ _____ _____ _____ _____ yesterday?
M Yes. As you know, I was really ❷ _____ _____ _____ _____ _____.
W Did you find it exciting as you expected?
M I don't know for sure.
W What do you mean?
M I was too late for the musical theater because of a heavy traffic jam. So I couldn't ❸ _____ _____ _____ _____ _____ of the musical.

Words　01 weekly 주간의　pleasantly 즐겁게　02 outdoor sports 야외 스포츠　latest 최신의, 최근의　block out ~을 차단하다　effectively 효과적으로　03 expect 기대(예상)하다　traffic jam 교통 체증

정답과 해설 **p. 42**

04 한 일 / 할 일 파악

대화를 듣고, 여자가 남자를 위해 할 일로 가장 적절한 것을 고르시오.

① 난방기 켜기　　② 침실 정리하기
③ 병원 예약하기　　④ 방에서 휴식 취하기
⑤ 따뜻한 수프 만들기

😊 **충고하기** ////////////////////////

Why don't you ~? / You'd better ~. / (I think) you should ~.

M I think I've caught a cold.
W Why don't you go to your room and take a rest?
M Okay, I will. I feel cold and so tired.
W Do you want me ❶＿＿＿＿ ＿＿＿＿ ＿＿＿＿
＿＿＿＿ in your room?
M No, you don't need to. I'll do it myself.
W Is there anything I can do for you?
M Can you ❷＿＿＿ ＿＿＿ ＿＿＿ ＿＿＿ ＿＿＿,
please?
W Sure. I will ❸＿＿＿ ＿＿＿ ＿＿＿ ＿＿＿ ＿＿＿.

05 장소 추론

대화를 듣고, 두 사람이 대화하는 장소로 가장 적절한 곳을 고르시오.

① library　　② City Hall　　③ bus stop
④ post office　　⑤ train station

W John, what are you doing?
M Hi, Jisu. I'm reading a new novel.
W Why are you reading it here?
M Kind of killing time. Because ❶＿＿＿ ＿＿＿ ＿＿＿
＿＿＿ ＿＿＿ for City Hall, but it's not coming.
W If you use your smartphone, ❷＿＿＿ ＿＿＿ ＿＿＿
＿＿＿ ＿＿＿ of the bus.
M Really? Would you teach me ❸＿＿＿ ＿＿＿ ＿＿＿
＿＿＿ ＿＿＿? W Sure. It's very easy.

06 의도 파악

대화를 듣고, 남자의 마지막 말의 의도로 가장 적절한 것을 고르시오.

① 해명　② 축하　③ 추천　④ 사과　⑤ 감사

😊 **기억이나 망각 여부 묻기** ///////////////////

Do you remember ~? / Don't you remember ~? / I wonder if you remember ~.

[Cellphone rings.]
M Hello, Anna. What's up?
W Hey, Jaehoon! Finally, ❶＿＿＿ ＿＿＿ ＿＿＿ ＿＿＿. I'm
so disappointed with you.
M Why are you so angry with me? I don't know why.
W Do you remember ❷＿＿＿ ＿＿＿ ＿＿＿ ＿＿＿?
M What plans?
W We were supposed to meet in front of City Hall at 2 p.m. today.
M Oh, dear! I completely forgot it ❸＿＿＿ ＿＿＿ ＿＿＿
＿＿＿ ＿＿＿.

07 주제 파악

다음을 듣고, 무엇에 관한 설명인지 가장 적절한 것을 고르시오.

① 택견　　② 유도　　③ 태권도
④ 씨름　　⑤ 레슬링

M This is a type of Korean traditional wrestling. Two wrestlers
❶＿＿＿ ＿＿＿ ＿＿＿ ＿＿＿. They ❷＿＿＿
＿＿＿ ＿＿＿ ＿＿＿ ＿＿＿ around the waist and
thigh. People call this belt *satba*. Each player grabs his opposite
player's belt. If one makes the opposite player fall to the ground,
❸＿＿＿ ＿＿＿ ＿＿＿ ＿＿＿ ＿＿＿.

📖 **Words** **04 catch a cold** 감기에 걸리다　**heater** 난방기, 히터　**05 killing time** 심심풀이, 시간 때우기　**search** 찾아보다　**06 get a call** 전화를 받다　**07 wrestling** 레슬링　**compete** 경쟁하다, 겨루다　**sandy** 모래로 뒤덮인　**thigh** 넓적다리　**grab** 움켜잡다

Dictation Test

08 한 일 / 할 일 파악

대화를 듣고, 두 사람이 대화 직후에 할 일로 가장 적절한 것을 고르시오.

① 숙제하기　　　　② 여행 계획 세우기
③ 집안일 하기　　　④ 관광 명소 찾아보기
⑤ 저녁 식사하기

솔직히 말하고자 할 때
To be frank with you, ~. / To be honest with you, ~. / Frankly speaking, ~. / To tell the truth, ~. / As a matter of fact, ~.

M　I will travel to Gyeongju with my friends this weekend.
W　I'd love to go there.
M　To be frank with you, _____ _____ _____ _____ that city.
W　Really? Gyeongju has ❷ _____ _____ _____ _____ _____ .
M　Please recommend one.
W　Sure, but before talking about it, let's finish our homework first. After that, ❸ _____ _____ _____ _____ _____ to visit there.
M　Okay. Thank you.

09 언급하지 않은 것

다음을 듣고, 남자가 여행 전 차량 점검 사항으로 언급하지 않은 것을 고르시오.

① 타이어　　② 와이퍼　　③ 에어백
④ 브레이크　　⑤ 기름

M　Before a long trip with your family, be sure ❶ _____ _____ _____ _____ _____ in the car. First, check if tires are worn or not. Also, ❷ _____ _____ _____ . Second, check all the lights and wipers. Third, check the brakes. I think it is the most important thing. Finally, don't forget to ❸ _____ _____ _____ _____ .

10 주제 파악　영국식 발음 녹음

다음을 듣고, 여자가 하는 말의 내용으로 가장 적절한 것을 고르시오.

① 옷 잘 입는 방법
② 학교 축제 행사 안내
③ 멋지게 분장하는 방법
④ 멋지게 포즈 취하는 방법
⑤ 재능기부 자원봉사자 모집 안내

W　Hello, students. Every year, our school ❶ _____ _____ _____ _____ during the school festival. This year, we're planning a costume party. You can dress up as a celebrity or a famous character from your favorite movies or comic books. We will ❷ _____ _____ _____ _____ _____ like the best costume and the best poser to those who wear a great disguise. ❸ _____ _____ _____ _____ at this event.

11 특정 정보 파악

다음을 듣고, 네 가지의 가장 일반적인 새해 목표에 포함되지 않은 것을 고르시오.

① 다이어트하기　　② 담배 끊기
③ 운동하기　　　　④ 저축하기
⑤ 온라인 게임 안 하기

M　Most people make a New Year's resolution and ❶ _____ _____ _____ _____ . What are the most common New Year's resolutions that people make? To be on a diet ranks at the top of the list. To stop smoking takes second place. And ❷ _____ _____ _____ _____ and to save money are third and fourth. Surprisingly, ❸ _____ _____ _____ _____ _____ is not in the top four New Year's resolutions.

Words　**08 to be frank with you** 솔직히 말해서　**tourist spot** 관광지　**09 wear** 닳다, 해지다　**spare** 여분의　**fill up** ~을 가득 채우다
10 celebrity 유명인　**present** 수여하다　**disguise** 분장, 변장　**show off** ~을 자랑하다, 뽐내다　**11 New Year's resolution** 새해 결심

정답과 해설 **p. 42**

12 목적 파악

대화를 듣고, 여자가 문화 센터를 방문한 목적으로 가장 적절한 것을 고르시오.

① 태권도를 배우기 위해서
② 태권도 수업을 신청하기 위해서
③ 동생을 데려오기 위해서
④ 기타 수업을 신청하기 위해서
⑤ 음악 수업에 관해 알아보기 위해서

M   Mina, _____ _____ _____ _____.
W   Oh, Jinsu. How have you been?
M   Pretty good. I didn't expect I would see you at this community center. Did you come to ❷ _____ _____ _____ _____ ?
W   Not exactly. My little brother takes a *taekwondo* class here. I ❸ _____ _____ _____. What about you?
M   I heard there's a guitar class here, so I came to sign up for it.
W   Good for you. I know how much you love the guitar.
M   Oh, you remember that.

13 숫자 정보 파악 – 시각

대화를 듣고, 두 사람이 집에서 출발할 시각으로 가장 적절한 것을 고르시오.

① 4:00   ② 4:30   ③ 4:50
④ 5:00   ⑤ 5:20

이의 제기하기 //////////////////////////////
I don't think(believe) so. / I disagree (with you). / I'm against it.

W   Dad, how long will it take to go to the concert hall?
M   Maybe it will take about 40 minutes by car.
W   Then, let's leave home at 5 p.m. The concert will begin at 6 p.m., and ❶ _____ _____ _____ _____.
M   I don't think so. Today is Friday. The traffic ❷ _____ _____ _____ _____ _____.
W   That's true.
M   Let's ❸ _____ _____ _____ _____ _____ one and a half hours earlier. Then, we won't be late.
W   Okay.

14 관계 추론   영국식 발음 녹음

대화를 듣고, 두 사람의 관계로 가장 적절한 것을 고르시오.

① 경찰 – 용의자
② 손님 – 자전거 상점 주인
③ 게시판 이용자 – 게시판 관리자
④ 쇼핑몰 구매자 – 쇼핑몰 상담원
⑤ 중고품 구매자 – 중고품 판매자

가능성 정도 묻기 ////////////////////////////
Can you give me a discount? / Are you likely to give me a discount? / Is it possible for you to give me a discount?

[*Cellphone rings.*]
W   Hello. This is Jane. Who's calling?
M   This is Sangmin Kim. I saw ❶ _____ _____ _____ _____ on the school bulletin board.
W   Yes, I ❷ _____ _____ _____ _____ yesterday.
M   I want to buy your bicycle. But I think it's a little expensive. Can you give me a discount?
W   Sure. How much do you want to pay for it?
M   I want to buy it for $100.
W   Um, okay. Let's meet at the school cafeteria at 4 p.m. tomorrow and ❸ _____ _____ _____ _____.

 Words   **12 community center** 문화 센터   **13 leave** 떠나다, 출발하다   **14 bulletin board** 게시판   **post** (안내문 등을) 공고하다   **cafeteria** 구내식당   **direct deal** 직거래

Dictation Test

15 요청한 일 파악   <small>영국식 발음 녹음</small>

대화를 듣고, 남자가 여자에게 요청한 일로 가장 적절한 것을 고르시오.

① 쇼핑 목록 작성해 주기
② 식료품점에 태워다 주기
③ 달걀 샌드위치 만들어 주기
④ 식료품점에서 음식 사 오기
⑤ 같이 외출하기 위해 기다려 주기

💬 **확실성 정도 표현하기** //////////////////
I'm (not) sure[certain] ~. / I have no doubt.

W Mike, are you going out?
M Yes, I'm going to the grocery store to buy some food.
W That's great. Can you ❶ _____ _____ _____ _____ for me?
M Of course I can. What do you need?
W I need some eggs, milk, a loaf of bread, and....
M Hold on. I'm not sure I can remember everything. ❷ _____ _____ _____ _____ _____ of what you need?
W All right. That ❸ _____ _____ _____. Wait a minute.

16 이유 파악

대화를 듣고, 남자가 학교에서 혼난 이유로 가장 적절한 것을 고르시오.

① 휴대 전화를 잃어버려서
② 휴대 전화를 가져오지 않아서
③ 선생님의 전화를 받지 않아서
④ 수업 중에 휴대 전화가 울려서
⑤ 학교 규정에 대해 모르고 있어서

💬 **비난을 하거나 수용하기** //////////////////
It's (all) my fault. / It's (all) because of me.

W How was school today, Minsu?
M It was terrible. I was scolded by my teacher.
W What happened?
M My cellphone rang during class. ❶ _____ _____ _____ _____ carry cellphones at school.
W Oh, it's all my fault. I ❷ _____ _____ _____ _____ _____ because I thought you would need it. I didn't know about the cellphone rule.
M It's a new regulation. ❸ _____ _____ _____ _____ _____ about it.
W Do you want me to call your teacher and explain?
M No, that's okay.

17 그림 상황에 어울리는 대화 찾기

다음 그림의 상황에 가장 적절한 대화를 고르시오.

① ② ③ ④ ⑤

💬 **능력 표현하기** //////////////////
I'm (pretty) good at ~. / I know how to ~. / I was able to ~.

① W How do you go to school?
   M I usually ride my bike.
② W My ❶ _____ _____ _____. I can't believe it!
   M Did you call the police?
③ W Can you ❷ _____ _____ _____?
   M I guess I can. I'm pretty good at repairing things.
④ W I think ❸ _____ _____ _____ _____ _____.
   M I agree. But you should be careful.
⑤ W Didn't you see the bike parked by the pole?
   M No, I didn't.

📙 Words   **15 grocery store** 식료품점 **a loaf of bread** 빵 한 덩어리   **16 scold** 야단치다, 꾸짖다 **regulation** 규율, 규정   **17 be stolen** 도난당하다 **agree** 동의하다 **pole** 기둥

정답과 해설 **p. 42**

18 언급하지 않은 것

대화를 듣고, 여자가 먹은 한국 음식으로 언급하지 **않은** 것을 고르시오.

① 불고기 ② 김치
③ 김밥 ④ 식혜
⑤ 떡

M Susan, I heard that you were invited to a Korean friend's home last weekend.

W Yes. They were very friendly. They served a lot of ❶ _____ _____ _____.

M What did you eat?

W I ate *bulgogi, gimchi, gimbap*, and we drank some Korean traditional ❷ _____ _____ _____ _____ _____.

M Oh, you mean *sikhye*. How did you like it?

W It was ❸ _____ _____ _____. I really loved it.

M Didn't you have rice cake? It goes well with *sikhye*.

W No, I didn't have that. We had cheesecake for dessert.

[19~20] 대화를 듣고, 남자의 마지막 말에 이어질 여자의 응답으로 가장 적절한 것을 고르시오.

19 알맞은 응답 찾기

Woman: _____

① Korea developed the KTX.
② The KTX fare is too expensive.
③ An airplane is faster than the KTX.
④ You can buy it using your smartphone.
⑤ It takes 5 hours from Seoul to Busan by car.

M Would you ❶ _____ _____ _____ _____ _____ to go to Busan?

W I guess, the KTX is the fastest.

M KTX? What is it?

W KTX means "Korea Train Express."

M How fast is it?

W The KTX can ❷ _____ _____ _____ _____ _____ up to 300 km per hour. It usually takes two and a half hours from Seoul to Busan.

M ❸ _____ _____ _____ _____ a KTX ticket?

---

20 알맞은 응답 찾기 영국식 발음 녹음

Woman: _____

① I can teach you how to swim.
② I read various kinds of books.
③ I can swim the butterfly stroke.
④ I was a swimmer at my school.
⑤ I'm looking forward to a vacation.

W Did you have a good time during summer vacation?

M Yes. I spent most of my vacation ❶ _____ _____ _____ _____.

W Can you swim the freestyle?

M Of course. I can also swim the butterfly stroke.

W Great! You have learned a lot ❷ _____ _____ _____ _____.

M Thanks. ❸ _____ _____ _____ _____ your vacation?

Words **18** invite 초대하다 serve 대접하다 go well with ~와 잘 어울리다 **19** speed 속도 up to ~까지 **20** freestyle 자유형 butterfly stroke (수영의) 접영

01 대화를 듣고, 남자가 출장을 갈 곳의 날씨로 가장 적절한 것을 고르시오.

① ② ③

④ ⑤

02 대화를 듣고, 남자가 선택한 여동생의 선물로 가장 적절한 것을 고르시오.

① ② ③

④ ⑤

03 대화를 듣고, 마지막에 여자가 느꼈을 심정으로 가장 적절한 것을 고르시오.
① bored ② relieved ③ lonely
④ nervous ⑤ disappointed

04 대화를 듣고, 남자가 전화 통화 직후에 할 일로 가장 적절한 것을 고르시오.
① 연설문 작성하기 ② 연설문 수정하기
③ 포스터 붙이기 ④ 사진 파일 보내기
⑤ 증명사진 찍기

05 다음을 듣고, 방송이 이루어지고 있는 장소로 가장 적절한 곳을 고르시오.
① 영화관 ② 놀이공원 ③ 축구 경기장
④ 콘서트장 ⑤ 도서관

06 다음을 듣고, 남자가 하는 말의 내용으로 가장 적절한 것을 고르시오.
① 낮잠 자기 ② 휴식 취하기
③ 스트레칭하기 ④ 음악 감상하기
⑤ 아침 식사하기

07 대화를 듣고, 남자가 봉사 활동으로 한 일이 아닌 것을 고르시오.
① 청소하기 ② 책 읽어 주기
③ 보드게임하기 ④ 노래 가르쳐 주기
⑤ 숙제 도와주기

08 대화를 듣고, 여자가 오늘 밤에 할 일로 가장 적절한 것을 고르시오.
① 뮤지컬 관람하기
② 제빵 수업 듣기
③ 도서 대여하기
④ 공연 티켓 구매하기
⑤ 집에서 빵 만들기

09 다음을 듣고, 남자가 수영장에서 지켜야 할 규칙에 대해 언급하지 않은 것을 고르시오.
① 수영장 주변에서 뛰지 않기
② 음식 먹고 바로 수영하지 않기
③ 수영하기 전에 준비 운동 하기
④ 물에 들어가기 전에 샤워하기
⑤ 수영장 근처에서 음식물 먹지 않기

10 다음을 듣고, 무엇에 관한 안내 방송인지 가장 적절한 것을 고르시오.
① 에어컨 가동 중단
② 에너지 절약 동참
③ 도난 사고 예방
④ 여름철 건강관리
⑤ 일시적 정전 예고

11 대화를 듣고, 여자가 언급한 내용과 일치하지 <u>않는</u> 것을 고르시오.

① 여자는 모아둔 돈이 있다.

② 여자의 현재 컴퓨터에는 문제가 있다.

③ 여자는 컴퓨터 작업 중 중요한 파일을 잃어버렸다.

④ 여자는 가장 비싼 최신형 컴퓨터를 살 것이다.

⑤ 남자는 여자에게 돈을 보태 줄 의향이 있다.

12 대화를 듣고, 남자가 전화를 건 목적으로 가장 적절한 것을 고르시오.

① 병원 예약을 확인하기 위해서

② 병원 위치를 알려 주기 위해서

③ 약 먹을 시간을 알려 주기 위해서

④ 약을 사 달라고 부탁하기 위해서

⑤ 병원에 데려다 달라고 부탁하기 위해서

13 대화를 듣고, 남자가 받은 거스름돈의 금액으로 가장 적절한 것을 고르시오.

① $2   ② $4   ③ $6   ④ $8   ⑤ $10

14 대화를 듣고, 두 사람의 관계로 가장 적절한 것을 고르시오.

① 영화감독 – 배우   ② 교사 – 학부모

③ 가이드 – 관광객   ④ 작곡가 – 가수

⑤ 박물관 직원 – 관람객

15 대화를 듣고, 남자가 여자에게 요청한 일로 가장 적절한 것을 고르시오.

① 여행 예약 취소하기

② 병원 위치 알려 주기

③ 호텔 예약 변경하기

④ 출장 일정 확인하기

⑤ 예약 내용 문자 전송하기

16 대화를 듣고, 남자가 쇼핑을 가지 <u>않는</u> 이유로 가장 적절한 것을 고르시오.

① 쇼핑몰이 멀어서

② 실물을 볼 필요가 없어서

③ 상품을 비교할 수 있어서

④ 필요한 물건이 거의 없어서

⑤ 쇼핑몰은 사람들이 많아서

17 다음 그림의 상황에 가장 적절한 대화를 고르시오.

①   ②   ③   ④   ⑤

18 대화를 듣고, 여자가 살을 빼기로 결심한 이유로 언급하지 <u>않은</u> 것을 고르시오.

① 옷이 맞지 않아서

② 몸이 무거워서

③ 무릎이 아파서

④ 부모님이 권해서

⑤ 자신감을 갖고 싶어서

[19～20] 대화를 듣고, 여자의 마지막 말에 이어질 남자의 응답으로 가장 적절한 것을 고르시오.

19 Man: _____

① I'm sure she will lend it to you.

② I don't think the necklace fits you.

③ You should always keep your word.

④ I'm sorry, but I don't know where it is.

⑤ If you tell the truth, she won't get angry.

20 Man: _____

① What? That's too bad.

② Okay. I'll hand it in right away.

③ Thanks a lot. You saved my life.

④ I will send it as soon as possible.

⑤ Turn off the computer when you don't use it.

Dictation Test 14회 영어 듣기모의고사

01 그림 정보 파악 – 날씨

대화를 듣고, 남자가 출장을 갈 곳의 날씨로 가장 적절한 것을 고르시오.

① ② ③

④ ⑤

W Do you think you'll be able to ❶ _____ _____ _____ _____ _____ tomorrow?

M Of course. Why did you ask that?

W I'm worried about the weather. It might rain here.

M You don't need to worry about it. I ❷ _____ _____ _____ _____.

W Oh, did you? How about the city you'll visit on business?

M It won't be cloudy or rainy. ❸ _____ _____ _____ _____ for the time being.

02 그림 정보 파악 – 사물

대화를 듣고, 남자가 선택한 여동생의 선물로 가장 적절한 것을 고르시오.

① ② ③

④ ⑤

W May I help you?

M Yes. ❶ _____ _____ _____ _____ _____ for my little sister.

W Well, how about this teddy bear-shaped eraser?

M Let me see. I don't like it that much. Do you have a pencil with ❷ _____ _____ _____ _____ _____ ?

W Sure.

M What does ❸ _____ _____ _____ _____ ?

W We have a pencil with a tiger-shaped eraser.

M Good. I'll take it.

03 심정 파악 영국식 발음 녹음

대화를 듣고, 마지막에 여자가 느꼈을 심정으로 가장 적절한 것을 고르시오.

① bored   ② relieved   ③ lonely
④ nervous   ⑤ disappointed

😊 감사하기 ////////////////////////////////////

• 감사하기
Thank you so much. / Thanks for your help. / I appreciate your help.
• 감사에 답하기
Don't mention it. / You're welcome. / (It's) my pleasure. / No problem.

W Brian, I can't ❶ _____ _____ _____ _____. What should I do?

M Alice, have you looked in your bag?

W Yes, but I couldn't find it there.

M ❷ _____ _____ _____ _____ on the way home.

W I've already walked to my school. Still I couldn't find it.

M Wait. I can see ❸ _____ _____ _____ _____.

W Oh, it's my purse. There it is. Thank you so much, Brian.

M Don't mention it.

Words **01 go on a business trip** 출장을 가다 **on business** 업무로, 볼일이 있어 **02 present** 선물 **teddy bear** 곰 인형 **eraser** 지우개
03 anywhere 어디에서도 **drop** 떨어뜨리다 **mention** 언급하다

04 한 일 / 할 일 파악

대화를 듣고, 남자가 전화 통화 직후에 할 일로 가장 적절한 것을 고르시오.

① 연설문 작성하기　② 연설문 수정하기
③ 포스터 붙이기　④ 사진 파일 보내기
⑤ 증명사진 찍기

ⓟ finished it의 발음 ////////////////////////
이어지는 두 단어의 첫 단어가 자음으로 끝나고 뒤따르는 단어가 모음으로 시작되는 경우 연음이 되어서 발음된다. 따라서 finished it의 경우 [피니쉬트 잇]이 아니라 [피니쉬딧]처럼 소리 난다.

[*Telephone rings.*]
M Hello.
W Hey, Jack. Did you ❶ _____ _____ _____ _____?
M Well, I've almost finished it. ❷
W Really? I'd love to read it. Can I read it?
M Sure. I'll show it to you at school tomorrow. And how's it going with the election poster?
W We need ❷ _____ _____ _____ _____ to make it.
M I just have digital photos. Are they okay?
W No problem. Just ❸ _____ _____ _____ _____ _____.
M Okay. I'll do it right away.

05 장소 추론

다음을 듣고, 방송이 이루어지고 있는 장소로 가장 적절한 곳을 고르시오.

① 영화관　② 놀이공원　③ 축구 경기장
④ 콘서트장　⑤ 도서관

ⓐ 경고하기 ////////////////////////
Be careful not to ~. / Watch(Look) out so you don't ~. / Make sure you don't ~.

M Ladies and gentlemen, we're going to ❶ _____ _____ _____ _____ in 10 minutes. For your safety, please watch the parade ❷ _____ _____ _____ _____. During the parade, all the lights will be turned off. So, please be careful not to fall. The parade will last for 30 minutes. Even during the parade, you can still ❸ _____ _____ _____.

06 주제 파악

다음을 듣고, 남자가 하는 말의 내용으로 가장 적절한 것을 고르시오.

① 낮잠 자기　② 휴식 취하기
③ 스트레칭하기　④ 음악 감상하기
⑤ 아침 식사하기

M Most of you may have busy mornings. You have to wash, put on clothes and ❶ _____ _____ _____ _____ _____. So, you may ❷ _____ _____ _____. Then you'll feel more tired. Skipping meals in the morning isn't good for your physical and mental health. So, before you leave home, ❸ _____ _____ _____ _____ such as cereal or toast and milk.

07 특정 정보 파악　영국식 발음 녹음

대화를 듣고, 남자가 봉사 활동으로 한 일이 **아닌** 것을 고르시오.

① 청소하기　② 책 읽어 주기
③ 보드게임하기　④ 노래 가르쳐 주기
⑤ 숙제 도와주기

W How was your weekend?
M Great. I visited Children's Hospital ❶ _____ _____ _____ _____ _____.
W What did you do there?
M I cleaned the hospital for about an hour. After that, I ❷ _____ _____ _____ _____ _____ and played board games with them. I also taught them a rap song.
W You did many things. What song did you teach?
M I taught *Yellow Trees*. Actually, I ❸ _____ _____ _____ _____.
W That's so nice.

Words 　**04** **speech** 연설　**election** 선거　**poster** 포스터, 벽보　**05** **fantastic** 환상적인　**parade** 퍼레이드, 행진　**06** **skip** 건너뛰다　**physical** 신체적인　**07** **storybook** 이야기책, 동화책

14회 | **123**

Dictation Test

08 한 일 / 할 일 파악

대화를 듣고, 여자가 오늘 밤에 할 일로 가장 적절한 것을 고르시오.

① 뮤지컬 관람하기
② 제빵 수업 듣기
③ 도서 대여하기
④ 공연 티켓 구매하기
⑤ 집에서 빵 만들기

P doesn't seem의 발음

자음이 여러 개가 이어서 나오면 한 개 정도는 생략하고 발음하는 경향이 있다. doesn't seem의 경우 [n], [t], [s]의 세 자음이 연달아 나오므로 중간의 [t]는 발음이 되지 않아서 [더 즌심]처럼 들린다.

M　Marisa, do you have any plans for tomorrow?

W　I'll take ＿＿＿＿ ＿＿＿＿ ＿＿＿＿ ＿＿＿＿ to learn baking.

M　Will it take a long time?

W　No, it will take around two hours. Why?

M　I have two free tickets for the musical *Les Miserable* tomorrow. Will ❷ ＿＿＿＿ ＿＿＿＿ ＿＿＿＿ ＿＿＿＿?

W　I'd love to. Maybe I'd better take the bakery lesson tonight. It doesn't seem ❸ ＿＿＿＿ ＿＿＿＿ ＿＿＿＿ ＿＿＿＿ the lesson schedule.

09 언급하지 않은 것

다음을 듣고, 남자가 수영장에서 지켜야 할 규칙에 대해 언급하지 않은 것을 고르시오.

① 수영장 주변에서 뛰지 않기
② 음식 먹고 바로 수영하지 않기
③ 수영하기 전에 준비 운동 하기
④ 물에 들어가기 전에 샤워하기
⑤ 수영장 근처에서 음식물 먹지 않기

☺ 열거하기

First ~. Second ~. Third ~. (Lastly ~.) / First ~, then ~, then ~.

M　Let me tell you some important rules you have to ❶ ＿＿＿＿ ＿＿＿＿ ＿＿＿＿ ＿＿＿＿ ＿＿＿＿. First, do not run around the pool. The floor is slippery, and you can fall down. Second, do not go into the water ❷ ＿＿＿＿ ＿＿＿＿ ＿＿＿＿ ＿＿＿＿ ＿＿＿＿. You need to do warm-up exercises before you swim. Lastly, do not have any food or drinks by the pool. It ❸ ＿＿＿＿ ＿＿＿＿ ＿＿＿＿ ＿＿＿＿. Thank you for your cooperation.

10 주제 파악　영국식 발음 녹음

다음을 듣고, 무엇에 관한 안내 방송인지 가장 적절한 것을 고르시오.

① 에어컨 가동 중단
② 에너지 절약 동참
③ 도난 사고 예방
④ 여름철 건강관리
⑤ 일시적 정전 예고

W　Hello, students. We're going to have very hot summer days this year. ＿＿＿＿ ＿＿＿＿ ＿＿＿＿ ＿＿＿＿ ＿＿＿＿ the air conditioner if it's too hot. But please don't forget to turn it off ❷ ＿＿＿＿ ＿＿＿＿ ＿＿＿＿ ＿＿＿＿ ＿＿＿＿. You should turn off the lights, too. I hope every student in our school will ❸ ＿＿＿＿ ＿＿＿＿ ＿＿＿＿ to save energy.

11 내용 일치 / 불일치

대화를 듣고, 여자가 언급한 내용과 일치하지 <u>않는</u> 것을 고르시오.

① 여자는 모아둔 돈이 있다.
② 여자의 현재 컴퓨터에는 문제가 있다.
③ 여자는 컴퓨터 작업 중 중요한 파일을 잃어버렸다.
④ 여자는 가장 비싼 최신형 컴퓨터를 살 것이다.
⑤ 남자는 여자에게 돈을 보태 줄 의향이 있다.

☺ 의도 표현하기

I'm thinking of ~. / I'm planning to ~.

W　Dad, I'm thinking of buying a new computer with the money I've saved.

M　What? Is your computer that old?

W　My computer sometimes ❶ ＿＿＿＿ ＿＿＿＿ ＿＿＿＿ ＿＿＿＿, so I lose some important files.

M　Is that so? I didn't know that. You probably should buy a new one then. Do you have enough money?

W　The one I'm planning to buy ❷ ＿＿＿＿ ＿＿＿＿ ＿＿＿＿, so I guess I can manage it.

M　All right. If ❸ ＿＿＿＿ ＿＿＿＿ ＿＿＿＿ ＿＿＿＿ ＿＿＿＿, just tell me.　W　Thanks, Dad.

Words　**08 around** 약, ~쯤　**free** 무료의　**09 swimming pool** 수영장　**fall down** 넘어지다　**warm-up exercise** 준비 운동　**pollute** 오염시키다
10 join 참가하다　**save** 절약하다　**11 go down** (작동이) 중단되다　**reason** 이유

12 목적 파악

대화를 듣고, 남자가 전화를 건 목적으로 가장 적절한 것을 고르시오.

① 병원 예약을 확인하기 위해서
② 병원 위치를 알려 주기 위해서
③ 약 먹을 시간을 알려 주기 위해서
④ 약을 사 달라고 부탁하기 위해서
⑤ 병원에 데려다 달라고 부탁하기 위해서

😊 **문제의 원인에 대해 묻기** /////////////////////

What's wrong with you? / What's the matter with you? / What happened to you?

[*Telephone rings.*]

W Hello.

M Mom? This is Mike. I have a problem.

W Oh, Mike. 😊 What's wrong with you?

M I have a stomachache. I have to go to see a doctor right now.

W Can you ❶ _____ _____ _____ _____ _____ ?

M No, ❷ _____ _____ _____ _____ _____ . Can you come and drive me there?

W Okay. I'll go to your school in a minute.

M Thank you. Please ❸ _____ _____ _____ .

13 숫자 정보 파악 – 금액

대화를 듣고, 남자가 받은 거스름돈의 금액으로 가장 적절한 것을 고르시오.

① $2 ② $4 ③ $6 ④ $8 ⑤ $10

M Excuse me. How much ❶ _____ _____ _____ _____ _____ ?

W It's $6.

M Then how much is that blue one?

W Oh, this is a sale item, so it's $2 ❷ _____ _____ _____ _____ _____ .

M Okay. I'll take the blue one. Here's $10.

W Here's ❸ _____ _____ . Thank you.

14 관계 추론

대화를 듣고, 두 사람의 관계로 가장 적절한 것을 고르시오.

① 영화감독 – 배우 ② 교사 – 학부모
③ 가이드 – 관광객 ④ 작곡가 – 가수
⑤ 박물관 직원 – 관람객

W Greg, ❶ _____ _____ _____ _____ _____ _____ after taking a break.

M Okay. Ms. White, this one is lovely.

W I made it for the children all over the world.

M Oh, I see. I'm looking forward to ❷ _____ _____ _____ _____ _____ .

W Greg, I think you'd better ❸ _____ _____ _____ _____ _____ on the stage.

M Okay. I'll keep that in mind.

📖 Words **12 stomachache** 복통 **alone** 혼자서 **in a minute** 당장 **13 sale item** 할인 품목 **change** 잔돈 **14 take a break** 잠시 휴식을 취하다 **all over the world** 전 세계의 **stage** 무대

Dictation Test

15 요청한 일 파악

대화를 듣고, 남자가 여자에게 요청한 일로 가장 적절한 것을 고르시오.

① 여행 예약 취소하기
② 병원 위치 알려 주기
③ 호텔 예약 변경하기
④ 출장 일정 확인하기
⑤ 예약 내용 문자 전송하기

😊 **생각할 시간 요청하기** /////////////////////
Let me see(think). / Just a moment (while I think). / May I think about that for a moment?

W How may I help you?
M I made a reservation with Doctor Green earlier this week, but I need to ❶ _____ _____ _____ _____ _____.
W Please give me your name and the date of the appointment.
M Andy Jackson, and my reservation is for 2 o'clock on April 5.
W How would you like to change it?
M I have a business trip that week, so could I see Doctor Green ❷ _____ _____ _____ ?
W Let me see. How about 3 o'clock on March 26?
M That's good for me. Can you send me a text message ❸ _____ _____ _____ _____ and time?
W No problem.

16 이유 파악 영국식 발음 녹음

대화를 듣고, 남자가 쇼핑을 가지 <u>않는</u> 이유로 가장 적절한 것을 고르시오.

① 쇼핑몰이 멀어서
② 실물을 볼 필요가 없어서
③ 상품을 비교할 수 있어서
④ 필요한 물건이 거의 없어서
⑤ 쇼핑몰은 사람들이 많아서

😊 **선호 표현하기** /////////////////////
I('d) prefer (to) ~ (if possible). / I prefer A to B. / I think A is better than B.

W I'm going shopping. Do you want to join me?
M No, I don't. Shopping malls are always very crowded.
W But you ❶ _____ _____ _____ _____.
M I prefer online shopping. I can save much time.
W But you only see pictures. They're not real.
M ❷ _____ _____ _____ _____ if you want.
W Still, you ❸ _____ _____ _____ _____ _____ before you choose an item.

17 그림 상황에 어울리는 대화 찾기

다음 그림의 상황에 가장 적절한 대화를 고르시오.

① ② ③ ④ ⑤

① M How was your trip to China?
   W It was good. I made some Chinese friends.
② M What is 'I'm hungry' in Chinese?
   W Let's ❶ _____ _____ _____ in the dictionary.
③ M What's your favorite Chinese food?
   W I like ❷ _____ _____ _____ _____ .
④ M Do you know the capital of China?
   W Of course I do. It's Beijing.
⑤ M Everyone ❸ _____ _____ _____ _____ .
   W I'm sure you know a lot of words.

 Words 15 **make a reservation** 예약하다 **personal** 개인적인 16 **crowded** 붐비는, 혼잡한 **real** 진짜의, 현실적인 **compare** 비교하다
17 **dictionary** 사전 **all kinds of** 모든 종류의 **capital** 수도 **walking dictionary** 박식한 사람

18 · 언급하지 않은 것

대화를 듣고, 여자가 살을 빼기로 결심한 이유로 언급하지 **않은** 것을 고르시오.

① 옷이 맞지 않아서
② 몸이 무거워서
③ 무릎이 아파서
④ 부모님이 권해서
⑤ 자신감을 갖고 싶어서

W You know what? I've ❶ _____ _____ _____ _____ _____.

M Why? You look good as you are.

W I have gained five kilograms since last year. Now all my clothes are either ❷ _____ _____ _____ _____ _____.

M Really? I didn't realize it. How about your health condition?

W It's not good, either. I feel heavy whenever I move, and sometimes I feel pain in my knees.

M That's a problem. In that case, you'd better go on a diet.

W Yeah, I want to ❸ _____ _____ _____ _____.

[19~20] 대화를 듣고, 여자의 마지막 말에 이어질 남자의 응답으로 가장 적절한 것을 고르시오.

19 · 알맞은 응답 찾기

Man: _____

① I'm sure she will lend it to you.
② I don't think the necklace fits you.
③ You should always keep your word.
④ I'm sorry, but I don't know where it is.
⑤ If you tell the truth, she won't get angry.

M Amy, why the long face?

W You know Kelly is ❶ _____ _____ _____ _____ _____.

M Yeah.

W Actually, I found it ❷ _____ _____ _____ _____ _____.

M Really? How did it happen?

W I borrowed it for the last Christmas party. But ❸ _____ _____ _____ _____ _____.

M Then tell her.

W But when she asked me if I saw it, I said "No." What should I do?

20 · 알맞은 응답 찾기

Man: _____

① What? That's too bad.
② Okay. I'll hand it in right away.
③ Thanks a lot. You saved my life.
④ I will send it as soon as possible.
⑤ Turn off the computer when you don't use it.

ⓟ **test tomorrow의 발음** ////////////
test의 마지막 자음 [t]와 tomorrow의 첫 자음 [t]가 연결되면서 [t] 발음이 한 번 나오는 것처럼 발음되어 [테스터마로우]로 소리 난다.

[Telephone rings.]

M Hello. Sunhee, I'm sorry to call you late at night. You know we have ⓟ a test tomorrow afternoon. But I don't know ❶ _____ _____ _____.

W You mean the Korean literature test?

M Right. ❷ _____ _____ _____ _____ with it?

W Sure. I have a short summary about the subject. I'm ❸ _____ _____ _____ _____.

📖 **Words** **18** gain 얻다 **tight** (옷이 몸에) 꽉 조이는 **knee** 무릎 **go on a diet** 다이어트를 시작하다 **confident** 자신감 있는 **19** lost 잃어버린 **necklace** 목걸이 **20** literature 문학 **summary** 요약

01 다음을 듣고, 목요일의 날씨로 가장 적절한 것을 고르시오.

02 대화를 듣고, 남자가 구입할 선물로 가장 적절한 것을 고르시오.

03 대화를 듣고, 여자의 심정으로 가장 적절한 것을 고르시오.

① angry　　② bored　　③ nervous
④ confident　　⑤ discouraged

04 대화를 듣고, 남자가 어제 한 일로 가장 적절한 것을 고르시오.

① 가족과 시간 보내기　　② 영화 보기
③ 자전거 수리하기　　④ 수족관 관람하기
⑤ 여자 친구와 운동하기

05 대화를 듣고, 두 사람이 대화하는 장소로 가장 적절한 곳을 고르시오.

① 요리 학원　　② 음식점
③ 영화 촬영장　　④ 슈퍼마켓
⑤ 극장 매표소

06 대화를 듣고, 남자의 마지막 말의 의도로 가장 적절한 것을 고르시오.

① 사과　② 감사　③ 거절　④ 부탁　⑤ 제안

07 대화를 듣고, 여자가 자신의 소설에 대해 언급하지 않은 것을 고르시오.

① 모험에 관한 이야기다.
② 돼지가 주인공이다.
③ 어린 시절 경험이 영향을 주었다.
④ 저녁을 먹다가 생각하게 된 이야기다.
⑤ 소설을 쓰는 데 1년이 걸렸다.

08 대화를 듣고, 남자가 대화 직후에 할 일로 가장 적절한 것을 고르시오.

① 축구 연습하기
② 축구 경기 관람하기
③ 입원한 친구 문병하기
④ 엑스선 검진을 받으러 병원 가기
⑤ 다친 친구를 집에 데려다주기

09 다음을 듣고, 남자가 자신에 대해 언급하지 않은 것을 고르시오.

① 이름　　　　　　② 나이
③ 국적　　　　　　④ 한국에 온 이유
⑤ 배우고 있는 것

10 다음을 듣고, 무엇에 관한 안내 방송인지 가장 적절한 것을 고르시오.

① 정전 안내　　　　② 비상구 안내
③ 관람 순서 안내　　④ 건물 연혁 안내
⑤ 층별 시설 안내

11 대화를 듣고, 남자가 주문한 것으로 언급되지 <u>않은</u> 것을 고르시오.

① 스파게티   ② 치킨 샐러드
③ 포도 주스   ④ 치즈 케이크
⑤ 해산물 피자

12 대화를 듣고, 여자가 전화를 건 목적으로 가장 적절한 것을 고르시오.

① 약속 시간 준수를 당부하기 위해서
② 콘서트 표 환불을 요청하기 위해서
③ 콘서트 표 예매를 부탁하기 위해서
④ 콘서트장 위치를 문의하기 위해서
⑤ 약속 장소 변경을 제안하기 위해서

13 대화를 듣고, 남자가 앞으로 빌려야 할 의자의 수를 고르시오.

① 없음   ② 10개   ③ 18개
④ 20개   ⑤ 30개

14 대화를 듣고, 두 사람의 관계로 가장 적절한 것을 고르시오.

① 작곡가 – 가수   ② 대학 교수 – 학생
③ 지휘자 – 연주자   ④ 서점 직원 – 고객
⑤ 사서 – 도서관 이용객

15 대화를 듣고, 여자가 남자에게 부탁한 일로 가장 적절한 것을 고르시오.

① 식료품 사 오기
② 병원에 들르기
③ 건물 청소하기
④ 슈퍼마켓에 태워 주기
⑤ 두통약 사다 주기

16 대화를 듣고, 남자가 공항에 가야 하는 이유로 가장 적절한 것을 고르시오.

① 친구를 만나야 해서
② 할머니를 배웅해야 해서
③ 가족 여행을 떠나기 위해서
④ 두고 온 옷을 찾아야 해서
⑤ 공항 직원과 인터뷰를 하기 위해서

17 다음 그림의 상황에 가장 적절한 대화를 고르시오.

①   ②   ③   ④   ⑤

18 다음을 듣고, 남자가 소방훈련의 내용으로 언급하지 <u>않은</u> 것을 고르시오.

① 경보음이 울리면 복도에 줄을 서야 한다.
② 엘리베이터가 아닌 계단을 이용해야 한다.
③ 운동장에 집합해야 한다.
④ 최대한 빨리 뛰어서 이동해야 한다.
⑤ 학급 회장들은 머릿수를 세야 한다.

[19~20] 대화를 듣고, 남자의 마지막 말에 이어질 여자의 응답으로 가장 적절한 것을 고르시오.

19 Woman: _____

① What's your favorite?
② I'm sure you'll like it, too.
③ I don't like flowers, but animals.
④ What will you plant in the garden?
⑤ I like lilies better than any other plant.

20 Woman: _____

① I wonder if he'll like it or not.
② No problem. He likes to read a book.
③ I'm sure he will receive many presents.
④ Sure. You just need to show the receipt.
⑤ Sorry, but I don't know where to buy bookmarks.

Dictation Test 15회 영어 듣기모의고사

01 그림 정보 파악 - 날씨

다음을 듣고, 목요일의 날씨로 가장 적절한 것을 고르시오.

① ② ③ ④ ⑤

M Hello, everyone. This is the weather forecast for next week. We will have rain on Monday, and ❶ _____ _____ _____ _____ until Wednesday. The rain will stop on Wednesday night, but still the weather ❷ _____ _____ _____ _____ _____. Thursday will be cloudy. It will be warm and sunny from Friday to the weekend. If you plan to go out next week, please ❸ _____ _____ _____ _____.

02 그림 정보 파악 - 사물

대화를 듣고, 남자가 구입할 선물로 가장 적절한 것을 고르시오.

① ② ③ ④ ⑤

☻ 궁금증 표현하기 ////////////////////////////
I wonder ~. / I'm curious about ~. / I'd be interested to know ~.

W Can I help you?
M Yes, I'd like to ❶ _____ _____ _____ for my friend.
W How about this one with a striped pattern?
M Well, it looks nice, but she may not like it.
W Then how about this one ❷ _____ _____ _____ _____ _____?
M Looks good. I'll take it. And I wonder how much ❸ _____ _____ _____ _____.
W It costs $7.   M Good. I'll take both.

03 심정 파악

대화를 듣고, 여자의 심정으로 가장 적절한 것을 고르시오.
① angry   ② bored   ③ nervous
④ confident   ⑤ discouraged

☻ 허가 여부 묻기 ////////////////////////////
Is it okay(all right) if ~? / Do you mind if ~? / I wonder if I could ~.

M How's it going with your dance contest, Kate?
W I'm practicing really hard. Besides, my dance skills are ❶ _____ _____ _____ _____, Dad.
M Good. I've been worried that you may make a mistake in the contest.
W Don't worry. That won't happen to me. ❷ _____ _____ _____ these days.
M I see. Kate, is it okay if I see your dance?
W Sure. Dad, ❸ _____ _____ _____. Nothing to worry about.

04 한 일 / 할 일 파악

대화를 듣고, 남자가 어제 한 일로 가장 적절한 것을 고르시오.
① 가족과 시간 보내기   ② 영화 보기
③ 자전거 수리하기   ④ 수족관 관람하기
⑤ 여자 친구와 운동하기

W Sam, I had a good time with my family yesterday.
M Can you ❶ _____ _____ _____ _____ _____?
W Sure. We went to an aquarium. Then, we went to the movies.
M Wow, I envy you.   W How about yours?
M I wanted to ride my bike with my girlfriend. But I found ❷ _____ _____ _____ _____.
W Oh, I'm sorry to hear that.
M So, I ❸ _____ _____ _____ _____ _____. That's all.

Words **01 recheck** 재검토하다 **02 scarf** 스카프 **striped** 줄무늬의 **pattern** 무늬   **03 condition** 상태 **nervous** 초조한   **04 break down** 고장 나다 **repair** 수리하다 **That's all.** 그게 다야. (그것뿐이야.)

05 장소 추론

대화를 듣고, 두 사람이 대화하는 장소로 가장 적절한 곳을 고르시오.

① 요리 학원
② 음식점
③ 영화 촬영장
④ 슈퍼마켓
⑤ 극장 매표소

ⓟ scene의 발음

scene[si:n]처럼 sc가 s 소리만 나는 단어들이 있다. science[saiəns], sci-fi[saifai], scissor[si:zər] 등이 그러하다.

M Minji, let's sit here. How do you like the movie?

W Well, it wasn't ❶ _____ _____ _____ _____ _____.

M That's exactly what I thought. The action ⓟ scenes weren't exciting enough.

W Right. Anyway, have you ❷ _____ _____ _____ ?

M Yes. I'll eat a chicken burger set.

W Okay. As you took me to the movies, ❸ _____ _____ _____ _____.

M Oh, really? Thank you.

W Just wait here. I'll go to get the food.

06 의도 파악 영국식 발음 녹음

대화를 듣고, 남자의 마지막 말의 의도로 가장 적절한 것을 고르시오.

① 사과 ② 감사 ③ 거절 ④ 부탁 ⑤ 제안

M Lisa, ❶ _____ _____ _____ _____ for Mom's birthday present?

W I'm thinking of buying this parasol.

M ❷ _____ _____ _____ she will like it?

W Yes. As the weather has been too hot recently, she will like it.

M Okay. Hmm, I like this design. What's your opinion?

W I like it, too, but there are two colors. Which one ❸ _____ _____ _____ _____ _____ ?

M Let's buy the yellow one.

07 언급하지 않은 것 영국식 발음 녹음

대화를 듣고, 여자가 자신의 소설에 대해 언급하지 않은 것을 고르시오.

① 모험에 관한 이야기다.
② 돼지가 주인공이다.
③ 어린 시절 경험이 영향을 주었다.
④ 저녁을 먹다가 생각하게 된 이야기다.
⑤ 소설을 쓰는 데 1년이 걸렸다.

M Today, we have novelist Ms. Park Yumi as a special guest. Hello, Ms. Park. Can you introduce your new novel?

W Yes, it is a story about ❶ _____ _____ _____ _____ _____. He doesn't want his life to end on the dinner table, so he escapes from the farm with the other animal friends.

M Sounds exciting. How did you think of that kind of story?

W I was brought up on a farm, so I raised a lot of animals. While I was taking care of the baby pigs, I ❷ _____ _____ _____ _____ _____.

M How long did it take to write the story?

W It didn't take that much time, about a year. But I have always ❸ _____ _____ _____ _____.

M It's certainly an interesting plot. I'm sure everyone will love it.

Words **05 exactly** 정확하게 **scene** 장면 **treat** 대접하다, 한턱내다 **06 parasol** 양산 **recently** 최근에 **07 novelist** 소설가 **adventure** 모험 **bring ~ up** ~를 기르다(양육하다) **come up with** ~를 생각해내다 **plot** 줄거리

Dictation Test

08 한 일 / 할 일 파악

대화를 듣고, 남자가 대화 직후에 할 일로 가장 적절한 것을 고르시오.

① 축구 연습하기
② 축구 경기 관람하기
③ 입원한 친구 문병하기
④ 엑스선 검진을 받으러 병원 가기
⑤ 다친 친구를 집에 데려다주기

충고하기
(I think) you ought to ~. / Why don't you ~? /
You'd better ~. / If I were you, I'd ~.

W Jack, what happened to your leg?
M I ❶ _____ _____ _____ _____ _____.
W Did you go to the hospital?
M No. It hurts, but I don't think it's serious.
W But I'm worried about your leg. See? You ❷ _____ _____ _____.
M Hmm.... Do you really think I have to go to see a doctor?
W Absolutely. You ought to get it X-rayed right now.
M I see. Then, ❸ _____ _____ _____ _____.

09 언급하지 않은 것   영국식 발음 녹음

다음을 듣고, 남자가 자신에 대해 언급하지 **않은** 것을 고르시오.

① 이름   ② 나이
③ 국적   ④ 한국에 온 이유
⑤ 배우고 있는 것

관심 표현하기
I'm interested in ~. / ~ interests mé (a lot). / I'm
fascinated by ~.

M Hello, friends. My name is Mukai Danaka, and I am ❶ _____ _____ _____ _____ _____. I came to Korea to learn about Korean language and culture. I ❷ _____ _____ _____ _____ _____ and drawing pictures. Nowadays, I'm interested in Korean traditional music. In fact, I've started to learn how to ❸ _____ _____ _____ _____ called the *gayageum*. I hope to make a lot of friends here in Korea.

10 주제 파악

다음을 듣고, 무엇에 관한 안내 방송인지 가장 적절한 것을 고르시오.

① 정전 안내   ② 비상구 안내
③ 관람 순서 안내   ④ 건물 연혁 안내
⑤ 층별 시설 안내

W Welcome to our art gallery, ladies and gentlemen. Now I'll let you know how you can ❶ _____ _____ _____ _____ _____ in case of an emergency. We have four emergency exits on each floor. ❷ _____ _____ _____ _____ of the exits on this floor now. In an emergency situation, stay calm and ❸ _____ _____ _____ _____. Thank you.

11 언급되지 않은 것

대화를 듣고, 남자가 주문한 것으로 언급되지 **않은** 것을 고르시오.

① 스파게티   ② 치킨 샐러드
③ 포도 주스   ④ 치즈 케이크
⑤ 해산물 피자

W ❶ _____ _____ _____ _____ _____ _____, sir?
M Yes, please. I'd like to have a seafood spaghetti.
W Okay. Anything else?
M I'll have a chicken salad, too.
W And ❷ _____ _____ _____ _____ to drink?
M Grape juice, please. And ❸ _____ _____ _____ _____ with soda?
W Of course. We also have a nice cheesecake. How about trying it?
M All right. I'll order it, too.

Words **08** injured 부상을 당한 serious 심각한 get ~ X-rayed ~에 엑스선 검진을 받다 **09** exchange student 교환 학생 nowadays 요즘에는 **10** emergency 비상사태 exit 출구 location 위치 **11** refill 다시 채우다

12 목적 파악

대화를 듣고, 여자가 전화를 건 목적으로 가장 적절한 것을 고르시오.

① 약속 시간 준수를 당부하기 위해서
② 콘서트 표 환불을 요청하기 위해서
③ 콘서트 표 예매를 부탁하기 위해서
④ 콘서트장 위치를 문의하기 위해서
⑤ 약속 장소 변경을 제안하기 위해서

ⓟ crowded의 발음

[d] 발음이 모음 사이에서 발음될 때에는 [d]가 [r]처럼 약화되어 소리 나는 경향이 있다. 따라서 crowded는 우리말의 [크라우릳]처럼 발음이 된다.

[*Cellphone rings.*]

W Hello. This is Jane.

M Hi, Jane. What's up?

W You remember to go to the concert tomorrow, don't you?

M Sure. We're going to ❶ _____ _____ _____ _____ _____, right?

W Yes, we were. But I'm calling to ❷ _____ _____ _____ . I think it will be too ⓟ crowded with people.

M It can be. Then ❸ _____ _____ _____ _____?

W Can you come to Gate 7 of the subway station?

M No problem. See you tomorrow.

13 숫자 정보 파악 – 개수

대화를 듣고, 남자가 앞으로 빌려야 할 의자의 수를 고르시오.

① 없음   ② 10개   ③ 18개
④ 20개   ⑤ 30개

M Ms. Smith, is it okay ❶ _____ _____ _____ _____ from your classroom?

W What do you need them for?

M For the school president campaign.

W Okay. For that purpose, ❷ _____ _____ _____ _____ _____ . How many do you need?

M Thirty, please.

W I'm afraid there aren't thirty chairs in my classroom. We only have twenty.

M That's okay. I'll borrow ❸ _____ _____ _____ _____ _____ .

14 관계 추론

대화를 듣고, 두 사람의 관계로 가장 적절한 것을 고르시오.

① 작곡가 – 가수   ② 대학 교수 – 학생
③ 지휘자 – 연주자   ④ 서점 직원 – 고객
⑤ 사서 – 도서관 이용객

W ❶ _____ _____ _____ _____ _____ _____ on the history of music?

M They are on the second floor.

W Could you tell me ❷ _____ _____ _____ _____ _____ the stairs?

M Go straight until you see a computer room. The stairs are right next to it.

W Thanks. And I wonder how long I can borrow books for.

M For a week. You can ❸ _____ _____ _____ _____ _____ .

W Oh, I see. Thank you.

Words   **12 remember** 기억하다 **ticket booth** 매표소 **gate** 출입구   **13 president** 회장 **purpose** 목적 **lend** 빌려주다 **14 stair** 계단 **wonder** 궁금하다 **borrow** 빌리다 **extend** 연장하다

Dictation Test

15 부탁한 일 파악

대화를 듣고, 여자가 남자에게 부탁한 일로 가장 적절한 것을 고르시오.

① 식료품 사 오기
② 병원에 들르기
③ 건물 청소하기
④ 슈퍼마켓에 태워 주기
⑤ 두통약 사다 주기

〈신체 부위 + -ache〉 병명

headache (두통) / toothache (치통) / backache (요통) / stomachache (복통)

W Hi, Mike! Where are you going?

M I'm going to the drugstore.

W Why? Are you sick?

M No, not me. My mom ❶ _____ _____ _____ a headache.

W Then, can you ❷ _____ _____ _____ _____ to the supermarket near the drugstore? I ❸ _____ _____ _____ _____ _____ .

M Of course. Get in.

W Thanks.

16 이유 파악

대화를 듣고, 남자가 공항에 가야 하는 이유로 가장 적절한 것을 고르시오.

① 친구를 만나야 해서
② 할머니를 배웅해야 해서
③ 가족 여행을 떠나기 위해서
④ 두고 온 옷을 찾아야 해서
⑤ 공항 직원과 인터뷰를 하기 위해서

W Have you heard Bill ❶ _____ _____ _____ _____ last night?

M Yes, I have.

W How about going to meet him with me now?

M I'm sorry, but I can't. I have to go to the airport.

W Why do you go there?

M Actually, I went to the airport in the morning to drive my grandmother there. And, unfortunately, ❷ _____ _____ _____ _____ _____ .

W Oh, you're going there to ❸ _____ _____ _____ , aren't you?

M Right. I have to hurry. See you later.

17 그림 상황에 어울리는 대화 찾기

다음 그림의 상황에 가장 적절한 대화를 고르시오.

① ② ③ ④ ⑤

① M I don't know ❶ _____ _____ _____ _____ . Can you write it down?

　W Of course I can.

② M What's wrong?

　W I lost an important memo.

③ M Can you lend me ❷ _____ _____ _____ _____ _____ ?

　W I'm afraid I don't have one.

④ M I failed the spelling test yesterday.

　W Don't give up! You'll do better next time.

⑤ M ❸ _____ _____ _____ _____ during the class?

　W No, I fell asleep.

Words **15 drugstore** 약국 **give ~ a ride** ~를 태워주다 **get in** ~에 승차하다　**16 unfortunately** 불행히도 **hurry** 서두르다　**17 spell** 철자를 쓰다 **take notes** 필기하다 **fall asleep** 잠이 들다

18 언급하지 않은 것　영국식 발음 녹음

다음을 듣고, 남자가 소방훈련의 내용으로 언급하지 <u>않은</u> 것을 고르시오.

① 경보음이 울리면 복도에 줄을 서야 한다.
② 엘리베이터가 아닌 계단을 이용해야 한다.
③ 운동장에 집합해야 한다.
④ 최대한 빨리 뛰어서 이동해야 한다.
⑤ 학급 회장들은 머릿수를 세야 한다.

😀 금지하기 ////////////////////////////////////
You mustn't(can't, shouldn't) ~. / You'd better not ~.

M Attention, everyone. In a few minutes, we will have a fire drill. ❶ _____ _____ _____ _____ _____, everyone has to line up in the hall. Make sure to line up quickly and quietly. You will take the stairs instead of the elevator, and you will ❷ _____ _____ _____ _____ _____. You must not run or push each other. Line up again outside on the playground. The class captains should ❸ _____ _____ _____ _____ with your teachers.

[19~20] 대화를 듣고, 남자의 마지막 말에 이어질 여자의 응답으로 가장 적절한 것을 고르시오.

19 알맞은 응답 찾기

Woman: _____

① What's your favorite?
② I'm sure you'll like it, too.
③ I don't like flowers, but animals.
④ What will you plant in the garden?
⑤ I like lilies better than any other plant.

M What did you do during the weekend?
W I ❶ _____ _____ _____ _____.
M How was it?
W It was the best exhibition that ❷ _____ _____ _____ _____.
M What's good about the exhibition?
W There were lots of various flowers.
M ❸ _____ _____ _____ _____ among them?

20 알맞은 응답 찾기

Woman: _____

① I wonder if he'll like it or not.
② No problem. He likes to read a book.
③ I'm sure he will receive many presents.
④ Sure. You just need to show the receipt.
⑤ Sorry, but I don't know where to buy bookmarks.

W May I help you?
M Yes, please. ❶ _____ _____ _____ _____ _____ for my friend.
W All right. How about this one?
M It looks nice. I'll take it.
W Okay. Do you want me to ❷ _____ _____ _____?
M Yes, please. Do I have to pay for that?
W No, you don't have to.
M And ❸ _____ _____ _____ _____ _____ it for another? I'm worried he won't like it.

📖 Words **18 fire drill** 화재 대피 훈련 **alarm** 경보음 **line up** 줄을 서다 **hall** 복도 **push** 밀다 **do a head count** 머릿수를 세다　**19 exhibition** 전시회　**20 bookmark** 책갈피 **wrap up** (종이 등으로) 싸다 **possible** 가능한

01 다음을 듣고, 서울의 오늘 날씨로 가장 적절한 것을 고르시오.

02 대화를 듣고, 여자가 만들고 있는 컵의 모양으로 가장 적절한 것을 고르시오.

03 대화를 듣고, 여자의 심정으로 가장 적절한 것을 고르시오.

① upset   ② bored   ③ excited
④ nervous   ⑤ jealous

04 대화를 듣고, 여자가 동물원에서 한 일로 가장 적절한 것을 고르시오.

① 동물 씻기기   ② 동물 구경하기
③ 동물 산책시키기   ④ 동물 먹이 주기
⑤ 동물 우리 치우기

05 대화를 듣고, 두 사람이 대화하는 장소로 가장 적절한 곳을 고르시오.

① 경찰서   ② 병원   ③ 은행
④ 도서관   ⑤ 공항

06 대화를 듣고, 남자의 마지막 말의 의도로 가장 적절한 것을 고르시오.

① 축하   ② 허가   ③ 동의   ④ 감사   ⑤ 사과

07 대화를 듣고, 여자가 아플 때 시도하는 방법으로 가장 적절한 것을 고르시오.

① 꿀차 마시기   ② 허브차 마시기
③ 뜨거운 물 마시기   ④ 허브 샐러드 먹기
⑤ 닭고기 수프 먹기

08 대화를 듣고, 남자가 대화 직후에 할 일로 가장 적절한 것을 고르시오.

① 사물함 열기   ② 도서관 가기
③ 과학책 빌리기   ④ 교실로 돌아가기
⑤ 시험 공부하기

09 다음을 듣고, 여자가 오늘 일정에 대해 언급하지 않은 것을 고르시오.

① 수돗물의 역사 영상 보기
② 수도 처리 과정 설명 듣기
③ 수도 처리 시설 둘러보기
④ 수돗물로 손 씻기
⑤ 수돗물 맛보기

10 다음을 듣고, 남자가 말한 주의 사항으로 가장 적절한 것을 고르시오.

① 흡연 금지   ② 과소비 금지
③ 촬영 금지   ④ 음식물 반입 금지
⑤ 쓰레기 투기 금지

11 대화를 듣고, 남자에 대한 설명으로 일치하는 것을 고르시오.

① 남자는 10개국 여행을 다녀왔다.
② 남자의 직업은 외교관이다.
③ 남자는 많은 나라에서 근무했었다.
④ 사진 속의 금발 여자아이는 남자의 사촌이다.
⑤ 남자는 현재 파리에서 살고 있다.

12 대화를 듣고, 남자가 전화를 건 목적으로 가장 적절한 것을 고르시오.

① 안부를 묻기 위해서
② 감사를 전하기 위해서
③ 칭찬하기 위해서
④ 사과를 전하기 위해서
⑤ 주말에 초대하기 위해서

13 대화를 듣고, 남자가 지불해야 금액으로 가장 적절한 것을 고르시오.

① $15 ② $20 ③ $35 ④ $50 ⑤ $55

14 대화를 듣고, 두 사람의 관계로 가장 적절한 것을 고르시오.

① 은행원 – 고객   ② 경찰관 – 의뢰인
③ 도서관 사서 – 학생   ④ 서점 직원 – 고객
⑤ 잡지사 기자 – 독자

15 대화를 듣고, 여자가 남자를 위해 할 일로 가장 적절한 것을 고르시오.

① 치과 검진 받기
② 치과에 데려다주기
③ 치과 예약 시간 변경하기
④ 학교 연극제 참석하기
⑤ 연극 연습 시간 변경하기

16 다음을 듣고, 남자가 사진기를 갖게 된 방법으로 가장 적절한 것을 고르시오.

① 할부로 구입했다.
② 주변에서 빌렸다.
③ 부모님께 선물로 받았다.
④ 학교 신문사에서 사진기를 지급했다.
⑤ 식당에서 아르바이트를 해서 구입했다.

17 다음 그림의 상황에 가장 적절한 대화를 고르시오.

①   ②   ③   ④   ⑤

18 다음을 듣고, 여자가 언급한 내용과 일치하지 <u>않는</u> 것을 고르시오.

① 박물관에서 지켜야 할 규칙들이 있다.
② 박물관 내부에 음료를 반입할 수 없다.
③ 관람 중에는 조용히 해야 한다.
④ 작품을 손으로 만져서는 안 된다.
⑤ 사진 촬영이 전혀 허용되지 않는다.

[19~20] 대화를 듣고, 남자의 마지막 말에 이어질 여자의 응답으로 가장 적절한 것을 고르시오.

19 Woman: _____

① I like gestures.
② We say "Annyeonghaseyo."
③ It means body languages.
④ We nod our heads to someone.
⑤ Korean is a scientific language.

20 Woman: _____

① You are very kind.
② I'm studying law, too.
③ I won't drive any more.
④ I'm sorry, but that's the law.
⑤ Oh, no. You can't miss the chance.

Dictation Test 16회 영어 듣기모의고사

01 그림 정보 파악 – 날씨 영국식 발음 녹음

다음을 듣고, 서울의 오늘 날씨로 가장 적절한 것을 고르시오.

① ② ③
④ ⑤

M I'm Tony from the Daejeon local news center. _____ _____ _____ _____ for today. The water on the streets turned into ice overnight. Today, it will snow again. In Busan, the wind will blow and the temperature will ❷ _____ _____ _____. In Seoul, it will be cold as the other cities, but everyone in Seoul will be able to enjoy clear skies. In Daegu, it will rain in the morning, and the rain will ❸ _____ _____ _____ in the afternoon.

02 그림 정보 파악 – 사물

대화를 듣고, 여자가 만들고 있는 컵의 모양으로 가장 적절한 것을 고르시오.

① ② ③
④ ⑤

M What are you making?
W I'm making ❶ _____ _____ _____ _____ _____.
M What are you going to do with the cup?
W I'm going to give this to my mom as a gift. ❷ _____ _____ _____ this time.
M That's amazing! How will you decorate the cup?
W ❸ _____ _____ _____ _____ a flower and a butterfly on it.
M It must be nice.

03 심정 파악

대화를 듣고, 여자의 심정으로 가장 적절한 것을 고르시오.
① upset   ② bored   ③ excited
④ nervous   ⑤ jealous

💬 바람, 소원, 요망 표현하기 ////////////////////
I wish I could do that. / I'd like to do that. / I look forward to doing that.

W Have you ever heard about Kay?
M Of course. I know him very well. He is a world-famous singer, isn't he?
W Yes, he is. You know what? ❶ _____ _____ _____ _____ in front of the cinema.
M I can't believe it! He's my favorite singer. Did you ❷ _____ _____ _____?
W Of course I did. More surprising is that ❸ _____ _____ _____ _____ _____.
M I wish I could do that.

Words 01 local 지역의 turn into ~으로 변하다 below zero 영하 clear 맑은, 투명한   02 get promoted 승진하다   03 world-famous 세계적으로 유명한 cinema 극장 autograph 사인

138 | 중학영어 듣기모의고사 **2학년**

04 한 일 / 할 일 파악

대화를 듣고, 여자가 동물원에서 한 일로 가장 적절한 것을 고르시오.

① 동물 씻기기   ② 동물 구경하기
③ 동물 산책시키기   ④ 동물 먹이 주기
⑤ 동물 우리 치우기

M What did you do last weekend?
W I went to the national zoo with my friends.
M Did you ❶ _____ _____ _____ _____ _____?
W No, I do volunteer work there once a month.
M Really? What kind of work do you do? Do ❷ _____ _____ _____ _____?
W Not really. Feeding the animals is not as easy as you think. We ❸ _____ _____ _____ _____ _____.
M Oh, I think that would be tough.
W Yeah, but it's rewarding.

05 장소 추론   영국식 발음 녹음

대화를 듣고, 두 사람이 대화하는 장소로 가장 적절한 곳을 고르시오.

① 경찰서   ② 병원   ③ 은행
④ 도서관   ⑤ 공항

👿 의무 여부 묻기 ////////////////////////////
Do I have(need) to ~? / Must I ~? / Is it necessary to ~?

W Good morning. May I help you?
M Hello. I'd like to ❶ _____ _____ _____ _____.
W Okay, come and sit here. Can you show me your ID card first?
M Sure, here you are.
W Please ❷ _____ _____ _____ _____.
M Do I have to I make a deposit today?
W Yes. You must ❸ _____ _____ _____ _____ in your account.
M I see. How long will it take?
W It won't take long.

06 의도 파악

대화를 듣고, 남자의 마지막 말의 의도로 가장 적절한 것을 고르시오.

① 축하 ② 허가 ③ 동의 ④ 감사 ⑤ 사과

M Did you see the curling match yesterday?
W Are you ❶ _____ _____ _____ _____ with Japan? Of course I did.
M It was amazing, wasn't it? When ❷ _____ _____ _____ _____ _____, my family all shouted with joy.
W I was worried the Korean team would lose the game when the Japanese team ❸ _____ _____ _____ _____.
M So was I.
W Anyway, the Korean team surprised many people around the world.
M You can say that again.

Words **04** volunteer work 봉사 활동   cage (동물의) 우리   rewarding 보람 있는   **05** open a bank account 계좌를 개설하다   form 양식   make a deposit 예금하다   **06** curling 컬링   shout with joy 환호하다   turn around 역전하다

Dictation Test

07 특정 정보 파악

대화를 듣고, 여자가 아플 때 시도하는 방법으로 가장 적절한 것을 고르시오.
① 꿀차 마시기　② 허브차 마시기
③ 뜨거운 물 마시기　④ 허브 샐러드 먹기
⑤ 닭고기 수프 먹기

M Claire, are you okay now? You didn't feel well yesterday.
W Yes, my mom made me herb tea and ❶ _____ _____ _____ _____ .
M You mean you got well because of herb tea?
W Yes. Whenever I'm ill, my mom makes it for me and ❷ _____ _____ _____ _____ _____ .
M Well, when I'm sick, ❸ _____ _____ _____ _____ _____ or chicken soup. But next time, I'll try your way.

08 한 일 / 할 일 파악

대화를 듣고, 남자가 대화 직후에 할 일로 가장 적절한 것을 고르시오.
① 사물함 열기　② 도서관 가기
③ 과학책 빌리기　④ 교실로 돌아가기
⑤ 시험 공부하기

😕 모르고 있음 표현하기
I don't know. / I have no idea. / I haven't got a clue.

M Can I borrow your science textbook today?
W I'm sorry. I have a test, so I have to study with it. Where is yours?
M I don't know. I can't find it anywhere.
W Don't you remember ❶ _____ _____ _____ _____ ?
M No, but I'm certain that it is somewhere in the classroom.
W I think I saw ❷ _____ _____ _____ _____ in the classroom. It might be yours.
M Really? I have to ❸ _____ _____ _____ _____ _____ .

09 언급하지 않은 것　영국식 발음 녹음

다음을 듣고, 여자가 오늘 일정에 대해 언급하지 않은 것을 고르시오.
① 수돗물의 역사 영상 보기
② 수도 처리 과정 설명 듣기
③ 수도 처리 시설 둘러보기
④ 수돗물로 손 씻기
⑤ 수돗물 맛보기

W Welcome to the Seoul Water Center. First, we are going ❶ _____ _____ _____ _____ _____ about the history of the city's running water. Then, I will explain how the water in the Han River goes to the taps in your homes. After that, we are going to move to the water treatment plant and see the facilities. When you leave the plant, I will ❷ _____ _____ _____ _____ a water bottle. ❸ _____ _____ _____ _____ that was just treated.

10 특정 정보 파악

다음을 듣고, 남자가 말한 주의 사항으로 가장 적절한 것을 고르시오.
① 흡연 금지　② 과소비 금지
③ 촬영 금지　④ 음식물 반입 금지
⑤ 쓰레기 투기 금지

🔊 try의 발음
try[trai]의 [t] 소리는 뒤따라오는 [r] 소리의 영향을 받아 우리말의 [츄라이]와 유사한 발음이 된다. trust 역시 [츄러스트]처럼 발음된다.

M Attention, please. In ten minutes, we'll call at the Mystic Seaport. It's a fabulous place to visit, shop and eat. ❶ _____ _____ _____ _____ if you'd like to. Also, ❷ _____ _____ _____ _____ try various dishes there. But, please don't smoke because there is ❸ _____ _____ _____ _____ _____ . Thank you and enjoy your stay.

Words　**07 herb** 허브, 약초　**ill** 아픈　**08 textbook** 교과서　**certain** 확실한, 틀림없는　**locker** 사물함　**09 running water** 수돗물　**treatment** 처리　**plant** 공장　**facility** 시설, 설비　**10 call at** ~에 정박하다　**seaport** 항구 도시　**fabulous** 멋진　**smoke** 담배를 피우다

11 [내용 일치 / 불일치]

대화를 듣고, 남자에 대한 설명으로 일치하는 것을 고르시오.

① 남자는 10개국 여행을 다녀왔다.
② 남자의 직업은 외교관이다.
③ 남자는 많은 나라에서 근무했었다.
④ 사진 속의 금발 여자아이는 남자의 사촌이다.
⑤ 남자는 현재 파리에서 살고 있다.

W What great pictures! I'm sure you have traveled a lot.
M Yes. I have traveled to more than ten countries.
W Wow, when did you ❶ _____ _____ _____ _____?
M My dad is a diplomat. He has worked in many countries, so we could travel ❷ _____ _____ _____.
W I see. By the way, I'm curious about this girl with blonde hair. Who is she? She is pretty.
M That's my cousin. She ❸ _____ _____ _____.

12 [목적 파악]

대화를 듣고, 남자가 전화를 건 목적으로 가장 적절한 것을 고르시오.

① 안부를 묻기 위해서
② 감사를 전하기 위해서
③ 칭찬하기 위해서
④ 사과를 전하기 위해서
⑤ 주말에 초대하기 위해서

M Judy, what are your plans for this weekend?
W I'm still not sure. Do you have any special plans?
M Yes, my grandparents ❶ _____ _____ _____ in the country. So I will ❷ _____ _____ _____ _____ _____ on the farm.   W That sounds good.
M I'm calling to ask you ❸ _____ _____ _____ _____.   W Sure, I'd love to.

13 [숫자 정보 파악 – 금액]

대화를 듣고, 남자가 지불해야 할 금액으로 가장 적절한 것을 고르시오.

① $15 ② $20 ③ $35 ④ $50 ⑤ $55

😮 **가격 묻기** ////////////////////////////////
How much are they? / How much do they cost? / What's the price of them?

M Excuse me, can I ask you to show me this red shirt ❶ _____ _____ _____ _____?
W Sorry, ❷ _____ _____ _____ _____. We have a black shirt and a white sleeveless shirt in that size.
M 😮 How much are they?
W The black one is $35, and the white one is $55.
M I have only $50. ❸ _____ _____ _____ _____ but to take the black one.
W It's cheaper, but more popular than the white one.

14 [관계 추론]

대화를 듣고, 두 사람의 관계로 가장 적절한 것을 고르시오.

① 은행원 – 고객   ② 경찰관 – 의뢰인
③ 도서관 사서 – 학생   ④ 서점 직원 – 고객
⑤ 잡지사 기자 – 독자

😮 **사과하기** ////////////////////////////////
I'm (really) sorry (about that). / Please forgive me. / I apologize.

M How can I help you?
W I bought this magazine here yesterday, but ❶ _____ _____ _____ _____.
M Let me check that magazine. (*pause*) I'm very sorry. Do you ❷ _____ _____ _____?
W Yes, here you are.
M Would you like to ❸ _____ _____ _____ _____ _____ it?
W I want to exchange it for a new one.
M 😮 Okay. Again, I'm really sorry about that.

📖 **Words**   **11** diplomat 외교관 curious 호기심이 있는 blonde 금발의   **12** run a farm 농장을 경영하다   **13** sold out 품절된 sleeveless 소매가 없는 have no choice but to ~할 수밖에 없다   **14** missing 빠진

Dictation Test

15 한 일 / 할 일 파악

대화를 듣고, 여자가 남자를 위해 할 일로 가장 적절한 것을 고르시오.

① 치과 검진 받기
② 치과에 데려다주기
③ 치과 예약 시간 변경하기
④ 학교 연극제 참석하기
⑤ 연극 연습 시간 변경하기

M I'm going to school now, Mom.
W Don't forget to ❶ _____ _____ _____ _____ _____ at 4 p.m., will you?
M Oh, no! I totally forgot about it.
W Why? Are you ❷ _____ _____ _____ _____ at that time?
M My friends and I are going to practice for a school drama festival at 4:30. We can't ❸ _____ _____ _____.
W Then, I will move the check-up time earlier, at 3 o'clock.
M Thanks, Mom.

16 특정 정보 파악

다음을 듣고, 남자가 사진기를 갖게 된 방법으로 가장 적절한 것을 고르시오.

① 할부로 구입했다.
② 주변에서 빌렸다.
③ 부모님께 선물로 받았다.
④ 학교 신문사에서 사진기를 지급했다.
⑤ 식당에서 아르바이트를 해서 구입했다.

😀 기원하기 //////////////////////////////
Good luck. / I'll keep my fingers crossed!

M I wanted to have a new camera as a photographer of my school newspaper. So I have worked three times a week at a restaurant ❶ _____ _____ _____ _____. But the camera I wanted was too expensive. So I couldn't make enough money. When I came home this afternoon, I found ❷ _____ _____ _____ _____ _____. Guess what? It was a new camera with ❸ _____ _____ _____ _____ _____. The note said "For a future photographer. Good luck, son!"

17 그림 상황에 어울리는 대화 찾기

다음 그림의 상황에 가장 적절한 대화를 고르시오.

① ② ③ ④ ⑤

① W Can you drive?
   M No, but I ❶ _____ _____ _____ _____.
② W Why don't we ❷ _____ _____ _____?
   M That's a good idea.
③ W I picked this flower.
   M You should not do that.
④ W Do you want me to give you a ride?
   M No, thanks. I prefer walking.
⑤ W Could you please ❸ _____ _____ _____ _____ on your way home?
   M Okay, I will.

18 내용 일치 / 불일치

다음을 듣고, 여자가 언급한 내용과 일치하지 <u>않는</u> 것을 고르시오.

① 박물관에서 지켜야 할 규칙들이 있다.
② 박물관 내부에 음료를 반입할 수 없다.
③ 관람 중에는 조용히 해야 한다.
④ 작품을 손으로 만져서는 안 된다.
⑤ 사진 촬영이 전혀 허용되지 않는다.

😖 불허하기 //////////////////////////////

You are not allowed(supposed) to ~. / You must not ~. / You may not ~/ (I'm afraid) it's not possible.

W Your attention, please. ❶_____ _____ _____ _____
_____, you should know some rules. We have various artworks
here, so 😖 you are not allowed to take drinks or foods inside. Also,
you should be quiet ❷_____ _____ _____ _____.
😖 You must not touch the works or take pictures, either. However, you
can ❸_____ _____ _____ _____ _____.

[19~20] 대화를 듣고, 남자의 마지막 말에 이어질 여자의
응답으로 가장 적절한 것을 고르시오.

19 알맞은 응답 찾기   영국식 발음 녹음

Woman: _____

① I like gestures.
② We say "Annyeonghaseyo."
③ It means body languages.
④ We nod our heads to someone.
⑤ Korean is a scientific language.

M We often use gestures when we talk to other people.
W Right. I think gestures help us ❶_____ _____ _____
_____ _____.
M They do. It is almost like a "second language." Do Koreans use
gestures often, too?
W Of course. We ❷_____ _____ _____ _____ _____.
M Then, ❸_____ _____ _____ _____ _____ for
"Hello"?

---

20 알맞은 응답 찾기

Woman: _____

① You are very kind.
② I'm studying law, too.
③ I won't drive any more.
④ I'm sorry, but that's the law.
⑤ Oh, no. You can't miss the chance.

W Excuse me. You cannot make a U-turn here.
M I know, but I have an important thing to do. And there are
❶_____ _____ _____ _____ _____.
W I understand, but I have to give you a ticket anyway.
M What? Are you serious?
W Yes. You ❷_____ _____ _____ _____. Give me your
driver's license.
M Oh, please ❸_____ _____ _____ _____ _____!

📖 Words ▸   **18 either** (부정문에서) ~또한 (그렇다)   **flash** (카메라) 플래시   **19 gesture** 몸짓   **communicate** 소통하다   **20 make a U-turn** 유턴을
하다   **give a ticket** (위반 딱지를) 떼다   **Give me a chance!** 한 번만 봐주세요!

01 다음을 듣고, 토요일의 날씨로 가장 적절한 것을 고르시오.

① ② ③ ④ ⑤

02 대화를 듣고, 남자가 찾고 있는 가방으로 가장 적절한 것을 고르시오.

① ② ③ ④ ⑤

03 대화를 듣고, 남자의 심정으로 가장 적절한 것을 고르시오.

① shocked   ② nervous   ③ proud
④ depressed   ⑤ surprised

04 대화를 듣고, 여자가 조부모님을 위해 한 일이 <u>아닌</u> 것을 고르시오.

① 개에게 먹이 주기
② 개집 청소하기
③ 집 청소하기
④ 밭에서 일하기
⑤ 저녁 식사 준비하기

05 대화를 듣고, 두 사람이 대화하는 장소로 가장 적절한 곳을 고르시오.

① 사진관   ② 영화관   ③ 체육관
④ 미술관   ⑤ 도서관

06 대화를 듣고, 여자의 마지막 말의 의도로 가장 적절한 것을 고르시오.

① 추천   ② 사과   ③ 감사   ④ 거절   ⑤ 항의

07 대화를 듣고, 자전거를 탈 때 주의해야 할 것으로 언급되지 <u>않은</u> 것을 고르시오.

① 안전모를 착용해야 한다.
② 속도를 높이지 말아야 한다.
③ 경주를 해서는 안 된다.
④ 산책하는 사람들을 보호해야 한다.
⑤ 자전거 전용 도로에서만 타야 한다.

08 대화를 듣고, 여자가 대화 직후에 할 일로 가장 적절한 것을 고르시오.

① 친구 병문안 가기
② 친구 집 방문하기
③ 진료 받으러 가기
④ 운동하러 가기
⑤ 자동차 수리하러 가기

09 대화를 듣고, 여자가 자신의 이모가 하는 꽃 가게에 대해 언급하지 <u>않은</u> 것을 고르시오.

① 위치   ② 영업시간
③ 판매 상품   ④ 배달 여부
⑤ 전화번호

10 다음을 듣고, 무엇에 관한 안내 방송인지 가장 적절한 것을 고르시오.

① 에어컨 구입 증가
② 정부의 오랜 정책
③ 에어컨 사용 규제
④ 교실의 적정 온도
⑤ 여름철 정전 주의

11 대화를 듣고, 여자가 언급한 내용과 일치하지 <u>않는</u> 것을 고르시오.

① 여자의 집에 누군가 침입했다.
② 여자는 어젯밤에 부모님을 뵈러 갔다.
③ 여자의 보석류가 없어졌다.
④ 여자의 현금이 사라졌다.
⑤ 집에 침입자의 발자국이 있다.

12 대화를 듣고, 여자가 샌드위치 가게를 방문한 목적으로 가장 적절한 것을 고르시오.

① 샌드위치를 사기 위해서
② 샌드위치 만드는 방법을 배우기 위해서
③ 아르바이트를 구하기 위해서
④ 남자 친구를 만나기 위해서
⑤ 새로운 소식을 전해 주기 위해서

13 대화를 듣고, 두 사람이 만날 시각을 고르시오.

① 4:00   ② 4:30   ③ 4:40
④ 5:00   ⑤ 5:30

14 대화를 듣고, 두 사람의 관계로 가장 적절한 것을 고르시오.

① 교사 – 학생   ② 사장 – 직원
③ 웨이터 – 손님   ④ 이웃 – 이웃
⑤ 경찰관 – 시민

15 대화를 듣고, 남자가 대화 직후에 할 일로 가장 적절한 것을 고르시오.

① 테니스 배우기
② 휴식 취하기
③ 음료수 가져다주기
④ 배웅해 주기
⑤ 함께 운동하기

16 대화를 듣고, 남자가 도서관에 가는 이유로 가장 적절한 것을 고르시오.

① 교실 열쇠를 찾아야 해서
② 영어 시험을 준비해야 해서
③ 영어 교과서를 대출하기 위해서
④ 영어 교과서를 두고 가서
⑤ 선생님의 심부름을 하기 위해서

17 다음 그림의 상황에 가장 적절한 대화를 고르시오.

①   ②   ③   ④   ⑤

18 다음을 듣고, 남자가 여름 캠프에 대해 언급하지 않은 것을 고르시오.

① 기간   ② 장소
③ 활동 내용   ④ 참가비
⑤ 신청 방법

[19~20] 대화를 듣고, 여자의 마지막 말에 이어질 남자의 응답으로 가장 적절한 것을 고르시오.

19 Man: _____

① It's not working.
② It's not a problem.
③ There're no cases here.
④ Sorry, we only have black one.
⑤ It's convenient for our lives.

20 Man: _____

① That's a great idea.
② No. I want to be healthy.
③ Okay, I will join your club.
④ Please give me a room with a view.
⑤ Health is the most important thing.

Dictation Test 17회 영어 듣기모의고사

01 그림 정보 파악 – 날씨
다음을 듣고, 토요일의 날씨로 가장 적절한 것을 고르시오.

① ② ③
④ ⑤

M Good morning. This is Jason Kim of the Korea Weather Report. Today, it will be _____ _____ _____. Sometimes we will have showers. The next day, Tuesday, will be a cloudy day. However, ❷ _____ _____ _____ _____ _____. The rain will start on Wednesday afternoon and ❸ _____ _____ _____.

02 그림 정보 파악 – 사물   영국식 발음 녹음
대화를 듣고, 남자가 찾고 있는 가방으로 가장 적절한 것을 고르시오.

① ② ③
④ ⑤

W May I help you, sir?
M I think I ❶ _____ _____ _____ _____ _____ the library this morning.   W What does it look like?
M It has a big pocket in the front and two small pockets ❷ _____ _____ _____.   W Does it have a star on the big pocket?
M No, it doesn't ❸ _____ _____ on it. It's all black.
W I think this is the bag you're looking for.
M Yes, it's mine. Thank you very much.

03 심정 파악
대화를 듣고, 남자의 심정으로 가장 적절한 것을 고르시오.
① shocked   ② nervous   ③ proud
④ depressed   ⑤ surprised

W What's in your hand?
M It's a certificate of a cooking class.
W That's cool! I didn't know ❶ _____ _____ _____ _____.
M I want to be a food expert in the future.
W You'll be a great chef. How was the class?
M It was quite tough. Some of the students couldn't finish it.
W I see ❷ _____ _____ _____ _____, but you completed it.
M I tried my best, so I could ❸ _____ _____ _____ from it.

04 한 일 / 할 일 파악
대화를 듣고, 여자가 조부모님을 위해 한 일이 <u>아닌</u> 것을 고르시오.
① 개에게 먹이 주기
② 개집 청소하기
③ 집 청소하기
④ 밭에서 일하기
⑤ 저녁 식사 준비하기

M How was your weekend?
W I was so busy. I went to my grandparents' house.
M What did you do there?
W I helped my grandfather ❶ _____ _____ _____ _____ and clean his house.
M What else did you do?
W ❷ _____ _____ _____ _____ _____ and prepared dinner for my grandparents.
M Wow! It must have been ❸ _____ _____ _____.

Words   **01 humid** 습한 **continue** 계속하다   **02 pocket** 주머니 **look for** ~을 찾다   **03 certificate** 증명서, 수료증 **expert** 전문가 **chef** 요리사 **tough** 힘든, 어려운 **complete** 완료하다   **04 field** 들판, 밭

05 장소 추론

대화를 듣고, 두 사람이 대화하는 장소로 가장 적절한 곳을 고르시오.

① 사진관　　② 영화관　　③ 체육관
④ 미술관　　⑤ 도서관

W Excuse me. What are you doing here?
M ❶ _____ _____ _____ _____ the various works.
W I'm sorry but it's not allowed here.
M Why not?
W ❷ _____ _____ _____ _____ such as paintings or sculptures.
M Oh, I didn't know that. I'm terribly sorry.
W That's okay. But ❸ _____ _____ _____ _____ _____ from now on.

06 의도 파악

대화를 듣고, 여자의 마지막 말의 의도로 가장 적절한 것을 고르시오.

① 추천　② 사과　③ 감사　④ 거절　⑤ 항의

😀 **유감 표현하기** ///////////////////////////////
That's too bad. / I'm sorry to hear that. / That's a pity(shame).

W You look busy today. What's up?
M A part-time worker of my store stopped working yesterday.
W 😀 That's too bad. You ❶ _____ _____ _____ _____ _____.
M Right. I have to do everything alone.
W Do you need ❷ _____ _____ _____ _____ ?
M Yes, I do. Please, recommend someone. The person must be diligent.
W How about my brother? I think ❸ _____ _____ _____ _____ _____.

07 언급되지 않은 것

대화를 듣고, 자전거를 탈 때 주의해야 할 것으로 언급되지 않은 것을 고르시오.

① 안전모를 착용해야 한다.
② 속도를 높이지 말아야 한다.
③ 경주를 해서는 안 된다.
④ 산책하는 사람들을 보호해야 한다.
⑤ 자전거 전용 도로에서만 타야 한다.

😀 **열거하기** ///////////////////////////////
First ~. Second ~. Third ~. (Lastly~.) / First ~, then ~, then ~.

M I usually ride a bicycle along the Han River.
W That sounds interesting. I want to try it.
M Great, but ❶ _____ _____ _____ _____ _____ for safety when riding a bicycle.
W What rules?
M 😀 First, you should wear your helmet. Second, you should not ❷ _____ _____ _____ _____ and run a race.
W Anything else?
M ❸ _____ _____ _____ _____ _____ only along the bike lane.
W I'll keep it in mind.

📖 **Words** **05** **various** 여러 가지의 **allow** 허락하다 **damage** 해를 끼치다, 훼손하다 **artwork** 미술품 **06** **part-time** 파트타임의, 시간제의 **recommend** 추천하다 **diligent** 근면한, 성실한 **07** **along** ~을 따라 **run a race** 경주하다 **bike lane** 자전거 전용 도로

Dictation Test

대화를 듣고, 여자가 대화 직후에 할 일로 가장 적절한 것을 고르시오.

① 친구 병문안 가기
② 친구 집 방문하기
③ 진료 받으러 가기
④ 운동하러 가기
⑤ 자동차 수리하러 가기

W Jungho, where are you going?
M I'm going to the hospital.
W Why?
M Jasmin is in the hospital because of ❶ _____ _____ _____ _____ _____ .
W That's too bad. Is she okay?
M Fortunately, she is ❷ _____ _____ _____ . But she has to be there for three days.
W ❸ _____ _____ _____ _____ _____ to work out, I will visit her, too.

대화를 듣고, 여자가 자신의 이모가 하는 꽃 가게에 대해 언급하지 않은 것을 고르시오.

① 위치   ② 영업시간
③ 판매 상품   ④ 배달 여부
⑤ 전화번호

💬 알고 있음 표현하기 //////////////////////////
I heard(have heard) (about) ~. / I've been told (about) ~. / I'm aware (of) ~.

M I heard your aunt ❶ _____ _____ _____ _____ .
W Yes, it's on Fifth Avenue.
M It's not that far from here. What time does it open?
W It opens at 10 o'clock and closes at 9 o'clock.
M Does she sell only flowers and bouquets?
W No, ❷ _____ _____ _____ _____ .
M Does she ❸ _____ _____ _____ _____ ?
W No, she doesn't. She runs the shop alone.

다음을 듣고, 무엇에 관한 안내 방송인지 가장 적절한 것을 고르시오.

① 에어컨 구입 증가
② 정부의 오랜 정책
③ 에어컨 사용 규제
④ 교실의 적정 온도
⑤ 여름철 정전 주의

W Attention, students and teachers in the classroom. Lately, the government has ❶ _____ _____ _____ _____ _____ of air conditioners. It's because the use of air conditioners leads to ❷ _____ _____ _____ _____ in the summer. Our school must also follow this decision. ❸ _____ _____ _____ _____ when you leave the classrooms or when it is not so hot. Thank you.

Words 08 accident 사고 work out 운동하다   09 aunt 고모, 이모 avenue 거리 bouquet 꽃다발 flowerpot 화분   10 government 정부 decide 결심하다(cf. decision 결심) control 통제하다 lead to ~을 야기하다 lack 부족

11 내용 일치 / 불일치 영국식 발음 녹음

대화를 듣고, 여자가 언급한 내용과 일치하지 <u>않는</u> 것을 고르시오.

① 여자의 집에 누군가 침입했다.
② 여자는 어젯밤에 부모님을 뵈러 갔다.
③ 여자의 보석류가 없어졌다.
④ 여자의 현금이 사라졌다.
⑤ 집에 침입자의 발자국이 있다.

M How may I help you, ma'am?
W Someone broke into my house last night. We were visiting ❶ _____ _____ _____ _____ _____.
M Was there anything taken from your house?
W Yes. Some of my jewelry is gone, and some of ❷ _____ _____ _____ _____ _____.
M What about money?
W Luckily, there was no money in the house.
M Did you notice any clues?
W Yes, there are footprints everywhere.
M I'll go with you and ❸ _____ _____ _____ _____ _____.

12 목적 파악

대화를 듣고, 여자가 샌드위치 가게를 방문한 목적으로 가장 적절한 것을 고르시오.

① 샌드위치를 사기 위해서
② 샌드위치 만드는 방법을 배우기 위해서
③ 아르바이트를 구하기 위해서
④ 남자 친구를 만나기 위해서
⑤ 새로운 소식을 전해 주기 위해서

M I saw you at Joe's Sandwich Shop last Friday.
W Oh, ❶ _____ _____ _____ _____ there.
M I like that sandwich shop, too. ❷ _____ _____ _____ _____ _____ that day?
W I didn't buy anything.
M Then, what were you doing there?
W Actually, ❸ _____ _____ _____ _____ the part-timer.
M Really? That's great news.

13 숫자 정보 파악 – 시각

대화를 듣고, 두 사람이 만날 시각을 고르시오.

① 4:00 ② 4:30 ③ 4:40
④ 5:00 ⑤ 5:30

제안·권유하기 //////////////////////////////////
How(What) about ~? / Why don't we(you) ~? /
I suggest (that) we ~.

[*Cellphone rings.*]
W Hello.
M Hello, Mom? This is Dongmin. When will you come back home?
W It's 4:00 p.m. now and I'll arrive home at 4:40 p.m. Why?
M My ❶ _____ _____ _____. I need to get new ones.
W How about meeting at the department store ❷ _____ _____ _____ _____? We can ❸ _____ _____ _____ from a shop there.
M Okay. See you then.

Words **11 break into** (건물에) 침입하다 **countryside** 시골 **notice** 알아채다, 인지하다 **footprint** 발자국 **12 regular customer** 단골손님
go out with ~와 데이트하다, 사귀다 **13 department store** 백화점

Dictation Test

14 관계 추론

대화를 듣고, 두 사람의 관계로 가장 적절한 것을 고르시오.

① 교사 – 학생 ② 사장 – 직원
③ 웨이터 – 손님 ④ 이웃 – 이웃
⑤ 경찰관 – 시민

🔄 주제 바꾸기

By the way, ~. / Let's move on to ~. / I'd like to say something else ~.

M Hey, Sujin? Good to see you here. Do you live here?
W Yes, _____ _____ _____ _____ _____ for 5 years. What are you doing here?
M I'm looking for the post office. How do I get there?
W It's not far from here. _____ _____ _____ _____ and turn left.
M Thank you. By the way, I saw your report about the animals yesterday.
W What do you think about it?
M Great! I'm so proud that _____ _____ _____ _____ _____.

15 한 일 / 할 일 파악

대화를 듣고, 남자가 대화 직후에 할 일로 가장 적절한 것을 고르시오.

① 테니스 배우기
② 휴식 취하기
③ 음료수 가져다주기
④ 배웅해 주기
⑤ 함께 운동하기

M You have been playing tennis for two hours.
W I'm really into this sport. It's hard to stop _____ _____ _____ _____ _____ it.
M Why don't you take a break?
W Okay. I'm thirsty. Please _____ _____ _____ _____.
M Wait a minute. I'll _____ _____ _____ _____.
W Thanks!

16 이유 파악

대화를 듣고, 남자가 도서관에 가는 이유로 가장 적절한 것을 고르시오.

① 교실 열쇠를 찾아야 해서
② 영어 시험을 준비해야 해서
③ 영어 교과서를 대출하기 위해서
④ 영어 교과서를 두고 가서
⑤ 선생님의 심부름을 하기 위해서

🅟 test tomorrow의 발음

test의 마지막 [t]와 tomorrow의 첫 [t]도 하나로 발음되면서 [테스터모로우]처럼 소리가 난다.

M Mrs. Kim, _____ _____ _____ _____ _____ 205?
W Why? Maybe it's locked.
M I know. But I left my English textbook in there.
W I'm sorry, but we're _____ _____ _____ _____ after school.
M Oh, no! I have an English test tomorrow. I need that book.
W How about _____ _____ _____ _____ _____ _____? You'll be able to borrow one there.
M Okay. I'll try it.

🗪 Words
14 area 지역 report 보고서 proud 자랑스러운 **15** play tennis 테니스를 치다 once 일단 ~하면 thirsty 목이 마른 **16** lock 잠그다 leave ~을 두고 오다 need 필요하다

17 그림 상황에 어울리는 대화 찾기

다음 그림의 상황에 가장 적절한 대화를 고르시오.

① ② ③ ④ ⑤

① M I can't find my cellphone.
W Are you kidding me? You're ❶ _____ _____ _____ _____ _____ .

② M Can I have your phone number?
W Of course. It's 010-123-4567.

③ M I wonder if I could use your cellphone for a while.
W I'm sorry, I'm using it now.

④ M How much is this cellphone?
W It's ❷ _____ _____ _____ . It's only fifty thousand won.

⑤ M Can I speak to Minji?
W You ❸ _____ _____ _____ _____ .

18 언급하지 않은 것 영국식 발음 녹음

다음을 듣고, 남자가 여름 캠프에 대해 언급하지 <u>않은</u> 것을 고르시오.

① 기간   ② 장소
③ 활동 내용   ④ 참가비
⑤ 신청 방법

😊 **희망, 기대 표현하기** ////////////////////
I hope to see you soon. / I'm looking forward to seeing you soon.

M Hello, everyone. I'd like to invite you to join our summer camp. It will be held from July 24 to July 31. The camp is ❶ _____ _____ _____ _____ _____ in Sokcho. You will ❷ _____ _____ _____ _____ _____ such as swimming, hiking, horse-riding, and surfing. To join our camp, visit our website and ❸ _____ _____ _____ _____ by July 1. I hope to see you soon.

[19~20] 대화를 듣고, 여자의 마지막 말에 이어질 남자의 응답으로 가장 적절한 것을 고르시오.

19 알맞은 응답 찾기

Man: _____

① It's not working.
② It's not a problem.
③ There're no cases here.
④ Sorry, we only have black one.
⑤ It's convenient for our lives.

M Welcome. May I help you?
W Yes, ❶ _____ _____ _____ _____ a smartphone case.
M Okay. Please ❷ _____ _____ _____ _____ . I need to know the model.   W Here you go.
M We have several cases for your phone. How about this one?
W It ❸ _____ _____ _____ _____ . Can you show me another case, please?
M Okay. Well, this black one is trendy now.
W It's nice. Do you have this in a different color?

20 알맞은 응답 찾기

Man: _____

① That's a great idea.
② No. I want to be healthy.
③ Okay, I will join your club.
④ Please give me a room with a view.
⑤ Health is the most important thing.

M We finally reached ❶ _____ _____ _____ _____ _____ .   W Wow! The view is beautiful.
M Climbing ❷ _____ _____ _____ _____ .
W That's right. How about climbing regularly?
M Good! It will ❸ _____ _____ _____ _____ _____ .
W Then, let's do it once a month.

Words 🎵 **17 kid** 농담하다 **hold** 들고 있다 **for a while** 잠시 동안 **18 horse-riding** 승마 **surfing** 서핑, 파도타기 **sign up** ~에 신청하다
19 several 몇몇의 **appeal** 관심을 끌다, 매력적이다 **trendy** 최신 유행의 **20 refreshed** 상쾌한 **regularly** 정기적으로

01 다음을 듣고, 런던의 오늘 날씨로 가장 적절한 것을 고르시오.

02 대화를 듣고, 두 사람이 구입할 카드로 가장 적절한 것을 고르시오.

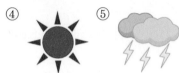

03 대화를 듣고, 여자의 심정으로 가장 적절한 것을 고르시오.

① curious   ② pleased   ③ nervous
④ worried   ⑤ disappointed

04 대화를 듣고, 두 사람이 오늘 오후에 할 일로 가장 적절한 것을 고르시오.

① 숙제하기   ② 연날리기
③ 쇼핑하기   ④ 집에서 쉬기
⑤ 자전거 타기

05 대화를 듣고, 두 사람이 대화하는 장소로 가장 적절한 곳을 고르시오.

① 음식점   ② 버스 내부
③ 버스 정류장   ④ 미술관 매표소
⑤ 미술관 내부

06 다음을 듣고, 말하는 사람의 의도로 가장 적절한 것을 고르시오.

① 항의   ② 사과   ③ 추천   ④ 칭찬   ⑤ 제안

07 다음을 듣고, 여자의 오전 수업 내용으로 언급되지 않은 것을 고르시오.

① 식물의 세포에 대해 학습했다.
② 소설 속 등장인물에 대해 영어로 토론했다.
③ 체육관에서 배드민턴을 쳤다.
④ 요리 실습을 했다.
⑤ 고려 시대의 생활상에 대해 학습했다.

08 대화를 듣고, 남자가 대화 직후에 할 일로 가장 적절한 것을 고르시오.

① 프린터 빌리기
② 도서관에 가기
③ 컴퓨터실에 가기
④ 친구 집에 놀러 가기
⑤ 프린터 수리 신청하기

09 다음을 듣고, 여자가 미아 찾기 안내 방송에서 언급하지 않은 것을 고르시오.

① 이름   ② 발견 장소
③ 나이   ④ 사는 곳
⑤ 입고 있는 옷

10 다음을 듣고, 남자가 하는 말의 내용으로 가장 적절한 것을 고르시오.

① 포기하지 않기
② 거짓말하지 않기
③ 선의의 거짓말하기
④ 다른 사람을 배려하기
⑤ 성급한 결론 내리기 않기

11 대화를 듣고, 남자가 언급한 내용과 일치하지 <u>않는</u> 것을 고르시오.

① 남자는 수학 시험을 잘 봤다고 생각했다.
② 남자는 수학 시험에서 C를 받았다.
③ 남자는 수학 시험에서 실수를 했다.
④ 남자는 답안지를 제출하기 전에 재확인했다.
⑤ 남자는 수학 선생님을 찾아갈 것이다.

12 대화를 듣고, 남자가 전화를 건 목적으로 가장 적절한 것을 고르시오.

① 숙제를 물어보기 위해서
② 학교에 결석한 것을 알기 위해서
③ 수진이와 숙제를 같이하기 위해서
④ 수영이의 전화번호를 물어보기 위해서
⑤ 감기 걸린 것에 대해 안부를 묻기 위해서

13 대화를 듣고, 남자가 지불해야 금액으로 가장 적절한 것을 고르시오.

① $2   ② $3   ③ $4   ④ $6   ⑤ $8

14 대화를 듣고, 두 사람의 관계로 가장 적절한 것을 고르시오.

① 경찰 – 시민   ② 의사 – 환자
③ 교사 – 학생   ④ 점원 – 고객
⑤ 코치 – 운동선수

15 대화를 듣고, 여자가 남자에게 부탁한 일로 가장 적절한 것을 고르시오.

① 상 차리기   ② 설거지하기
③ 요리법 알아보기   ④ 음식 접시에 담기
⑤ 토마토 사다 주기

16 대화를 듣고, 여자가 남자에게 화가 난 이유로 가장 적절한 것을 고르시오.

① 수업 시간에 떠들어서
② 맡은 일을 소홀히 해서
③ 아침에 깨워 주지 않아서
④ 약속을 어기고 지각을 해서
⑤ 늦을 것을 미리 알리지 않아서

17 다음 그림의 상황에 가장 적절한 대화를 고르시오.

①   ②   ③   ④   ⑤

18 대화를 듣고, 두 사람이 아이들의 휴대 전화 사용 문제점에 대해 언급하지 <u>않은</u> 것을 고르시오.

① 성적이 떨어진다.
② 시력이 떨어진다.
③ 부적절한 웹사이트에 들어갈 수 있다.
④ 데이터 요금이 많이 나온다.
⑤ 휴대 전화에 중독될 수 있다.

[19~20] 대화를 듣고, 여자의 마지막 말에 이어질 남자의 응답으로 가장 적절한 것을 고르시오.

19 Man: _____

① Yes, please. I'd like to get a refund.
② Yes. We're coming back on the 20th.
③ Sorry, but I haven't brought my tickets.
④ Of course. I will definitely return them.
⑤ Of course. I really liked traveling to Sydney.

20 Man: _____

① I'm interested in math, too.
② I don't know what you did then.
③ Please tell me why you like math.
④ You seem to like history, don't you?
⑤ I can't understand why you don't study it.

Dictation Test 18회 영어 듣기모의고사

01 그림 정보 파악 – 날씨 영국식 발음 녹음

다음을 듣고, 런던의 오늘 날씨로 가장 적절한 것을 고르시오.

① ② ③
④ ⑤

W Good morning. This is the world weather report. It will rain heavily in Seoul today, so ❶ _____ _____ _____ _____ _____. In Singapore, it will be sunny and warm all day. In London, it will be cloudy and windy. In Beijing, it will snow a lot, and Tokyo will also ❷ _____ _____ _____ _____. That's all for now. I will ❸ _____ _____ _____ _____ _____ with more information. Thank you.

02 그림 정보 파악 – 사물

대화를 듣고, 두 사람이 구입할 카드로 가장 적절한 것을 고르시오.

① ② ③
④ ⑤

😊 **의견 표현하기** //////////////////////////////
In my opinion(view), ~. / I think(feel, believe) ~. / It seems to me ~.

M Amy, let's buy a birthday card for Jenny. I think she will like to ❶ _____ _____ _____ _____ _____.

W That's a good idea.

M How about this one with a small ribbon on it?

W It's too simple. I like this card with flower prints on it.

M Well, in my opinion, this card with ❷ _____ _____ _____ _____ _____.

W It also looks nice, David. But..., ❸ _____ _____ _____ _____ with words "Happy Birthday"?

M It's cool! Okay, let's take it.

03 심정 파악

대화를 듣고, 여자의 심정으로 가장 적절한 것을 고르시오.

① curious   ② pleased   ③ nervous
④ worried   ⑤ disappointed

🅿 **read it과 believe it의 발음** ///////////////////////
첫 단어가 자음으로 끝나고 뒷 단어가 모음으로 시작되는 경우 연음이 된다. 따라서 read it은 [리딧], believe it은 [빌리빗]으로 소리 난다.

M Mom, I'm home.

W Oh, Jack. ❶ _____ _____ _____ _____ _____.

M Really? Where is it?

W It's on the desk in your room.

M Did you read it?

W Yes. Don't be surprised, Jack. You got all As.

M Oh, I can't believe it. Mom, ❷ _____ _____ _____ _____ _____ many Bs on the midterm exam?

W Yes, I do. You did well on the final exam. ❸ _____ _____ _____ _____ _____, Jack.

📖 Words **01 heavily** (양·정도가) 심하게 **heavy snowfall** 폭설 **02 receive** 받다 **print** 무늬 **03 school report** 성적표 **arrive** 도착하다, 배달되다 **final** 마지막의

04 한 일 / 할 일 파악

대화를 듣고, 두 사람이 오늘 오후에 할 일로 가장 적절한 것을 고르시오.

① 숙제하기   ② 연날리기
③ 쇼핑하기   ④ 집에서 쉬기
⑤ 자전거 타기

😊 제안·권유하기 //////////////////////

How[What] about ~? / Why don't you ~? / I suggest (that) we ~.

W   Hi, Jerry. How's it going with your homework?
M   I'm done. I just ❶ _____ _____ _____ _____
_____. How about you, Bora?
W   Almost finished, too.
M   Good. Then, how about going to ride a bicycle this afternoon?
W   Well, I don't feel good now. I think ❷ _____ _____ _____
_____.
M   Come on. You need to get refreshed outside.
W   But riding a bicycle is too much for me. Why don't we fly a kite?
M   Good idea. ❸ _____ _____ _____ _____ _____
in one hour.

05 장소 추론

대화를 듣고, 두 사람이 대화하는 장소로 가장 적절한 곳을 고르시오.

① 음식점   ② 버스 내부
③ 버스 정류장   ④ 미술관 매표소
⑤ 미술관 내부

😊 생각할 시간 요청하기 //////////////////////

Let me see[think]. / Just a moment (while I think). / May I think about that for a moment?

W   Excuse me, I'd like to go to the National Art Center. Which bus
❶ _____ _____ _____ _____ _____ _____?
M   Let me see. You can take bus number seven.
W   ❷ _____ _____ _____ _____ _____ or across the
street?
M   Across the street.
W   Thanks. By the way, ❸ _____ _____ _____ _____
_____ to get there?
M   I think it may take about fifteen minutes by bus.
W   Thank you very much.
M   You're welcome.

06 의도 파악

다음을 듣고, 말하는 사람의 의도로 가장 적절한 것을 고르시오.

① 항의   ② 사과   ③ 추천   ④ 칭찬   ⑤ 제안

M   Students, yesterday one of our students helped an old lady who
❶ _____ _____ _____ _____ _____. The woman
❷ _____ _____ _____ _____ and was suffering. But
as soon as Jack Williams found the lady, he called 119. ❸ _____
_____ _____ _____ Jack, she could save her life. I'm so
proud of Jack Williams.

07 언급되지 않은 것

다음을 듣고, 여자의 오전 수업 내용으로 언급되지 <u>않은</u> 것을 고르시오.

① 식물의 세포에 대해 학습했다.
② 소설 속 등장인물에 대해 영어로 토론했다.
③ 체육관에서 배드민턴을 쳤다.
④ 요리 실습을 했다.
⑤ 고려 시대의 생활상에 대해 학습했다.

W   We had four classes in the morning. First, we learned ❶ _____
_____ _____ _____ _____. In the next class, we
talked about ❷ _____ _____ _____ _____ _____
in English. Next, we went to the gym and played badminton. It was
so fun. Before we had lunch, ❸ _____ _____ _____
_____ the people's lives of the Goryeo Dynasty.

📖 **Words**   **04 print out** 출력하다   **fly a kite** 연을 날리다   **05 national** 국립의   **across** 건너서   **06 lie** 누워 있다   **ground** 땅바닥   **heart attack**
심장 마비   **suffer** 고통받다   **as soon as** ~하자마자   **save one's life** 생명을 구하다   **07 cell** 세포   **dynasty** 시대, 왕조

Dictation Test ✍

08 한 일 / 할 일 파악

08 한 일 / 할 일 파악

대화를 듣고, 남자가 대화 직후에 할 일로 가장 적절한 것을 고르시오.

① 프린터 빌리기
② 도서관에 가기
③ 컴퓨터실에 가기
④ 친구 집에 놀러 가기
⑤ 프린터 수리 신청하기

M Do you have a printer at home?
W No, I don't. Why ❶ _____ _____ _____ _____ _____?
M I have to ❷ _____ _____ _____ _____, but mine isn't working.
W There's a printer at the library.
M Is it okay if I use it?
W Of course. You can ❸ _____ _____ _____ _____ up to three pages.
M That's great. I am going to the library now.

09 언급하지 않은 것

다음을 듣고, 여자가 미아 찾기 안내 방송에서 언급하지 않은 것을 고르시오.

① 이름　　　② 발견 장소
③ 나이　　　④ 사는 곳
⑤ 입고 있는 옷

W Shoppers, ❶ _____ _____ _____ _____ _____, please? We have a lost boy named Roy. Once again, the lost boy's name is Roy. He was found on the second floor in the women's wear section. He is now ❷ _____ _____ _____ _____. He is six years old, and he is wearing a red T-shirt, blue jeans, and white sneakers. If you know him or know who is looking for him, please ❸ _____ _____ _____ _____ on the first floor. Thank you.

10 주제 파악

다음을 듣고, 남자가 하는 말의 내용으로 가장 적절한 것을 고르시오.

① 포기하지 않기
② 거짓말하지 않기
③ 선의의 거짓말하기
④ 다른 사람을 배려하기
⑤ 성급한 결론 내리기 않기

M Many of you may have experience telling a lie. Many people hope the truth will never come out ❶ _____ _____ _____ _____. But, in reality, the truth often comes out. If you ❷ _____ _____ _____ _____ _____, it makes the situation worse. So, you have to remember that it is much better ❸ _____ _____ _____ _____.

11 내용 일치 / 불일치　영국식 발음 녹음

대화를 듣고, 남자가 언급한 내용과 일치하지 <u>않는</u> 것을 고르시오.

① 남자는 수학 시험을 잘 봤다고 생각했다.
② 남자는 수학 시험에서 C를 받았다.
③ 남자는 수학 시험에서 실수를 했다.
④ 남자는 답안지를 제출하기 전에 재확인했다.
⑤ 남자는 수학 선생님을 찾아갈 것이다.

M This can't be happening!
W What's wrong?
M I thought I would get an A in math, but look at this!
W ❶ _____ _____ _____ _____ you got a C.
M I'm sure I did well on the final test.
W Did you ❷ _____ _____ _____ _____ on your answer sheet?
M Of course I did. I double-checked before ❸ _____ _____ _____ _____ _____. I'd better check this grade with my math teacher.

Words **08 library** 도서관 **up to** ~까지　**09 shopper** 쇼핑객 **women's wear** 여성복　**10 tell a lie** 거짓말하다 **truth** 진실 **come out** 드러나다 **in reality** 사실은, 실제로는　**11 report card** 성적표 **double-check** 재확인하다

12 목적 파악

대화를 듣고, 남자가 전화를 건 목적으로 가장 적절한 것을 고르시오.

① 숙제를 물어보기 위해서
② 학교에 결석한 것을 알기 위해서
③ 수진이와 숙제를 같이하기 위해서
④ 수영이의 전화번호를 물어보기 위해서
⑤ 감기 걸린 것에 대해 안부를 묻기 위해서

[*Cellphone rings.*]

M Hi, Sujin. This is John.

W Hi, John.

M I ❶_____ _____ _____ _____ yesterday, so I couldn't go to school.

W I'm sorry to hear that. Are you okay now?

M Yes. I feel better. May I ❷_____ _____ _____ _____ ?

W Sure. What is it?

M I have to call Suyoung about homework, but I ❸_____ _____ _____ _____ _____.

W His number is on my phone. I will let you know.

13 숫자 정보 파악 – 금액   영국식 발음 녹음

대화를 듣고, 남자가 지불해야 할 금액으로 가장 적절한 것을 고르시오.

① $2   ② $3   ③ $4   ④ $6   ⑤ $8

W May I help you?

M Yes, please. I'd like ❶_____ _____ _____ _____.

W Okay. How about these roses?

M They are so beautiful. How much are they each?

W They're $2 each.

M Then I'll take two. And how much is this lily?

W It's more ❷_____ _____ _____ _____. It's ❸_____ _____ _____ _____ a rose.

M Okay. I'll take one. That's all.

14 관계 추론

대화를 듣고, 두 사람의 관계로 가장 적절한 것을 고르시오.

① 경찰 – 시민   ② 의사 – 환자
③ 교사 – 학생   ④ 점원 – 고객
⑤ 코치 – 운동선수

👄 **의무 표현하기** //////////////////////////////////

You should(ought to) ~. / You must(have to) ~.
/ It is required to ~. / You're expected to ~.

M Hello. What's wrong?

W ❶_____ _____ _____ _____ _____ since yesterday.

M Do you have any other problems?

W I have a sore throat and a headache, too.

M Let me ❷_____ _____ _____. (*pause*) You've caught a cold.

W What should I do?

M 👁 You should drink warm water often and ❸_____ _____ _____.

W Thank you.

📖 **Words** ▸   **12 bad cold** 독감 **favor** 부탁   **13 each** 각각 **lily** 백합 **expensive** 비싼   **14 high fever** 고열 **catch a cold** 감기에 걸리다 **avoid** 피하다 **go out** 외출하다

Dictation Test

15 부탁한 일 파악

대화를 듣고, 여자가 남자에게 부탁한 일로 가장 적절한 것을 고르시오.

① 상 차리기 ② 설거지하기
③ 요리법 알아보기 ④ 음식 접시에 담기
⑤ 토마토 사다 주기

ⓟ plate의 발음 ////////////////////////////
a는 [a, ei, ae, ...] 등의 다양한 소리를 낸다. plate의 a는 [ei]로 발음되는데, t<u>a</u>ble, <u>a</u>ble, c<u>a</u>ke 등의 단어에 있는 a도 [ei]로 소리 난다.

M Wow, this tomato salad looks fresh.

W You can try some if you want.

M Okay. (pause) It's delicious. If you finish cooking, **❶** _____ _____ _____ _____ _____.

W No, that's okay, Mike. Now I'll **❷** _____ _____ _____ **ⓟ** _____ on the plate.

M Great! Is there anything I can help you with?

W Hmm.... Then, **❸** _____ _____ _____ _____ ?

M Sure. Anything else?

W After that, all you have to do is to enjoy your dinner.

16 이유 파악

대화를 듣고, 여자가 남자에게 화가 난 이유로 가장 적절한 것을 고르시오.

① 수업 시간에 떠들어서
② 맡은 일을 소홀히 해서
③ 아침에 깨워 주지 않아서
④ 약속을 어기고 지각을 해서
⑤ 늦을 것을 미리 알리지 않아서

W Mike, I am so angry now. You broke your words again.

M I'm terribly sorry, Ms. Jackson. I didn't really mean to, but my mom didn't wake me up.

W I don't think that makes sense. **❶** _____ _____ _____ _____ _____ for that.

M I see. Ms. Jackson, I promise **❷** _____ _____ _____ _____ .

W **❸** _____ _____ _____ _____ again. Okay?

M Yes.

17 그림 상황에 어울리는 대화 찾기

다음 그림의 상황에 가장 적절한 대화를 고르시오.

① ② ③ ④ ⑤

😐 무관심 표현하기 ////////////////////////////
I'm not (very) interested in ~. / I don't have any(much) interest in ~. / How boring!

① M What's your favorite music?
   W I like hip-hop music.

② M Shall we **❶** _____ _____ _____ _____ ?
   W I'm not interested in classical music.

③ M **❷** _____ _____ _____ _____ a new guitar.
   W What for? You already have one.

④ M I've taken piano lessons for ten years.
   W You must be good at it.

⑤ M **❸** _____ _____ _____ _____ _____ for the music concert?
   W Yes, I saw it yesterday.

 Words **15** fresh 신선한 **main dish** 주요리 **plate** 접시 **set the table** 상을 차리다 **16** break one's words 약속을 어기다 **make sense** 이치에 맞다 **17** classical music 고전 음악 be good at ~을 잘하다

18 언급하지 않은 것 영국식 발음 녹음

대화를 듣고, 두 사람이 아이들의 휴대 전화 사용 문제점에 대해 언급하지 <u>않은</u> 것을 고르시오.

① 성적이 떨어진다.
② 시력이 떨어진다.
③ 부적절한 웹사이트에 들어갈 수 있다.
④ 데이터 요금이 많이 나온다.
⑤ 휴대 전화에 중독될 수 있다.

😊 걱정, 두려움 표현하기 ////////////////////////

I'm scared(frightened, terrified) to ~. / I'm worried(anxious) about ~.

M Honey, you look worried. What's wrong?
W I think our kids are spending too much time on their cellphones these days.
M That's why their school grades are going down.
W Their ❶ _____ _____ _____ _____ _____.
M They also might ❷ _____ _____ _____ _____ on the Internet.
W That's right. We should do something about it. I'm scared they might be addicted to it.
M ❸ _____ _____ _____ _____ _____ the kids.

[19~20] 대화를 듣고, 여자의 마지막 말에 이어질 남자의 응답으로 가장 적절한 것을 고르시오.

19 알맞은 응답 찾기

Man: _____

① Yes, please. I'd like to get a refund.
② Yes. We're coming back on the 20th.
③ Sorry, but I haven't brought my tickets.
④ Of course. I will definitely return them.
⑤ Of course. I really liked traveling to Sydney.

W May I help you?
M I'd ❶ _____ _____ _____ _____ _____ to Sydney, please.
W When do you want to leave?
M Next Friday, the 12th.
W ❷ _____ _____ _____ would you like?
M Two, please.
W Okay. Would you like ❸ _____ _____?

20 알맞은 응답 찾기

Man: _____

① I'm interested in math, too.
② I don't know what you did then.
③ Please tell me why you like math.
④ You seem to like history, don't you?
⑤ I can't understand why you don't study it.

🔊 didn't know의 발음 ////////////////////////

자음이 여러 개 이어지면 일부는 생략하고 발음하는 경향이 있다. didn't know는 [n], [t], [k]의 세 자음 중간의 [t]는 발음하지 않고 [디든노우]처럼 발음한다.

W Minsu, are you interested in math?
M Yes. It's my favorite subject.
W 🔊 I didn't know that. ❶ _____ _____ _____ _____ math?
M Whenever I succeed in ❷ _____ _____ _____ _____, I feel so happy.
W I understand.
M What is your favorite subject, Jenny?
W Guess what? I like to learn ❸ _____ _____ _____ _____ _____.

📕 Words **18** eyesight 시력 inappropriate 부적절한 be addicted to ~에 중독되다 **19** flight 항공편 return ticket 왕복표 **20** succeed in ~에 성공하다 solve (문제를) 풀다 happen 발생하다 past 과거

01 대화를 듣고, 주말의 날씨로 가장 적절한 것을 고르시오.

02 대화를 듣고, 여자가 받게 될 선물로 가장 적절한 것을 고르시오.

03 대화를 듣고, 여자의 심정으로 가장 적절한 것을 고르시오.

① angry   ② scared   ③ grateful
④ delighted ⑤ indifferent

04 대화를 듣고, 남자가 어제 한 일로 가장 적절한 것을 고르시오.

① 시청 견학하기
② 마라톤 경주 뛰기
③ 마라톤 선수 응원하기
④ 마라톤 행사 기획하기
⑤ 마라톤 선수들에게 음료 제공하기

05 대화를 듣고, 두 사람이 대화하는 장소로 가장 적절한 곳을 고르시오.

① 분실물 센터   ② 공연장 매표소
③ 공원 안내소   ④ 고객 서비스 센터
⑤ 전자 제품 판매점

06 다음을 듣고, 말하는 사람의 의도로 가장 적절한 것을 고르시오.

① 축하   ② 유감   ③ 충고   ④ 항의   ⑤ 고민

07 대화를 듣고, 여자가 받을 벌칙으로 가장 적절한 것을 고르시오.

① 벌점 받기   ② 교실 청소하기
③ 반성문 쓰기   ④ 화장실 청소하기
⑤ 교실 뒤에 서 있기

08 대화를 듣고, 여자가 대화 직후에 할 일로 가장 적절한 것을 고르시오.

① 알람 시계 사러 가기
② 동물병원에 가기
③ 아침에 일찍 일하러 가기
④ 애완용 새에게 먹이 주기
⑤ 부모님께 깨워 달라고 부탁하기

09 다음을 듣고, 여자가 집을 비울 때 해야 할 일로 언급하지 않은 것을 고르시오.

① 전기 플러그 빼기   ② 전등 끄기
③ 우편함 비우기   ④ 창문 닫기
⑤ 가스 밸브 잠그기

10 다음을 듣고, 남자가 하는 말의 내용으로 가장 적절한 것을 고르시오.

① 인터넷의 유용성
② 인터넷의 발달 과정
③ 인터넷 사용 방법
④ 인터넷 사용 예절
⑤ 인터넷 중독의 위험성

11 대화를 듣고, 남자가 언급한 내용과 일치하는 것을 고르시오.

① 수지는 처음에 밝은 성격처럼 보였다.
② 남자의 수지에 대한 첫인상은 변하지 않았다.
③ 수지는 남자로 인해 많이 웃었다.
④ 남자는 수지와 하루 종일 카페에 있었다.
⑤ 남자는 수지와 영화, 노래 등에 대해서 이야기했다.

12 대화를 듣고, 남자가 전화를 건 목적으로 가장 적절한 것을 고르시오.

① 컴퓨터 환불을 요청하기 위해서
② 컴퓨터의 품질을 문의하기 위해서
③ 좋은 컴퓨터를 추천받기 위해서
④ 컴퓨터의 구입처를 물어보기 위해서
⑤ 컴퓨터 수리 비용을 물어보기 위해서

13 대화를 듣고, 여자가 지불해야 할 금액으로 가장 적절한 것을 고르시오.

① $30　　② $130　　③ $140
④ $200　　⑤ $260

14 대화를 듣고, 두 사람의 관계로 가장 적절한 것을 고르시오.

① 버스 기사 – 승객
② 여행 가이드 – 여행객
③ 은행원 – 고객
④ 택시 기사 – 승객
⑤ 매표소 직원 – 고객

15 대화를 듣고, 남자가 여자에게 부탁한 일로 가장 적절한 것을 고르시오.

① 화장지 가져다주기
② 서점에서 책 사기
③ 콘서트 표 구매하기
④ 가방 맡아 주기
⑤ 휴대 전화 케이스 사기

16 대화를 듣고, 여자가 친구와 싸운 이유로 가장 적절한 것을 고르시오.

① 친구가 놀아 주지 않아서
② 친구가 뒤에서 밀어서
③ 친구가 자신을 험담해서
④ 친구가 등에 낙서를 해서
⑤ 친구가 말이 많아서

17 다음 그림의 상황에 가장 적절한 대화를 고르시오.

①　　②　　③　　④　　⑤

18 다음을 듣고, 여자가 학교 내에서 지켜야 할 규칙으로 언급하지 않은 것을 고르시오.

① 지각하지 마라.
② 학교에서는 교복을 입어라.
③ 단정해 보이도록 노력해라.
④ 규정에 맞게 머리를 잘라라.
⑤ 건물 안에서는 슬리퍼를 착용해라.

[19~20] 대화를 듣고, 남자의 마지막 말에 이어질 여자의 응답으로 가장 적절한 것을 고르시오.

19 Woman: _____

① Okay. I will check my computer, too.
② Yes. It will be helpful for your health.
③ Okay. It is much easier than you think.
④ Yes. You had better work out regularly.
⑤ No. You should delete an antivirus software.

20 Woman: _____

① I went to museum with them.
② I liked to go museum with them.
③ I hoped to be a basketball player.
④ I will enjoy my dad's birthday party.
⑤ I happened to meet my English teacher.

Dictation Test 19회 영어 듣기모의고사

01 그림 정보 파악 – 날씨

대화를 듣고, 주말의 날씨로 가장 적절한 것을 고르시오.

① ② ③ ④ ⑤

W What's your schedule for this weekend?

M ❶ _____ _____ _____ _____ _____ with my father.

W That sounds fun!

M But the weather report said it would rain during this weekend.

W It's dangerous to go fishing when it rains.

M I think so, too. Fortunately, ❷ _____ _____ _____ _____ _____. Anyway, I will ask my father if we can ❸ _____ _____ _____ _____ _____.

02 그림 정보 파악 – 사물

대화를 듣고, 여자가 받게 될 선물로 가장 적절한 것을 고르시오.

① ② ③ ④ ⑤

M Congratulations on your graduation.

W Thank you, Dad.

M I want to give you a special gift. What about a new jacket?

W You ❶ _____ _____ _____ _____ for my birthday last month.

M A new pair of shoes, then?

W I'd like to ❷ _____ _____ _____ _____, such as a wallet, or a backpack.

M How about a watch? Now that you're a high school student, you ❸ _____ _____ _____ _____ _____.

W Oh, I didn't think about that. That would be a wonderful present for me.

03 심정 파악 영국식 발음 녹음

대화를 듣고, 여자의 심정으로 가장 적절한 것을 고르시오.

① angry   ② scared   ③ grateful
④ delighted   ⑤ indifferent

W I feel so bad.

M What's wrong?

W My friend Jimmy talked about my weight in public. What would you do if ❶ _____ _____ _____ _____ _____?

M Try to forget about it. I think he was just worrying about your health.

W I don't think so. He ❷ _____ _____ _____ _____.

M You'd better talk with him about your feelings.

W But he won't ❸ _____ _____ _____ _____! And I don't want to face him yet!

Words   01 fortunately 다행스럽게도 ask ~ if ... …인지 아닌지 ~에게 묻다   02 graduation 졸업 meaningful 의미 있는 save time 시간을 아끼다   03 in public 공개적으로 be in one's shoes ~의 입장에 처하다 make fun of ~을 놀리다 face 마주 보다

162 | 중학영어 듣기모의고사 2학년

04 한 일 / 할 일 파악

대화를 듣고, 남자가 어제 한 일로 가장 적절한 것을 고르시오.

① 시청 견학하기
② 마라톤 경주 뛰기
③ 마라톤 선수 응원하기
④ 마라톤 행사 기획하기
⑤ 마라톤 선수들에게 음료 제공하기

W What did you do yesterday?
M I went to City Hall.
W Oh, ❶ _____ _____ _____ _____ _____ the marathon race? There was a big event there.
M Yes and no.
W Yes and no? What exactly does that mean?
M Well, ❷ _____ _____ _____ _____ _____, but I didn't run. I worked as a volunteer.
W What did you do as a volunteer? Did you cheer the marathoners on?
M No. I ❸ _____ _____ _____ _____.

05 장소 추론

대화를 듣고, 두 사람이 대화하는 장소로 가장 적절한 곳을 고르시오.

① 분실물 센터　　② 공연장 매표소
③ 공원 안내소　　④ 고객 서비스 센터
⑤ 전자 제품 판매점

비인칭주어 it

How long will it take ~?에서 시간을 나타내기 위해 사용하는 it은 문장의 형식적인 주어이다. it은 시간뿐만 아니라 날씨, 거리, 계절, 명암 등을 나타내는 문장의 주어가 될 수 있다.
ex) It's hot today. → 날씨를 가리킴
　　How far is it to your school? → 거리를 가리킴

W How can I help you?
M I have a problem with my vacuum cleaner.
W Can you ❶ _____ _____ _____?
M I cannot turn it on.
W Let's see..., it's not ❷ _____ _____ _____. I can fix it.
M How long will it take to repair it?
W Fifteen minutes or so.
M Then, I'll wait ❸ _____ _____ _____ _____.

06 의도 파악

다음을 듣고, 말하는 사람의 의도로 가장 적절한 것을 고르시오.

① 축하　② 유감　③ 충고　④ 항의　⑤ 고민

W As principal, I'm so proud of our school baseball team. Its members are hard workers. I know the fact well that they ❶ _____ _____ _____ _____ after school. As a result, our team won the league championship. I hope all the students of our school will ❷ _____ _____ _____ with the team. And don't forget to ❸ _____ _____ _____ _____ now and for ever.

07 특정 정보 파악

대화를 듣고, 여자가 받을 벌칙으로 가장 적절한 것을 고르시오.

① 벌점 받기　　② 교실 청소하기
③ 반성문 쓰기　④ 화장실 청소하기
⑤ 교실 뒤에 서 있기

사과하기

Please forgive me. / I'm so sorry about that. / I apologize. / Please accept my apology.

M Jane! Are you sleeping again during my class?
W I'm trying not to do, but ❶ _____ _____ _____ _____.
M This is the third time. I cannot stand it anymore!
W I'm so sorry.
M I will ❷ _____ _____ _____ _____.
W Oh, no! Please forgive me this once.
M Never! ❸ _____ _____ _____ _____ after school.
W All right, sir.

 Words　**04** marathon 마라톤　marathoner 마라톤 선수　beverage 음료　**05** vacuum cleaner 진공청소기　**06** as a result 결과적으로 support 지지하다　now and for ever 항상　**07** stand 참다, 견디다　penalty 벌칙　forgive 용서하다

Dictation Test

08 한 일 / 할 일 파악   영국식 발음 녹음

대화를 듣고, 여자가 대화 직후에 할 일로 가장 적절한 것을 고르시오.

① 알람 시계 사러 가기
② 동물병원에 가기
③ 아침에 일찍 일하러 가기
④ 애완용 새에게 먹이 주기
⑤ 부모님께 깨워 달라고 부탁하기

😀 설명 요청하기 ////////////////////////
What do you mean by ~? / Could you explain ~? / What is ~ (exactly)?

W I have decided _____ _____ _____ _____.
M What do you mean by that?
W I mean that ❷ _____ _____ _____ _____ in the morning.
M Good! The early bird catches the worm.
W But there is no person to wake me up. My parents usually go to work before I wake up.
M Why don't you ❸ _____ _____ _____ _____?
W That's a good idea. Let's go to buy one together.

---

09 언급하지 않은 것   영국식 발음 녹음

다음을 듣고, 여자가 집을 비울 때 해야 할 일로 언급하지 않은 것을 고르시오.

① 전기 플러그 빼기   ② 전등 끄기
③ 우편함 비우기   ④ 창문 닫기
⑤ 가스 밸브 잠그기

😀 상기시켜 주기 //////////////////////
Don't forget to ~. / Remember to ~. / Remind me to ~.

W When you leave a house, you should ❶ _____ _____ _____ to keep your house safe. First, unplug appliances ❷ _____ _____ _____ _____ _____. Second, turn off the lights. Third, don't forget to close the window. Finally, be sure to ❸ _____ _____ _____ _____. In my opinion, the last thing is the most important for our safety.

---

10 주제 파악

다음을 듣고, 남자가 하는 말의 내용으로 가장 적절한 것을 고르시오.

① 인터넷의 유용성
② 인터넷의 발달 과정
③ 인터넷 사용 방법
④ 인터넷 사용 예절
⑤ 인터넷 중독의 위험성

😀 주제 소개하기 /////////////////////
(Now) let's talk about ~. / I'd like to say something about ~. / I'd like to tell you what ~.

M Good afternoon, students. Today, let's talk about using the Internet. The Internet is a very useful tool. You can get a lot of information with ❶ _____ _____ _____ _____, and communicate with people ❷ _____ _____ _____ _____ _____. But it can also be a dangerous weapon. Sometimes people's feelings can get hurt by what they read on the computer. So, you should always be careful with ❸ _____ _____ _____ _____ the Internet.

---

11 내용 일치 / 불일치

대화를 듣고, 남자가 언급한 내용과 일치하는 것을 고르시오.

① 수지는 처음에 밝은 성격처럼 보였다.
② 남자의 수지에 대한 첫인상은 변하지 않았다.
③ 수지는 남자로 인해 많이 웃었다.
④ 남자는 수지와 하루 종일 카페에 있었다.
⑤ 남자는 수지와 영화, 노래 등에 대해서 이야기했다.

W How did you feel when you met Susie for the first time?
M She looked shy, but ❶ _____ _____ _____ _____ _____ very long.
W Please, tell me in detail.
M Over time, I realized that Susie was bright and cheerful. She ❷ _____ _____ _____ _____ _____.
W How long were you with her?
M For about 2 hours at the cafe. ❸ _____ _____ _____ _____, songs, and hobbies.

Words **08 early bird** 일찍 일어나는 사람 **worm** 벌레 **09 unplug** 플러그를 뽑다 **appliance** 가전제품 **gas valve** 가스 밸브 **10 tool** 도구 **weapon** 무기 **get hurt** 다치다 **11 impression** 인상, 느낌 **in detail** 상세히 **cheerful** 쾌활한

12 목적 파악

대화를 듣고, 남자가 전화를 건 목적으로 가장 적절한 것을 고르시오.

① 컴퓨터 환불을 요청하기 위해서
② 컴퓨터의 품질을 문의하기 위해서
③ 좋은 컴퓨터를 추천받기 위해서
④ 컴퓨터의 구입처를 물어보기 위해서
⑤ 컴퓨터 수리 비용을 물어보기 위해서

[*Telephone rings.*]

W Hello.

M Hello. It's me, Peter.

W Hi, Peter. What's up?

M I'd like ❶ _____ _____ _____ _____ your computer.

W What is it? Just tell me.

M Where ❷ _____ _____ _____ _____? My mom ❸ _____ _____ _____ _____ a new computer.

W Good. I bought it at Hello Mart.

M Ah, I got it. Thanks.

13 숫자 정보 파악 – 금액

대화를 듣고, 여자가 지불해야 할 금액으로 가장 적절한 것을 고르시오.

① $30   ② $130   ③ $140
④ $200   ⑤ $260

climbing의 발음 ////////////////////////
climbing[klaiming]은 b가 소리 나지 않는 묵음이다. comb, bomb, tomb, debt, doubt 등도 마찬가지로 b가 소리 나지 않은 채 발음된다.

W I would like to ❶ _____ _____ _____ _____.

M You're a lucky woman. We've started to ❷ _____ _____ ❿ _____ _____ for mountain climbing today.

W Oh, good! I want a waterproof jacket.

M How about this jacket? It's ❸ _____ _____ _____ _____.

W How much is it?

M The regular price was $200, but we offer a 30% discount.

W Okay. I'll take it.

14 관계 추론

대화를 듣고, 두 사람의 관계로 가장 적절한 것을 고르시오.

① 버스 기사 – 승객
② 여행 가이드 – 여행객
③ 은행원 – 고객
④ 택시 기사 – 승객
⑤ 매표소 직원 – 고객

충고 구하기 ///////////////////////////
Do you think I should ~? / Can I get your advice on ~? / What would you do if ~?

M Where do you want to go, ma'am?

W I need to go to Seoul Finance Center.

M No problem.

W How long will it take to get there?

M ❶ _____ _____ _____ _____ _____, so it will take more than an hour.

W Oh, no. I must be there in an hour. Do you think I should ❷ _____ _____ _____?

M I think you should. I'll take you ❸ _____ _____ _____ _____.

W Thank you.

Words **12 finally** 마침내 **allow** 허락하다 **13 waterproof** 방수의 **popular** 인기 있는 **regular price** 정가 **offer** 제공하다 **14 heavy** (양, 정도 등이 보통보다) 많은, 심한 **nearest** 가장 가까운

Dictation Test

15 부탁한 일 파악

대화를 듣고, 남자가 여자에게 부탁한 일로 가장 적절한 것을 고르시오.

① 화장지 가져다주기
② 서점에서 책 사기
③ 콘서트 표 구매하기
④ 가방 맡아 주기
⑤ 휴대 전화 케이스 사기

M Wait a minute. I want to _____ _____ _____ _____.
W ❷ _____ _____ because the concert will start in 30 minutes. I will wait in front of that bookstore.
M Okay. Can I ask you a favor?
W Sure. What is it?
M ❸ _____ _____ _____ _____ while I go there.
W Okay! Give it to me.

16 이유 파악 영국식 발음 녹음

대화를 듣고, 여자가 친구와 싸운 이유로 가장 적절한 것을 고르시오.

① 친구가 놀아 주지 않아서
② 친구가 뒤에서 밀어서
③ 친구가 자신을 험담해서
④ 친구가 등에 낙서를 해서
⑤ 친구가 말이 많아서

💬 **슬픔, 불만족, 실망의 원인에 대해 묻기** //////////
What's the matter? / What's wrong? / Why are you sad(disappointed)?

M Sumi, you look upset. 💬 What's the matter?
W I ❶ _____ _____ _____ _____ _____ Minji.
M Minji? She's one of your best friends. Why did you have a fight?
W She sometimes talks about me ❷ _____ _____ _____.
M What? Since when?
W It's been a while. I tried ❸ _____ _____ _____ _____ _____, but I can't stand it anymore.
M I understand how you feel.

17 그림 상황에 어울리는 대화 찾기

다음 그림의 상황에 가장 적절한 대화를 고르시오.

① ② ③ ④ ⑤

① M ❶ _____ _____ _____ this math problem? I don't get it.
   W Okay. Listen carefully.
② M I have some trouble with my eyes these days.
   W Why don't you go see a doctor?
③ M What's the problem?
   W I have a bad cough and a runny nose.
④ M I'm going to ❷ _____ _____ _____ _____.
   W I'm sorry to hear that.
⑤ M Math is ❸ _____ _____ _____ _____.
   W How come you are good at it, then?

🗂 Words ● **15 hurry back** 급히 되돌아오다 **briefcase** 서류 가방   **16 get in a fight with** ~와 싸우다 **put up with** 참다, 견디다 **anymore** 더 이상
17 explain 설명하다 **get it** 이해하다 **boring** 지루한, 재미없는

18 언급하지 않은 것

다음을 듣고, 여자가 학교 내에서 지켜야 할 규칙으로 언급하지 않은 것을 고르시오.

① 지각하지 마라.
② 학교에서는 교복을 입어라.
③ 단정해 보이도록 노력해라.
④ 규정에 맞게 머리를 잘라라.
⑤ 건물 안에서는 슬리퍼를 착용해라.

금지하기
You mustn't(can't, shouldn't) ~. / You'd better not ~.

W Congratulations on your entering our middle school! I'm your homeroom teacher. Please ❶ _____ _____ _____ _____ _____. First, you mustn't be late for school. Second, be sure to wear school uniforms in the school. Third, ❷ _____ _____ _____ _____. Lastly, wear slippers only in the school building. I hope you will ❸ _____ _____ _____ _____.

[19~20] 대화를 듣고, 남자의 마지막 말에 이어질 여자의 응답으로 가장 적절한 것을 고르시오.

19 알맞은 응답 찾기

Woman: _____

① Okay. I will check my computer, too.
② Yes. It will be helpful for your health.
③ Okay. It is much easier than you think.
④ Yes. You had better work out regularly.
⑤ No. You should delete an antivirus software.

anti-가 붙은 단어의 의미
anti-는 '반대'의 의미를 담고 있는 접두사이다. antivirus는 '바이러스에 반대하는'의 의미로서 '항(抗)바이러스의, 바이러스 퇴치의'란 뜻이다. anticancer는 '항암의', antiwar는 '전쟁을 반대하는'의 의미이다.

W Your computer is very slow today.
M It ❶ _____ _____ _____ _____ _____ a computer virus.
W Has your computer ❷ _____ _____ _____ _____ _____?
M Never.
W You should check your computer with an antivirus software regularly.
M Can you tell me ❸ _____ _____ _____ _____ _____?

20 알맞은 응답 찾기

Woman: _____

① I went to museum with them.
② I liked to go museum with them.
③ I hoped to be a basketball player.
④ I will enjoy my dad's birthday party.
⑤ I happened to meet my English teacher.

W Did our school team win the basketball game yesterday?
M Yes. That game was very exciting.
W I wanted to see that game, but I couldn't.
M Why? Did you ❶ _____ _____ _____ _____ _____?
W Yes. I ❷ _____ _____ _____ _____ _____ at City Hall. Yesterday was my dad's birthday.
M Oh, I see. So, ❸ _____ _____ _____ _____ with them?

Words **18 keep in mind** 명심하다 **school uniform** 교복 **tidy** 깔끔한, 단정한 **slipper** 슬리퍼 **19 infect** 감염시키다 **antivirus** 바이러스 퇴치용인 **software** 소프트웨어 **run** 작동시키다, 기능하게 하다

20회 영어 듣기모의고사

맞은 개수   /20문항

01 다음을 듣고, 토요일의 날씨로 가장 적절한 것을 고르시오.

02 대화를 듣고, 두 사람이 구입할 마술 지팡이로 가장 적절한 것을 고르시오.

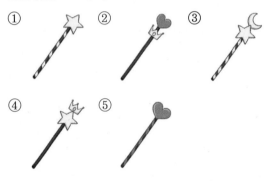

03 대화를 듣고, 여자의 심정으로 가장 적절한 것을 고르시오.

① bored   ② angry   ③ excited
④ worried   ⑤ disappointed

04 대화를 듣고, 남자가 여자에게 준 선물로 가장 적절한 것을 고르시오.

① local tea   ② local fruit
③ sculpture   ④ chocolate
⑤ key holder

05 대화를 듣고, 두 사람이 대화하는 장소로 가장 적절한 곳을 고르시오.

① 놀이공원   ② 운동 용품점
③ 학교 운동장   ④ 스포츠 센터
⑤ 병원 진료실

06 다음을 듣고, 남자의 마지막 말의 의도로 가장 적절한 것을 고르시오.

① 항의   ② 거절   ③ 제안   ④ 부탁   ⑤ 추천

07 대화를 듣고, 두 사람이 마트에서 구입하지 <u>않을</u> 것을 고르시오.

① 우유   ② 수박   ③ 음료수
④ 참치 통조림   ⑤ 샌드위치

08 대화를 듣고, 남자와 여자가 토요일에 할 일로 가장 적절하게 짝지어진 것을 고르시오.

　　〈남자〉　　〈여자〉
① 시험 준비 – 병원 진료
② 도서 구입 – 시험 준비
③ 병원 진료 – 도서 구입
④ 도서 구입 – 병원 진료
⑤ 병원 진료 – 시험 준비

09 다음을 듣고, 식사 예법으로 언급되지 <u>않은</u> 것을 고르시오.

① 다른 사람들이 식사를 시작할 때까지 기다려라.
② 너무 빨리 먹지 마라.
③ 식탁에 팔꿈치를 기대지 마라.
④ 무언가를 잡기 위해 식탁 너머로 팔을 뻗지 마라.
⑤ 식사하는 동안에는 절대 이야기하지 마라.

10 다음을 듣고, 남자가 하는 말의 내용으로 가장 적절한 것을 고르시오.

① 반복적으로 연습하라.
② 실수를 두려워하지 마라.
③ 같은 실수를 반복하지 마라.
④ 실천 가능한 목표를 세워라.
⑤ 매일 영어로 대화할 기회를 만들어라.

11 다음을 듣고, 해외여행을 떠나기 전에 챙겨야 할 것으로 언급되지 <u>않은</u> 것을 고르시오.

① 여권   ② 항공권   ③ 지도
④ 약   ⑤ 사진

12 대화를 듣고, 여자가 좋아하는 종목으로 가장 적절한 것을 고르시오.

① baseball   ② soccer
③ dancing   ④ figure skating
⑤ speed skating

13 대화를 듣고, 남자가 박물관에서 출발한 시각을 고르시오.

① 4:00   ② 4:30   ③ 5:00
④ 5:30   ⑤ 6:00

14 대화를 듣고, 두 사람의 관계로 가장 적절한 것을 고르시오.

① 역무원 – 승객   ② 교통경찰 – 운전자
③ 택시 기사 – 승객   ④ 매표소 직원 – 고객
⑤ 카레이서 – 감독

15 대화를 듣고, 남자가 여자에게 요청한 일로 가장 적절한 것을 고르시오.

① 돈을 빌려주는 것
② 모자를 써 보는 것
③ 모자를 빌려주는 것
④ 모자를 골라 주는 것
⑤ 모자 가격을 확인하는 것

16 대화를 듣고, 남자의 방이 젖은 이유로 가장 적절한 것을 고르시오.

① 물을 쏟아서
② 꽃병이 깨져서
③ 창문이 깨져서
④ 창문을 열어 놔서
⑤ 문을 열어 놓고 샤워를 해서

17 다음 그림의 상황에 가장 적절한 대화를 고르시오.

①   ②   ③   ④   ⑤

18 대화를 듣고, 남자가 겨울 캠프에 관해 언급하지 <u>않은</u> 것을 고르시오.

① 캠프 장소   ② 캠프에서 한 일
③ 캠프 기간   ④ 캠프 동행자
⑤ 캠프 비용

[19~20] 대화를 듣고, 여자의 마지막 말에 이어질 남자의 응답으로 가장 적절한 것을 고르시오.

19 Man: _____

① No. I haven't had dinner yet.
② Yes. I'll have dinner at home.
③ No. I don't need your help now.
④ Yes. Please drive me to Aunt Jane's.
⑤ No problem. I know how to get there.

20 Man: _____

① No, thanks. I'm already full.
② We don't sell cheesecake here.
③ Oh, I'll be right back with your cheesecake.
④ We may take out the cheesecake.
⑤ Thank you, but I don't need any dessert.

Dictation Test 20회 영어 듣기모의고사

01 그림 정보 파악 – 날씨

다음을 듣고, 토요일의 날씨로 가장 적절한 것을 고르시오.

① ② ③
④ ⑤

ⓓ 축약형의 we'll의 발음
be동사, will, have 등은 주어와 축약되어 발음되는 경우가 많다. 예를 들어, we will은 we'll[위:일]로, I am은 I'm[아임]으로 발음하여, 한 단어씩 또박또박 들리지 않는다.

M Good morning. This is the weather report for next week. It will be cloudy on Monday, and it will _____ _____ _____ _____. The rain will continue until Wednesday. It ❷_____ _____ _____ _____ on Thursday and Friday. However, ⓓ we'll have ❸_____ _____ _____ _____ _____. Thank you.

02 그림 정보 파악 – 사물   영국식 발음 녹음

대화를 듣고, 두 사람이 구입할 마술 지팡이로 가장 적절한 것을 고르시오.

① ② ③
④ ⑤

M Amy, don't you think we ❶_____ _____ _____ _____ for the magic show?
W Yes. Let's find one on the Internet. (pause) How about this one with a star on the end?
M Well, it's so common. We need something more special.
W Here's one with both a star and the moon on it.
M Hey, here's a better one. What do you think about this one with a heart and a crown on it?
W It looks good, but I think ❷_____ _____ _____ _____ _____ is better.
M Okay. Then ❸_____ _____ _____ _____ _____.

03 심정 파악

대화를 듣고, 여자의 심정으로 가장 적절한 것을 고르시오.
① bored   ② angry   ③ excited
④ worried   ⑤ disappointed

W Dad, where's our cat, Happy?
M What do you mean? You were with him.
W No, I wasn't. I was jumping rope. I thought you were taking care of him.
M Oh, my! Where is our cat then? I hope ❶_____ _____ _____ _____ _____.
W Me, too. What if ❷_____ _____ _____ _____?
M Don't say that. I'm sure he will be okay.
W But I can't ❸_____ _____ _____ _____.

Words **01 throughout** ~동안 죽, 내내   **02 magic** 마술, 마법 **stick** 지팡이 **common** 흔한 **crown** 왕관   **03 jump rope** 줄넘기하다 **take care of** ~를 돌보다 **accident** 사고 **what if ~?** ~면 어쩌지?

04 특정 정보 파악

대화를 듣고, 남자가 여자에게 준 선물로 가장 적절한 것을 고르시오.

① local tea   ② local fruit
③ sculpture   ④ chocolate
⑤ key holder

놀람 표현하기
I can't believe it! / That's[It's] surprising! / What a surprise!

W Jimmy, _____ _____ _____ _____ to Jeju-do?
M It was great. I climbed Mt. Halla, too. And this is for you.
W ❶ I can't believe it! This is my favorite.
M I'm happy to hear that you like it.
W Thank you so much. Oh, what's that? Did you ❷ _____ _____ _____ _____ on Jeju-do?
M Yes. This is called *Dolharubang*, and it's ❸ _____ _____ _____. Oh, I can give it to you if you want.
W No, thanks. You already gave me a nice present. I like this orange-flavored chocolate so much.

05 장소 추론

대화를 듣고, 두 사람이 대화하는 장소로 가장 적절한 곳을 고르시오.

① 놀이공원   ② 운동 용품점
③ 학교 운동장   ④ 스포츠 센터
⑤ 병원 진료실

의견 묻기
What do you think about ~? / How do you feel about ~?

M May I help you?
W Yes, please. I ❶ _____ _____ _____ _____ _____ for my health yet.
M Our center is ❷ _____ _____ _____ _____. What do you think about swimming?
W It's good. Are there any classes on weekends?
M Sure. We have two classes on weekends, in the morning and in the afternoon. Which do you like better?
W I'll ❸ _____ _____ _____ _____. How much is the fee?   M It's $30.

06 의도 파악

다음을 듣고, 남자의 마지막 말의 의도로 가장 적절한 것을 고르시오.

① 항의   ② 거절   ③ 제안   ④ 부탁   ⑤ 추천

M Today, I heard our school ❶ _____ _____ _____ in the inventors' contest. I was so happy to ❷ _____ _____ _____. Our school won the prize out of more than fifty middle schools in the country. We all know that's not easy. I know how many hours you spent on it. Now, I'd like to give you ❸ _____ _____ _____ _____. Let's celebrate our victory!

07 특정 정보 파악

대화를 듣고, 두 사람이 마트에서 구입하지 <u>않을</u> 것을 고르시오.

① 우유   ② 수박   ③ 음료수
④ 참치 통조림   ⑤ 샌드위치

ran out of의 발음
ran out of는 자주 사용되는 표현으로 한 단어처럼 연음되어 발음되는 경향이 있다. 따라서 out of 부분은 [아웃 오브]라기보다는 모음 사이의 [t] 소리가 [r]처럼 발음되어 [아우러브]로 발음된다.

M Let's go to the grocery store. We ran out of milk.
W All right. Actually, ❶ _____ _____ _____ _____ the weekend picnic.
M Will we buy a watermelon?
W Yes. I will buy some drinks, too.
M What are you ❷ _____ _____ _____ _____ at the picnic?
W I am going to make tuna sandwiches. So, cans of tuna and bread will be needed, too.
M I think we'd better ❸ _____ _____ _____ _____.

Words **04** key holder 열쇠고리 flavored (~의) 맛이 나는   **05** fee 수강료   **06** inventor 발명가 out of ~ 중에서 give ~ a big hand ~에게 큰 박수를 보내다 victory 승리   **07** run out of ~이 다 떨어지다 watermelon 수박 tuna 참치

Dictation Test ✏️

08 한 일 / 할 일 파악

대화를 듣고, 남자와 여자가 토요일에 할 일로 가장 적절하게 짝지어진 것을 고르시오.

〈남자〉　　〈여자〉
① 시험 준비 – 병원 진료
② 도서 구입 – 시험 준비
③ 병원 진료 – 도서 구입
④ 도서 구입 – 병원 진료
⑤ 병원 진료 – 시험 준비

💬 제안, 권유에 답하기 ///////////////////
I'm afraid I can't. / (I'm) sorry but I can't.

W　What's your plan for this Saturday?
M　I have to prepare for the final test. ❶ _____ _____ _____, why don't we go to the library on Saturday?
W　I'm afraid I can't. I have ❷ _____ _____ _____ _____ _____.
M　That's okay. Maybe next time.
W　Well..., if you don't mind, can you borrow some best-seller novels for me?
M　Why not? ❸ _____ _____ _____ _____ _____ before Saturday.

09 언급되지 않은 것　영국식 발음 녹음

다음을 듣고, 식사 예법으로 언급되지 <u>않은</u> 것을 고르시오.
① 다른 사람들이 식사를 시작할 때까지 기다려라.
② 너무 빨리 먹지 마라.
③ 식탁에 팔꿈치를 기대지 마라.
④ 무언가를 잡기 위해 식탁 너머로 팔을 뻗지 마라.
⑤ 식사하는 동안에는 절대 이야기하지 마라.

W　❶ _____ _____ _____ _____ _____ for a typical evening meal. Wait for others to start eating. Don't eat quickly. Instead, try a little of everything. Be careful ❷ _____ _____ _____ _____ _____ on the table. Do not reach across the table to get something. Enjoy your food, but talk, too. Do not talk ❸ _____ _____ _____ _____ _____!

10 주제 파악

다음을 듣고, 남자가 하는 말의 내용으로 가장 적절한 것을 고르시오.
① 반복적으로 연습하라.
② 실수를 두려워하지 마라.
③ 같은 실수를 반복하지 마라.
④ 실천 가능한 목표를 세워라.
⑤ 매일 영어로 대화할 기회를 만들어라.

M　None of us ❶ _____ _____ _____ _____ in front of others. However, in learning English, your mistakes are very important and will actually ❷ _____ _____ _____ _____. The key point is not to be afraid of making mistakes. ❸ _____ _____ _____ _____ to speak English because you were too nervous about making a mistake. Don't be shy. Be confident.

11 언급되지 않은 것

다음을 듣고, 해외여행을 떠나기 전에 챙겨야 할 것으로 언급되지 <u>않은</u> 것을 고르시오.
① 여권　　② 항공권　　③ 지도
④ 약　　　⑤ 사진

💬 강조하기 ///////////////////
It is important to ~. / I want to stress to ~.

W　What are the most important things you ❶ _____ _____ _____ _____ _____? First, your passport and flight ticket are most important. What else do you need? You also need some medicine ❷ _____ _____ _____ _____ _____. It is also important to pack some photos of yourself. ❸ _____ _____ _____ _____ _____ and then you'll need them.

Words　**08 speaking of** ~의 얘기가 나왔으니 말인데　**appointment** 약속　**title** 제목　**09 table manners** 식사 예절　**typical** 전형적인　**elbow** 팔꿈치　**reach** (손, 팔을) 뻗다　**10 key point** 요점, 핵심　**chance** 기회　**11 in case** (~할) 경우에 대비해서

12 특정 정보 파악

대화를 듣고, 여자가 좋아하는 종목으로 가장 적절한 것을 고르시오.

① baseball   ② soccer
③ dancing   ④ figure skating
⑤ speed skating

M   Did you watch the baseball game last night?

W   You mean the Korean Series?

M   That's right. It was a great game. Did you watch it?

W   No, I didn't. I'm ❶ _____ _____ _____ _____ baseball.

M   I can't believe it! Baseball is the most exciting sport. What's your favorite sport, then?

W   I ❷ _____ _____ _____. I like it because it is beautiful.

M   I don't think so. It is more like ❸ _____ _____ _____ _____.

13 숫자 정보 파악 – 시각

대화를 듣고, 남자가 박물관에서 출발한 시각을 고르시오.

① 4:00   ② 4:30   ③ 5:00
④ 5:30   ⑤ 6:00

😊 허가 여부 묻기 ////////////////////////////

Is it okay if ~? / Do you mind if ~? / I wonder if I could ~.

[Cellphone rings.]

M   Hello?

W   Where are you, Dave? You said you would come back by five.

M   I did, but the traffic is so heavy now. I'm still on the bus.

W   When did you leave the museum? You were supposed to ❶ _____ _____ _____ _____ at four.

M   I went out of the museum half an hour later. There were ❷ _____ _____ _____ _____ _____.

W   Oh, well! 😊 Is it okay if we have dinner at six?

M   Sure. I'll ❸ _____ _____ _____ _____ _____ by then. See you, Mom.

14 관계 추론

대화를 듣고, 두 사람의 관계로 가장 적절한 것을 고르시오.

① 역무원 – 승객   ② 교통경찰 – 운전자
③ 택시 기사 – 승객   ④ 매표소 직원 – 고객
⑤ 카레이서 – 감독

M   Excuse me.

W   Yes?

M   I'm giving you a ticket.

W   What did I wrong?

M   You didn't ❶ _____ _____ _____ _____ at the slow-speed signal.

W   Oh, I didn't ❷ _____ _____ _____.

M   Sorry, but you definitely ❸ _____ _____ _____.

 Words   **12 big fan** 열혈 팬   **on the ice** 얼음 위에서   **13 get home** 귀가하다   **14 slow down** (속도를) 늦추다   **slow-speed** 서행   **signal** 신호   **definitely** 분명히   **break the law** 법을 위반하다

Dictation Test

15 요청한 일 파악 영국식 발음 녹음

대화를 듣고, 남자가 여자에게 요청한 일로 가장 적절한 것을 고르시오.

① 돈을 빌려주는 것
② 모자를 써 보는 것
③ 모자를 빌려주는 것
④ 모자를 골라 주는 것
⑤ 모자 가격을 확인하는 것

M Suji, look at this baseball cap.
W It's nice. I think it'll look good on you. Why don't you ❶ _____ _____ _____?
M Okay. Just a moment. How do I look?
W You look wonderful. It's you for sure. You should buy it.
M Let me ❷ _____ _____ _____. Oh, it's a bit expensive.
W How much is it?
M It's $30 but I have only $20. Can you lend me ❸ _____ _____ _____ _____ _____?
W Sure, here you go.

16 이유 파악

대화를 듣고, 남자의 방이 젖은 이유로 가장 적절한 것을 고르시오.

① 물을 쏟아서
② 꽃병이 깨져서
③ 창문이 깨져서
④ 창문을 열어 놔서
⑤ 문을 열어 놓고 샤워를 해서

W Kevin, did you see your room?
M Not yet. I ❶ _____ _____ _____ _____ _____. Why?
W The floor is all wet. Did you spill water?
M No, I didn't. Is the vase broken? It's ❷ _____ _____ _____.
W No, it's okay.
M Oh, I know. We had a shower this morning. I forgot to close the window.
W That's it. Now ❸ _____ _____ _____ _____ and clean the floor.

17 그림 상황에 어울리는 대화 찾기

다음 그림의 상황에 가장 적절한 대화를 고르시오.

① ② ③ ④ ⑤

① M Can you ❶ _____ _____ _____ _____ _____ now?
   W Okay. I'll be there right away.
② M Thanks for inviting me.
   W I'm glad you could come. Come in.
③ M How may I help you?
   W I'm looking for a present for my friend.
④ M How many ❷ _____ _____ _____ _____ _____?
   W There are five.
⑤ M Can you make it at three o'clock?
   W It's ❸ _____ _____ _____ _____ _____. How about four?

Words 15 moment 잠깐, 잠시 a bit 조금, 약간   16 spill 쏟다, 흘리다 vase 꽃병 broken 깨진 be full of ~로 가득 차다 shower 소나기
17 come over ~에 들르다 right away 즉시, 당장 party 일행 make it 시간 맞춰 가다

18 언급하지 않은 것

대화를 듣고, 남자가 겨울 캠프에 관해 언급하지 <u>않은</u> 것을 고르시오.

① 캠프 장소   ② 캠프에서 한 일
③ 캠프 기간   ④ 캠프 동행자
⑤ 캠프 비용

알고 있음 표현하기 ///////////////////////////

I've been told that ~. / I heard(have heard) that ~. / I'm aware that ~.

W I've been told that you joined the winter camp. How was it?
M I had a lot of fun there in Pyeongchang.
W ❶_____ _____ _____ _____ there?
M I learned to ski and snowboard. I ❷_____ _____ _____ _____, too. The two weeks passed so quickly.
W I bet you paid a lot of money for the camp.
M No, it was free. ❸_____ _____ _____ _____ a charitable organization.
W That's good information. I'd like to join next time.

[19~20] 대화를 듣고, 여자의 마지막 말에 이어질 남자의 응답으로 가장 적절한 것을 고르시오.

19 알맞은 응답 찾기

Man: _____

① No. I haven't had dinner yet.
② Yes. I'll have dinner at home.
③ No. I don't need your help now.
④ Yes. Please drive me to Aunt Jane's.
⑤ No problem. I know how to get there.

W Peter, where are you going?
M To Brian's, Mom. You know him, don't you? We will ❶_____ _____ _____.
W I see. When are you coming back?
M Well, maybe in two or three hours. Why?
W We are going to have dinner at your aunt's.
M When ❷_____ _____ _____ _____?
W At around six. Is it okay for you ❸_____ _____ _____ _____?

20 알맞은 응답 찾기   영국식 발음 녹음

Man: _____

① No, thanks. I'm already full.
② We don't sell cheesecake here.
③ Oh, I'll be right back with your cheesecake.
④ We may take out the cheesecake.
⑤ Thank you, but I don't need any dessert.

M Excuse me, ma'am. ❶_____ _____ _____ your lunch?
W Yes, I have.
M How did you enjoy it?
W Everything was good. Especially the steak here was excellent.
M Thank you very much. Most of our customers come here for the steak. Do you mind if I ❷_____ _____ _____ _____ _____?
W Of course not. But ❸_____ _____ _____ _____ for dessert.

Words ‣ **18 snowboard** 스노보드를 타다 **pass** (시간이) 흐르다 **charitable** 자선(단체)의 **organization** 기관, 단체   **19 straight** 곧장, 곧바로
20 customer 손님, 고객 **take away** ~을 치우다

01 대화를 듣고, 주말의 날씨로 가장 적절한 것을 고르시오.

02 대화를 듣고, 여자가 마실 음료로 가장 적절한 것을 고르시오.

03 대화를 듣고, 여자의 심정으로 가장 적절한 것을 고르시오.

① pleased　② nervous　③ angry
④ worried　⑤ disappointed

04 대화를 듣고, 남자가 공원에 가져가지 않을 것을 고르시오.

① 돗자리　② 안전모　③ 물
④ 선크림　⑤ 간식

05 대화를 듣고, 두 사람이 대화하는 장소로 가장 적절한 곳을 고르시오.

① bank　　　　② parking lot
③ bus stop　　④ gas station
⑤ convenient store

06 대화를 듣고, 여자의 마지막 말의 의도로 가장 적절한 것을 고르시오.

① 거절　② 격려　③ 부탁　④ 비난　⑤ 동의

07 다음을 듣고, 애완동물의 장점으로 언급하지 않은 것을 고르시오.

① 함께 운동할 수 있음
② 스트레스를 줄여 줌
③ 좋은 친구가 됨
④ 책임감을 길러 줌
⑤ 면역력을 강하게 함

08 대화를 듣고, 남자가 대화 직후에 할 일로 가장 적절한 것을 고르시오.

① 숙면 취하기　　② 달리기 연습하기
③ 우유 마시기　　④ 조용한 음악 듣기
⑤ 목욕하기

09 다음을 듣고, 남자가 관람 규칙에 대해 언급하지 않은 것을 고르시오.

① 그림에 손대지 않기
② 뛰지 않기
③ 음식물 반입하지 않기
④ 떠들지 않기
⑤ 사진 찍지 않기

10 다음을 듣고, 무엇에 관한 안내 방송인지 가장 적절한 것을 고르시오.

① 학교 시설 소개
② 도서관 위치 안내
③ 학교 도서 구입 안내
④ 교내 전기 공사 안내
⑤ 학교 도서관 이용 안내

11 대화를 듣고, 남자가 언급한 내용과 일치하지 <u>않는</u> 것을 고르시오.

① 남자는 어제 축구 경기를 했다.

② 남자는 마지막 골을 넣지 못했다.

③ 남자는 자기 때문에 경기에 졌다고 생각한다.

④ 남자는 다음 주에 축구 경기가 있다.

⑤ 남자는 다음 경기에서 최선을 다할 것이다.

12 대화를 듣고, 남자가 버스 터미널에 가는 목적으로 가장 적절한 것을 고르시오.

① 버스를 타기 위해서

② 버스표를 구매하기 위해서

③ 할머니를 모시러 가기 위해서

④ 친구를 배웅하기 위해서

⑤ 지도를 얻기 위해서

13 대화를 듣고, 남자가 지불해야 할 금액으로 가장 적절한 것을 고르시오.

① $40   ② $80   ③ $100

④ $120   ⑤ $160

14 대화를 듣고, 두 사람의 관계로 가장 적절한 것을 고르시오.

① 교사 – 학생   ② 교장 – 학생

③ 교사 – 학부모   ④ 교사 – 교사

⑤ 학부모 – 학부모

15 대화를 듣고, 여자가 남자에게 요청한 일로 가장 적절한 것을 고르시오.

① 음식 주문하기

② 예약하기

③ 계산서 가져다주기

④ 스테이크 더 익혀 주기

⑤ 남은 음식 싸 주기

16 대화를 듣고, 남자가 학교에 자판기 두는 것을 반대하는 이유로 가장 적절한 것을 고르시오.

① 캔이 환경을 오염시켜서

② 학생들의 용돈이 충분하지 않아서

③ 학교에 자판기를 둘 공간이 없어서

④ 탄산음료가 건강에 좋지 않아서

⑤ 탄산음료보다 물을 더 좋아해서

17 다음 그림의 상황에 가장 적절한 대화를 고르시오.

①   ②   ③   ④   ⑤

18 대화를 듣고, 여자가 경험한 적 <u>없는</u> 스포츠를 고르시오.

① 산악자전거   ② 번지 점프

③ 암벽 등반   ④ 급류 타기

⑤ 스카이다이빙

[19~20] 대화를 듣고, 남자의 마지막 말에 이어질 여자의 응답으로 가장 적절한 것을 고르시오.

19 Woman: _____

① Please try some pizza.

② I know a good place to eat pizza.

③ No problem. I'll make pizza for you.

④ Good job. This pizza looks delicious.

⑤ Right. But I'm worried about gaining weight.

20 Woman: _____

① Everyone gets talent.

② I don't like to your songs.

③ Don't say that. Believe in yourself!

④ Cheer up! You'll sing songs next time.

⑤ There are lots of easy ways to be a singer.

01 그림 정보 파악 – 날씨

대화를 듣고, 주말의 날씨로 가장 적절한 것을 고르시오.

① ② ③
④ ⑤

W Hi, Brian. Where are you going?

M Hi, Sally. I'm on the way ❶ _____ _____ _____ _____.
I'll go camping with my father tomorrow. So I have to ❷ _____
_____ _____ _____.

W It sounds interesting! Did you check the weather forecast?

M Yes. The weather forecast said that ❸ _____ _____ _____
_____ until this Sunday. But it also forecasted that it would rain
from next Monday.

W I envy you. Enjoy your camping.

02 그림 정보 파악 – 사물

대화를 듣고, 여자가 마실 음료로 가장 적절한 것을 고르시오.

① ② ③
④ ⑤

M Suji, ❶ _____ _____ _____ outside? Would you like
something to drink?

W I'm glad to hear that. I want a coke.

M It's ❷ _____ _____ _____ _____ _____. It has too
much sugar.

W I see. Then I'll have a cup of coffee.

M It's hot. Drink something cold.

W All right. Please give ❸ _____ _____ _____ _____
_____.

03 심정 파악

대화를 듣고, 여자의 심정으로 가장 적절한 것을 고르시오.

① pleased ② nervous ③ angry
④ worried ⑤ disappointed

😎 **전화를 하거나 받기** ////////////////////////////////
Hello. / Who's calling, please? / May(Can) I
speak to ~? / Can I leave(take) a message?

[Cellphone rings.]

M Hello. Who's calling, please?

W Hi, darling, it's me. I'll make chicken salad for you, so ❶ _____
_____ _____ _____.

M Thanks, honey, but you don't have to do that.

W What do you mean?

M I ❷ _____ _____ _____ _____. I'm going to meet my
old friend, Jenny.

W Hmm…. That's too bad. Don't ❸ _____ _____ _____
_____.

Words **01 fine** 맑은 **envy** 부러워하다 **02 outside** 밖에 **sugar** 설탕 **ice water** 얼음냉수 **03 previous engagement** 선약

04 특정 정보 파악

대화를 듣고, 남자가 공원에 가져가지 <u>않을</u> 것을 고르시오.

① 돗자리 ② 안전모 ③ 물
④ 선크림 ⑤ 간식

상기시켜 주기

Don't forget to ~. / Remember to ~. / Remind me to ~.

W Bill, how about going to the park tomorrow to ride a bicycle?

M Good idea. Do we need ❶ _____ _____ _____ _____ _____?

W Let me think. Yes. I want to take a nap in the park.

M Okay. I'll bring it with me.

W Good. What else do we need? Oh, don't forget to bring a bicycle helmet.

M I won't. And I'll bring some water and snacks, too.

W That's nice. And you should ❷ _____ _____ _____.

M Sunscreen? Well, I don't have any.

W Then I'll bring mine. You can ❸ _____ _____ _____ _____.

05 장소 추론

대화를 듣고, 두 사람이 대화하는 장소로 가장 적절한 곳을 고르시오.

① bank ② parking lot
③ bus stop ④ gas station
⑤ convenient store

W Good evening, sir. May I help you?

M Yes, please ❶ _____ _____ _____ _____ in my car.

W Sure. ❷ _____ _____ _____ _____ first.

M By the way, is it okay if I pay with a credit card?

W Of course. It's thirty-five thousand won.

M Okay. (pause) Oh, my! I can't find my credit card. I'll ❸ _____ _____ _____. W Thanks. Here's your change.

06 의도 파악 영국식 발음 녹음

대화를 듣고, 여자의 마지막 말의 의도로 가장 적절한 것을 고르시오.

① 거절 ② 격려 ③ 부탁 ④ 비난 ⑤ 동의

W Good morning, Jinsu.

M Good morning, Ms. Kim.

W I heard you sing at the school music festival yesterday. It was so impressive.

M Thank you ❶ _____ _____ _____.

W I mean it. Where did you learn to sing?

M I ❷ _____ _____ _____ _____. I just enjoy singing. Actually, I want to be a singer in the future.

W I'm sure you will be a great singer ❸ _____ _____ _____ _____ like that.

07 언급되지 않은 것

다음을 듣고, 애완동물의 장점으로 언급되지 <u>않은</u> 것을 고르시오.

① 함께 운동할 수 있음
② 스트레스를 줄여 줌
③ 좋은 친구가 됨
④ 책임감을 길러 줌
⑤ 면역력을 강하게 함

M Have you ever thought about keeping a pet? Maybe many of you will say yes. Then what are ❶ _____ _____ _____ _____ _____? First, you can exercise with them. Another two benefits are that they can ❷ _____ _____ _____ and they can be good friends. Lastly, they ❸ _____ _____ _____ _____ _____. So, why don't you try keeping a pet?

Words **04** mat 돗자리, 매트 **take a nap** 낮잠을 자다 **put on** ~을 바르다 **sunscreen** 자외선 차단제, 선크림 **05** credit card 신용카드
06 impressive 인상적인 **take a lesson** 수업을 받다 **07** keep a pet 애완동물을 기르다 **benefit** 이점, 혜택

Dictation Test

08 한 일 / 할 일 파악

대화를 듣고, 남자가 대화 직후에 할 일로 가장 적절한 것을 고르시오.

① 숙면 취하기　　② 달리기 연습하기
③ 우유 마시기　　④ 조용한 음악 듣기
⑤ 목욕하기

M Mom, I cannot sleep now.
W What's wrong with you?
M I'm so nervous and worried about the marathon race tomorrow.
W You've trained hard, so you'll do well. Please ❶ _____ _____ _____ _____.
M I did, but that didn't work. I also listened to soft music, ❷ _____ _____ _____.
W You'd better ❸ _____ _____ _____ _____ _____.
M Okay, I'll try.

09 언급하지 않은 것　영국식 발음 녹음

다음을 듣고, 남자가 관람 규칙에 대해 언급하지 <u>않은</u> 것을 고르시오.

① 그림에 손대지 않기
② 뛰지 않기
③ 음식물 반입하지 않기
④ 떠들지 않기
⑤ 사진 찍지 않기

M Before we ❶ _____ _____ _____, I would like to talk about some rules that you must follow. First of all, ❷ _____ _____ _____ _____ _____. Second, you should not run in the gallery. Next, please be quiet. Lastly, you ❸ _____ _____ _____ _____ _____. To sum up, no touching, no running, no shouting, and no taking pictures. Enjoy your time and learn something. Thank you.

10 주제 파악

다음을 듣고, 무엇에 관한 안내 방송인지 가장 적절한 것을 고르시오.

① 학교 시설 소개
② 도서관 위치 안내
③ 학교 도서 구입 안내
④ 교내 전기 공사 안내
⑤ 학교 도서관 이용 안내

W Attention, please. This is an announcement for the ❶ _____ _____ _____ _____ _____. We are going to ❷ _____ _____ _____ _____ into an electric system. Therefore, for the next week, we have to close the library. Please ❸ _____ _____ _____ _____ you have checked out from the library by this Friday. Sorry for the inconvenience.

11 내용 일치 / 불일치

대화를 듣고, 남자가 언급한 내용과 일치하지 <u>않는</u> 것을 고르시오.

① 남자는 어제 축구 경기를 했다.
② 남자는 마지막 골을 넣지 못했다.
③ 남자는 자기 때문에 경기에 졌다고 생각한다.
④ 남자는 다음 주에 축구 경기가 있다.
⑤ 남자는 다음 경기에서 최선을 다할 것이다.

👁 **낙담 위로하기** ////////////////////////////////
Don't be discouraged(disappointed). / Things will be better (soon).

W Juho, you look disappointed. What's the matter?
M My soccer team had an important game yesterday, but ❶ _____ _____ _____ because of me.
W What are you talking about?
M I missed the last goal. If I had scored the goal, we ❷ _____ _____ _____ _____ _____.
W Don't blame yourself. Everyone makes mistakes. You're one of the best strikers.
M Maybe I'm not. I'm not going to ❸ _____ _____ _____ _____ next week.
W Come on. Don't be discouraged. You should be there for the team.

Ⓦords 　**08 useless** 소용없는　**09 gallery** 미술관　**to sum up** 요약해서 말하면　**10 electric** 전기의　**inconvenience** 불편　**11 score a goal** 골을 넣다　**blame** 비난하다, 원망하다　**striker** (축구의) 공격수, 스트라이커　**discouraged** 낙담한, 낙심한

12 목적 파악 영국식 발음 녹음

대화를 듣고, 남자가 버스 터미널에 가는 목적으로 가장
적절한 것을 고르시오.

① 버스를 타기 위해서
② 버스표를 구매하기 위해서
③ 할머니를 모시러 가기 위해서
④ 친구를 배웅하기 위해서
⑤ 지도를 얻기 위해서

W Yubin, why are you in a hurry?

M I have to be at the bus terminal by 3 o'clock.

W Do you have to ❶ _____ _____ _____ _____?

M No. My grandmother is coming to Seoul from Ulsan. I have to pick
   her up.

W I see. ❷ _____ _____ _____ _____ by herself might
   not be easy.

M That's right. And I don't want to make her wait for me.

W Good luck. ❸ _____ _____ _____ _____ for me.

13 숫자 정보 파악 – 금액

대화를 듣고, 남자가 지불해야 할 금액으로 가장 적절한
것을 고르시오.

① $40   ② $80   ③ $100
④ $120   ⑤ $160

😮 **budget과 관련된 표현** //////////////////////
budget은 '예산'이란 뜻의 단어로서 over budget은 '예산
초과의', 반대로 within budget은 '예산 내에서'라는 의미를
나타낸다. 또한, make a budget은 '예산을 세우다', cut
a budget은 '예산을 삭감하다'의 의미이다.

M Do you ❶ _____ _____ _____ _____?

W Yes. How long will you stay?

M For three nights.

W The rate is $40 per night.

W It's over my budget. Don't you ❷ _____ _____ _____
   _____?

M I'm sorry. ❸ _____ _____ _____ _____ _____
   that we have.

W Hmm..., okay. I'll take the room.

14 관계 추론

대화를 듣고, 두 사람의 관계로 가장 적절한 것을 고르시오.

① 교사 – 학생   ② 교장 – 학생
③ 교사 – 학부모   ④ 교사 – 교사
⑤ 학부모 – 학부모

😮 **감사에 대해 답하기** //////////////////////
Not at all. / You're welcome. / My pleasure. /
Any time.

W Good afternoon, Mr. Smith.

M Good afternoon, Mrs. Kim. Thank you for coming.

W Not at all. I'm sorry that ❶ _____ _____ _____ _____
   _____.

M That's okay. Well..., I'd like to talk about Jiyoung's behavior.

W Is there anything wrong with my daughter?

M She is ❷ _____ _____ _____ _____, but she doesn't
   listen to teachers.

W What do you mean by that?

M She doesn't ❸ _____ _____ _____ _____.

🗣️ **Words** ❯ **12 terminal** (버스, 기차의) 터미널 **catch a bus** 버스를 잡다(타다) **pick up** 마중 나가다 **by oneself** 혼자 **13 single room** 1인실 **rate**
요금 **over budget** 예산 초과의 **14 behavior** 행동, 행위 **talented** 재능이 있는

Dictation Test

15 요청한 일 파악

대화를 듣고, 여자가 남자에게 요청한 일로 가장 적절한 것을 고르시오.

① 음식 주문하기
② 예약하기
③ 계산서 가져다주기
④ 스테이크 더 익혀 주기
⑤ 남은 음식 싸 주기

M Are you done?
W Yes, I'm finished.
M How did you like the food, ma'am?
W I was very satisfied with all the food I ordered and the service.
M Thank you. I'm glad you liked our food. I'll ❶ _____ _____ _____ _____.
W Okay. Oh, can you do me a favor?
M What is it?
W ❷ _____ _____ _____ _____ _____ home?
M Of course you can. I'll ❸ _____ _____ _____ _____.

16 이유 파악

대화를 듣고, 남자가 학교에 자판기 두는 것을 반대하는 이유로 가장 적절한 것을 고르시오.

① 캔이 환경을 오염시켜서
② 학생들의 용돈이 충분하지 않아서
③ 학교에 자판기를 둘 공간이 없어서
④ 탄산음료가 건강에 좋지 않아서
⑤ 탄산음료보다 물을 더 좋아해서

😊 이의 제기하기 ///////////////////////
I disagree(don't agree) with you. / I don't think(believe) so.

W I'm so thirsty. Do you have ❶ _____ _____ _____ _____ _____?
M No, I drank it all.
W I can't understand why we don't have a vending machine at school.
M Do you really think we should have one?
W Of course. If we have a vending machine, I can ❷ _____ _____ _____ _____ _____.
M I disagree with you. Soda is not good for you because it has lots of sugar and caffeine. We'd ❸ _____ _____ _____ _____.
W You're right. But I can't stop drinking it.

17 그림 상황에 어울리는 대화 찾기

다음 그림의 상황에 가장 적절한 대화를 고르시오.

① ② ③ ④ ⑤

😊 제삼자에게의 안부 부탁하기 ///////////////////////
Please give my regards to ~. / Say hello to ~ (for me). / Remember me to ~.

① W Is everything clear now?
   M No, I still don't get it. ❶ _____ _____ _____ _____, please?
② W Do I know you?
   M Yes, we ❷ _____ _____ _____ _____ _____.
③ W I'd like to meet you at seven.
   M That's good for me. See you then.
④ W Please give my regards to your mom.
   M Okay, I will. Thanks.
⑤ W ❸ _____ _____ _____ _____ my older sister? This is Jenny.
   M Hello. My name is Chris. Nice to meet you.

📖 **Words** 15 done 다 끝난, 완료된 bill 계산서, 청구서 leftover 남은 음식 wrap 싸다, 포장하다 16 drink 마시다 vending machine 자판기 disagree 동의하지 않다 caffeine 카페인 can't stop -ing ~하지 않을 수 없다 17 give one's regards to ~ ~에게 안부를 전하다

18 　특정 정보 파악

대화를 듣고, 여자가 경험한 적 없는 스포츠를 고르시오.

① 산악자전거　　　② 번지 점프
③ 암벽 등반　　　　④ 급류 타기
⑤ 스카이다이빙

ⓟ haven't tried의 발음 ////////////////
자음과 자음이 연달아 발음될 때에는 앞에 오는 자음의 소리
가 탈락되어 발음된다. haven't tried에서 haven't의 [t]는
탈락되고 [해븐츄라이드]처럼 발음한다.

M Your bike looks nice. Do you like bike riding?

W Yes. This is a mountain bike, actually. I ❶ _____ _____ _____.

M Wow. Isn't it dangerous?

W A little, but ❷ _____ _____ _____ _____ such as bungee jumping, rock climbing, sky-diving and mountain biking. I've tried them all.

M You're so active. What's ❸ _____ _____ _____ _____?

W My favorite is bungee jumping. It's so thrilling.

M What about rafting?

W I ⓟ haven't tried that yet, but I heard it's fun.

**[19~20] 대화를 듣고, 남자의 마지막 말에 이어질 여자의
응답으로 가장 적절한 것을 고르시오.**

19 　알맞은 응답 찾기　영국식 발음 녹음

Woman: _____

① Please try some pizza.
② I know a good place to eat pizza.
③ No problem. I'll make pizza for you.
④ Good job. This pizza looks delicious.
⑤ Right. But I'm worried about gaining weight.

[*Cellphone rings.*]

M Hello! Cindy.

W Hi, Jack! What's up?

M Do you have ❶ _____ _____ _____ _____ _____?

W No, I don't. Why?

M How about ❷ _____ _____ _____ _____ at a good restaurant?

W I'd love to, but I can't.

M Why? ❸ _____ _____ _____ _____ _____, isn't it?

20 　알맞은 응답 찾기

Woman: _____

① Everyone gets talent.
② I don't like to your songs.
③ Don't say that. Believe in yourself!
④ Cheer up! You'll sing songs next time.
⑤ There are lots of easy ways to be a singer.

W Haru, do you have ❶ _____ _____ _____ _____ _____?

M Well..., I'd like to go into the entertainment business.

W Can you be more specific?

M I want to make rap music and ❷ _____ _____ _____ _____ _____.

W Sounds great! You can do it.

M Thanks, but it won't be easy. There are ❸ _____ _____ _____ _____.

ⓌWordⓈ　**18** mountain biking 산악자전거 타기　extreme 극한의　active 활동적인, 활발한　thrilling 아주 신나는　**19** have 먹다
20 entertainment business 연예 사업　specific 구체적인

01 다음을 듣고, 베를린의 오늘 날씨로 가장 적절한 것을 고르시오.

①  ②   ③

④  ⑤

02 대화를 듣고, 여자의 새로운 머리 모양으로 가장 적절한 것을 고르시오.

①   ②   ③

④   ⑤

03 대화를 듣고, 남자의 심정으로 가장 적절한 것을 고르시오.

① annoyed   ② relieved   ③ glad
④ worried   ⑤ pleased

04 대화를 듣고, 남자가 현재 하는 일로 가장 적절한 것을 고르시오.

① 빵 굽기   ② 요리하기
③ 그림 그리기   ④ 집 짓기
⑤ 의류 제작하기

05 대화를 듣고, 두 사람이 대화하는 장소로 가장 적절한 곳을 고르시오.

① pet shop
② animal show
③ travel agency
④ animal hospital
⑤ airline company

06 대화를 듣고, 남자의 마지막 말의 의도로 가장 적절한 것을 고르시오.

① 비난하기   ② 부인하기
③ 용서 구하기   ④ 거절하기
⑤ 부탁하기

07 대화를 듣고, 남자가 여행에 이용할 교통수단으로 가장 적절한 것을 고르시오.

① 버스   ② 기차   ③ 자동차
④ 자전거   ⑤ 유람선

08 대화를 듣고, 두 사람이 대화 직후에 할 일로 가장 적절한 것을 고르시오.

① 숙제하기   ② 영화 관람하기
③ 설거지하기   ④ 소풍가기
⑤ 간식 사러 가기

09 다음을 듣고, 여자가 UCC 대회에 대해 언급하지 않은 것을 고르시오.

① 참가 대상   ② 출품작 주제
③ 시상 내역   ④ 출품작 길이
⑤ 제출 마감일

10 다음을 듣고, 남자가 하는 말의 내용으로 가장 적절한 것을 고르시오.

① 사람은 함께 살아야 한다.
② 룸메이트와 친하게 지내야 한다.
③ 룸메이트를 신중하게 구해야 한다.
④ 룸메이트는 서로에게 도움이 된다.
⑤ 항상 주변을 깨끗이 관리해야 한다.

11 대화를 듣고, 도진이에 대한 내용과 일치하지 <u>않는</u> 것을 고르시오.

① 캐나다로 이민을 갈 예정이다.

② 다음 주에 한국을 떠날 예정이다.

③ 남자의 좋은 친구이다.

④ 남자와 함께 종종 공원에서 자전거를 탔다.

⑤ 그를 위한 송별회가 열릴 것이다.

12 대화를 듣고, 남자가 전화를 건 목적으로 가장 적절한 것을 고르시오.

① 안부를 묻기 위해서

② 회의 일정을 연기하기 위해서

③ 회의에 불참하기 위해서

④ 회의 장소를 변경하기 위해서

⑤ 회의 시간을 재확인하기 위해서

13 대화를 듣고, 현재 시각을 고르시오.

① 1:50   ② 2:00   ③ 2:10

④ 2:15   ⑤ 2:30

14 대화를 듣고, 두 사람의 관계로 가장 적절한 것을 고르시오.

① father – daughter   ② reporter – citizen

③ teacher – student   ④ doctor – patient

⑤ driver – passenger

15 대화를 듣고, 남자가 여자에게 요청한 일로 가장 적절한 것을 고르시오.

① 대신 줄 서 주기

② 영어 발음 알려 주기

③ 영어 숙제 도와주기

④ 연극 동아리에 가입하기

⑤ 학교 축제에 함께 나가기

16 대화를 듣고, 남자가 어제 밤을 샌 이유로 가장 적절한 것을 고르시오.

① 개를 돌봐야 해서

② 잠이 오지 않아서

③ 몸이 아파서

④ 시험공부를 해야 해서

⑤ 방과 후 수업 숙제를 해야 해서

17 다음 그림의 상황에 가장 적절한 대화를 고르시오.

①   ②   ③   ④   ⑤

18 대화를 듣고, 남자가 준비물로 가져가지 <u>않을</u> 것을 고르시오.

① 수영복   ② 여벌의 옷   ③ 모자

④ 수건   ⑤ 우산

[19~20] 대화를 듣고, 여자의 마지막 말에 이어질 남자의 응답으로 가장 적절한 것을 고르시오.

19 Man: _____

① I'm sorry. I am very tired.

② You can use mine anytime.

③ My favorite season is summer.

④ PowerPoint is a very convenient tool.

⑤ Let's meet at the computer room at 4 o'clock.

20 Man: _____

① It was too silent.

② Animals came out.

③ It rained very hard.

④ Don't get me wrong.

⑤ Are you kidding me?

Dictation Test 22회 영어 듣기모의고사

01 그림 정보 파악 – 날씨 영국식 발음 녹음

다음을 듣고, 베를린의 오늘 날씨로 가장 적절한 것을 고르시오.

① ② ③ ④ ⑤

M This is Sandy with the weather report for Europe. Let's start with Paris. Parisians will be able to _____ _____ _____ all day. In London, there will be a strong wind with a chance of a rain shower. In Berlin, it will be cold and snowy. Berliners should bundle up ❷_____ _____ _____ _____ _____. Now let's ❸_____ _____ _____ _____. In Prague, it will be cloudy in the morning and rainy in the afternoon.

02 그림 정보 파악 – 사람

대화를 듣고, 여자의 새로운 머리 모양으로 가장 적절한 것을 고르시오.

① ② ③ ④ ⑤

M You look great today! I like your new hairstyle.
W Thank you. ❶_____ _____ _____ _____ my long, straight hair.
M Having short, curly hair ❷_____ _____ _____ _____.
W Do you really think so?
M I'm serious. You look even younger.
W It's very nice ❸_____ _____ _____ _____ _____.

03 심정 파악

대화를 듣고, 남자의 심정으로 가장 적절한 것을 고르시오.

① annoyed ② relieved ③ glad
④ worried ⑤ pleased

😊 화냄에 응대하기 ///////////////////////////////
Calm down. / Don't get so angry. / There's nothing to get angry about.

W I'm ❶_____ _____ _____ _____.
M I've been waiting for you more than 30 minutes.
W I took the wrong bus, and ❷_____ _____ _____ _____ _____ three times.
M Why didn't you call me?
W I'm truly sorry. I left my cellphone at home.
M You know what? I'm upset at you. You're late ❸_____ _____ _____ _____.
W Calm down. Please don't be upset.

04 특정 정보 파악

대화를 듣고, 남자가 현재 하는 일로 가장 적절한 것을 고르시오.

① 빵 굽기   ② 요리하기
③ 그림 그리기   ④ 집 짓기
⑤ 의류 제작하기

M ❶_____ _____ _____ cookies and cake.
W Thanks. Wow, they are yummy! Where did you get them?
M I made them myself.
W Unbelievable. What talent!
M Thanks. My hobby is baking. When I was young, I ❷_____ _____ _____ _____ _____.
W But now you're making clothes, aren't you?
M I was really interested in making food. But finally I found out I was happy ❸_____ _____ _____ _____.

Words 01 Parisian 파리 사람 Berliner 베를린 사람 bundle up 옷을 껴입다 Prague 프라하(체코의 수도) 02 hairstyle 헤어스타일 straight hair 생머리 03 truly 진심으로, 정말로 every time ~할 때마다 04 yummy 아주 맛있는 What talent! 재주가 좋군!

05 장소 추론 영국식 발음 녹음

대화를 듣고, 두 사람이 대화하는 장소로 가장 적절한 곳을
고르시오.

① pet shop
② animal show
③ travel agency
④ animal hospital
⑤ airline company

💬 **할인에 대해 알려 주기** //////////////////////
You can get a 10% discount. / You can have it
at a discounted price.

M May I help you?

W Yes, I'm looking for a travel bag for a dog.

M How ❶ _____ _____ _____ _____ _____ ?

W My dog, Alice, is a little Maltese. It weighs only 3kg.

M Then, ❷ _____ _____ _____ _____ _____ . It's
also very light.

W It looks good. How much is it?

M It is $40. If ❸ _____ _____ _____ _____ _____ ,
💬 you can get a 10% discount.

W Okay. I will take it. Here's my membership card.

06 의도 파악

대화를 듣고, 남자의 마지막 말의 의도로 가장 적절한 것을
고르시오.

① 비난하기   ② 부인하기
③ 용서 구하기   ④ 거절하기
⑤ 부탁하기

💬 **비난 거부하기** ///////////////////////////////
It isn't(wasn't) my fault. / Don't blame me.

M What's with the long face?

W Look! My cellphone is ❶ _____ _____ _____ _____ .

M Let me see.... It's working. I don't think it's broken.

W Look. It plays the music well, but ❷ _____ _____
_____ _____ the previous files.

M You're right. Why ❸ _____ _____ _____
_____ like that?

W You used my cellphone yesterday, and it was working just fine
before then.

M 💬 It isn't my fault. I swear it was okay when I used it.

07 특정 정보 파악

대화를 듣고, 남자가 여행에 이용할 교통수단으로 가장
적절한 것을 고르시오.

① 버스   ② 기차   ③ 자동차
④ 자전거   ⑤ 유람선

W What do you plan to do this vacation?

M I am planning to ❶ _____ _____ _____
_____ with my dad.

W That sounds really interesting!

M As soon as ❷ _____ _____ _____ , my dad and I will start
our trip.

W Are you going to take your father's car?

M No. We will ride bicycles.

W Really? I think ❸ _____ _____ _____ _____ .

🔊 **Words**　　**05 travel bag** 여행용 가방　**weigh** 무게가 ~이다　**light** 가벼운　**06 work** (기계 등이) 작동되다, 기능하다　**go back** 되돌아가다　**previous**
이전의　**swear** 맹세하다

Dictation Test

08 한 일 / 할 일 파악

대화를 듣고, 두 사람이 대화 직후에 할 일로 가장 적절한 것을 고르시오.

① 숙제하기   ② 영화 관람하기
③ 설거지하기   ④ 소풍가기
⑤ 간식 사러 가기

M   Mary, _____ ❶ _____ ?

W   Yes, Dad. I've just finished it.

M   Then _____ ❷ _____ _____ _____ on TV? I've just finished washing dishes.

W   Sorry, but I can't. I have to go to the store now.

M   Now? It's 8:30 p.m. You'd better go there tomorrow.

W   But I ❸ _____ _____ _____ _____ _____ for the school picnic tomorrow.

M   Then I will go with you.   W   Thank you, Dad.

09 언급하지 않은 것   영국식 발음 녹음

다음을 듣고, 여자가 UCC 대회에 대해 언급하지 <u>않은</u> 것을 고르시오.

① 참가 대상   ② 출품작 주제
③ 시상 내역   ④ 출품작 길이
⑤ 제출 마감일

😮 **강조하기** ////////////////////////////////

It is important to(that) ~. / I want to stress ~.

W   Hello, students. I'm happy to announce the school's first UCC contest. It's open to everyone in our school. You can make a video clip about ❶ _____ _____ _____ _____. It should be at most 3 minutes long. It doesn't need to be high quality. The deadline for the video clip is May 5. It's important to ❷ _____ _____ _____ _____ by the deadline. For more information, ❸ _____ _____ _____ _____. Thank you.

10 주제 파악

다음을 듣고, 남자가 하는 말의 내용으로 가장 적절한 것을 고르시오.

① 사람은 함께 살아야 한다.
② 룸메이트와 친하게 지내야 한다.
③ 룸메이트를 신중하게 구해야 한다.
④ 룸메이트는 서로에게 도움이 된다.
⑤ 항상 주변을 깨끗이 관리해야 한다.

M   What do you think about having a roommate? At first, it sounds fun. You have someone to talk to and go out with. However, try to ❶ _____ _____ _____ _____ _____. What if your roommate is untidy and noisy? This person can ❷ _____ _____ _____ _____ _____. Imagine that there is someone who always talks and laughs on the phone right next to you. This roommate ❸ _____ _____ _____ _____.

11 내용 일치 / 불일치

대화를 듣고, 도진이에 대한 내용과 일치하지 <u>않는</u> 것을 고르시오.

① 캐나다로 이민을 갈 예정이다.
② 다음 주에 한국을 떠날 예정이다.
③ 남자의 좋은 친구이다.
④ 남자와 함께 종종 공원에서 자전거를 탔다.
⑤ 그를 위한 송별회가 열릴 것이다.

😮 **슬픔 표현하기** ////////////////////////////

That makes me really sad. / How sad. / I feel (very) sad(unhappy).

W   Did you hear that Dojin is going to ❶ _____ _____ _____ ?

M   Yes, he's moving to Canada next week. That makes me really sad.

W   You must be. You two guys are good friends.

M   I'm going to miss him so much.

W   Me, too. We ❷ _____ _____ _____ _____ in the park.

M   Let's have a going-away party for him. What do you say?

W   That's a great idea. ❸ _____ _____ _____ with some other friends.

📖 **Words**   **08 wash (the) dishes** 설거지를 하다   **09 topic** 주제   **at most** 많아 봐야   **10 roommate** 룸메이트   **untidy** 단정치 못한   **nightmare** 악몽   **11 miss** 그리워하다   **going-away party** 송별회   **discuss** 상의하다

12 목적 파악

대화를 듣고, 남자가 전화를 건 목적으로 가장 적절한 것을 고르시오.

① 안부를 묻기 위해서
② 회의 일정을 연기하기 위해서
③ 회의에 불참하기 위해서
④ 회의 장소를 변경하기 위해서
⑤ 회의 시간을 재확인하기 위해서

😊 안부 묻기 ////////////////////////////////

How have you been? / What's up? / How are you doing? / How's it going?

[*Telephone rings.*]

M Hello. May I speak to Cathy?

W This is she. Who am I speaking to?

M Oh, this is David Kim. How have you been lately?

W Not bad. So, **❶**_____ _____ _____ _____, David?

M I'm calling because of the meeting this Friday. Sorry, but **❷**_____ _____ _____ _____ _____ until next Friday. Are you okay with that?

W No problem.

M I'll call you again with the place and **❸**_____ _____ _____ _____.

13 숫자 정보 파악 – 시각

대화를 듣고, 현재 시각을 고르시오.

① 1:50　　② 2:00　　③ 2:10
④ 2:15　　⑤ 2:30

M How can I get to Gangnam Express Bus Terminal?

W It's easy. **❶**_____ _____ _____ _____, line No. 3.

M How long does it take to get there from here?

W It takes about 15 minutes.

M What time is it now? I need to be there by 2:30.

W It's ten to two. When are you going to **❷**_____ _____ _____ _____?

M Right now. I have to **❸**_____ _____ _____ _____.

14 관계 추론

대화를 듣고, 두 사람의 관계로 가장 적절한 것을 고르시오.

① father – daughter　② reporter – citizen
③ teacher – student　④ doctor – patient
⑤ driver – passenger

M What's your problem?

W This **❶**_____ _____ _____ _____. I feel dizzy, too.

M Let me check. Hmm..., you have a cold. Take some medicine.

W How often should I take it?

M After every meal, and you should **❷**_____ _____ _____ _____.

W Okay, I will. Anything else?

M Also, get a good night's sleep.

W I got it. I'll **❸**_____ _____ _____.

Words **12 lately** 최근에 **postpone** 미루다, 연기하다 **until** ~까지 **13 express bus terminal** 고속버스터미널 **stop by** ~에 들르다 **14 kill** 아파서 죽을 지경이 되게 만들다 **dizzy** 어지러운 **take a good rest** 푹 쉬다

Dictation Test

15 요청한 일 파악

대화를 듣고, 남자가 여자에게 요청한 일로 가장 적절한 것을 고르시오.

① 대신 줄 서 주기
② 영어 발음 알려 주기
③ 영어 숙제 도와주기
④ 연극 동아리에 가입하기
⑤ 학교 축제에 함께 나가기

능력 여부 묻기
Do you know how to ~? / Are you good at ~?

W Minho, you look happy today. What's up?
M You know I am a member of the English play club, right? I ❶ _____ _____ _____ _____ in a play.
W Congratulations. You must be thrilled.
M Yes. But there's a problem. It's ❷ _____ _____ _____ _____ _____. I mean the pronunciation. Do you know how to pronounce the lines here?
W Let's see.... I think I can ❸ _____ _____ _____ _____.
M Really? You're so kind. I'd really appreciate your help.
W It's no problem for a friend.

16 이유 파악

대화를 듣고, 남자가 어제 밤을 샌 이유로 가장 적절한 것을 고르시오.

① 개를 돌봐야 해서
② 잠이 오지 않아서
③ 몸이 아파서
④ 시험공부를 해야 해서
⑤ 방과 후 수업 숙제를 해야 해서

의도 묻기
Are you going to ~? / Will you ~? / Are you thinking of ~? / Are you planning to ~?

W Hey, you seem to be tired today. Didn't you sleep well last night?
M Not at all. In fact, ❶ _____ _____ _____ _____ _____.
W What? You ❷ _____ _____ _____ _____? Why?
M My dog was very sick, so I had to take care of him.
W That's too bad. How is he now?
M He's much better, but he's still weak.
W That's too bad. Are you going to take him to the vet?
M Yes, ❸ _____ _____ _____.

17 그림 상황에 어울리는 대화 찾기

다음 그림의 상황에 가장 적절한 대화를 고르시오.

① ② ③ ④ ⑤

① M Is there ❶ _____ _____ _____ _____?
W Yes, there is one across the street.
② M I'd like to open a bank account.
W Please fill out this form and show me your ID card.
③ M How about ❷ _____ _____ _____ _____?
W Sounds good.
④ M In my opinion, a banker is not a stable job.
W Why do you think so?
⑤ M What does your father ❸ _____ _____ _____ _____?
W He works at a bank.

Words ┃ **15 role** 역할 **thrilled** 아주 흥분한, 신이 난 **line** 대사 **pronunciation** 발음 **pronounce** 발음하다 ┃ **16 not sleep a wink** 한숨도 자지 않다 **stay up** 깨어 있다 ┃ **17 banker** 은행원 **stable** 안정적인

18 특정 정보 파악 영국식 발음 녹음

대화를 듣고, 남자가 준비물로 가져가지 **않을** 것을 고르시오.

① 수영복 ② 여벌의 옷 ③ 모자
④ 수건 ⑤ 우산

😀 **의무 부인하기**

You don't need[have] to ~. / There's no reason why you should ~.

W I'm excited about our trip to the beach tomorrow. Let's check a few things we have to ❶ _____ _____ _____ _____.

M Okay. I'll put my swimsuit, extra clothes and a hat in my bag.

W Good.

M Do I have to put towels into my bag?

W No, you don't need to. ❷ _____ _____ _____ _____ in my bag.

M Oh, I nearly forgot to bring my umbrella.

W ❸ _____ _____ _____ _____ _____ everywhere just in case.

M Okay. I'll put it in my bag.

[19~20] 대화를 듣고, 여자의 마지막 말에 이어질 남자의 응답으로 가장 적절한 것을 고르시오.

19 알맞은 응답 찾기

Man: _____

① I'm sorry. I am very tired.
② You can use mine anytime.
③ My favorite season is summer.
④ PowerPoint is a very convenient tool.
⑤ Let's meet at the computer room at 4 o'clock.

W What are you going to do this afternoon?

M Nothing special.

W Can you ❶ _____ _____ _____ _____, then?

M Sure. What is it?

W I have to ❷ _____ _____ _____ _____ _____. But I ❸ _____ _____ _____ _____ _____ the PowerPoint program. Can you teach me?

M Sure, it is simple.

W Thank you. When can you make it?

20 알맞은 응답 찾기

Man: _____

① It was too silent.
② Animals came out.
③ It rained very hard.
④ Don't get me wrong.
⑤ Are you kidding me?

W ❶ _____ _____ _____ _____ last week?

M Sure, I did.

W How was it? Did you ❷ _____ _____ _____ _____?

M It was really exciting, but I couldn't sleep at all.

W What happened?

M When we tried to sleep, it suddenly ❸ _____ _____ _____ _____.

W What do you mean by that?

Ⓦords **18 swimsuit** 수영복 **towel** 수건 **nearly** 거의 **just in case** 만약을 위해서 **19 in class** 수업 중에 **simple** 간단한 **20 suddenly** 갑자기 **rain cats and dogs** 비가 억수같이 쏟아지다

맞은 개수 / 20문항

2018년 1회

01 다음을 듣고, 목요일의 날씨로 가장 적절한 것을 고르시오.

2017년 2회

02 대화를 듣고, 테이블 매트 위의 물건 배치로 가장 적절한 것을 고르시오.

2017년 1회

03 대화를 듣고, 남자의 심정으로 가장 적절한 것을 고르시오.

① bored ② happy ③ nervous
④ proud ⑤ satisfied

2017년 2회

04 대화를 듣고, 여자가 지난 일요일에 한 일로 가장 적절한 것을 고르시오.

① 자원 봉사 ② 사진 정리 ③ 과학 공부
④ 집안 청소 ⑤ 캠핑 용품 구입

2018년 1회

05 대화를 듣고, 두 사람이 대화하는 장소로 가장 적절한 곳을 고르시오.

① 병원 ② 식당 ③ 경찰서
④ 기차역 ⑤ 분실물 보관소

2017년 2회

06 대화를 듣고, 여자의 마지막 말의 의도로 가장 적절한 것을 고르시오.

① 감사 ② 거절 ③ 격려 ④ 허락 ⑤ 충고

2018년 1회

07 대화를 듣고, 여자가 수족관에서 관람하지 않은 동물을 고르시오.

① 상어 ② 바다거북 ③ 돌고래
④ 불가사리 ⑤ 펭귄

2017년 1회

08 대화를 듣고, 두 사람이 대화 직후에 할 일로 가장 적절한 것을 고르시오.

① 책 구입하기 ② 교무실 가기
③ 도서관 가기 ④ 인터넷 검색하기
⑤ 친구에게 전화하기

2017년 2회

09 다음을 듣고, 여자가 Nara Public Library 이용에 대해 언급하지 않은 것을 고르시오.

① 이용 가능 시간 ② 휴관일 안내
③ 무료 수업 ④ 대출 가능 권수
⑤ 휴일 도서 반납 방법

2018년 1회

10 다음을 듣고, 남자가 하는 말의 내용으로 가장 적절한 것을 고르시오.

① 여가 활동 ② 전화 예절
③ 환경 보호 방법 ④ 주말 일기 예보
⑤ 건강관리 비결

2017년 2회

11 대화를 듣고, 여자가 언급한 내용과 일치하지 <u>않는</u> 것을 고르시오.

① 뮤지컬을 볼 것이다.
② 런던에 갈 것이다.
③ 여행 기간은 일주일이다.
④ 유명한 곳들을 방문할 것이다.
⑤ 사진을 많이 찍을 것이다.

2018년 1회

12 대화를 듣고, 여자가 전화를 건 목적으로 가장 적절한 것을 고르시오.

① 분실물을 찾기 위해서
② 모임 불참을 알려주기 위해서
③ 숙소를 예약하기 위해서
④ 비행 일정을 변경하기 위해서
⑤ 식당 예약을 취소하기 위해서

2017년 2회

13 대화를 듣고, 여자가 지불해야 할 금액으로 가장 적절한 것을 고르시오.

① $1 ② $2 ③ $3 ④ $4 ⑤ $5

2018년 1회

14 대화를 듣고, 두 사람의 관계로 가장 적절한 것을 고르시오.

① 교사 – 학생 ② 택배 기사 – 고객
③ 경찰관 – 시민 ④ 수의사 – 손님
⑤ 승무원 – 탑승객

2017년 1회

15 대화를 듣고, 남자가 여자에게 부탁한 일로 가장 적절한 것을 고르시오.

① 버스표 구입하기 ② 입장료 알아보기
③ 식사 장소 알아보기 ④ 미술 작품 알아보기
⑤ 미술관 위치 확인하기

2018년 1회

16 대화를 듣고, 여자가 남자의 제안을 거절한 이유로 가장 적절한 것을 고르시오.

① 감기에 걸려서
② 숙제를 해야 해서
③ 봉사활동을 해야 해서
④ 병문안을 가야 해서
⑤ 결혼식에 참석해야 해서

2018년 1회

17 다음 그림의 상황에 가장 적절한 대화를 고르시오.

① ② ③ ④ ⑤

2017년 2회

18 대화를 듣고, 두 사람이 여행에 관해 언급하지 <u>않은</u> 것을 고르시오.

① 여름 옷 ② 현지 날씨 ③ 여행 목적지
④ 식사 메뉴 ⑤ 숙소 이름

[19~20] 대화를 듣고, 남자의 마지막 말에 이어질 여자의 응답으로 가장 적절한 것을 고르시오.

2017년 2회

19 Woman: _____

① Okay, let's go together.
② Maybe he can help you.
③ That is my pencil case.
④ Go straight for one block.
⑤ I think that was your problem.

2017년 2회

20 Woman: _____

① They hunt only at night.
② They live in South Africa.
③ They eat deer and buffalos.
④ They can run about 100 km per hour.
⑤ They have black spots on their bodies.

Dictation Test

01 그림 정보 파악 – 날씨 영국식 발음 녹음

다음을 듣고, 목요일의 날씨로 가장 적절한 것을 고르시오.

① ② ③ ④ ⑤

W Let's have a look at the weather for this week. On Monday, it ❶ _____ _____ _____ all day long. From Tuesday to Wednesday, it will be rainy, so ❷ _____ _____ _____ _____. On Thursday, we will have a lot of snow. It will ❸ _____ _____ _____ on Friday, but the snow will stop.

02 그림 정보 파악 – 사물

대화를 듣고, 테이블 매트 위의 물건 배치로 가장 적절한 것을 고르시오.

① ② ③ ④ ⑤

M Mom. Can I help you ❶ _____ _____ _____?
W Sure Jake! Could you put the dish on the left side of the mat?
M Okay! What about the spoon?
W You can put it to the right of the dish.
M What about the fork, then?
W ❷ _____ _____ _____ _____ _____ of the spoon.
M No problem. Do we also need the knife?
W No, ❸ _____ _____ _____ _____ tonight.

03 심정 파악

대화를 듣고, 남자의 심정으로 가장 적절한 것을 고르시오.

① bored ② happy ③ nervous
④ proud ⑤ satisfied

W Hi, Junho. You don't look well. What's the matter?
M Well.... I have an English speaking contest tomorrow.
W Don't worry! You ❶ _____ _____ _____.
M Yeah.... But I ❷ _____ _____ when I speak in front of many people.
W You should ❸ _____ _____ _____ _____ before you start. You can do it.
M I will try my best, but this contest makes me uncomfortable.

04 한 일 / 할 일 파악

대화를 듣고, 여자가 지난 일요일에 한 일로 가장 적절한 것을 고르시오.

① 자원 봉사 ② 사진 정리 ③ 과학 공부
④ 집안 청소 ⑤ 캠핑 용품 구입

M Hi, Sujin. How was your weekend?
W I ❶ _____ _____ with my mom last Sunday.
M Nice. What did you buy?
W I bought a new lantern and chairs for camping.
M Oh, ❷ _____ _____ _____ _____ soon?
W Yes, my family goes camping every month.
M I guess your family ❸ _____ _____ _____ _____ _____ together.

Words 01 forget 잊다 02 set the table 상을 차리다 dish 접시 mat 매트 knife 칼 03 contest 대회 take a deep breath 심호흡을 하다
uncomfortable 불편한 04 lantern 손전등 every month 매달

05 장소 추론

대화를 듣고, 두 사람이 대화하는 장소로 가장 적절한 곳을 고르시오.

① 병원   ② 식당   ③ 경찰서
④ 기차역   ⑤ 분실물 보관소

W Good afternoon, sir. Where are you going?
M I'm going to Daejeon. How much is the train ticket?
W It's 25,000 won. ❶_____ _____ _____ do you need?
M Just one ticket, please. Here's ❷_____ _____ _____.
W Okay. (*Pause*) This is your ticket.
M Good. ❸_____ _____ _____ _____ _____ to Daejeon Station?
W It will take about one hour. Your train leaves in 10 minutes.
M Thank you very much.
W Have a nice trip.

06 의도 파악

대화를 듣고, 여자의 마지막 말의 의도로 가장 적절한 것을 고르시오.

① 감사 ② 거절 ③ 격려 ④ 허락 ⑤ 충고

M Kate, do you like ❶_____ _____ _____ _____?
W Yes. I love the group, "Dreamers." Their music is really fantastic.
M Yeah, then, ❷_____ _____ _____ _____ _____ to a K-pop festival this Friday?
W I'd love to, but I can't. I have a family dinner.
M How about Saturday then?
W I'm really sorry. Every Saturday I have to ❸_____ _____ _____ _____.

07 특정 정보 파악

대화를 듣고, 여자가 수족관에서 관람하지 <u>않은</u> 동물을 고르시오.

① 상어   ② 바다거북   ③ 돌고래
④ 불가사리   ⑤ 펭귄

M Today's field trip was great, wasn't it?
W Yeah. The aquarium was fantastic.
M What did you see?
W ❶_____ _____ _____ _____ and sea turtles.
M I saw them, too. What else did you see?
W Dolphins and starfish. ❷_____ _____ _____ _____ in the aquarium?
M I really liked the penguins. They were so cute.
W Penguins? Where were they?
M They were on the 2nd floor.
W Oh, really? I didn't ❸_____ _____.

Words **05** **credit card** 신용카드 **leave** 출발하다 **06** **fantastic** 엄청난, 굉장한 **take a lesson** 수업을 받다 **07** **field trip** 현장 학습 **aquarium** 수족관 **shark** 상어 **sea turtle** 바다거북 **starfish** 불가사리

Dictation Test ✐

08 한 일 / 할 일 파악

대화를 듣고, 두 사람이 대화 직후에 할 일로 가장 적절한 것을 고르시오.

① 책 구입하기 ② 교무실 가기
③ 도서관 가기 ④ 인터넷 검색하기
⑤ 친구에게 전화하기

W Brian, did you finish your project about ancient buildings?
M Not yet. It's due next Monday, right? What about you?
W I went to the library, but there was _____ _____ _____.
M I know. I searched the Internet, but it was difficult to _____ _____ _____.
W Hmm.... Why don't we ask the teacher for help?
M That's a good idea. Let's _____ _____ _____ _____ _____ now.
W Okay.

09 언급하지 않은 것

다음을 듣고, 여자가 Nara Public Library 이용에 대해 언급하지 않은 것을 고르시오.

① 이용 가능 시간 ② 휴관일 안내
③ 무료 수업 ④ 대출 가능 권수
⑤ 휴일 도서 반납 방법

W Welcome to the Nara Public Library. We are open from 9 a.m. to 6 p.m. We are ❶ _____ _____ _____. There are free children's classes from 10 to 11 a.m. on Wednesdays. If you want to borrow books, ❷ _____ _____ _____ _____ your ID. When you ❸ _____ _____ during a holiday, please put them in the drop box located next to the front door. Thank you.

10 주제 파악 영국식 발음 녹음

다음을 듣고, 남자가 하는 말의 내용으로 가장 적절한 것을 고르시오.

① 여가 활동 ② 전화 예절
③ 환경 보호 방법 ④ 주말 일기 예보
⑤ 건강관리 비결

M Okay, class. Thanks for all the great ideas. As you said, we should ❶ _____ _____ _____ _____ when we don't use them. Also, to save water, let's use cups while we brush our teeth. Next, we should recycle paper, cans and plastics. Lastly, we should try to ❷ _____ _____ _____. Let's remember these things ❸ _____ _____ _____ _____.

11 내용 일치 / 불일치

대화를 듣고, 여자가 언급한 내용과 일치하지 않는 것을 고르시오.

① 뮤지컬을 볼 것이다.
② 런던에 갈 것이다.
③ 여행 기간은 일주일이다.
④ 유명한 곳들을 방문할 것이다.
⑤ 사진을 많이 찍을 것이다.

W Guess what, Minho. I'm going to visit London.
M Wow! How long will you stay there?
W I'll be there for a week. I can't wait to visit all of the famous places.
M I hope you can ❶ _____ _____ _____ _____.
W Sure. I'll show them to you when I come back.
M Great. Are you also planning to ❷ _____ _____ _____?
W No, I don't ❸ _____ _____ _____.
M I see. Maybe you can see one next time.

⌐Words⌐ **08 ancient** 고대의 **search** 검색하다 **useful** 유용한 **09 public** 공공의 **borrow** 빌리다 **holiday** (공)휴일 **10 save** 절약하다 **recycle** 재활용하다 **reduce** 줄이다 **waste** 쓰레기 **11 visit** 방문하다

12 목적 파악

대화를 듣고, 여자가 전화를 건 목적으로 가장 적절한 것을 고르시오.

① 분실물을 찾기 위해서
② 모임 불참을 알려주기 위해서
③ 숙소를 예약하기 위해서
④ 비행 일정을 변경하기 위해서
⑤ 식당 예약을 취소하기 위해서

[*Telephone rings.*]

M Hello. Blue Star Tours. May I help you?

W Hi, I'd like to ❶ _____ _____ _____, please.

M Okay. Can you tell me ❷ _____ _____ _____ ?

W Yes. It's KR1256.

M When would you like to change it to?

W I want to change my flight to next Sunday.

M Okay. But you'll need to ❸ _____ _____ _____ _____ of 30 dollars.

W No problem.

13 숫자 정보 파악 – 금액

대화를 듣고, 여자가 지불해야 할 금액으로 가장 적절한 것을 고르시오.

① $1   ② $2   ③ $3   ④ $4   ⑤ $5

W Excuse me, I'd like to ❶ _____ _____ _____ _____.

M Okay. How many do you need?

W I need two copies. How much will it cost?

M Well, our photo shop ❷ _____ _____ _____.

W All right, what are they?

M One dollar each for black and white or two dollars each for color.

W Then, ❸ _____ _____ _____ _____ in black and white.

M Sure. One moment, please.

14 관계 추론

대화를 듣고, 두 사람의 관계로 가장 적절한 것을 고르시오.

① 교사 – 학생   ② 택배 기사 – 고객
③ 경찰관 – 시민   ④ 수의사 – 손님
⑤ 승무원 – 탑승객

[*Telephone rings.*]

W Hello?

M Hello. This is White Rabbit Express. Is this Jiyoung Kim?

W Yes, speaking.

M Your package ❶ _____ _____ _____ around 3 p.m.

W Really? ❷ _____ _____ than I expected.

M Will you be at home at that time?

W I'm afraid no one will be at home.

M Then where can ❸ _____ _____ _____ _____ ?

W Could you please leave it in the security office?

M Okay. I will.

Words **12** reservation 예약 fee 요금 **13** print out 출력하다 copy 복사 offer 제공하다 option 선택권 **14** package 소포 deliver 배달하다 around 약, ~쯤 security office 경비실

Dictation Test

15 부탁한 일 파악

대화를 듣고, 남자가 여자에게 부탁한 일로 가장 적절한 것을 고르시오.

① 버스표 구입하기　　② 입장료 알아보기
③ 식사 장소 알아보기　④ 미술 작품 알아보기
⑤ 미술관 위치 확인하기

W Junkyu, how about going to the Modern Art Gallery ❶ _____ _____ _____ _____?

M How long does it take to get there from the school?

W It takes about one hour by bus.

M Can we ❷ _____ _____ _____?

W Hmm.... I don't think so. Maybe we need to find a place to eat.

M Can you ❸ _____ _____ _____ _____ nearby?

W All right. I'll look for one.

16 이유 파악　영국식 발음 녹음

대화를 듣고, 여자가 남자의 제안을 거절한 이유로 가장 적절한 것을 고르시오.

① 감기에 걸려서
② 숙제를 해야 해서
③ 봉사활동을 해야 해서
④ 병문안을 가야 해서
⑤ 결혼식에 참석해야 해서

M Yuna, why don't we ❶ _____ _____ _____ _____ tomorrow?

W I'd love to, but I can't.

M Really? Do you ❷ _____ _____ _____ _____?

W Yes. I need to go to Mokpo with my family.

M Oh, why are you going there?

W Tomorrow is ❸ _____ _____ _____.

M Wow, that is cool. Have a great time.

W Thank you. Let's go see a movie next weekend.

17 그림 상황에 어울리는 대화 찾기

다음 그림의 상황에 가장 적절한 대화를 고르시오.

① ② ③ ④ ⑤

① W Excuse me, sir. You have to ❶ _____ _____ _____ here.

M Oh, I'm sorry. I forgot to bring it today.

② W Watch out! There are cars coming.

M Thanks. I'll ❷ _____ _____.

③ W What time does the movie start?

M It starts in 10 minutes.

④ W How long does it take?

M It takes two hours by bus.

⑤ W I like this shirt. How much is it?

M It's 10 dollars. It's ❸ _____ _____ _____.

Words 15 **place** 장소　**nearby** 가까운 곳에　**look for** 찾다　16 **special** 특별한　**plan** 계획　**wedding** 결혼(식)　**see a movie** 영화를 보다
17 **swimming cap** 수영모　**on sale** 할인 중인

18 언급하지 않은 것

대화를 듣고, 두 사람이 여행에 관해 언급하지 <u>않은</u> 것을 고르시오.

① 여름 옷 ② 현지 날씨 ③ 여행 목적지
④ 식사 메뉴 ⑤ 숙소 이름

W Hi, Dad.
M Hi, Jihee. Are you excited about the family trip?
W Sure, I can't wait to go to the Philippines.
M Yeah, I just got information ❶ _____ _____ _____ _____.
W Cool. Did they say anything about the weather?
M Yes, it'll be very hot.
W Okay, then I should ❷ _____ _____ _____.
M Right. They also told us we would stay at the Star Hotel.
W It looks like we're ❸ _____ _____ _____ _____ then.

[19~20] 대화를 듣고, 남자의 마지막 말에 이어질 여자의 응답으로 가장 적절한 것을 고르시오.

19 알맞은 응답 찾기

Woman: _____

① Okay, let's go together.
② Maybe he can help you.
③ That is my pencil case.
④ Go straight for one block.
⑤ I think that was your problem.

M Have you ever been to Daehan Tower?
W Never, but ❶ _____ _____ _____ _____ about it.
M Yeah, the tower is ❷ _____ _____ _____ _____ _____.
W Really? Can you tell me a little more about it?
M Sure. It has ❸ _____ _____ _____ and many famous restaurants.
W Sounds like a nice place.
M It is. Why don't we visit there this Sunday?

20 알맞은 응답 찾기

Woman: _____

① They hunt only at night.
② They live in South Africa.
③ They eat deer and buffalos.
④ They can run about 100 km per hour.
⑤ They have black spots on their bodies.

W Hi, Eric. Did you watch the animal documentary on TV yesterday?
M No, what was it about?
W It was about ❶ _____ _____ _____ _____.
M Did you find out anything interesting?
W Yeah. They are ❷ _____ _____ _____.
M Are they faster than tigers?
W Yes, they are one of the fastest animals in the world.
M Really? ❸ _____ _____ can they run?

📖 Words **18** trip 여행 travel agency 여행사 stay 머무르다 be ready for ~할 준비가 되다 **19** tourist 관광객 lovely 아름다운 view 경관, 전망
20 documentary 다큐멘터리 cheetah 치타 hunter 사냥꾼

2017년 2회

01 다음을 듣고, 예상되는 런던의 날씨로 가장 적절한 것을 고르시오.

2017년 1회

02 대화를 듣고, 남자가 가져와야 할 쟁반으로 가장 적절한 것을 고르시오.

2018년 1회

03 대화를 듣고, 여자의 심정으로 가장 적절한 것을 고르시오.

① shy ② bored ③ proud
④ nervous ⑤ disappointed

2017년 1회

04 대화를 듣고, 여자가 과학의 날에 한 일로 가장 적절한 것을 고르시오.

① 3D 영화 보기
② 물 폭탄 만들기
③ 자석 원리 실험하기
④ 에너지 절약 포스터 그리기
⑤ 나무젓가락 비행기 만들기

2017년 2회

05 대화를 듣고, 두 사람이 대화하는 장소로 가장 적절한 곳을 고르시오.

① 교실 ② 실험실 ③ 은행
④ 가방 판매점 ⑤ 공원 분실물 센터

2017년 1회

06 대화를 듣고, 남자의 마지막 말의 의도로 가장 적절한 것을 고르시오.

① 사과 ② 충고 ③ 동의 ④ 비난 ⑤ 감사

2017년 2회

07 대화를 듣고, 여자가 밴드에서 연주할 악기를 고르시오.

① drum ② guitar ③ piano
④ bass guitar ⑤ saxophone

2018년 1회

08 대화를 듣고, 남자가 대화 직후에 할 일로 가장 적절한 것을 고르시오.

① 사진 촬영하기
② 배터리 충전하기
③ 선생님께 전화하기
④ 휴대 전화 전원 끄기
⑤ 서비스 센터 방문하기

2018년 1회

09 대화를 듣고, 여자가 미술관에서 지켜야 할 사항으로 언급하지 않은 것을 고르시오.

① 휴대 전화 무음으로 전환하기
② 전시 작품 만지지 않기
③ 카메라 플래시 기능 사용하지 않기
④ 주스 반입하지 않기
⑤ 큰 소리로 이야기하지 않기

2017년 2회

10 다음을 듣고, 남자가 하는 말의 내용으로 가장 적절한 것을 고르시오.

① 다양한 통신 수단 ② 대중교통의 장점
③ 인터넷 쇼핑의 장점 ④ 인터넷 중독의 심각성
⑤ 올바른 휴대 전화 사용방법

2017년 1회

11 다음을 듣고, Highlands Zoo에 대한 내용으로 일치하지 <u>않는</u> 것을 고르시오.

① 전 세계에서 온 많은 종류의 동물들이 있다.

② 중국에서 온 판다 두 마리가 있다.

③ 오늘 판다를 볼 수 있다.

④ 동물들에게 약간의 먹이를 줄 수 있다.

⑤ 동물 우리에 물건을 던지면 안 된다.

2017년 1회

12 대화를 듣고, 여자가 한국을 방문한 목적으로 가장 적절한 것을 고르시오.

① 좋아하는 배우를 만나기 위해서

② 친척 집을 방문하기 위해서

③ 한국 요리를 배우기 위해서

④ K-pop 콘서트에 가기 위해서

⑤ 드라마 촬영장을 구경하기 위해서

2017년 1회

13 대화를 듣고, 밴드가 공연할 날짜를 고르시오.

① 5월 8일 　② 5월 9일 　③ 5월 10일

④ 5월 11일 　⑤ 5월 12일

2017년 1회

14 대화를 듣고, 두 사람의 관계로 가장 적절한 것을 고르시오.

① 요리사 – 고객 　　② 미용사 – 고객

③ 소설가 – 독자 　　④ 은행원 – 고객

⑤ 미술 교사 – 학생

2018년 1회

15 대화를 듣고, 남자가 여자에게 부탁한 일로 가장 적절한 것을 고르시오.

① 가방 들어주기 　　② 숙제 도와주기

③ 병원 함께 가기 　　④ 청소 같이 하기

⑤ 계단에서 부축해주기

2017년 2회

16 대화를 듣고, 여자가 상을 받게 된 이유로 가장 적절한 것을 고르시오.

① 청소를 잘해서 　　② 노래를 잘해서

③ 시험성적이 좋아서 　④ 퀴즈쇼에서 우승해서

⑤ 친구들을 도와줘서

2017년 2회

17 다음 그림의 상황에 가장 적절한 대화를 고르시오.

① 　　② 　　③ 　　④ 　　⑤

2018년 1회

18 다음을 듣고, 여자가 학교 버스에 대해 언급하지 <u>않은</u> 것을 고르시오.

① 노선 수 　　　② 승강장 확인 방법

③ 운영 시간 　　④ 이용 요금

⑤ 이용 신청 방법

[19～20] 대화를 듣고, 여자의 마지막 말에 이어질 남자의 응답으로 가장 적절한 것을 고르시오.

2017년 1회

19 Man: _____

① That sounds good.

② Please forgive me.

③ Thank you for coming.

④ Let me introduce myself.

⑤ That looks too big for you.

2017년 1회

20 Man: _____

① Enjoy your meal.

② See you next time.

③ Have a wonderful time.

④ Text him that you are sorry.

⑤ Of course, I'll be there on time.

Dictation Test 기출문제로 마무리하는 Final Test 02 회

01 그림 정보 파악 – 날씨

다음을 듣고, 예상되는 런던의 날씨로 가장 적절한 것을 고르시오.

M Good evening! Here is today's world weather report. Today in Seoul, the rain is ❶_____ _____ _____ from last night. In New York, ❷_____ _____ _____ _____ and thunderstorms all day long. The forecast for Paris is mostly cloudy. ❸_____ _____ _____ for London. Thank you very much.

02 그림 정보 파악 – 사물

대화를 듣고, 남자가 가져와야 할 쟁반으로 가장 적절한 것을 고르시오.

W David, can you help me for a second?
M No problem. What can I do for you?
W ❶_____ _____ _____ _____ in the kitchen, please.
M All right.
W Did you find it? It's ❷_____ _____ _____.
M Do you mean the tray with the circles?
W Not that one. It ❸_____ _____ _____ and two hearts.
M Okay, I see the one you're talking about.

03 심정 파악   영국식 발음 녹음

대화를 듣고, 여자의 심정으로 가장 적절한 것을 고르시오.
① shy   ② bored   ③ proud
④ nervous   ⑤ disappointed

M Mom, I have some big news to tell you.
W Big news? What is it?
M I ❶_____ _____ _____ _____ in the webtoon contest.
W Wow, congratulations! Your work must be great.
M You know ❷_____ _____ _____ _____ for more than two months.
W Right. You worked so hard.
M Yeah. I enjoyed it a lot.
W I'm ❸_____ _____ _____ _____, James.

04 한 일 / 할 일 파악

대화를 듣고, 여자가 과학의 날에 한 일로 가장 적절한 것을 고르시오.
① 3D 영화 보기
② 물 폭탄 만들기
③ 자석 원리 실험하기
④ 에너지 절약 포스터 그리기
⑤ 나무젓가락 비행기 만들기

W That was a great science day! Did you have fun?
M Of course. I ❶_____ _____ _____.
W Nice. I wanted to watch a 3D movie but I couldn't.
M That's too bad. What did you do then?
W I built airplanes ❷_____ _____ _____ _____ instead.
M Did you like it?
W Yeah, it was really fun.
M Great! I'd like to ❸_____ _____ _____ next year.

Words 01 continue 계속되다 shower 소나기 thunderstorm 뇌우 forecast 예보, 예측   02 for a second 잠시 tray 쟁반 shelf 선반
03 win the first prize 일등상을 타다 work on ~에 애쓰다 04 bomb 폭탄 wooden 나무로 된

05 장소 추론

대화를 듣고, 두 사람이 대화하는 장소로 가장 적절한 곳을 고르시오.

① 교실   ② 실험실   ③ 은행
④ 가방 판매점   ⑤ 공원 분실물 센터

M   Welcome. May I help you?

W   Yes, I _____ _____ _____ here in this park.

M   What does it look like?

W   It's a red backpack.

M   And how big is it?

W   It's big enough to hold about 10 books.

M   Is there anything else you can tell me about it?

W   Uhm.... It has ❷_____ _____ _____ _____ _____

     on the front.

M   I see. ❸_____ _____ _____ when we find it.

W   Here's my phone number. Thanks.

06 의도 파악

대화를 듣고, 남자의 마지막 말의 의도로 가장 적절한 것을 고르시오.

① 사과   ② 충고   ③ 동의   ④ 비난   ⑤ 감사

M   Hey, Cathy. ❶_____ _____ _____ _____ the new community center?

W   I love it. It has many fun programs.

M   Good. What do they have?

W   There are ❷_____ _____ _____ _____.

M   Really? Like what?

W   They have table tennis, badminton and swimming.

M   I like swimming. Do you want to go together?

W   Sounds great. Let's ❸_____ _____ _____ and sign up.

M   Yes. Good idea.

07 특정 정보 파악

대화를 듣고, 여자가 밴드에서 연주할 악기를 고르시오.

① drum   ② guitar   ③ piano
④ bass guitar   ⑤ saxophone

M   Hi, you must be Katie!

W   Yes, it's nice to meet you. I really wanted to ❶_____ _____ _____ _____.

M   Great. We need both a piano player and a guitarist.

W   I'd love to play the piano. Could I?

M   Sure, why don't you join our next practice?

W   Sounds good. ❷_____ _____ _____ every day?

M   No, we only practice on Tuesdays.

W   That's perfect. ❸_____ _____ on Tuesdays.

Words   **05 lose** 잃어버리다   **front** 앞쪽   **contact** 연락하다   **06 table tennis** 탁구   **check** 확인하다   **sign up** 가입하다   **07 both** 둘 다 **practice** 연습; 연습하다   **free** 한가한

Dictation Test

08 한 일 / 할 일 파악

대화를 듣고, 남자가 대화 직후에 할 일로 가장 적절한 것을 고르시오.

① 사진 촬영하기
② 배터리 충전하기
③ 선생님께 전화하기
④ 휴대 전화 전원 끄기
⑤ 서비스 센터 방문하기

W Todd, what's the matter?
M ❶ _____ _____ _____ _____ in the water.
W Oh, no! Is it okay?
M I tried to turn it on, but ❷ _____ _____ _____ at all.
W Um.... Did you try drying the phone first?
M I already did, but it still isn't turning on.
W Then, you probably need to ❸ _____ _____ _____ _____.
M Okay. I'll go there now.

09 언급하지 않은 것

대화를 듣고, 여자가 미술관에서 지켜야 할 사항으로 언급하지 않은 것을 고르시오.

① 휴대 전화 무음으로 전환하기
② 전시 작품 만지지 않기
③ 카메라 플래시 기능 사용하지 않기
④ 주스 반입하지 않기
⑤ 큰 소리로 이야기하지 않기

M Mom, can we go into the art gallery now?
W Sure. Just ❶ _____ _____ _____ to silent mode first.
M I already did. Can we take pictures inside the gallery?
W Of course. But we ❷ _____ _____ _____ _____ _____.
M I see. Wait, Mom. I didn't finish this juice yet.
W Then, finish it now. You can't bring it in.
M Okay. Let's go now.
W Remember, we ❸ _____ _____ _____ in the gallery.

10 주제 파악

다음을 듣고, 남자가 하는 말의 내용으로 가장 적절한 것을 고르시오.

① 다양한 통신 수단
② 대중교통의 장점
③ 인터넷 쇼핑의 장점
④ 인터넷 중독의 심각성
⑤ 올바른 휴대 전화 사용방법

M Hello, students! Let me tell you ❶ _____ _____ _____ your cellphone wisely. First, you should not talk too loudly on the phone while using public transportation. Second, you should not ❷ _____ _____ _____ while you are walking. Lastly, when you are at a movie theater, you need to ❸ _____ _____ _____ _____.

11 내용 일치 / 불일치   영국식 발음 녹음

다음을 듣고, Highlands Zoo에 대한 내용으로 일치하지 않는 것을 고르시오.

① 전 세계에서 온 많은 종류의 동물들이 있다.
② 중국에서 온 판다 두 마리가 있다.
③ 오늘 판다를 볼 수 있다.
④ 동물들에게 약간의 먹이를 줄 수 있다.
⑤ 동물 우리에 물건을 던지면 안 된다.

M Thank you for visiting the Highlands Zoo. We have many kinds of animals from all over the world. Let me tell you some special news before you ❶ _____ _____ _____ _____. Two pandas arrived from China a month ago and you can see them today. Before we start, please remember you must not ❷ _____ _____ _____ to the animals. Also, ❸ _____ _____ _____ _____ anything into the cage. Are you ready? Let's go!

Words   **08 drop** 떨어뜨리다 **work** 작동되다 **probably** 아마도   **09 silent** 조용한 **loudly** 큰 소리로 **10 wisely** 현명하게 **public transportation** 대중교통 **text message** 문자메시지   **11 look around** 둘러보다 **throw** 던지다 **cage** (동물의) 우리

12 목적 파악

대화를 듣고, 여자가 한국을 방문한 목적으로 가장 적절한 것을 고르시오.

① 좋아하는 배우를 만나기 위해서
② 친척 집을 방문하기 위해서
③ 한국 요리를 배우기 위해서
④ K-pop 콘서트에 가기 위해서
⑤ 드라마 촬영장을 구경하기 위해서

M Welcome back to Korea, Lucy.
W I'm glad to see you again.
M Me, too. What brings ❶ _____ _____ _____ _____?
W I'm here to ❷ _____ _____ _____ _____ of the movie, "Great Love."
M Really? When are you going to see him?
W I'm going to his fan meeting this Saturday.
M You ❸ _____ _____ _____ _____ _____ your favorite actor.

13 숫자 정보 파악 – 날짜

대화를 듣고, 밴드가 공연할 날짜를 고르시오.

① 5월 8일 ② 5월 9일 ③ 5월 10일
④ 5월 11일 ⑤ 5월 12일

[Telephone rings]
W Hello, This is Jackie's Rock Band.
M ❶ _____ _____ _____ _____ of Daehan Culture Center.
W How can I help you?
M Could ❷ _____ _____ _____ for our center?
W When is the event?
M It's on May 9th.
W Sorry. Only the 11th is possible. Is that okay?
M Let me check. May 11th ❸ _____ _____ _____.

14 관계 추론

대화를 듣고, 두 사람의 관계로 가장 적절한 것을 고르시오.

① 요리사 – 고객 ② 미용사 – 고객
③ 소설가 – 독자 ④ 은행원 – 고객
⑤ 미술 교사 – 학생

M How can I help you?
W I'd like to ❶ _____ _____ _____, please. How much will it cost?
M It's 10 dollars.
W That's good. And can you ❷ _____ _____ _____ _____, too?
M What color do you want?
W Hmm.... I can't decide. What color is popular these days?
M ❸ _____ _____ _____ now.
W That'll be nice.

ⓦords **12 actor** 배우 **13 manager** 관리자 **perform** 공연하다 **possible** 가능한 **14 get a haircut** 머리를 깎다 **decide** 결정하다
popular 인기 있는 **trendy** 최신 유행의

Dictation Test

15 부탁한 일 파악

대화를 듣고, 남자가 여자에게 부탁한 일로 가장 적절한 것을 고르시오.

① 가방 들어주기　　　② 숙제 도와주기
③ 병원 함께 가기　　　④ 청소 같이 하기
⑤ 계단에서 부축해주기

W James, what's wrong?

M I fell down and _____ _____ _____ yesterday.

W Oh, I'm sorry to hear that. Did you see a doctor?

M Yes, I did. He said it would take three weeks ❷_____ _____ _____.

W Do you need help going up the stairs?

M It's okay, thanks. But can you ❸_____ _____ _____ to the classroom for me?

W Sure. Let me take it.

M Thanks. It's very kind of you.

16 이유 파악

대화를 듣고, 여자가 상을 받게 된 이유로 가장 적절한 것을 고르시오.

① 청소를 잘해서　　　② 노래를 잘해서
③ 시험성적이 좋아서　④ 퀴즈쇼에서 우승해서
⑤ 친구들을 도와줘서

M Congratulations, Mary!

W What is this about?

M You're going to get the Student of the Month Award.

W Really? I didn't expect that. I'm so happy to ❶_____ _____ _____ _____.

M Yeah, your classmates chose you.

W Do you know ❷_____ _____ _____ _____?

M Because you always volunteered to ❸_____ _____ _____.

W Wow. My mom will be so glad.

17 그림 상황에 어울리는 대화 찾기

다음 그림의 상황에 가장 적절한 대화를 고르시오.

① ② ③ ④ ⑤

① **M** How was your trip?
　W It was great. I enjoyed going to the beach in Thailand.

② **M** Can I ❶_____ _____ _____?
　W Sure. I'd like a chicken burger and a soda.

③ **M** I'm so sorry. Let me clean that up for you.
　W No worries. Anyone can ❷_____ _____ _____.

④ **M** May I ❸_____ _____ _____?
　W Sure, here you are.

⑤ **M** Excuse me. You can't park here.
　W Sorry, I didn't know that.

Words　**15 hurt** 다치다　**knee** 무릎　**get better** 회복되다　　**16 classmate** 반 친구　**choose** 택하다, 고르다　**volunteer** 자원봉사를 하다
17 beach 해변, 바닷가　**order** 주문　**make a mistake** 실수하다

18 언급하지 않은 것   영국식 발음 녹음

다음을 듣고, 여자가 학교 버스에 대해 언급하지 <u>않은</u> 것을
고르시오.

① 노선 수   ② 승강장 확인 방법
③ 운영 시간   ④ 이용 요금
⑤ 이용 신청 방법

W Hello, new students. I'd like to tell you about _____ _____ _____ _____. There are six bus lines. You can ❷ _____ _____ _____ _____ on our school website. The bus fare is free for our students. If you want to use the bus service, please ❸ _____ _____ _____ _____ and give it to Mr. Smith by this Friday. Thanks.

[19~20] 대화를 듣고, 여자의 마지막 말에 이어질 남자의
          응답으로 가장 적절한 것을 고르시오.

19 알맞은 응답 찾기

Man: _____

① That sounds good.
② Please forgive me.
③ Thank you for coming.
④ Let me introduce myself.
⑤ That looks too big for you.

M Sumi, nice to see you.
W Hi! What's up?
M Not much. Do you remember Brian?
W Of course. Your Canadian friend. I remember him.
M He's coming to ❶ _____ _____ _____ _____ for two weeks.
W Oh! Really?
M He said he'd like to ❷ _____ _____ _____ in Seoul.
W Then ❸ _____ _____ _____ _____ to Hanok Village.

20 알맞은 응답 찾기

Man: _____

① Enjoy your meal.
② See you next time.
③ Have a wonderful time.
④ Text him that you are sorry.
⑤ Of course, I'll be there on time.

W Chris, I have something to tell you.
M What is it, Mina?
W I ❶ _____ _____ _____ _____ Danny.
M What happened?
W I forgot to do my part of the group project, so we couldn't finish it in time.
M Really?
W Yeah, so I think ❷ _____ _____ _____ _____.
M He must be upset. Did you try to call him?
W I did, but he didn't ❸ _____ _____ _____. What should I do?

🎧 Words **18 bus stop** 버스 정류장 **fare** 요금 **fill out** 작성하다 **by** (늦어도) ~까지는   **19 remember** 기억하다   **20 trouble** 문제 **part** 부분 **upset** 속상한 **answer a call** 전화를 받다

01 허가 구하고 답하기

M **Do you mind if** I come and see it sometime?
언제 제가 가서 봐도 될까요?

W Sure. **I don't mind at all.**
물론이죠. 전 전혀 신경 쓰지 않아요.

M **Could you** tell me a little more about that experience?
그 경험에 대해서 조금 더 얘기해 줄 수 있나요?

W Sure.
물론이죠.

02 의도 묻고 답하기

M **What are you going to** write about?
무엇에 대해 쓸 예정이니?

W **I'm going to** write about the people who have changed our history.
나는 우리의 역사를 바꾼 사람들에 대해 쓸 거야.

M **What are you going to** do this summer?
너는 이번 여름에 무엇을 할 예정이니?

W **I'm planning to** visit Europe.
나는 유럽에 가 볼 계획이야.

03 기쁨이나 슬픔 표현하기

M My class is having a Halloween party next month.
우리 반에서 다음 달에 핼러윈 파티를 열거야.

W **That's great.**
그거 대단하다.

M I got your present for my birthday. I love it!
내 생일을 위한 네 선물 잘 받았어. 맘에 들어!

W **I'm pleased to** hear that.
그 말을 들으니 기쁘구나.

M She couldn't win first prize in the Invention Contest.
그녀는 발명 대회에서 일등을 하지 못했어.

W Oh, **that's too bad.**
오, 그거 안됐구나.

04 감사하고 답하기

M **Thanks for** the flowers.
꽃 감사합니다.

W **You're welcome.** I hope you'll get well soon.
천만에요. 곧 회복되길 바랍니다.

M How can I get to the post office?
우체국이 어디에 있나요?

W Go straight and then turn right. It's next to the bakery.
곧장 가서 오른쪽으로 도세요. 빵집 옆에 있습니다.

M **Thank you for** your help.
도와주셔서 감사합니다.

05 능력 여부 묻고 답하기

M **Do you know how to** make hamburgers?
너는 햄버거 만드는 법을 아니?

W Sure.
물론이지.

M What can you offer the people in our center?
우리 센터에 있는 사람들에게 어떤 것들을 제공해 줄 수 있나요?

W **I can** teach English to old people and **I'm very good at** cleaning.
저는 어르신들에게 영어를 가르쳐드릴 수 있고, 청소도 매우 잘합니다.

06 좋아하는 것 묻고 답하기

M **What kind of** music **do you like the most**?
너는 어떤 종류의 음악을 가장 좋아하니?

W Well, **I like** all kinds of music, but classical music **is my favorite**.
글쎄, 나는 모든 종류의 음악을 좋아하지만, 클래식을 가장 좋아해.

M **What is your favorite** sport?
가장 좋아하는 스포츠가 뭐니?

W **I like** soccer **the most**.
나는 축구를 가장 좋아해.

M You know what? Sumi failed the exam.
너 그거 알아? 수미가 시험을 망쳤대.

W **I can't believe it.**
믿을 수가 없어.

M Mom, I won the final audition! **Does that surprise you?**
엄마, 제가 최종 오디션에 붙었어요. 놀랍죠?

W Oh, yeah! **It's** so **surprising**! Congratulations.
오, 그래! 그거 정말 놀랍구나. 축하한다.

M **Are you interested in** stars and planets?
넌 별과 행성에 관심이 있니?

W Yes, I would like to learn about them. **What are you interested in?**
응. 나는 그런 것들을 배우고 싶어. 너는 무엇에 관심이 있니?

M **I'm interested in** sea plants and animals.
나는 해양 식물과 동물에 관심이 있어.

M **You know that** Laura is in the hospital now, don't you?
너 Laura가 지금 병원에 있는 거 알고 있지, 그렇지?

W **Yes, I know that.**
응, 알고 있어.

M Let's visit her and sing the song together.
우리 그녀를 방문해서 그 노래를 같이 부르자.

M **Do you know about** game addiction?
너 게임 중독에 대해 알고 있니?

W Yes, **I've heard about** that.
응, 난 그것에 대해 들어 본 적이 있어.

M **What do you think of** the director?
그 감독에 대해 어떻게 생각해?

W He's a very funny guy. **I think** he is a genius.
그는 매우 웃긴 사람이야. 내 생각에 그는 천재야.

M **How do you feel about** the soap drama?
그 드라마에 대해 넌 어떻게 생각해?

W Well, **I feel** it's quite interesting.
글쎄, 꽤 재미있다고 생각해.

M The weather is really uncertain these days.
날씨가 요즘 너무 불확실해.

W **You can say that again.** It changes a lot.
정말 그래. 너무 많이 변해.

M I think Tom did a good job in the speech contest. **Don't you agree?**
난 Tom이 웅변대회에서 잘했다고 생각해. 넌 동의하지 않니?

W **Yes, I agree.**
응, 나도 동의해.

M I think Dave needs a desk and a chair for studying.
내 생각에 Dave에게는 공부할 책상과 의자가 필요해.

W **I don't agree.** He is only two years old.
난 동의하지 않아. 그는 겨우 두 살이야.

M **I'm not sure**, but sometimes I want to be a singer-songwriter.
확실하지 않지만 가끔 나는 가수 겸 작곡가가 되고 싶어.

W Wow, great! **I'm sure** you can do it.
우아, 멋지다! 나는 네가 할 수 있을 거라고 확신해.

M **Are you sure** this is the place?
이곳이 그곳인 게 확실하니?

W Actually, **I'm not sure**.
사실은, 확실하지 않아.

M You said, "No." **Are you sure about that?**
넌 싫다고 말했잖아. 그것에 대해 확신하니?

W Yes. **I have no doubt.**
응. 전혀 의심치 않아.

13 충고하기

M Can I get your advice on my science report?
내 과학 보고서에 대해 조언을 해 줄 수 있니?

W I think **you'd better** read some articles.
나는 네가 기사를 좀 읽어 보는 게 좋을 것 같아.

M I have a fever and a bad cough.
열이 나고 심한 기침을 해.

W **Why don't you** take some medicine?
약을 좀 먹는 게 어때?

14 물건 사기

M **What can I do for you?**
무엇을 도와드릴까요?

W **I'm thinking of buying** a present for my son's birthday.
제 아들의 생일 선물을 사려고 생각 중이에요.

M **May I help you?**
도와드릴까요?

W Yes, **I'm looking for** a blue shirt.
네, 저는 파란 셔츠를 찾고 있어요.

15 제안·권유하기

M **How about** going out for lunch?
점심은 외식 어때?

W Sounds good.
좋아.

M I'm going to see a movie this afternoon. **Would you like to** join me?
오늘 오후에 영화 보러 갈 거야. 같이 갈래?

W Yes, I'd love to.
그래, 좋아.

16 사실적 정보 묻고 답하기

M **How long** does it take to get there?
거기 가는 데 얼마나 걸려?

W It takes about 40 minutes.
40분 걸려.

M **How often** do you go to the cinema?
너는 영화 보러 얼마나 자주 가니?

W Twice a month.
한 달에 두 번 가.

17 설명 요청하고 답하기

M What's that sign? It has a picture of two children.
그 표지판은 뭐야? 두 명의 아이들 그림이 있네.

W That's a crosswalk sign.
횡단보도 표지판이야.

M I see. And **what does** the one with the bicycle **mean**?
그렇구나. 그리고 자전거 그림이 있는 표지판은 무슨 의미야?

W **It means** you can ride a bicycle there.
그건 네가 이곳에서 자전거를 탈 수 있다는 의미야.

18 궁금증 표현하기

M **I wonder if** I will get a scholarship.
내가 장학금을 받을 수 있을지 궁금해.

W Why worry? You're the best student.
왜 걱정해? 넌 최고의 학생이잖아.

M **I'm** very **curious about** the story behind the film.
나는 그 영화의 뒷이야기가 무척 궁금해.

W I heard that the film was based on a true story.
그 영화는 실제 이야기에 기반을 뒀다고 들었어.

19 상기시켜 주기

M When you go out, please **remember to** turn off the lights.

밖에 나갈 때, 불을 끄는 것을 잊지 마.

W Okay.

알겠어.

M I'm going to fly to Australia tomorrow.

난 내일 비행기를 타고 호주에 갈 거야.

W During the trip, **don't forget to** post some pictures on your blog.

여행하는 동안 네 블로그에 사진을 게재할 것을 잊지 마.

20 반복 요청하고 답하기

M Excuse me. Is this seat taken?

실례합니다. 여기 자리 있나요?

W I'm sorry. **I beg your pardon?**

죄송합니다. 다시 말해 주시겠어요?

M Oh. Will someone be using this seat?

오. 여기 누가 앉을 건가요?

M Tell him you're sorry first.

그에게 먼저 미안하다고 말해.

W I don't get it. **Pardon?**

무슨 말인지 모르겠어. 다시 말해 줄래?

M **I said that** you should tell him you're sorry first.

네가 그에게 먼저 사과해야 한다고 말했어.

21 의무 여부 묻고 답하기

M **Must I** memorize one poem every week?

매주 한 편의 시를 꼭 외워야만 해?

W Yes, **we** all **should** do that. That's our homework for literature lessons.

응, 우리 모두 그렇게 해야만 해. 그게 우리의 문학 수업 숙제잖아.

M **You should not** bring pets to a bank.

은행에 애완동물을 데려오면 안 됩니다.

W Sorry. I didn't know that.

죄송합니다. 몰랐습니다.

22 실망 표현하기 / 낙담 위로하기

M I'm going to the dentist this afternoon. But I'm scared.

오늘 오후에 치과에 갈 거야. 하지만 나는 무서워.

W **Come on, don't worry. It's going to be all right.**

그러지 마, 걱정하지 마. 다 괜찮을 거야.

M I failed the exam. **I feel** very **disappointed**.

나 시험에 떨어졌어. 무척 실망스러워.

W **Come on! Things will be better.**

그러지 마! 모든 게 더 좋아질 거야.

23 바람·소원 표현하기

M Jane is really good at playing the piano.

Jane은 피아노를 매우 잘 쳐.

W You're right. **I wish I could** play like her.

네 말이 맞아. 나도 그녀처럼 칠 수 있으면 좋겠어.

M **Are you looking forward to** visiting your old school?

너는 옛 학교를 방문하는 것을 고대하고 있니?

W Sure. **I'm** really **looking forward to** it.

물론이야. 정말로 그것이 기대돼.

24 걱정·두려움 표현하기

M David, where are you?

David, 너 어디에 있니?

W I'm here in my room, Mom.

저 제 방에 있어요, 엄마.

M Oh, good! **I was worried** no one would be at home.

오, 잘됐다! 집에 아무도 없을까봐 걱정했단다.

M **Are you afraid of** being apart from your family?

넌 가족과 헤어지는 것이 두렵니?

W Yes, **I'm rather worried about** that.

응, 그게 꽤나 걱정스러워.

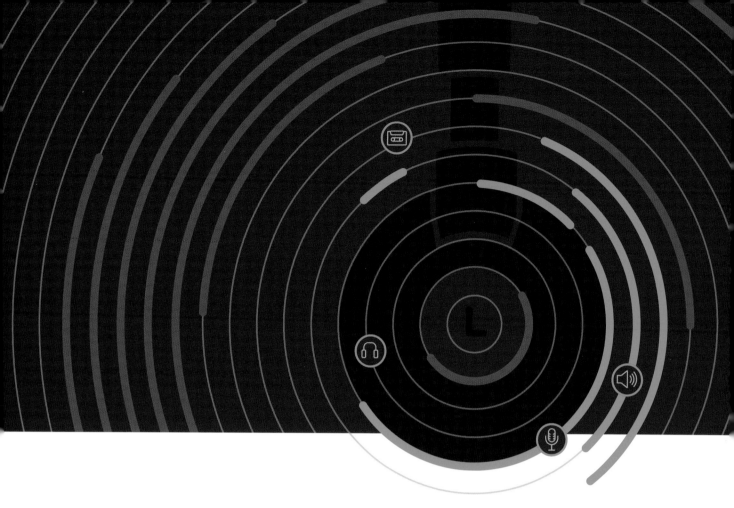

정답과 해설

중학영어
듣기모의고사 22회 2

우리는 남다른 상상과 혁신으로
교육 문화의 새로운 전형을 만들어
모든 이의 행복한 경험과 성장에 기여한다

ABOVE IMAGINATION

우리는 남다른 상상과 혁신으로
교육 문화의 새로운 전형을 만들어
모든 이의 행복한 경험과 성장에 기여한다

중학영어 **듣기모의고사** 22회

정답과 해설

2

PART 1
유형공략

01 그림 정보 파악   p. 08

| 01 ② | 02 ④ | 03 ② |

기출 해석

남 안녕하세요.

여 안녕하세요. 무엇을 도와드릴까요?

남 저는 물병을 찾고 있어요.

여 알겠습니다. 이건 어떠신가요? 손잡이가 있고 나무 그림이 있어요.

남 저는 손잡이가 필요하지만, 물병에 그림이 그려져 있는 것을 원하지 않아요.

여 음, 여기 그림이 없지만 손잡이가 있는 물병이 있습니다. 어떠신가요?

남 좋아요! 구입할게요.

해설 남자는 손잡이가 있지만 그림이 없는 물병을 구입하려고 한다.

01 W Jack, what do you want to have for lunch? I'll cook for you.

M Thank you, Mom. I want fried rice.

W Oh, we don't have any rice.

M Then what can you make?

W How about pizza or spaghetti? Both are your favorite foods.

M Okay. I'll have spaghetti with a lot of tomatoes.

W Great! I'll make it for you right now.

해석

여 Jack, 점심으로 뭐 먹고 싶니? 내가 요리해 줄게.

남 고마워요, 엄마. 저는 볶음밥이 먹고 싶어요.

여 오, 우리는 쌀이 없단다.

남 그럼 무엇을 만들어 줄 수 있어요?

여 피자나 스파게티는 어떠니? 둘 다 네가 가장 좋아하는 음식이잖아.

남 알겠어요. 토마토를 많이 넣은 스파게티를 먹을게요.

여 좋아! 지금 당장 만들어 줄게.

해설 여자는 남자를 위해 토마토를 넣은 스파게티를 요리할 것이다.

02 W Are you ready, Steve? First, draw a large square and draw a circle inside it. Are you following me?

M Yes. Please go on.

W Color the circle red.

M Look at this picture. Is this right?

W Cool! You drew exactly what I described.

해석

여 준비 됐니, Steve? 우선 큰 사각형 하나를 그리고, 그 안에 원 하나를 그려 봐. 잘 따라오고 있니?

남 응. 계속 해.

여 원을 빨간색으로 칠해.

남 이 그림 좀 봐. 이거 맞지?

여 좋아! 내가 묘사한 걸 정확히 그렸구나.

해설 사각형 안에 원을 그린 뒤, 원을 빨간색으로 칠한 그림은 ④이다.

03 M Excuse me. How can I get to the bank near here?

W Go straight and turn right at the first corner. Then there will be a tall building on your left.

M I see. Is the tall building the bank?

W No, it's a bookstore. The bank is on the left of the building.

M Got it. Thank you so much.

해석

남 실례합니다. 이 근처 은행에 어떻게 가야 하나요?

여 곧장 가서 첫 번째 모퉁이에서 오른쪽으로 도세요. 그러면 왼쪽에 높은 건물 하나가 있을 거예요.

남 알겠습니다. 그 높은 건물이 은행인가요?

여 아니요. 그건 서점이에요. 은행은 그 건물의 왼편에 있어요.

남 알겠습니다. 정말 감사합니다.

해설 직진한 다음 첫 번째 모퉁이에서 오른쪽으로 돌고, 서점 왼편에 위치한 곳을 찾으면 된다.

02 목적·의도 파악   p. 09

| 01 ② | 02 ④ | 03 ⑤ |

기출 해석

여 안녕하세요, 이 선생님.

남 안녕, 미나야. 웅변대회는 준비됐니?

여 네. 연습을 많이 했지만 여전히 긴장이 돼요.

남 걱정하지 마. 나는 네가 말하는 데 매우 재능이 있다고 생각한단다.

여 감사합니다. 하지만 어떻게 연설을 더 잘할 수 있을까요?

남 음, 제스처를 취하면서 너의 의견을 나타내려고 해 보렴.

여 알겠어요. 명심할게요.

남 또한 연설하면서 시선을 마주쳐야 해.

해설 웅변대회 때문에 긴장한 여자에게 남자는 여러 조언을 해 주고 있다.

01 W Good morning, sir. Where are you going?

M I'm going to the baseball stadium.

W Are you planning to watch the baseball game?

M Not really. I'm going to referee the game.

W Oh, you're a referee. It's not easy to make fair calls all the time, right?

M No, it's not. I'm sorry, but can we go faster? I need to be there in ten minutes.

W Okay. I'll speed up a little.

해석

여 안녕하세요, 선생님. 어디로 가시나요?

남 야구장으로 가요.

여 야구 경기를 볼 계획이신가요?

남 아니요. 경기 심판을 보러 갑니다.

여 오, 당신은 심판이군요. 항상 공정한 판단을 하는 것은 쉽지 않죠, 그렇죠?

남 네, 맞아요. 죄송하지만, 조금만 더 빨리 갈 수 있을까요? 저는 10분 안에 그곳에 가야해서요.

여 네. 좀 더 속도를 낼게요.

해설 남자는 야구 경기의 심판을 보기 위해서 야구장에 간다고 했다.

02

W Chris, your face is covered with sweat. What were you doing?

M I was practicing my dance.

W Your dance? What for?

M My friends and I are going to give a dance performance at the school festival.

W How cool! I didn't know you could dance well.

M No, I'm not good at all. This is my first time. In fact, I'm so nervous.

W You will do great. I'll keep my fingers crossed for you.

해석

여 Chris, 너 얼굴이 온통 땀범벅이야. 무엇을 하고 있었니?

남 춤 연습을 하고 있었어.

여 춤이라고? 뭐 하러?

남 친구들과 나는 학교 축제에서 댄스 공연을 할 거야.

여 멋지다! 나는 네가 춤을 잘 추는지 몰랐어.

남 아니. 나는 전혀 잘하지 못해. 이번이 처음이야. 사실은 나 너무 긴장돼.

여 너는 잘할 거야. 행운을 빌어 줄게.

해설 여자는 댄스 공연을 앞두고 긴장해있는 남자에게 행운을 빌어 주고 있다.

03

[Telephone rings.]

W ABC Furniture. How may I help you?

M I'm calling to change my order.

W May I have your name, please?

M This is Jim Carter. I ordered a brown leather sofa.

W Yes, I found your order. What do you want to change about your order?

M I want to change the delivery date. Can I get it a week later? I will be out of town next week.

W So you want to change your delivery date from June 6 to June 13, right?

M That's right.

해석

[전화벨이 울린다.]

여 ABC 가구입니다. 무엇을 도와드릴까요?

남 주문을 변경하려고 전화 드렸습니다.

여 성함을 말씀해주시겠습니까?

남 Jim Carter입니다. 갈색 가죽 소파를 주문했습니다.

여 네, 주문 내역을 찾았습니다. 주문에 관해서 무엇을 변경하고 싶으신가요?

남 배송 날짜를 변경하고 싶습니다. 일주일 뒤에 받아도 될까요? 다음 주에는 여기에 없을 거예요.

여 그러면 배송 날짜를 6월 6일에서 6월 13일로 바꾸기를 원하시는 거죠, 맞나요?

남 맞아요.

해설 남자는 주문한 소파의 배송 날짜를 변경하기 위해 전화를 걸었다.

03 숫자 정보 파악
p. 10

01 ④	02 ③	03 ①

기출 해석

여 자. 우리는 거의 과학 프로젝트를 끝냈어.

남 응. 하지만 금요일에 프레젠테이션이 있지.

여 응, 네 말이 맞아. 우리는 여전히 연습이 필요해.

남 그리고 우리는 이틀밖에 시간이 없어.

여 오늘 시작해 보는 게 어때?

남 알겠어. 오늘 오후 4시에 여기서 보자.

여 오, 미안해. 4시에 동아리 모임이 있어.

남 5시 30분은 어때?

여 좋아. 그때 보자.

해설 두 사람은 5시 30분에 만나기로 했다.

01

M Honey, do you want to go on a safari tour for our trip?

W Yes, I do. I'm really looking forward to it.

M I found a good one on this website.

W Great. How much is the tour?

M Thirty-two dollars per person.

W That means sixty-four dollars for two of us? Not bad. Let's choose it.

M Okay. I'll pay for it by credit card.

해석

남 여보, 우리 여행으로 사파리 투어하고 싶어요?

여 네. 정말로 그게 기대돼요.

남 내가 이 웹사이트에서 괜찮은 투어 하나를 찾았어요.

여 좋아요. 투어 비용은 얼마예요?

남 1인당 32달러예요.

여 우리 둘이 하면 64달러네요? 나쁘지 않군요. 그걸로 선택해요.

남 그래요. 내가 신용 카드로 결제할게요.

해설 인당 32달러인 투어를 두 명이 신청하기로 했으므로, 남자는 총 64달러를 지불할 것이다.

02

W Can I have a look at your book?

M Sure, here you are.

W Oh, there is a picture in it. Who is the girl in the picture?

M The girl in the picture? It is my sister.

W She looks cute. How old is she?

M She is 3 years older than me.

W Then she is 17 years old, right?

M That's it.

해석

여 네 책을 좀 볼 수 있니?

남 물론이지, 여기 있어.

여 오, 안에 사진이 한 장 있네. 사진 속의 여자아이는 누구니?

남 사진 속의 여자? 내 누나야.

여 귀엽게 생겼네. 몇 살이셔?

남 나보다 3살 많아.

여 그럼 17살이네, 맞지?

남 맞아.

해설 남자의 누나는 남자보다 3살 많은 17살이라고 했으므로, 남자는 14살임을 알 수 있다.

03 [Cellphone rings.]

M Hello.

W Hello, Peter! This is Sue. Do you have some time this Sunday?

M Yeah. I'll be free in the afternoon.

W Sounds good. I have two musical tickets for *the Lion King*. Do you want to come with me?

M Sure. What time does it start?

W It starts at 5:30 p.m. Let's meet at Seoul Art Center an hour before show time.

M Okay. See you then.

해석

[휴대 전화가 울린다.]

남 여보세요.

여 안녕, Peter! 나 Sue야. 이번 주 일요일에 시간 좀 있니?

남 응. 오후에는 한가할 거야.

여 잘됐다. 나한테 뮤지컬 '라이온킹' 표가 두 장 있어. 나와 같이 갈래?

남 물론이지. 그건 몇 시에 시작이야?

여 오후 5시 30분 시작이야. 공연 시간 1시간 전에 서울아트센터에서 만나자.

남 그래. 그때 보자.

해설 공연이 5시 30분에 시작인데 1시간 전에 보기로 했으므로, 두 사람은 4시 30분에 만날 것이다.

04 내용 일치·불일치   p. 11

01 ③   02 ③   03 ③

기출 해석

여 안녕하세요, 학생 여러분. 우리는 이번 금요일에 학교 벼룩시장을 열 예정입니다. 이번 행사는 우리 마을 병원에 있는 아픈 아이들을 도와주기 위함입니다. 여러분은 가방이나 책과 같은 사용한 물건들

을 가지고 올 수 있습니다. 행사는 학교 운동장에서 열릴 것입니다. 팔고자 하는 물건이 있다면 이번 주 수요일까지 Brown 선생님에게 말해 주세요.

해설 벼룩시장은 학교 운동장에서 열린다고 했다.

01 W Hi, Hajun. Nice to see you this early. Are you going to school?

M Yes, Ms. Kim. I'm going to take the subway.

W Do you usually go to school by subway?

M No, my mom usually drives me to school, but today is an exception.

W Is there any car trouble?

M No. My dad went on a business trip to another city, and he had to use the car.

W I see. Let's walk to the subway station together.

해석

여 안녕, 하준아. 오늘 일찍 만나니 반갑구나. 학교에 가는 길이니?

남 네, 김 선생님. 지하철을 타려고요.

여 보통 학교에 지하철을 타고 가니?

남 아니요, 보통은 엄마가 학교에 태워다주시는데, 오늘은 예외에요.

여 차에 문제가 생겼니?

남 아니요. 아빠가 다른 도시로 출장을 가셨는데 차를 이용하셨어야 했어요.

여 그렇구나. 지하철역까지 함께 걸어가자.

해설 엄마의 자동차가 고장 난 것은 아니라고 했다.

02 W Mark, did you make this song?

M Yes. It took me two hours.

W What? Just only two hours? How is it possible?

M My music teacher helped me.

W Ah, what's the message in the song?

M It's about my dog, Bob.

W Did you sing this song?

M Yes, I sang the song and my teacher played the guitar.

W Wow, it's great.

해석

여 Mark, 네가 이 노래를 만들었어?

남 응. 만드는 데 두 시간 걸렸어.

여 뭐? 단지 두 시간!? 어떻게 그게 가능해?

남 우리 음악 선생님이 도와주셨거든.

여 아, 그 노래에 담긴 메시지는 뭐야?

남 내 강아지 Bob에 대한 거야.

여 네가 이 노래를 불렀니?

남 응, 나는 노래를 부르고, 선생님이 기타를 연주하셨어.

여 우아, 정말 멋지다.

해설 남자는 노래를 만드는 데 2시간이 걸렸고, 음악 선생님이 도와주셨으며, 남자가 노래를 불렀고, 음악 선생님이 기타를 연주했다.

03 W David, how many classes did you have today?

M I have five classes: math, science, history, English and physical education.

W How was the English class?

M It was boring. So were math and science.

W Physical education is your favorite, isn't it?

M Well, I think it wasn't interesting today because we had a test.

W I see. History must have been boring, too.

M No, it was the best. We saw a movie about World War I, and it was great.

해석
여 David, 오늘 수업이 몇 개였니?

남 5개가 있었어. 수학, 과학, 역사, 영어 그리고 체육이었지.

여 영어 수업은 어땠니?

남 지루했어. 수학과 과학도 그랬지.

여 체육은 네가 가장 좋아하는 거지, 그렇지 않니?

남 글쎄, 시험을 봐서 오늘은 재미있지 않았다고 생각해.

여 그렇구나. 역사도 틀림없이 지루했겠다.

남 아니야. 그 수업이 가장 좋았어. 우리는 제1차 세계 대전에 관한 영화를 봤는데, 굉장했어.

해설 오늘 체육 수업에서는 시험을 봐서 재미있지 않았다고 했다.

05 한 일 / 할 일 파악
p. 12

01 ①   **02** ②   **03** ③

기출 해석

남 Sarah, 지난 토요일에 네가 도시 수학 축제에 갔다고 들었어.

여 응, 갔었어. 정말 많은 사람들이 그 축제를 즐기기 위해 왔어.

남 재미있는 활동들이 많이 있었니?

여 응. 흥미로운 퍼즐과 게임들이 많았어.

남 오, 나는 퍼즐 좋아하는데. 어떤 퍼즐을 했어?

여 슬프게도 할 수 없었어. 줄이 너무 길었거든.

남 그러면 어떤 활동을 했니?

여 나는 수학 역사에 관한 영화를 봤어.

해설 여자는 수학 역사에 관한 영화를 봤다고 했다.

01 M What are you doing with those paints?

W I'm painting these vases.

M How about changing your T-shirt, first? It might get dirty.

W Don't worry, Dad. I'll be careful. (pause) Oops!

M I told you, Lisa. You just spilt paint on your shirt.

W I know that. Could you bring me a towel, please?

M Okay.

해석

남 저 페인트로 무엇을 하는 거니?

여 이 꽃병들을 칠하고 있어요.

남 네 티셔츠부터 갈아입는 게 어떠니? 더러워질 수도 있잖아.

여 걱정 마세요, 아빠. 조심할게요. (잠시 후) 이런!

남 Lisa, 내가 말했잖니. 네 셔츠에 페인트를 쏟아버렸구나.

여 알아요. 제게 수건 좀 갖다 주실래요?

남 알았다.

해설 남자는 여자에게 수건을 가져다줄 것이다.

02 [Cellphone rings.]

M Hello?

W Luke, are you at home?

M Yes, Mom. Are you having fun in Busan?

W Yeah. It is great. By the way, did you close all the windows?

M No, why? Is it raining out?

W No, it isn't, but it will rain a lot in Seoul tonight. I just heard it on the news.

M All right. Don't worry.

해석

[휴대 전화가 울린다.]

남 여보세요?

여 Luke, 너 집에 있니?

남 네, 엄마. 부산 여행은 재미있으세요?

여 응. 아주 좋아. 그런데, 너 창문은 모두 닫았니?

남 아니요, 왜요? 밖에 비가 오나요?

여 아니야, 하지만 오늘 밤에 서울에 비가 많이 올 거야. 뉴스에서 방금 들었어.

남 알겠어요. 걱정 마세요.

해설 여자는 오늘 밤에 비가 많이 올 예정이니 남자에게 창문을 닫으라고 부탁했다.

03 W Earl, how about going out for dinner?

M Good. What do you want to have?

W My friend, Jenny, told me about a nice restaurant near Queen Street.

M What kind of restaurant is it?

W It's an Italian restaurant. It's famous for pizza.

M Wow, sounds great. Do we need to make a reservation?

W Yes, we do, but I don't know the phone number. I'll call and ask Jenny.

해석

여 Earl, 저녁 먹으러 밖에 나가는 게 어때?

남 좋아. 무엇을 먹고 싶어?

여 내 친구 Jenny가 Queen Street 근처에 좋은 식당 하나를 내게 이야기해 줬어.

남 어떤 종류의 식당인데?

여 이탈리아 음식점이야. 피자로 유명해.

남 우아, 좋아. 예약해야 할까?

여 응, 해야 하는데 전화번호를 모르겠어. Jenny에게 전화해서 물어볼게.

해설 여자는 친구에게 전화를 걸어 음식점 전화번호를 물어볼 것이다.

01 ②	02 ①	03 ①

기출 해석

남 Julia, 너 걱정스러워 보이는구나. 무슨 일이니?

여 제 생각에 새 운동화를 잃어버린 것 같아요.

남 그거 유감이구나. 그것들을 마지막에 어디에다가 두었니?

여 오늘 아침에 운동화를 사물함에 넣어 두었던 것 같아요.

남 확실하니?

여 사실은 그렇지 않아요. 다음 수업 때문에 서둘렀거든요.

남 알겠어. 내가 그것들을 찾아볼게. 운동화가 어떻게 생겼니?

여 <u>그것들은 하얀색 줄무늬가 있는 파란색이에요.</u>

① 저는 열이 있어요.

② 버스로 40분 걸려요.

③ 저는 피아노를 매우 잘 쳐요.

④ 제가 가장 좋아하는 음식은 스파게티예요.

해설　운동화가 어떻게 생겼는지 묻고 있으므로, 하얀색 줄무늬에 파란색 운동화라고 답하는 것이 가장 적절하다.

---

01 W Where are you going on the school field trip tomorrow?

M We are going to the aquarium. I have to get up very early in the morning.

W How early?

M At about 6:30? I should arrive at school by 7:30.

W Then, why don't you set your alarm for 6:30?

M What if I don't hear the sound?

W _____

해석

여 내일 학교 현장 체험 학습으로 어디에 가니?

남 저희는 수족관에 가요. 저는 아침에 아주 일찍 일어나야 해요.

여 얼마나 일찍?

남 6시 30분 정도요? 학교에 7시 30분까지 도착해야 해요.

여 그러면, 자명종을 6시 30분에 맞추는 게 어떠니?

남 만약 소리를 못 들으면 어쩌죠?

여 <u>걱정 마. 내가 널 깨워줄게.</u>

① 우리 그곳에 같이 가자.

③ 그 시간에 자명종이 울리지 않았어.

④ 비 때문에 현장 체험 학습이 취소되었어.

⑤ 음악 소리 좀 줄여 줄래? 소리가 너무 크구나.

해설　아침에 자명종 소리를 듣지 못할까봐 걱정하는 남자에게 자신이 깨워줄 테니 안심하라는 응답이 와야 가장 자연스럽다.

---

02 M What are you doing here, Minji?

W I'm looking for a book on Vincent van Gogh.

M Vincent van Gogh? Why?

W A Van Gogh exhibition starts tomorrow, and I'm thinking of going there.

M Oh, you want to study about him before you see his artworks, right?

W That's it.

M Van Gogh is my favorite painter, so I've read a couple of books about him.

W Really? You should join me tomorrow, then.

M _____

해석

남 너 여기서 뭐하니, 민지야?

여 빈센트 반 고흐에 관한 책을 찾고 있어.

남 빈센트 반 고흐라고? 왜?

여 반 고흐 전시회가 내일 시작해서 그곳에 가볼까 생각 중이야.

남 오, 그의 작품을 보기 전에 그에 대해 공부하고 싶은 거구나, 맞지?

여 바로 그거야.

남 반 고흐는 내가 가장 좋아하는 화가라서, 나는 그에 관한 책을 두세 권 읽었어.

여 정말? 그러면 너는 내일 나랑 같이 가야겠는 걸.

남 <u>그래, 함께 가자.</u>

② 나는 그의 이야기에 매우 감동받았어.

③ 왜 안 되겠어? 같이 공부하자.

④ 내가 가장 좋아하는 작품은 '해바라기'야.

⑤ 빈센트 반 고흐는 네덜란드 출신이야.

해설　내일 전시회에 같이 갈 것을 제안하는 말에 수락하는 응답이 와야 가장 적절하다.

---

03 M How may I help you?

W I'd like to buy a skirt.

M How about this striped one?

W Actually, I like this one with a flower pattern better.

M Would you like to try it on?

W I'd like to, but it looks a little small for me.

M _____

해석

남 무엇을 도와드릴까요?

여 스커트를 사고 싶어요.

남 이 줄무늬는 어떠세요?

여 사실은 꽃무늬가 있는 이것이 더 마음에 드네요.

남 입어보시겠어요?

여 그러고 싶은데, 저에게는 좀 작아 보여요.

남 <u>더 큰 사이즈를 원하시나요?</u>

② 저도 꽃무늬를 좋아해요.

③ 그것은 많은 다른 색으로 나옵니다.

④ 결제는 어떻게 하시겠어요?

⑤ 동의해요. 그것은 당신에게 너무 커요.

해설　옷이 좀 작아 보인다고 했으므로, 더 큰 사이즈를 원하는지 물어보는 것이 가장 자연스럽다.

PART 2
영어 듣기모의고사

Dictation Test 01회　　　pp. 18~23

01 ❶ a strong chance ❷ need to take ❸ enjoy outdoor activities

02 ❶ are you busy now ❷ hang it on the left ❸ on each side

03 ❶ You didn't cheat ❷ will trust you ❸ why someone did this

04 ❶ went to the seaside ❷ helped the sick children ❸ are you interested in volunteering

05 ❶ many types of computer desks ❷ hold everything you need ❸ a big piece of glass

06 ❶ going downtown to meet ❷ come for half an hour ❸ left my cellphone at home

07 ❶ help their schoolmates ❷ I join the program ❸ get help from a tutor

08 ❶ going to the department store ❷ Would you like ❸ have to call my sister

09 ❶ be your tour guide today ❷ the next few hours ❸ the view of the city

10 ❶ how to book movie tickets ❷ the list of theaters ❸ choose the show time

11 ❶ the tall man over there ❷ teaches only first year students ❸ every Monday and Wednesday

12 ❶ Can you give me ❷ do you want the call ❸ that's all I need

13 ❶ looking for a swimming suit ❷ our new product ❸ pay for it in cash

14 ❶ do you need any help ❷ can I have some coffee ❸ get me one more blanket

15 ❶ you lived in Japan ❷ you could help me out ❸ pick up my grandma

16 ❶ study for the exam ❷ doing a part-time job ❸ I arrange books

17 ❶ feed my dog ❷ eat or play at all ❸ do you prefer

18 ❶ an international school ❷ let me know ❸ take care

19 ❶ went camping with my family ❷ had a great time ❸ see any movies

20 ❶ What are you doing ❷ go to a Korean restaurant ❸ have you been

---

01　그림 정보 파악 – 날씨 ┃ ①

해석

여 안녕하세요. 내일의 일기 예보입니다. 서울은 비가 계속될 것이고 폭풍우가 칠 가능성이 높습니다. 광주는 하루 종일 흐리겠으나, 우산을 가져갈 필요는 없겠습니다. 부산은 맑고 따뜻하겠으니, 야외 활동을 즐길 수 있을 것입니다.

해설 부산의 날씨는 맑고 따뜻해서 야외 활동을 즐기기에 좋을 것이라고 했다.

02　그림 정보 파악 – 사물 ┃ ①

해석

여 John, 지금 바쁘니?

남 아니, 바쁘지 않아. 도움이 필요하니?

여 응. 이 그림을 벽에 걸 수 있게 좀 도와줘.

남 그래. 음……, 나는 벽 오른쪽에 그것을 걸면 안 된다고 생각해.

여 왜?

남 오른쪽에 시계가 있잖아. 그러니까 왼쪽에 걸자.

여 좋은 생각이야. 그러면, 벽 양쪽에 하나씩 걸리겠네.

해설 오른쪽에 시계가 있으므로 왼쪽에 액자를 걸기로 했다.

03　심정 파악 ┃ ③

해석

여 안녕, Michael. 왜 그런 우울한 표정을 짓고 있니?

남 누군가 담임 선생님에게 내가 중간고사에서 부정행위를 했다고 말했대.

여 믿을 수 없어. 너는 부정행위를 하지 않았잖아, 그렇지?

남 당연히 아니지. 나는 그런 일을 한 적이 결코 없어.

여 그러면 네 선생님도 너를 믿어 주실 거야. 걱정하지 마.

남 그러길 바라지만, 누가 내게 왜 이런 짓을 했는지 나는 이해하지 못 하겠어.

해설 남자는 중간고사에서 부정행위를 했다고 오해를 받아 속상할 것이다.

04　한 일 / 할 일 파악 ┃ ④

해석

여 안녕, David. 주말은 어땠니?

남 나는 가족과 바닷가에 갔어. 넌 어땠어?

여 음, 나는 어제 병원에 갔어.

남 무슨 일이야? 아팠니?

여 아니. 나는 병원에 있는 아픈 어린이들을 도왔어.

남 오, 너는 봉사 활동에 관심이 있니?

여　응. 나는 작년부터 그들에게 이야기책을 읽어 주었어.

해설　여자는 주말에 병원에 있는 아픈 아이들을 도왔다고 했다.

05 　장소 추론　| ②

해석

여　어떻게 도와드릴까요?

남　안녕하세요, 컴퓨터용 책상이 있나요?

여　그럼요. 우리는 여러 종류의 컴퓨터 책상이 있어요.

남　하나 추천해 주실 수 있나요?

여　네. 이건 어떤가요? 튼튼하거든요. 컴퓨터, 프린터 그리고 심지어 스피커 같이 손님이 필요로 하는 모든 것을 지탱할 수 있답니다.

남　훌륭하네요. 그걸로 살게요.

여　잘 선택하셨어요. 우리는 큰 유리도 제공해 드리고 있어요. 그것은 책상을 덮을 수 있답니다.

해설　컴퓨터용 책상을 살 수 있는 곳은 가구 판매점이다.

06 　의도 파악　| ②

해석

남　Jenny, 안녕. 여기서 뭐하니?

여　어머, Peter구나. 나는 버스를 기다리고 있어. Clark 씨를 만나러 시내에 가려고 하거든.

남　근데 너 조금 걱정스러워 보인다.

여　버스가 30분 동안 오지 않았거든. 늦을 거 같아. Clark 씨에게 전화를 해야겠어. (잠시 후) 오, 맙소사!

남　왜? 무슨 일이야?

여　휴대 전화를 집에 두고 온 것 같아. 네 휴대 전화를 좀 사용해도 될까?

남　당연하지.

해설　남자는 여자에게 휴대 전화를 사용해도 된다고 허락하고 있다.

07 　언급하지 않은 것　| ⑤

해석

여　너 또래 교수 프로그램에 대해서 들어본 적이 있니?

남　아니, 들어본 적 없어. 그게 뭔데?

여　기본적으로 친구를 가르치는 거야. 튜터는 학교 친구들에게 수학이나 영어와 같은 학문적인 과목에 도움을 줄 수 있어.

남　멋지다. 어떻게 그 프로그램에 참가할 수 있니?

여　학교 홈페이지에서 지금 튜터들을 모집하고 있어. 성적이 높은 3학년 학생들만 튜터 지원이 가능해.

남　튜터들에게 도움을 받으려면 어떻게 해야 하지?

여　오, 너는 튜티가 되고 싶은 거구나. 학교에서는 다음 주부터 신청이 가능할 거야.

남　그렇구나. 정보 고마워.

해설　튜티의 자격 요건에 대해서는 언급하지 않았다.

08 　한 일 / 할 일 파악　| ①

해석

남　너 오늘 저녁에 뭐 할 거야?

여　우리 언니와 백화점에 가려고 생각 중이야. 왜?

남　음, 미진이와 나는 새로 생긴 중국 음식점에서 저녁을 먹을 거야.

여　정말? 몇 시에?

남　우리는 6시에 식당에서 만날 거야. 너도 오고 싶니?

여　당연하지. 언니한테 전화해야겠어. 내일 쇼핑가도 될 것 같아.

남　그래, 나중에 보자.

해설　여자는 약속을 변경하기 위해 언니에게 전화를 걸 것이다.

09 　언급하지 않은 것　| ③

해석

남　안녕하세요. 제 이름은 김수현이고 오늘 여러분의 여행 가이드입니다. 우리는 앞으로 몇 시간 동안 시내를 구경할 것입니다. 먼저, 우리는 시청과 덕수궁을 방문할 것입니다. 정오에는 덕수궁 근처에 있는 식당에서 함께 점심을 먹겠습니다. 점심 식사 후에는 버스를 타고 N 서울 타워에 갈 것입니다. 그곳에서 시내 전경을 즐기고 오솔길을 따라 산책할 것입니다.

해설　남자는 시내 투어에서 먹을 점심 메뉴에 대한 언급은 하지 않았다.

10 　주제 파악　| ②

해석

남　온라인으로 영화 티켓을 예매하는 방법을 알려드리겠습니다. 먼저, 보고 싶은 영화와 날짜를 클릭하세요. 그리고 나면, 그 영화를 상영하는 극장의 목록을 보게 될 것입니다. 그 중에서, 여러분에게 가장 편리한 것을 클릭하세요. 그 후에, 상영 시간과 좌석 수를 선택하세요. 여러분은 온라인으로 지불하거나, 그 자리에서 현금 또는 신용카드로 결재하실 수 있습니다. 일부 신용카드는 추가 할인 혜택을 제공하므로 확인하는 것을 잊지 마세요!

해설　인터넷으로 영화를 예매하는 방법에 대해 말하고 있다.

11 　내용 일치 / 불일치　| ③

해석

남　지수야, 저쪽에 키가 큰 남자를 아니?

여　야구 모자와 선글라스를 쓰고 있는 남자 말이니?

남　맞아, 그 사람이야.

여　그분은 새로운 체육 선생님인 Smith 선생님이야. 그는 1학년만 가르치셔.

남　오, 그렇구나. 그분이 1학년만 가르치신다면 너는 어떻게 그분을 아는 거야?

여　나는 그분의 방과 후 수업을 들어.

남　배드민턴 수업 말이니?

여　응. 나는 매주 월요일과 수요일에 그분을 만나.

해설　새로 온 체육 선생님은 1학년만 가르친다.

12 　목적 파악　| ②

해석

[전화벨이 울린다.]

남　안내 데스크입니다. 어떻게 도와드릴까요?

여　안녕하세요, 여기는 505호인데요.

남　네, Lopez 씨. 무슨 일이시죠?

여　내일 아침 저에게 모닝콜을 해 주실 수 있나요?

남　물론이죠. 몇 시에 전화를 드릴까요, Lopez 씨?

여　두 번이 필요한데요, 한 번은 6시, 또 한 번은 6시 10분이요.

남　문제없어요. 저희가 아침에 전화 드릴게요. 저희가 할 수 있는 또 다른 일이 있나요?

여　아니요, 그게 제가 필요한 모든 것이에요. 감사합니다.

해설　여자는 모닝콜을 요청하기 위해 안내 데스크에 전화했다.

13 숫자 정보 파악 – 금액 | ③

해석

남 우리 가게에 오신 것을 환영합니다.

여 저는 수영복을 찾고 있어요.

남 우리 가게에서 수영복은 20% 할인을 제공하고 있습니다.

여 저는 남편이 입을 수영복을 사고 싶어요.

남 이 수영복은 새로 나온 제품이에요. 최신 유행하는 옷이고, 누구에게나 맞는 사이즈랍니다.

여 얼마인가요?

남 원래의 가격은 100달러예요.

여 좋아요. 현금으로 계산할게요.

해설 100달러짜리 수영복에 20% 할인이 적용되므로 여자는 80달러를 지불해야 한다.

14 관계 추론 | ④

해석

여 선생님, 도움이 필요하신가요?

남 네. 항공편 번호가 무엇인가요? 입국카드를 위해 그것이 필요하거든요.

여 선생님께서는 CA 101을 타고 계십니다.

남 CA 101이요. 고맙습니다. 그리고 커피를 좀 마실 수 있을까요?

여 물론이죠. 다른 것이 또 필요하신가요?

남 담요 한 장을 더 가져다주실 수 있나요? 조금 추워서요.

여 물론이죠. 곧 다시 올게요.

남 다시 한 번 감사합니다.

여 천만에요.

해설 두 사람은 항공편 CA 101을 타고 있는 승무원과 승객이다.

15 부탁한 일 파악 | ①

해석

여 너는 방과 후에 무엇을 할 계획이니?

남 특별한 건 없어. 왜?

여 나는 네가 일본에 살았었다고 들었어.

남 응. 3년 전에 오사카에서 살았어.

여 사실, 내가 오늘 해야 할 일본어 숙제가 있어. 네가 나를 좀 도와줄 수 있을지 궁금해.

남 물론이지, 그런데 한 시간만 도와줄 수 있어. 오후 7시에 우리 할머니를 모시러 공항에 가야 하거든.

여 한 시간이면 충분할 거야. 고마워.

해설 여자는 남자에게 일본어 숙제를 도와달라고 부탁했다.

16 이유 파악 | ③

해석

여 Brian, 너 어디 가니?

남 나 도서관에 가는 중이야.

여 도서관? 시험 공부하러 가는 거야 아니면 책을 빌리러 가는 거야?

남 둘 다 아니야. 사실 난 도서관에서 아르바이트를 하고 있어.

여 거기서 일을 한다는 거니?

남 응, 나는 책을 정리하고 화장실을 청소해.

해설 남자는 아르바이트 때문에 도서관에 간다고 했다.

17 그림 상황에 어울리는 대화 찾기 | ②

해석

① 남 내 강아지에게 먹이를 줄 수 있니?

여 문제없어.

② 남 박물관에 강아지를 데려가도 되나요?

여 죄송하지만, 박물관에 동물은 허락이 되지 않습니다.

③ 남 그는 내 새로운 강아지야. 귀엽지 않니?

여 너무 사랑스럽다! 이름이 뭐야?

④ 남 제 강아지가 전혀 먹거나 놀지 않아요.

여 확인해 보겠습니다.

⑤ 남 너는 개와 고양이 중 어떤 동물을 선호하니?

여 나는 고양이보다 개를 더 좋아해.

해설 박물관에 동물을 데리고 들어가는 남자를 여자가 저지하는 상황이다.

18 언급하지 않은 것 | ③

해석

여 민우에게

나는 부모님이 그곳에서 일을 해야만 해서 12월 14일에 토론토로 떠나게 되었어. 그래서 토론토의 한 국제 학교를 다니게 될 거야. 이메일을 통해서 너에게 새로운 곳에 대해 많은 것들을 얘기해 줄게. 그리고 네 휴대 전화 번호도 알려 줘. 필요하면 너에게 전화할게. 나는 그곳에서 네가 그리울 거야. 잘 지내고 건강하렴. 곧 만나길 바라.

너의 절친한 친구, Jina

해설 지나가 민우에게 보낸 편지에서 민우의 주소는 언급되지 않았다.

19 알맞은 응답 찾기 | ③

해석

남 너 매우 행복해 보인다. 지난 주말에 재미있는 일이라도 했니?

여 응, 나는 가족들과 캠핑 갔는데 아주 좋았어. 네 주말은 어땠니?

남 나도 가족들과 즐거운 시간을 보냈어. 우리는 토요일에 소풍을 갔고 일요일에는 TV로 영화를 봤어.

여 좋았겠다. 어떤 영화를 봤니?

남 우리는 '멋진 인생'이라는 영화를 봤어.

여 오, 나 그거 전에 본 적 있어. 영화는 어땠니?

남 <u>나는 그 영화에 아주 감동 받았어.</u>

① 나는 TV 보는 것을 좋아해.

② 나는 영화 보는 것을 좋아하지 않아.

④ 나는 엄마와 영화를 보러 갔어.

⑤ 나는 많은 숙제를 하느라 바빴어.

해설 가족과 함께 본 영화가 어땠는지 묻는 질문에 그 영화에 아주 감동 받았다는 응답이 와야 가장 적절하다.

20 알맞은 응답 찾기 | ⑤

해석

여 Chris, 너 뭐하고 있니?

남 오늘 한국어 수업이 있어서 한국어를 공부하고 있는 중이야.

여 우와! 나는 네가 한국어를 배우고 있는지 몰랐어. 하나만 가르쳐 줘.

남 한국 식당에 갈 때 이 표현을 쓸 수 있어. 날 따라 해봐. "맛있어요."

여 "맛있어요." 그건 무슨 뜻이니?

남 '그건 맛있다'는 의미야.

여 그렇구나. 너는 얼마나 오랫동안 한국말을 배웠니?

남 <u>1년 동안.</u>

① 오늘. ② 내년에. ③ 지난주에. ④ 매달.

해설 한국어를 얼마나 배웠는지 물었으므로, 기간으로 답해야 한다.

01 ①	02 ⑤	03 ④	04 ②	05 ①
06 ③	07 ⑤	08 ③	09 ⑤	10 ⑤
11 ③	12 ③	13 ④	14 ②	15 ④
16 ③	17 ④	18 ③	19 ⑤	20 ⑤

Dictation Test 02회 pp. 26~31

01 ❶ similar weather this week ❷ will be expected on Thursday ❸ stay indoors on the weekend

02 ❶ Which type do you want ❷ want an analog watch ❸ take it

03 ❶ but now it's gone ❷ what to do ❸ to the parking lot

04 ❶ finish writing your book report ❷ you can finish it today ❸ take out the trash

05 ❶ has been a train accident ❷ wait at this station ❸ remain on the train

06 ❶ you have worries or problems ❷ give a helping hand ❸ figure out your problem

07 ❶ any plans for this vacation ❷ by ship this time ❸ can't wait for this trip

08 ❶ couldn't move for a while ❷ too far to walk ❸ ride a bicycle to work

09 ❶ problems related to study ❷ good grades ❸ the high expectations

10 ❶ a very useful appliance ❷ press some buttons ❸ cause a fire

11 ❶ a bit disappointed with ❷ introduced me to the classmates ❸ showed me around the school

12 ❶ when I bought them ❷ get a refund ❸ wait for a second

13 ❶ want to go with us ❷ who is coming ❸ in front of the theater

14 ❶ where you're flying to ❷ unless the traffic is bad ❸ worried about being late

15 ❶ stayed up late last night ❷ take a rest at home ❸ Can you return these books

16 ❶ in such a hurry ❷ on time for class ❸ turn in a report

17 ❶ just looking around ❷ be a movie director ❸ all sold out

18 ❶ Many things interest me ❷ just listening to music ❸ a school talent show

19 ❶ want to eat anything ❷ too difficult for me ❸ give me some help

20 ❶ as a police officer ❷ show my true respect ❸ planning to do after retirement

---

01 그림 정보 파악 – 날씨 | ①

해석

여 안녕하세요. 지난주는 변덕스런 봄 날씨였습니다. 안타깝게도, 이번 주에도 비슷한 날씨가 이어지겠습니다. 월요일부터 수요일까지는 바람이 불고 흐리겠습니다. 목요일에는 소나기가 이따금씩 예상됩니다. 금요일에는 맑겠습니다. 하지만 비가 또 올 것이기 때문에 주말에는 실내에 계시는 편이 더 낫겠습니다.

해설 금요일은 맑을 것이라고 했다.

02 그림 정보 파악 – 사물 | ⑤

해석

여 도와 드릴까요?

남 저는 시계를 사고 싶어요.

여 어떤 형태를 원하시나요, 전자시계인가요 아니면 아날로그시계인가요?

남 아날로그요. 저는 가죽 끈으로 된 아날로그시계를 원해요.

여 이 제품은 어떤가요? 신제품이거든요.

남 우와! 디자인이 정말 멋있군요. 이 시계는 방수인가요?

여 아니요, 그렇지 않아요. 이 모델은 어떤가요? 이 제품은 방수가 돼요.

남 오, 좋네요! 이것으로 살게요.

해설 남자는 방수가 되며 가죽 끈으로 된 아날로그시계를 구입할 것이다.

03 심정 파악 | ④

해석

남 Lisa, 무슨 일이니? 당황스러워 보여.

여 아침에 이곳에 내 자전거를 세워 놨는데, 지금 사라지고 없어.

남 뭐라고?

여 난 항상 여기에 세워 놓거든. 어떻게 해야 할지 모르겠네.

남 안됐구나.

여 내 자전거는 부모님한테 받은 생일 선물이야.

남 저기 좀 봐! 공지가 있네. 모든 자전거들은 건물 뒤쪽의 주차장으로 옮겨졌다고 적혀 있어. 학교 행사 때문이래.

여 다행이야!

해설 여자는 자전거가 없어져서 걱정했지만 학교 행사로 인해 건물 뒤쪽으로 옮겨졌다는 소식을 듣고 안도감을 느꼈을 것이다.

04 한 일 / 할 일 파악 | ②

해석

남 엄마, 저 축구하러 나가요. 어두워지기 전에 올게요.

여 독후감 쓰는 것은 끝냈니? 내일까지라고 말했잖니.

남 오늘 아침에 책은 다 읽었어요. 저녁 먹은 후에 독후감을 쓸 거예요.

여 오늘 끝낼 수 있다고 확신하니?

남 물론이죠, 엄마. 저를 믿으세요.

여 그래. 그건 그렇고, 나갈 때 쓰레기를 버려줄 수 있니?

남 문제없어요.

해설 남자는 오전에 책을 읽었다고 했다.

05 장소 추론 | ①

해석

남 주목해 주십시오. 승객 여러분, 다음 역에서 열차 사고가 있었습니다. 그래서 이번 역에서 3분 동안 대기할 예정입니다. 열차 안에 머물러 주세요. 다시 말씀 드립니다. 이번 역에서 3분 동안 대기할 예정입니다. 정말 죄송합니다.

해설 열차 사고로 역에서 잠시 정차하겠다는 내용으로 보아, 지하철에서 나오는 안내 방송임을 알 수 있다.

06 의도 파악 | ③

해석

여 우리 학교의 교장으로서 말씀드릴 게 있습니다. 여러분은 걱정거리나 문제가 있을 때, 보통 어떻게 하나요? 여러분의 부모님 또는 친구와 그것에 대해 이야기를 하나요? 저는 우리 학교의 상담 선생님이 여러분에게 도움의 손길을 줄 수 있다고 생각합니다. 그녀는 여러분의 문제를 해결해 줄 전문가이십니다. 그녀를 방문하는 것을 주저하지 마십시오. 그녀는 항상 여러분의 방문을 기다리고 있습니다.

해설 여자는 학생들이 걱정거리나 문제가 있을 때, 학교 상담 선생님에게 도움을 받으라고 조언해 주고 있다.

07 언급하지 않은 것 | ⑤

해석

여 이번 방학에 무슨 계획이 있니?
남 나는 가족과 함께 제주도에 갈 거야.
여 재미있겠다! 비행기를 탈 거니?
남 아니, 이번에는 배를 타고 갈 거야.
여 그곳에 얼마나 있을 거니?
남 4일간 있을 거야.
여 좋다. 섭지코지에 꼭 가봐. 해변이 너무 아름다워.
남 그럴게. 이번 여행이 너무 기대돼.

해설 남자는 제주도에서 머무를 장소에 대해서는 언급하지 않았다.

08 한 일 / 할 일 파악 | ③

해석

여 왜 또 늦었나요?
남 죄송해요. 교통체증이 너무 심했어요. 제가 탄 버스는 잠시도 움직일 수 없었어요.
여 당신은 회사 근처에 살고 있지 않나요?
남 네, 그러나 걸어서 출근하기에는 너무 멀어요. 걸어서 약 40분 정도 걸리거든요.
여 회사까지 자전거를 타는 건 어때요?
남 알겠어요. 내일부터 한번 시도해 볼게요.

해설 자전거를 타고 출근하라는 여자의 제안에 알겠다고 했으므로, 남자는 앞으로 자전거를 타고 출근할 것이다.

09 언급하지 않은 것 | ⑤

해석

남 최근 연구에 따르면, 대부분의 10대들은 학업과 관련된 문제들이 그들의 스트레스 목록의 맨 위에 있다고 생각합니다. 예를 들어, 좋은 성적, 과제 그리고 시험이 10대들의 스트레스를 야기할 수 있습니다. 또한, 10대들은 부모와 선생님의 높은 기대 때문에 스트레스를 받을 수 있습니다.

해설 10대들의 스트레스 원인으로 대학 선택은 언급되지 않았다.

10 주제 파악 | ⑤

해석

여 이것은 가정이나 사무실, 편의점을 포함한 거의 모든 곳에서 찾아볼 수 있는 매우 유용한 가전제품입니다. 이것으로 여러분은 음식을 빠르고 쉽게 요리할 수 있습니다. 여러분은 단지 문을 열고, 음식을 넣고, 버튼을 누르기만 하면 됩니다. 몇 분 안에, 맛있고 따뜻한 음식을 즐길 수 있습니다. 하지만 이것을 이용할 때에는 금속으로 된 그릇을 피해야 합니다. 화재가 날 수 있습니다.

해설 여자는 문을 열어 음식을 넣은 뒤, 버튼을 누르면 요리를 해 주는 기기인 전자레인지의 사용 방법에 대해 말하고 있다.

11 내용 일치 / 불일치 | ③

해석

여 새로운 학교에서의 첫날은 어땠니?
남 좋았어요. 하지만 오래된 학교 건물 때문에 약간 실망을 했었죠.
여 선생님들은 어땠어?
남 대부분의 선생님들이 친절하셨어요. 담임 선생님께서 저를 학급 친구들에게 소개시켜 주셨어요.
여 학급 친구들도 역시 친절했니?
남 네. 특히 학급 회장이 저에게 학교 여기저기를 보여 주었어요. 그 애와 즐거운 시간을 가졌죠.
여 그 이야기를 들으니 기쁘구나.

해설 남자는 담임 선생님으로부터 짝꿍이 아닌 학급 친구들을 소개 받았다.

12 목적 파악 | ③

해석

여 J Jeans에 오신 것을 환영합니다. 무엇을 도와드릴까요?
남 안녕하세요, 저는 어제 여기서 이 청바지를 구입했습니다. 그러나 집에 왔을 때, 오른쪽에 이 얼룩을 발견했어요. 살 때는 알아차리지 못했습니다.
여 오, 그렇군요. 다른 것으로 교환하기를 원하시나요?
남 사실은 환불을 받고 싶어요.
여 알겠습니다. 영수증을 가져오셨나요?
남 네, 여기 있습니다.
여 좋아요. 잠시만 기다려주세요.
남 정말 감사합니다.

해설 남자는 어제 산 청바지에 얼룩이 있어 환불받기 위해 상점에 왔다.

13 숫자 정보 파악 – 인원수 | ④

해석

남 지민아, 우리 반 애들 몇 명은 내일 영화 보러 갈 거야. 너는 우리와 같이 갈래?
여 몇 시에 무슨 영화인데?
남 우리는 오후 4시에 새로 나온 '스파이더맨' 시리즈를 볼 계획이야.
여 누가 오는지 물어봐도 될까?
남 미나, 유리, 지성 그리고 민수가 올 거야. 그래서 나를 포함해 다섯 명이 되겠지. 우리랑 함께 하고 싶니?
여 그래, 좋아. 어디서 만날까?
남 극장 앞에서 만나자.
여 좋아. 내일 보자.

해설 대화를 하고 있는 남자와 여자를 포함하여 미나, 유리, 지성, 민수가 함께 영화를 보러 갈 것이므로 총 6명이다.

14 관계 추론 | ②

해석

남 어디로 모실까요?

여 공항으로 부탁합니다.

남 비행 행선지가 어디인지 여쭤 보아도 될까요?

여 물론이죠. 저는 미국으로 돌아갈 것입니다. 여기서 공항까지는 보통 얼마나 걸리나요?

남 교통이 나쁘지 않으면 대략 30분 정도입니다.

여 지금은 교통이 괜찮은가요?

남 그런 것 같습니다.

여 잘됐네요. 늦을까 봐 계속 걱정했거든요. 5시 30분까지는 거기에 도착해야 해요.

해설 남자는 여자에게 어디로 갈지 행선지를 묻고 있으므로 택시 기사이며, 여자는 공항으로 간다고 했으므로 승객임을 알 수 있다.

15 부탁한 일 파악 | ④

해석

남 너 안 좋아 보여. 무슨 문제라도 있니?

여 오늘 과학 시험 때문에 어젯밤에 공부하느라 늦게까지 깨어 있었어.

남 시험 끝나고 넌 집에서 쉬는 게 좋겠다.

여 그렇게 하려고 해. 음……, 부탁 하나만 해도 될까?

남 뭔데?

여 나 대신 학교 도서관에 이 책들을 반납해 줄 수 있니?

남 응. 그렇게 할게.

여 정말 고마워.

해설 여자는 남자에게 책을 반납해 달라고 부탁했다.

16 이유 파악 | ③

해석

여 그렇게 급하게 어디를 가는 거니?

남 교무실에 가는 중이에요. Brown 선생님께 드릴 말씀이 있거든요.

여 무엇을 잘못했구나, 그렇지? 수업에 늦었니?

남 아니요, 아무런 잘못도 하지 않았어요. 수업도 제시간에 갔는 걸요.

여 그럼 왜 선생님을 뵈러 가야 하니?

남 지금 바로 과제를 제출해야 해서요. 기한이 오늘이거든요.

여 알았어. 하지만 복도에선 뛰지 말렴.

해설 남자는 선생님에게 과제를 제출하기 위해 교무실에 간다고 했다.

17 그림 상황에 어울리는 대화 찾기 | ④

해석

① 남 도와드릴까요?

여 아니요, 그냥 구경 중입니다.

② 남 너는 영화 제작에 관심이 있니?

여 응, 나는 미래에 영화감독이 되고 싶어.

③ 남 너는 어떤 영화를 좋아하니?

여 나는 공상과학 영화를 좋아해.

④ 남 'Black Panther' 표 두 장을 살 수 있을까요?

여 죄송하지만 표가 모두 매진되었습니다.

⑤ 남 이번 주 토요일에 영화 보러 가는 게 어때?

여 좋지! 몇 시에 만날까?

해설 영화 매표소에서 표를 구매하려고 하는 상황이다.

18 언급하지 않은 것 | ③

해석

여 가장 너의 관심을 끄는 게 무엇이니?

남 요즘 많은 것들이 내 관심을 끌어. 난 캠핑과 스케이트보드를 즐겨.

여 음악 감상은 어때?

남 그냥 음악을 듣는 것은 좋아하지 않지만, 노래를 부르고 춤추는 것은 좋아해.

여 오, 그러니? 나도 둘 다 좋아해. 우리 학교 장기자랑에 참가하는 게 어때?

남 아주 좋아!

해설 남자는 음악 감상을 좋아하지 않는다고 했다.

19 알맞은 응답 찾기 | ⑤

해석

남 나는 오늘 어떤 것도 먹고 싶지 않아.

여 민우야, 너 걱정이 있는 것처럼 보이네. 무슨 문제라도 있어?

남 다음 주 금요일에 과학 시험이 있어. 내겐 너무 어려워서 그게 걱정이 돼.

여 나는 작년에 같은 시험을 보았는데. 네가 말한 것처럼 쉽지 않았어.

남 나에게 도움을 줄 수 있니?

여 그래. 학교 도서관에서 같이 공부하자.

① 아니, 난 한 번도 그 시험을 치른 적 없어.

② 응. 난 그 수학 문제를 풀 수 있어.

③ 아니. 넌 그것을 걱정할 필요 없어.

④ 응. 많은 학생들이 과학에 두려움을 갖고 있지.

해설 과학 시험에 관해 도움을 줄 수 있는지 요청하고 있으므로, 학교 도서관에서 같이 공부하자는 응답이 와야 가장 적절하다.

20 알맞은 응답 찾기 | ⑤

해석

남 너의 아버지가 은퇴식을 가졌다는 소식을 들었어.

여 난 어제 거기에 갔었어.

남 너의 아버지는 경찰관이셨지, 그렇지?

여 응. 내 아버지는 30년 동안 경찰관으로 일하셨지.

남 우아! 나는 네 아버지께 내 진심 어린 존경을 표하고 싶어.

여 고마워.

남 그러면, 너의 아버지는 은퇴 후에 무엇을 하실 계획이니?

여 가난한 사람들을 위해 자원 봉사를 하실 거야.

① 그는 유럽으로 여행을 갔어.

② 그는 고향에서 농장을 운영했지.

③ 그 역시 경찰관이 되고 싶어 해.

④ 그는 우리 가족과 함께 근사한 저녁을 먹었어.

해설 여자에게 아버지의 은퇴 후 계획이 무엇인지 물었으므로, 그에 관한 응답이 오는 것이 자연스럽다.

01 ❶ a chance of shower ❷ move to Asia ❸ be windy with yellow dust

02 ❶ I'm choosing a postcard ❷ Let me help you ❸ to show Korean culture

03 ❶ because of my noisy neighbor ❷ played the piano until dawn ❸ follow my advice

04 ❶ You were supposed to dance ❷ dance to the music ❸ it ended well

05 ❶ too tight for your finger ❷ Have you tried ❸ still have two classes

06 ❶ you won first prize ❷ You practiced really hard ❸ to celebrate your success

07 ❶ ride the bike safely ❷ wear sneakers ❸ Never use your cellphone

08 ❶ if I can't find him ❷ you should put up posters ❸ while you're looking for him

09 ❶ tickets at the ticket booth ❷ do not bring any food ❸ do not touch any exhibits

10 ❶ take public transportation instead ❷ commute by bike ❸ improve your heath condition

11 ❶ had to cancel the trip ❷ there was an earthquake ❸ return my money

12 ❶ several kinds of pencil sharpeners ❷ Their price ranges ❸ visit there soon

13 ❶ how about having lunch now ❷ to send a parcel ❸ in the cafeteria downstairs

14 ❶ you can beat ❷ to complete every skill ❸ pay attention to the ball

15 ❶ give me a ride ❷ buying another car ❸ whenever you need it

16 ❶ miss the last bus ❷ too much work to finish ❸ My watch stopped

17 ❶ stepping on my foot ❷ fit you well ❸ this bus headed for

18 ❶ focusing on studying ❷ make a list ❸ you must take breaks

19 ❶ used to be nothing here ❷ to make this garden ❸ do you work on it

20 ❶ your room is too messy ❷ enough closets for my clothes ❸ that's not the only reason

---

01 　그림 정보 파악 – 날씨　| ④

해석

남　안녕하세요. ABC 세계 날씨의 Eric Parker입니다. 뉴욕은 하루 종일 맑고 아름다운 하늘을 보겠습니다. 런던은 흐리고 오후에 소나기가 내릴 가능성이 있겠습니다. 아시아로 가보겠습니다. 도쿄는 무덥고 끈적거리겠지만, 베이징은 황사와 함께 바람이 불겠습니다.

해설　베이징은 황사와 함께 바람이 불 것이라고 했다.

02 　그림 정보 파악 – 사물　| ③

해석

남　뭐 하고 있니, 수지야?

여　남아프리카 공화국에 사는 편지 친구를 위한 엽서를 고르고 있어.

남　오, 너는 편지 친구가 있니? 몰랐어. 좋은 걸 찾도록 도와줄게.

여　고마워. 그거 좋겠다.

남　강아지들이 있는 이건 어때?

여　귀여워. 하지만 나는 좀 더 전통적인 걸 원해. 한국 문화를 보여 주는 엽서를 원해.

남　그렇구나. 그러면, 남대문이 있는 이것을 사는 게 좋겠어.

여　좋아. 남대문이 한국의 국보 1호라는 걸 알거든.

해설　여자는 한국의 문화를 보여 주는 남대문이 그려진 엽서를 사기로 했다.

03 　심정 파악　| ①

해석

여　너 피곤해 보인다.

남　난 시끄러운 내 이웃 때문에 전혀 잠을 잘 수가 없었어.

여　무슨 일이 있었는데?

남　그가 새벽까지 피아노를 쳤어. 그게 나를 짜증나게 만들었지.

여　그래서 그에게 무슨 말이라도 했니?

남　응. 그에게 밤에는 피아노를 치지 말라고 충고했어. 그런데 그가 내 충고를 따를지 확신이 없어.

해설　남자는 어젯밤에 이웃이 밤늦게까지 피아노를 쳐서 잠을 자지 못했으므로 기분이 상했을 것이다.

04 　한 일 / 할 일 파악　| ②

해석

남　엄마, 저 집에 왔어요.

여　학교 축제는 어땠니, Jack? 친구들과 춤을 추기로 되어 있었지, 그렇지?

남　네, 그랬죠, 하지만 우리는 마지막 순간에 계획을 바꿨어요.

여　무슨 뜻이니?

남　음……, Mike가 음악 파일을 가져오지 않아서 우리는 음악에 맞춰 춤을 출 수가 없었어요.

여　그래서 무엇을 했니?

남　우리는 같이 노래를 불렀어요. 처음에는 당황스러웠지만, 우리는 즐겼어요. 나머지 학생들이 우리와 함께 노래를 불러줬거든요.

여　잘 끝났다니 정말 기쁘구나.

해설　남자는 원래 학교 축제에서 춤을 추기로 했지만, 친구가 음악 파일을 가져오지 않아 노래를 불렀다고 했다.

05 　장소 추론　| ④

해석

여　안녕, 민수야. 여긴 왜 왔니? 어디가 아프니?

남　안녕하세요. Anderson 선생님. 이 반지 좀 도와주실 수 있는지 궁금해요.

여　어디 보자. 반지가 네 손가락에 너무 꽉 끼는 것 같구나.

남　네. 무척 아파요.

여 기름이나 비누를 시도해 보았니?

남 네, 하지만 효과가 없었어요.

여 그러면 여기서 내가 할 수 있는 일은 없단다. 내가 널 병원에 데려다 줄게.

남 하지만 점심시간 후에 수업이 두 개나 남아 있는걸요.

여 걱정 마. 담임 선생님께 전화를 드려서 이 일에 대해 말씀드릴게.

해설 여자는 양호 선생님이고 남자는 학생으로, 두 사람이 대화하는 장소는 학교 양호실이다.

06 의도 파악 | ④
해설

여 안녕, Brian.

남 안녕, 민지야. 네가 춤 경연대회에서 1등을 했다고 들었어. 축하해!

여 고마워. 운이 꽤 좋았지.

남 아니, 난 그렇게 생각하지 않아. 너는 정말 열심히 연습했잖아, 그렇지 않니?

여 음, 그건 사실이야.

남 난 너 같은 친구를 둬서 정말 기뻐. 네 성공을 축하하는 파티를 열자.

해설 남자는 여자의 성공을 축하하는 파티를 열자고 했다.

07 언급하지 않은 것 | ③
해설

남 깜짝 선물이란다! 이 자전거는 네 생일을 위한 거야.

여 믿을 수 없어요! 감사해요, 아빠!

남 천만에. 그러나 자전거를 안전하게 타야 한단다. 첫째, 자전거 탈 때 꼭 헬멧을 써야 한다는 걸 명심하렴.

여 약속할게요. 걱정 마세요, 아빠.

남 운동화를 꼭 신고.

여 알겠어요. 이제 자전거를 타도 되나요?

남 한 가지 더 있단다. 자전거를 탈 때 절대 휴대 전화를 사용하면 안 돼.

여 음악 듣는 것은요?

남 절대 안 돼! 그것도 위험해!

해설 남자는 자전거를 탈 때 주의 사항으로 고장 여부 확인에 대해서는 언급하지 않았다.

08 한 일 / 할 일 파악 | ⑤
해설

남 Jenny, 어디로 달려가고 있니?

여 내 고양이가 집에서 도망갔어.

남 오, 저런. 내가 찾는 것을 도와줄게.

여 고마워. 하지만 고양이를 찾지 못하면 어떡하지?

남 나는 네가 동네에 포스터를 붙여야 한다고 생각해. 고양이 사진을 갖고 있니?

여 응.

남 그러면 네가 고양이를 찾고 있는 동안 내가 포스터를 만들게.

여 고마워. 지금 즉시 너에게 그의 사진을 이메일로 보내 줄게.

해설 여자는 남자에게 이메일로 고양이 사진을 보낼 것이다.

09 언급하지 않은 것 | ①
해설

여 안녕하세요, 여러분. 해양 박물관에 오신 것을 환영합니다. 우리는 10분 뒤에 개장합니다. 여러분은 입구 옆의 매표소에서 표를 구매하실 수 있습니다. 성인은 15달러이고 아이들은 7달러입니다. 박물관 안에 음

식이나 음료수는 가져가지 마세요. 원하면 사진을 찍어도 됩니다. 전시품 중 일부는 매우 오래되고 쉽게 부서질 수 있으므로 어떤 전시품도 만지면 안 됩니다. 즐거운 관람이 되기를 바랍니다.

해설 여자는 해양 박물관의 위치에 대해서는 언급하지 않았다.

10 주제 파악 | ⑤
해설

남 공기가 점점 더 더러워지고 있습니다. 도시의 공기 질을 개선하기 위해 여러분이 할 수 있는 일이 있습니다. 여러분은 차를 집에 두고 대신에 대중교통을 이용할 수 있습니다. 매일 그렇게 하기가 너무 어렵다면, 격일로 버스나 지하철을 타는 것을 시도해 볼 수 있습니다. 직장이 멀지 않다면 자전거로 통근할 수도 있습니다. 그것은 여러분의 건강 상태 또한 개선시킬 것입니다. 내일부터 다른 방법으로 다니는 것을 시도해보는 건 어떨까요?

해설 남자는 대기 오염을 줄이기 위해 자동차 대신 대중교통이나 자전거를 이용할 것을 제안하고 있다.

11 내용 일치 / 불일치 | ③
해설

남 믿을 수가 없어!

여 무슨 일이야?

남 내가 대만으로 여행을 갈 계획이었던 거 기억하니?

여 물론이지. 다음 주 금요일에 떠나잖아, 그렇지?

남 그럴 계획이었지. 하지만 지진 때문에 여행을 취소해야만 했어.

여 오, 어제 대만에서 지진이 있었다고 들었어.

남 항공사에서는 내가 환불되지 않는 표를 샀기 때문에 돈을 돌려주지 않겠다고 말했어. 나 너무 화가 나.

여 그것 참 안됐구나.

해설 남자는 건강상의 이유가 아니라 지진 때문에 여행을 취소했다.

12 목적 파악 | ②
해설

[전화벨이 울린다.]

여 ABC 마트의 Laura Smith입니다. 어떻게 도와드릴까요?

남 여보세요. 거기에 연필깎이가 있는지 궁금합니다.

여 물론이죠. 몇 가지 종류의 연필깎이가 있습니다.

남 좋아요. 평균적으로 얼마인가요?

여 가격대는 10달러에서 30달러까지입니다.

남 감사합니다. 곧 방문하겠습니다.

여 네. 기다리겠습니다.

① 그의 연필깎이를 돌려주려고

② 연필깎이를 판매하는지 물어보려고

③ 연필깎이를 고치는 방법을 물어보려고

④ 연필깎이에 대해 불평하려고

⑤ 전화로 연필깎이를 주문하려고

해설 남자는 마트에서 연필깎이를 파는지 알아보기 위해 전화했다.

13 숫자 정보 파악 – 시각 | ④
해설

남 지나야, 벌써 11시 30분이야. 난 내 숙제를 끝냈어.

여 오, 그랬니?

남 너도 숙제를 끝냈으면, 지금 점심을 먹는 것이 어떨까?

여 아직 아니야. 내 숙제 끝내는 데 30분 정도 더 걸릴 거야.

남 알겠어, 그러면 그때 점심을 먹자.

여 미안하지만, 소포를 보내러 우체국에도 가야 하는데.

남 그럼 지금부터 한 시간 후는 어떨까?

여 좋아. 그때 아래층 식당에서 보자.

해설 두 사람은 현재 시간인 11시 30분에서 한 시간 뒤인 12시 30분에 점심을 먹기로 했다.

14 관계 추론 | ②

해석

여 Brown 선생님, 지금 저는 너무 긴장돼요.

남 침착해지도록 노력해 보렴, Jenny. 틀림없이 넌 Claire를 이길 수 있어.

여 정말 그렇게 생각하세요?

남 물론이지. 넌 네가 정말로 열심히 연습해 온 것이 기억나지 않니?

여 아뇨, 기억하죠. 저는 선생님께서 가르쳐 주신 모든 기술을 완성하려고 최선을 다했어요.

남 네가 그 기술들을 잊어버리지 않는다면, 넌 틀림없이 그녀를 이길 거야.

여 알겠습니다.

남 그리고 언제나 반드시 공에 집중하도록 해라.

해설 남자가 여자에게 자신이 가르쳐 준 기술을 잊지 않으면 상대방을 이길 수 있다고 격려하고 있으므로, 두 사람의 관계는 감독과 운동선수임을 알 수 있다.

15 부탁한 일 파악 | ③

해석

여 진수야, 우리 집까지 날 태워 줄 수 있니?

남 네 차를 안 갖고 왔니?

여 응. 오늘은 우리 아빠가 그 차를 사용하시고 계셔.

남 그러면 내가 집까지 태워 줄게.

여 고마워. 그리고 난 다른 차를 한 대 살까 생각 중이야.

남 그러지 마! 네가 필요할 때면 언제든 내가 태워 줄게. 다른 차를 사는 것은 돈 낭비야.

여 넌 정말 착해. 다시 한 번 고마워!

해설 여자는 남자에게 차를 태워 달라고 부탁하고 있다.

16 이유 파악 | ③

해석

남 벌써 밤 11시구나. 왜 이렇게 집에 늦게 왔니?

여 정말 죄송해요, 아빠.

남 무슨 일인데? 마지막 버스를 놓친 거니?

여 아니요.

남 그러면 마무리해야 할 일이 너무 많았니?

여 아니요, 하지만 제 잘못이 아니에요. 제 시계가 멈췄는데, 알아채지 못했거든요.

남 오, 그러니? 다음번에는 늦지 말렴.

해설 여자는 시계가 고장 나서 집에 늦게 왔다.

17 그림 상황에 어울리는 대화 찾기 | ①

해석

① 여 실례합니다. 당신은 제 발을 밟고 계신데요.
　 남 정말 죄송합니다. 몰랐어요.

② 여 여기 자리 있나요?
　 남 아니요, 비어있습니다. 앉으세요.

③ 여 이 신발이 당신에게 잘 맞을 거예요.
　 남 신어 봐도 될까요?

④ 여 이 버스가 시청까지 가나요?
　 남 네, 그렇습니다.

⑤ 여 백화점에 어떻게 가죠?
　 남 7번 버스를 타셔야 합니다.

해설 남자가 여자의 발을 실수로 밟아 사과하고 있는 상황이다.

18 언급하지 않은 것 | ③

해석

여 많은 학생들이 공부에 집중하는 데 힘들어 합니다. 여기 여러분을 위한 몇 가지 조언이 있습니다. 먼저, 여러분은 공부해야 할 것에 대한 목록을 만들어야 합니다. 둘째, 공부를 하기에 좋은 장소를 찾아야 합니다. 공부에 집중하는 것을 도와준다면 음악을 들어도 좋습니다. 그리고 피곤할 때마다 휴식을 취해야 합니다. 마지막으로, 여러분은 포기하지 말아야 합니다.

해설 공부에 집중하는 방법으로 음악을 들어도 좋다고 했다.

19 알맞은 응답 찾기 | ⑤

해석

여 이것을 믿을 수가 없어요. 예전에 여기에는 아무것도 없었잖아요.

남 네 말이 맞아. 내가 처음 여기 왔을 때, 여긴 그저 텅 빈 공간이었지.

여 할아버지, 이제는 아름다운 정원이에요. 정말 마음에 들어요!

남 그 말을 들으니 기쁘구나.

여 이 정원을 만들기 위해 무척 열심히 일하셨죠, 그렇지 않나요?

남 그랬지. 그리고 난 아직도 일을 계속하고 있단다.

여 정말요? 하루에 얼마 동안 작업을 하시나요?

남 적어도 세 시간 동안.

① 두 달 동안.

② 여기서 멀지 않아.

③ 두 개의 큰 정원이지.

④ 한 주에 겨우 두 번.

해설 하루에 얼마나 정원을 가꾸는 작업을 하는지 물었으므로, 적어도 세 시간은 일한다는 응답이 와야 가장 적절하다.

20 알맞은 응답 찾기 | ④

해석

남 Jane, 네 방이 무척 어질러져 있구나.

여 아빠, 거기에는 이유가 있어요.

남 그게 궁금하구나, 얘야. 그것에 대해 얘기해 보렴.

여 그건 제 옷을 위한 충분한 옷장이 없기 때문이에요. 그렇지 않나요?

남 음……, 그렇기도 하네. 하지만 그게 유일한 이유는 아닌 것 같아.

여 무슨 말씀이세요, 아빠?

남 넌 네 옷을 제자리에 두지 않잖니.

① 넌 지저분한 것 같지 않아.

② 내 말은 네게 옷장을 더 사 주겠다는 거야.

③ 네가 원한다면 옷을 더 사는 게 좋겠구나.

⑤ 넌 자주 방을 청소하는구나.

해설 옷장이 부족해서 방이 지저분하다는 여자의 변명에 다른 이유도 있을 거라고 남자가 말하자, 무슨 말인지 되묻고 있으므로 이를 설명하는 응답이 와야 한다.

01 ②	02 ④	03 ④	04 ③	05 ②
06 ①	07 ③	08 ②	09 ⑤	10 ⑤
11 ④	12 ⑤	13 ④	14 ①	15 ④
16 ⑤	17 ③	18 ③	19 ⑤	20 ②

Dictation Test 04회   pp. 42~47

01 ❶ heavy rain is expected ❷ you'd better put them off ❸ you bring your umbrella

02 ❶ why the long face ❷ where I put it ❸ a small shoulder bag

03 ❶ one thing left ❷ to buy me new shoes ❸ to find good ones

04 ❶ you're going camping ❷ My father's car broke down ❸ just stayed at home

05 ❶ take a good rest ❷ look around here ❸ go swimming after lunch

06 ❶ your grandfather passed away ❷ such a great grandfather ❸ lose heart

07 ❶ make a reservation for tomorrow ❷ get a private room ❸ May I have your name

08 ❶ focus on my studies ❷ if I close the window ❸ turn on the air conditioner

09 ❶ you had a cold ❷ I am calling about ❸ not to the gym

10 ❶ some tips for emergency ❷ the nearest exit to you ❸ keep an orderly manner

11 ❶ tried hard to lose weight ❷ I jogged every morning ❸ tried to get enough sleep

12 ❶ want to make some changes ❷ tell me your order number ❸ We will deliver your order

13 ❶ something for my uncle ❷ Show me another item ❸ it's on sale for

14 ❶ your mom already gave you ❷ by buying books and magazines ❸ learn how to save money

15 ❶ to eat out ❷ on my way home ❸ buy some vegetables and snacks

16 ❶ What do you want to ❷ change your mind ❸ attracts me a lot

17 ❶ ready to order ❷ I missed it ❸ bought it for my birthday

18 ❶ keep the following rules ❷ when you write an answer ❸ hand in your answer sheet

19 ❶ the name of the building ❷ Turn on the computer ❸ how tall is it

20 ❶ I'm afraid of balls ❷ run away from flying balls ❸ have to get it over

---

01   그림 정보 파악 – 날씨 | ②

해석

남 안녕하세요. 일기 예보입니다. 오늘은 화창하고 맑습니다. 하지만 오늘 밤부터 내일 오후까지 폭우가 예상됩니다. 만약 실외 활동을 계획하고 있으시다면 이틀 미루시는 게 좋겠습니다. 모레부터는 맑은 날을 즐기실 수 있습니다. 이틀 동안 우산을 준비하는 것을 명심하세요.

해설 오늘 밤부터 내일 오후까지 폭우가 온다고 했다.

---

02   그림 정보 파악 – 사물 | ④

해석

남 Amy, 왜 우울해하니?

여 가방을 잃어버렸어. 내가 어디에 두었는지 모르겠어.

남 안됐다. 네가 그것을 찾도록 도와줄게. 그것은 어떻게 생겼니?

여 작은 숄더백이야. 꽃무늬가 있는 둥근 가방이지.

남 그 밖에는?

여 거기에는 테디베어 열쇠고리가 달렸어.

남 좋아. 찾아보자.

해설 여자는 꽃무늬가 있고 테디베어 열쇠고리가 달린 둥근 가방을 잃어버렸다고 했다.

---

03   심정 파악 | ④

해석

남 엄마, 살 것이 또 있나요?

여 그래, Peter. 한 가지 남은 게 있어. 무엇인지 맞춰 보렴.

남 그러지 말고요, 엄마.

여 네게 새 신발을 사 주려고 생각 중이야. 네 신발이 너무 낡았잖아.

남 진심이세요? 엄마가 새 신발을 사 주실 거라고 기대하지 않았는데. 감사해요!

여 천만에. 그럼 가서 좋은 신발을 찾아보자.

해설 남자는 엄마가 새 신발을 사 준다고 해서 신이 날 것이다.

---

04   한 일 / 할 일 파악 | ③

해석

여 Andrew, 주말은 어땠니?

남 끔찍했어. 절대 못 잊을 거야.

여 왜? 너는 가족들과 캠핑을 간다고 했잖아.

남 맞아, 그러려고 했지만, 갈 수 없었어.

여 무슨 일이 있었니?

남 아빠의 차가 출발하자마자 고장이 났어. 그래서 우리는 버스를 타고 집으로 돌아와야 했지.

여 믿을 수 없어! 그래서 그 뒤로 뭘 했는데?

남 그냥 집에서 하루 종일 TV만 봤어.

해설 남자는 주말에 종일 집에서 머무르면서 TV를 봤다고 했다.

---

05   장소 추론 | ②

해석

여 오, 이 방은 내가 기대했던 것보다 훨씬 더 좋은걸.

남 맞아. 이 선실에서 휴식을 잘 취할 수 있겠어.

여　일단 짐부터 풀고 나서 이곳을 둘러보자.

남　좋아. 나는 이 유람선에 뷔페식당, 극장, 그리고 수영장이 있다고 들었어.

여　정말? 난 수영하고 싶어.

남　그러면 점심 먹은 후에 수영하러 가자.

해설　두 사람은 선실에서 대화를 나누고 있다.

06 | 의도 파악 | ①

해석

여　네 할아버지가 돌아가셨다고 들었어. 그 소식을 듣고 매우 안타까웠어.

남　고마워, 지나야. 난 정말로 슬퍼. 그는 따스하고 존경할 만한 분이셨어.

여　알아. 그런 훌륭한 할아버지가 계셨었다니 넌 운이 좋았구나.

남　벌써부터 그가 그리워.

여　낙담하지 마.

해설　여자는 돌아가신 할아버지를 그리워하는 남자를 위로해 주고 있다.

07 | 언급하지 않은 것 | ③

해석

[전화벨이 울린다.]

남　Seaside 식당입니다. 어떻게 도와드릴까요?

여　내일 저녁 7시에 예약을 하고 싶습니다.

남　좋습니다. 일행이 몇 명이십니까?

여　여덟 명이에요. 오, 조용한 방으로 가능할까요?

남　죄송합니다만, 모든 방이 내일 예약되었습니다.

여　유감이군요! 하지만 괜찮습니다.

남　성함과 전화번호를 알 수 있을까요?

여　Catherine White이고, 전화번호는 010-1234-5678입니다.

남　대단히 감사합니다, White씨. 내일 저녁에 뵙겠습니다.

해설　여자는 예약할 메뉴에 대해서 언급하지 않았다.

08 | 한 일 / 할 일 파악 | ②

해석

여　밖이 시끄럽네요. 공부에 집중할 수가 없어요.

남　어린 아이들이 숨바꼭질 놀이를 하고 있구나.

여　창문을 닫아도 될까요?

남　물론이지. 어서 닫으렴.

여　고마워요. (잠시 후) 훨씬 좋네요.

남　에어컨을 틀어 줄까?

여　네, 부탁해요. 점점 더워지네요.

해설　남자가 에어컨을 켤지 여자에게 의견을 물었고 여자는 좋다고 했으므로, 남자는 에어컨을 킬 것이다.

09 | 언급하지 않은 것 | ⑤

해석

[전화벨이 울린다.]

여　안녕, Mike. 네가 감기에 걸렸다고 들었어. 몸 상태는 어떠니?

남　나쁘지 않아, 고마워.

여　난 응원 연습 때문에 전화했어.

남　우리 일주일에 얼마나 자주 연습하는 거지?

여　일주일에 두 번이고 내일은 오후 4시에 만날 거야.

남　알았어. 난 무엇을 가져가야 하는 거니?

여　흰 장갑을 가져와야 해. 오, 하나 더 있어! 체육관이 아니라 학생회관으로 와야 해.

남　알겠어. 전화해 줘서 고마워.

해설　여자는 응원팀 이름을 언급하지 않았다.

10 | 주제 파악 | ⑤

해석

여　안녕하세요, 신사 숙녀 여러분. 비상사태를 대비해 몇 가지 조언을 말씀 드리겠습니다. 이 층에는 두 개의 비상구가 있습니다. 그것들은 이 홀의 양쪽 끝에 있습니다. 여러분에게 가장 가까운 출구가 어느 쪽인지 유념 해 두세요. 덧붙여, 화재가 발생하면 침착하게 있으시고 가장 가까운 출 구로 가 주세요. 나가실 때는, 질서를 유지해 주시길 바랍니다. 감사합 니다.

해설　여자는 비상 시 대피 방법을 안내하고 있다.

11 | 내용 일치 / 불일치 | ④

해석

남　민지야, 너는 체중이 좀 줄었지, 그렇지?

여　맞아. 여름 방학 동안에 체중을 줄이려고 열심히 노력했어.

남　무엇을 했니?

여　적게 먹고 저녁 6시 이후에는 아무 것도 먹지 않았어.

남　운동은 하지 않니?

여　물론이지! 매일 아침 조깅을 하고 일주일에 두 번 수영을 했어.

남　우와! 정말 바빴겠구나.

여　맞아. 하지만 충분한 수면을 취하려고 노력했어. 그것 역시 매우 중요해.

남　네 말이 맞아.

해설　여자는 일주일에 세 번이 아니라 두 번 수영을 했다.

12 | 목적 파악 | ⑤

해석

[전화벨이 울린다.]

여　여보세요. Lucky 슈퍼마켓입니다. 어떻게 도와드릴까요?

남　여보세요. 제가 온라인으로 식료품 몇 가지를 샀는데 변경하고 싶어 서요.

여　고객님의 주문 번호를 말씀해 주세요.

남　LS13523이에요.

여　우유 두 팩과 시리얼 세 박스를 주문하셨네요, 맞죠?

남　네, 그리고 물 다섯 병을 추가하고 싶어요. 가능한가요?

여　물론이지요. 오후 6시까지 주문품을 배달해 드리겠습니다. 고맙습니다.

해설　남자는 물 다섯 병을 추가로 주문하기 위해서 슈퍼마켓에 전화했다

13 | 숫자 정보 파악 – 금액 | ④

해석

여　저 좀 도와주세요. 전 삼촌에게 줄 무언가를 찾고 있어요.

남　이 배낭은 어떠신가요?

여　근사하네요. 그건 얼마죠?

남　37달러예요.

여　너무 비싸요. 다른 상품을 보여 주세요.

남　그러면, 이 서류 가방은 어때요? 원래 가격은 24달러예요. 하지만 21 달러로 할인판매 중이에요.

여　좋네요! 그걸 살게요. 여기 30달러 있습니다.

해설　여자는 30달러를 지불하고 21달러의 서류 가방을 구입했으므로 9달 러를 거슬러 받아야 한다.

14 관계 추론 | ①

해석

여 저 돈 좀 주세요.

남 너는 무엇 때문에 돈이 필요하니?

여 가장 친한 친구인 Karen에게 줄 선물을 사고 싶어요.

남 하지만 네 엄마가 이미 용돈을 줬다고 들었는데.

여 책과 잡지를 사느라 용돈을 다 써버렸어요.

남 얘야, 내 생각에는 네가 용돈보다 훨씬 더 많은 돈을 쓰는 것 같구나. 너는 돈을 아끼는 법을 배워야 해.

여 네, 무슨 말씀인지 알겠어요.

해설 여자가 용돈을 달라고 요청하자 남자는 돈을 아끼는 법을 배워야 한다고 조언하고 있으므로, 두 사람의 관계는 아빠와 딸임을 알 수 있다.

15 부탁한 일 파악 | ④

해석

여 저녁으로 비빔밥 어떠니?

남 좋아요. 외식하는 건가요?

여 음, 집에서 비빔밥을 만들 거란다.

남 그럼 제가 집에 오는 길에 식료품점에서 장을 볼까요?

여 좋아. 부탁할게.

남 알겠어요. 제가 채소와 간식을 좀 살게요.

여 오, 난 과일을 원한단다. 특히 오렌지와 바나나를 원해.

해설 여자는 남자에게 식료품점에서 과일을 사 오라고 부탁했다.

16 이유 파악 | ⑤

해석

여 너는 장래에 뭐가 되고 싶니?

남 글쎄, 나는 전에는 기술자가 되고 싶었는데, 지금은 역사학자가 되고 싶어.

여 왜 마음이 바뀌었니?

남 나는 세계 곳곳의 역사 속 미스터리들을 발견하는 것을 무척 좋아하거든.

여 우아, 멋지다!

남 응. 특히 고대 역사는 나를 무척 매료시켜.

해설 남자는 고대 역사 속 미스터리를 발견하는 것을 좋아해서 역사학자가 되고 싶다고 했다.

17 그림 상황에 어울리는 대화 찾기 | ③

해석

① 남 지금 몇 시죠?

　여 5시 10분 전이에요.

② 남 주문하시겠습니까?

　여 네, 치킨 샐러드와 오렌지 주스 한 잔이요.

③ 남 이 시계가 좋아 보이네요. 얼마인가요?

　여 100달러입니다.

④ 남 어제 축구 경기 봤니?

　여 아니, 놓쳤어. 어땠어?

⑤ 남 정말 멋진 시계구나! 어디서 났니?

　여 아빠가 생일 선물로 사 주셨어.

해설 남자가 상점에서 손목시계를 고르고 있는 상황이다.

18 언급하지 않은 것 | ③

해석

남 우리 학교의 교장으로서 저는 여러분들이 중간고사에서 다음의 규정을 지켜 주기를 바랍니다. 먼저, 여러분들은 시험이 시작하기 전에 교실에 들어가야 합니다. 둘째, 답안을 작성할 때 연필을 사용해서는 안 되고, 검정색 펜을 사용해야 합니다. 셋째, 시험을 보는 동안 다른 친구들 쪽으로 고개를 돌려서는 안 됩니다. 마지막으로, 시험이 끝나면 즉시 답안지를 제출해 주십시오.

해설 시험 보기 전에 휴대 전화를 제출하라는 말은 하지 않았다.

19 알맞은 응답 찾기 | ⑤

해석

남 세상에서 가장 높은 건물이 무엇인지 궁금해.

여 내 생각에 그것은 두바이에 있는 것 같아.

남 그 건물의 이름을 아니?

여 글쎄……, 인터넷으로 그걸 찾아보는 게 어떨까?

남 좋은 생각이야. 지금 당장 컴퓨터를 켜 봐.

여 알았어. 잠시만. (잠시 후) 내 말이 맞았어. 그것은 두바이에 있는 '버즈 칼리파'야.

남 그건 얼마나 높은데?

여 다른 어떤 건물보다도 높아.

① 무게가 830kg이야.

② 난 키가 160cm야.

③ 답이 있어야 해.

④ 그곳에 도착하는 데 10시간 걸려.

해설 두바이에 있는 건물이 얼마나 높은지 묻고 있으므로 그에 관한 응답이 오는 것이 자연스럽다.

20 알맞은 응답 찾기 | ②

해석

여 너 걱정이 있는 거 같아. 무슨 일 있니?

남 체육시간에 농구를 하는데 난 공이 무서워.

여 그게 무슨 말이야?

남 내 말은 내가 공을 형편없이 잡는다는 뜻이야. 그래서 난 공이 날아오면 도망가 버리지.

여 농구공은 너를 해치지 않아. 넌 두려움을 극복해야 해.

남 어떻게 하면 그것을 극복할 수 있을까?

여 계속 연습해. 연습이 완벽을 만들지.

① 하나의 돌로 두 마리의 새를 죽일 수 있어. (일석이조)

③ 방법은 없어. 물을 엎지른 후에 울지 마.

④ 두려워 마. 눈에서 멀어지면 마음도 멀어져.

⑤ 그냥 공일 뿐이야. 겉만 보고 속을 판단하지 마.

해설 공에 대한 두려움을 어떻게 극복하는지 묻는 질문에, 계속 연습하면 된다는 응답이 와야 가장 적절하다.

01 ④	**02** ④	**03** ⑤	**04** ②	**05** ①
06 ④	**07** ③	**08** ④	**09** ④	**10** ③
11 ④	**12** ③	**13** ⑤	**14** ⑤	**15** ④
16 ③	**17** ⑤	**18** ④	**19** ⑤	**20** ④

Dictation Test 05회   pp. 50~55

01 ❶ it will be rainy ❷ Now that you mention it ❸ no clouds or wind tomorrow

02 ❶ have you seen my backpack ❷ a pair of hiking boots ❸ need new pants for hiking

03 ❶ I didn't do well on ❷ did better than I ❸ time and effort

04 ❶ return the books yesterday ❷ go right back home ❸ buy that jacket

05 ❶ I left my wallet ❷ enter the plane again ❸ Tell me your flight number

06 ❶ planning to do this summer ❷ They are a little expensive ❸ go there by sea

07 ❶ experience Korean traditional culture there ❷ enjoy music and dance performances ❸ try Korean folk games

08 ❶ Why did you eat them ❷ made with shrimp ❸ to bring an ice pack

09 ❶ past graduates donated money ❷ on the school website ❸ to turn off the lights

10 ❶ music can disturb your concentration ❷ concentrate on two things ❸ get a better grade

11 ❶ when did you take it ❷ was painting a landscape ❸ a scene from a movie

12 ❶ because of the noise ❷ no one except me ❸ your midterm exam

13 ❶ change the schedule ❷ drop by the dentist ❸ let's meet an hour later

14 ❶ to book tickets ❷ to buy two tickets ❸ pay with a card

15 ❶ What's your plan ❷ I could cook like you ❸ one of the easiest dishes

16 ❶ catch a cold ❷ because of the fine dust ❸ harm our health

17 ❶ so nervous about the test ❷ enter the singing contest together ❸ got a perfect score

18 ❶ play the latest pop songs ❷ send a text message ❸ enjoy cleaning your classrooms

19 ❶ or you'll be late ❷ have kept you waiting ❸ make this sandwich yourself

20 ❶ make an appointment with ❷ a lot of patients today ❸ drop by the bank

01   그림 정보 파악 – 날씨 | ④

해석
여 너는 미술 축제에 가 본 적이 있니?
남 응. 그건 야외 행사잖아.
여 맞아. 나는 내일 수진이와 그곳에 갈 예정이야. 그런데 비가 내릴까봐 걱정이야.
남 네 말을 듣고 보니, 지금 날씨가 흐리네.
여 하지만 일기 예보에서 내일은 구름이나 바람은 없을 거라고 말했어. 난 그걸 믿어.
남 물론이야. 완벽할 거야. 걱정할 것 없어.
해설 남자는 현재 날씨가 흐리다고 했다.

02   그림 정보 파악 – 사물 | ④

해석
남 엄마, 제 배낭 보셨어요?
여 아니, 못 봤단다. 옷장을 살펴보렴.
남 이미 그곳을 봤지만 찾을 수 없었어요.
여 그럼 새 것을 사는 게 좋겠구나. 네 배낭은 너무 작고 또 너무 낡았잖니.
남 아니요, 저는 새 배낭을 원하지 않아요. 배낭은 Jack에게 빌릴 수 있을 거예요. 대신에 등산화를 사야 해요.
여 네 아빠가 이미 널 위해 구입하셨단다. 내 생각에 넌 등산용 바지를 새로 사야 할 것 같아.
남 좋아요, 그렇다면 쇼핑을 가요.
해설 남자는 여자의 조언대로 등산용 바지를 새로 구입할 것이다.

03   심정 파악 | ⑤

해석
남 기분이 좋아 보이지 않네. 무슨 일 있니?
여 난 최선을 다했는데 수학 시험을 잘 보지 못했어.
남 어려웠니?
여 그렇지 않아. 대부분 친구들이 나보다 잘했거든.
남 안됐구나.
여 정말 실망이야. 내 수학 공포증을 어떻게 극복해야 할지 모르겠어.
남 포기하지 마. 수학은 시간과 노력이 필요해.
해설 여자는 최선을 다했지만 수학 시험을 잘 보지 못해서 낙담했을 것이다.

04   한 일 / 할 일 파악 | ②

해석
남 안녕, 지수야. 어제 책 반납했니? 우리가 만났을 때 도서관에 가는 길이었잖아.
여 그랬지. 하지만 어제가 월요일이라는 것을 잊었지 뭐야. 도서관이 닫혀 있었어.
남 오, 나도 완전히 잊었네. 그래서 바로 집에 돌아갔니?
여 아니, 쇼핑몰에 갔어.
남 그 재킷을 산거야? 새것처럼 보여.
여 아니, 우리 언니거야. 난 학용품을 좀 샀어.

해설 여자는 어제 쇼핑몰에서 학용품을 샀다고 했다.

05 장소 추론 | ①
해석
남 부인, 도와드릴까요?
여 네. 제 지갑을 비행기에 두고 왔어요. 비행기에 들어가서 그것을 가져와도 될까요?
남 비행기에 다시 들어가시는 것은 안 됩니다.
여 그러면 어떻게 해야 하나요?
남 승무원에게 전화해서 부인의 지갑을 찾아보라고 하겠습니다.
여 정말 감사합니다.
남 항공편 번호와 좌석번호를 알려 주세요.
여 OZ 101이에요. 제 좌석번호는 16A이었고요.
해설 여자가 비행기에 지갑을 두고 와서 남자가 승무원에게 연락해 보겠다고 하고 있으므로 두 사람은 공항에 있음을 알 수 있다.

06 의도 파악 | ④
해석
여 이번 여름에 무엇을 계획하고 있니?
남 나는 제주도로 여행을 갈 계획이야.
여 그곳은 매우 아름답고 흥미로운 곳이야. 너 꼭 가 봐야 해.
남 제주도에 가 본 적 있니?
여 응. 두 번 가 봤지만, 여전히 또 가고 싶어.
남 문제는 항공권이야. 여름 휴가철 동안 항공료가 약간 비싸더라.
여 배로 가는 게 어때? 훨씬 더 저렴하거든.
해설 여자는 남자에게 배를 타고 제주도에 갈 것을 제안하고 있다.

07 언급하지 않은 것 | ③
해석
여 한국민속촌에 대해 들어본 적이 있니?
남 아니, 없어. 어떤 곳일지 궁금해.
여 전통적인 한국 마을이야. 넌 그곳에서 한국의 전통문화를 경험할 수 있어.
남 한국 전통 주택과 음식 같은 거 말이니?
여 훨씬 더 많은 걸 경험할 수 있어. 전통 결혼식도 볼 수 있고 음악과 무용 공연도 즐길 수 있어.
남 인상적으로 들리는구나. 그러면 내가 한국 문화를 직접 배울 수 있는 프로그램도 있니?
여 물론이지. 한국 민속놀이와 공예를 해 볼 수 있어.
해설 민속촌에서 민속 악기를 배울 수 있다는 말은 언급하지 않았다.

08 한 일 / 할 일 파악 | ④
해석
여 네 팔 좀 봐. 다 빨갛잖아.
남 이건 내가 중국집에서 먹은 자장면 때문이야. 난 새우 알레르기가 있거든.
여 알레르기가 있는데 왜 먹었니?
남 난 그게 새우로 만들어진 줄 몰랐어.
여 그랬구나. 얼음주머니 좀 가져다줄까?
남 그래 줄래? 열이 나.
해설 여자는 남자의 팔을 보고 얼음주머니를 가져다주겠다고 했다.

09 언급하지 않은 것 | ④
해석
여 여러분도 아시다시피 학교 건물에 새로운 세미나실이 생겼습니다. 여러분의 부모님들과 졸업생들 중 일부가 세미나실을 만들 수 있도록 돈을 기부해주셨습니다. 기부에 정말 감사드립니다. 여러분이 세미나실을 이용하길 원한다면, 학교 웹사이트에서 예약을 해야 합니다. 주중 9시부터 6시까지 열려 있습니다. 여러분은 세미나실에서 음식을 드시면 안됩니다. 나갈 때에는 반드시 불을 꺼주세요.
해설 세미나실이 몇 개가 있는지는 언급하지 않았다.

10 주제 파악 | ③
해석
남 사람들이 음악 감상을 좋아하는 것은 사실입니다. 특히 학생들에게 해당되서 그들은 공부를 하는 동안 자주 음악을 듣습니다. 하지만 한 연구에 따르면, 음악은 여러분의 집중력을 방해할 수 있습니다. 한 번에 두 가지 일에 집중하는 것은 쉽지 않습니다. 많은 학생들은 공부하고 있는 과목보다 음악에 더 집중합니다. 더 좋은 성적을 받고 싶다면 헤드폰을 벗는 것이 낫습니다.
해설 남자는 공부할 때 음악을 듣는 것은 집중을 방해할 수 있다고 말하고 있다.

11 내용 일치 / 불일치 | ④
해석
여 우아, 이 사진 마음에 드는데요.
남 감사해요. 제가 가장 좋아하는 사진이에요.
여 어디에서, 언제 찍으신 건가요?
남 작년 여름에 중국의 만리장성에서 찍었어요. 저는 풍경화를 그리고 있었고, 제 친구가 그 모습을 찍었죠.
여 마치 영화의 한 장면 같아요.
남 정말 그렇지요. 제가 그 사진을 좋아하는 까닭도 바로 그겁니다.
해설 남자는 풍경화를 그리고 있었는데 친구가 그 모습을 사진으로 찍었다고 했다.

12 목적 파악 | ③
해석
[전화벨이 울린다.]
여 여보세요?
남 안녕하세요, 저는 아래층의 Thomas입니다. 부탁 좀 해도 될까요?
여 물론이야, 무슨 일이니?
남 소음 때문에 공부에 집중을 할 수가 없어요. 전 내일 중간고사를 치거든요.
여 안됐지만, 소음은 우리 집에서 나는 게 아닐 거야. 나 말고는 아무도 없거든.
남 정말요? 죄송합니다.
여 괜찮아. 중간고사 잘 치르길 바란다.
남 감사합니다. Mcguire 부인.
해설 남자는 층간 소음으로 공부에 집중할 수 없어서 전화를 걸었다.

13 숫자 정보 파악 – 시각 | ⑤
해석
남 Jane, 미안한데 오늘 오후 3시에 못 만날 것 같아.
여 시간을 변경하는 편이 낫다는 뜻이니?

남 사실 그래.

여 음…… 넌 언제가 괜찮니?

남 5시는 어때? 3시 반에 치과에 들러야 하거든.

여 그럼 그것보다 한 시간 더 늦게 만나자.

남 좋아. 그때 보자.

해설 5시보다 한 시간 더 늦게 만나기로 했으므로 두 사람은 6시에 만날 것이다.

14 관계 추론 | ⑤
해석

남 안녕하세요, 저는 LA와 뉴욕 경기의 표를 예매하고 싶어요.

여 네. 그 야구 경기는 7월 3일 오후 3시입니다. 좌석은 노란색, 빨간색, 녹색이 있습니다.

남 노란색 좌석으로 두 장 부탁합니다.

여 60달러입니다.

남 카드로 계산해도 되나요?

여 물론이죠.

해설 야구 경기를 예매하는 상황으로, 남자는 관객이고 여자는 매표소 직원이다.

15 한 일 / 할 일 파악 | ④
해석

여 어버이날 계획이 어떻게 되니?

남 우리 아버지께 불고기를 요리해 드릴 거야.

여 멋진 생각이다. 난 우리 부모님께 그냥 작은 선물 하나 사 드리려고. 나도 너처럼 요리를 할 수 있다면 좋겠어.

남 내가 불고기를 어떻게 요리하는지 알려 주길 바라니?

여 소용없어. 난 요리를 잘하지 못하거든.

남 날 믿어 봐. 불고기는 요리하기에 가장 쉬운 음식 중 하나라고.

여 아, 그래? 그러면 오늘은 네가 내 요리 선생님이야.

해설 남자는 여자에게 불고기 조리법을 알려 줄 것이다.

16 이유 파악 | ③
해석

여 John, 어디 가니?

남 약국에 가는 중이야.

여 감기 걸렸니?

남 아니. 마스크를 사려고 해.

여 그것을 왜 사려는 거야?

남 미세 먼지 때문이야. 하늘을 봐. 온통 회색이야. 나는 더러운 공기로 숨을 쉬는 게 걱정이 돼. 미세 먼지는 우리의 건강을 정말 해칠 수 있어.

여 오, 네 말이 맞아. 나도 너와 함께 마스크를 사러 가는 게 낫겠어.

해설 남자는 미세 먼지 때문에 마스크를 사러 간다고 했다.

17 그림 상황에 어울리는 대화 찾기 | ⑤
해석

① 남 내일 시험 때문에 너무 긴장돼요.

　여 걱정 마. 잘할 거야.

② 남 너 신나 보인다. 무슨 일이야?

　여 시험을 잘 봐서 엄마가 내게 새 스마트폰을 사주셨어.

③ 남 영어 숙제 제출했니?

　여 오, 거의 잊을 뻔했어. 상기시켜줘서 고마워.

④ 남 우리 함께 합창 대회에 나가는 게 어때?

　여 음……. 생각해 볼게.

⑤ 남 보세요! 시험에서 만점을 받았어요.

　여 잘했어! 네가 매우 자랑스럽구나.

해설 엄마가 시험에서 백점을 받은 아들을 칭찬하고 있는 상황이다.

18 내용 일치 / 불일치 | ④
해석

여 안녕하세요, 학생 여러분. 우리 학교 대청소 날이네요. 이곳 방송실에서 저희가 여러분을 위해 최신 팝송을 틀어 드리겠습니다. 듣고 싶은 음악이 있으시다면, 060-8999로 문자메시지를 보내 주시면 됩니다. 방송을 시작하기 전에, 최 선생님으로부터 공지사항이 있네요. 학급 반장들은 빗자루와 쓰레기봉투를 수령하러 교무실로 오라고 하십니다. 여러분의 교실을 즐겁게 청소하시길 바랍니다.

해설 최 선생님이 각 반의 청소 구역을 정해 줄 것이라는 내용은 없었다.

19 알맞은 응답 찾기 | ⑤
해석

남 호영아, 너 아직도 화장실에 있니? 뭐 하는 중이니?

여 샤워한다고 말씀드렸잖아요. 거의 다했어요.

남 서두르렴, 그렇지 않으면 학교에 늦을 거야.

여 (문을 열며) 다 했어요, 아빠. 기다리시게 해서 죄송해요.

남 괜찮다. 가서 어서 아침 식사를 하렴.

여 우아, 이 샌드위치 직접 만드신 거예요, 아빠?

남 그래. 맛이 어떠니?

여 이제껏 먹은 것 중에 가장 맛있어요.

① 학교에 늦지 않았어요.

② 아침은 먹기 싫어요.

③ 샌드위치를 학교에 가져갈게요.

④ 전 샌드위치 만드는 법을 몰라요.

해설 아빠가 자신이 만든 샌드위치의 맛이 어떤지 묻고 있으므로, 지금까지 먹어 본 것 중에 가장 맛있다는 응답이 와야 가장 적절하다.

20 알맞은 응답 찾기 | ④
해석

여 도와드릴까요?

남 네. 진료 예약을 하고 싶어요. 얼마나 기다려야 하죠?

여 일곱 분이 당신 앞에 계세요.

남 일곱 명이요?

여 네, 오늘은 환자가 많네요.

남 알겠습니다. 그러면 얼마나 오래 걸릴까요?

여 한 시간 이내로 걸릴 겁니다.

남 그동안 은행에 좀 다녀와도 될까요?

여 물론이죠. 하지만 늦게 오시면 안 돼요.

① Johnson 박사가 곧 점심을 드실 겁니다.

② 이틀 전에 예약을 하세요.

③ 오래 기다릴 필요 없습니다.

⑤ 모퉁이에 다른 병원이 있습니다.

해설 진료를 받기 전에 은행을 다녀와도 되는지 묻는 질문에 괜찮지만 늦으면 안 된다는 응답이 와야 가장 적절하다.

01 ①	02 ④	03 ①	04 ③	05 ③
06 ③	07 ③	08 ③	09 ⑤	10 ⑤
11 ⑤	12 ⑤	13 ③	14 ①	15 ①
16 ④	17 ①	18 ②	19 ④	20 ④

Dictation Test 06회　　pp. 58~63

01 ❶ the snow will stop tonight ❷ see a clear sky ❸ on icy and snowy roads

02 ❶ I'm buying a mug ❷ a more special one instead ❸ a name on a mug

03 ❶ plays soccer in the classroom ❷ can't focus because of him ❸ must be very annoying

04 ❶ people in line ❷ to get into the stadium ❸ the convenience store over there

05 ❶ find books on Korean history ❷ can I borrow books ❸ For a week

06 ❶ enjoy sharing time with you ❷ turn you down ❸ have a math tutor soon

07 ❶ Here are some tips ❷ speak and share information with ❸ using various English resources

08 ❶ something about my computer ❷ there was nothing wrong ❸ slow down your computer

09 ❶ many different kinds of sports ❷ The most popular sport for ❸ to learn to swim

10 ❶ Keep in mind ❷ you'll get lost once again ❸ take out your map

11 ❶ I'd like to book ❷ do you plan to leave ❸ the flying time will be

12 ❶ do you need her number ❷ need to ask her something ❸ hang up the phone

13 ❶ a picture of your family ❷ looks taller than you ❸ shorter than him

14 ❶ first time to visit Korea ❷ How about saying hello first ❸ have a great time together

15 ❶ I'm afraid I can't go ❷ prepare for the school festival ❸ supposed to take pictures today

16 ❶ scary to make a speech ❷ to be a news reporter ❸ You should practice speaking

17 ❶ should I take this medicine ❷ would you like to be ❸ she gets better soon

18 ❶ I stayed up until ❷ How about drinking hot tea ❸ eating a light dinner helps

19 ❶ have any plans for ❷ an exciting and dynamic city ❸ What is your favorite place

20 ❶ I'm preparing a presentation ❷ I've prepared it ❸ how diligent you are

01　그림 정보 파악 – 날씨 | ①

해석
여　내일의 일기 예보입니다. 지금은 눈이 내리고 있지만, 오늘 밤에 눈은 멈추겠습니다. 내일은 맑은 하늘을 볼 수 있고 며칠간 계속될 것입니다. 하지만 기온은 여전히 낮아서 길에 눈이 얼 것입니다. 빙판이나 눈길 운전하실 때 주의하시기 바랍니다.

해설　내일은 맑은 하늘을 볼 수 있을 것이라고 했다.

02　그림 정보 파악 – 사물 | ④

해석
여　인터넷으로 뭐 하니?

남　Kate에게 줄 머그잔을 사려고. 내가 고르는 것 좀 도와줄 수 있니?

여　물론이지. 무엇을 염두에 두고 있니?

남　하트가 있는 이거야. 어떻게 생각하니?

여　너무 단순한 것 같아.

남　이건 어때? 고양이가 정말 귀여워.

여　글쎄, 대신 좀 더 특별한 걸 사 주는 게 어때? 그녀의 이름이 쓰여 있는 머그잔은 어때?

남　그래. 이 웹사이트에서는 우리가 머그잔에 이름을 새길 수 있다고 쓰여 있어. 그녀에게 매우 특별한 선물이 될 거야.

해설　남자는 친구의 이름을 새긴 머그잔을 구입할 것이다.

03　심정 파악 | ①

해석
남　무슨 일이니?

여　우리 반 친구 세완이 알지?

남　응, 알아. 그에게 무슨 문제가 있어?

여　그는 항상 교실에서 축구를 해.

남　남자애들은 축구를 좋아하지.

여　나는 쉬는 시간에 공부를 하고 싶은데, 걔 때문에 집중을 할 수 없어.

남　이해된다. 정말 짜증나겠구나.

여　그것에 대해 세완이랑 이야기를 해야겠어.

해설　여자는 교실에서 축구를 하는 세완이 때문에 공부에 집중을 할 수 없어서 화가 났다.

04　한 일 / 할 일 파악 | ③

해석
남　엄마, 저기 줄 선 사람들 좀 보세요.

여　그래. 꽤 길구나.

남　경기장 안으로 들어가는 데 시간이 얼마나 걸릴지 궁금해요.

여　추측하건대 적어도 30분은 걸릴 거야.

남　그럼 지루하겠어요. 오, 같이 잡지를 읽는 게 어떨까요, 엄마?

여　좋은 생각이구나. 하지만 우리는 그걸 가져오지 않았잖아.

남　걱정 마세요. 제가 저기 있는 편의점에 가서 한 권 사 올게요.

해설　남자는 편의점에 가서 잡지 한 권을 사 올 것이다.

05 장소 추론 | ③
해석

남 실례합니다. 뭐 좀 물어 봐도 될까요?

여 물론이죠. 무엇이죠?

남 한국 역사에 관한 책을 어디에서 찾을 수 있을까요?

여 2층의 C구역에 있어요.

남 감사합니다. 저기, 책은 얼마나 오래 빌릴 수 있죠?

여 일주일이요, 하지만 신분증이 있어야 해요.

남 알겠습니다. 감사합니다.

해설 남자가 여자에게 한국 역사책의 위치와 책 대출 기간을 묻고 있으므로 두 사람은 도서관에 있음을 알 수 있다.

06 의도 파악 | ③
해석

[자동응답기의 '삐' 소리가 울린다.]

여 안녕, Jennifer. 나 미나야. 사과하려고 전화했어. 나는 언제나 너와 함께 시간을 보내는 걸 좋아해. 하지만 오늘 네가 쇼핑몰에 가자고 물었을 때 나는 거절할 수밖에 없었어. 기분이 좋지 않았거든. 나는 수학시험을 잘 보지 못했어. 우리 부모님은 매우 실망하실 거고, 아마 난 곧 수학 가정교사를 맞이하게 될 거야. 기분 나빠하지 마. 다음번엔 꼭 함께 쇼핑 가기로 약속해.

해설 미나는 Jennifer에게 함께 쇼핑하러 가지 못한 것을 사과하고 있다.

07 언급하지 않은 것 | ③
해석

남 여러분들 중 많은 사람들이 영어로 더 잘 말하는 법을 알고 싶어 합니다. 여기 여러분을 위한 몇 가지 조언이 있습니다. 우선, 여러분은 매일 어떤 것을 학습하고자 노력해야 합니다. 그리고 함께 공부하고 말하고 정보를 공유할 친구를 찾는 것이 도움이 될 수 있습니다. 또한, 유용한 단어와 구문이 있는 단어장을 가지고 다니도록 노력하세요. 마지막으로, 인터넷상의 다양한 영어 자료들을 이용하는 것이 여러분에게 도움을 줄 수 있습니다.

해설 남자는 영어를 잘하기 위한 방법으로 학습 진도표 만들기는 언급하지 않았다.

08 한 일 / 할 일 파악 | ③
해석

여 Mike, 내 컴퓨터에 대해 좀 물어 봐도 될까?

남 물론. 무슨 일인데?

여 컴퓨터가 너무 느려. 왜 그런지 모르겠어.

남 바이러스를 검사했니?

여 이미 했지만, 잘못된 건 없었어.

남 그러면 정크 파일을 지우는 게 어때?

여 정크 파일?

남 응, 불필요한 파일이 있을 수 있어. 그것들이 네 컴퓨터를 느리게 할 수 있거든.

여 좋아. 시도해 볼게.

해설 여자는 남자의 조언을 받아들여 컴퓨터를 느리게 하는 불필요한 파일을 삭제할 것이다.

09 언급하지 않은 것 | ⑤
해석

남 우리 학교의 학생들은 많은 다른 종류의 운동을 하는 것을 매우 좋아합니다. 남학생들에게 인기 있는 운동은 농구와 야구이지만, 여학생들은 배구와 배드민턴을 좋아합니다. 남학생과 여학생 모두에게 가장 인기 있는 운동은 축구입니다. 수영은 다른 운동들만큼 인기 있지는 않지만, 많은 학생들이 수영하는 법을 배우고 싶다고 대답했습니다.

해설 수영은 다른 운동 종목만큼 인기가 있지 않다고 했다.

10 주제 파악 | ⑤
해석

여 등산 중에 길을 잃은 적이 있나요? 그것은 누구에게나 일어날 수 있습니다. 다음 사항을 명심하세요. 첫째, 길을 잃자마자 멈추세요. 만약 계획 없이 움직이면, 길을 한 번 더 잃을 수 있습니다. 둘째, 스스로에게 물으세요. '내가 이곳에 어떻게 왔지? 내가 북쪽으로 가고 있었나 아니면 남쪽으로 가고 있었나?' 셋째, 지도를 꺼내고 당신이 어디에 있는지 알아내려고 노력하세요. 계획을 세우고 움직이세요. 한 가지 더 있습니다. 당황하지 말고 침착하세요.

해설 등산 중 길을 잃었을 때 대처 방법에 관한 안내 방송이다.

11 내용 일치 / 불일치 | ⑤
해석

여 안녕하세요, 제주도행 항공권을 4장 예약하고 싶어요.

남 언제 떠날 계획이시죠?

여 이번 주 금요일이에요.

남 몇 시에 떠나고 싶으시죠, 아침인가요, 아니면 오후인가요?

여 빠를수록 더 좋아요.

남 오전 7시에 떠나는 표가 있고 비행시간은 약 40분입니다.

여 그것으로 할게요. 고맙습니다!

해설 구매 매수는 4장이고 행선지는 제주도이며 이번 주 금요일 오전 7시에 떠나며 비행시간은 40분인 일정이다.

12 목적 파악 | ⑤
해석

[휴대 전화가 울린다.]

여 안녕, Michael. 무슨 일이니?

남 안녕, 지민아. 미나의 전화번호를 아니?

여 아는 것 같아. 왜 그 번호가 필요한데?

남 미나와 나는 과학 프로젝트의 같은 조에 속해 있어. 그녀에게 우리 프로젝트에 대해 물어볼 게 있거든.

여 음, 내 전화번호부를 찾아 봐야 해.

남 그럼 전화번호를 문자 메시지로 보내 줄 수 있니?

여 물론이지. 전화 끊고 잠시만 기다려 줘.

남 고마워.

해설 남자는 과학 프로젝트 멤버인 미나의 전화번호를 묻기 위해 여자에게 전화를 걸었다.

13 숫자 정보 파악 - 수치 | ③
해석

남 Linda, 이건 네 가족사진이니?

여 응, 맞아. 지난여름 휴가 때 그 사진을 찍었지.

남 이 남자아이는 누구니? 너보다 더 커 보이는걸.

여 내 남동생 William이야. 나보다 3cm 더 커.

남 그러면 165cm라는 거지?

여 아니야. 그는 지금 168cm야. 그리고 난 여전히 걔보다 3cm가 더 작고.

해설 Linda는 168cm인 남동생보다 3cm 더 작다고 했으므로 현재 165cm이다.

14 관계 추론 | ①
해석

여 만나서 반갑습니다.

남 저도 만나서 반가워요.

여 한국에 처음 오셨나요?

남 네. 항상 오고 싶었는데 결국 왔네요!

여 한국에서 당신 노래 중에 가장 인기 있는 것이 무엇인지 아시나요?

남 아마도 'I'm Yours'겠죠? 그건 제가 가장 좋아하는 노래이기도 해요.

여 맞습니다. 한국 팬들에게 먼저 인사를 하시는 게 어때요?

남 좋아요. 안녕하세요. 제 노래를 좋아해 주셔서 감사합니다. 많은 분들이 제 콘서트에 오셔서 함께 좋은 시간을 갖기를 바랍니다.

해설 한국을 방문한 외국 가수와 기자와의 인터뷰이다.

15 부탁한 일 파악 | ①
해석

[휴대 전화가 울린다.]

남 안녕, Lisa. 무슨 일이니?

여 안녕, Paul. 나 오늘 동아리 모임에 못 갈 것 같아.

남 왜? 우리는 학교 축제를 준비할 계획이잖아.

여 알아, 하지만 난 남동생을 돌봐야 해.

남 너 오늘 사진 찍기로 되어 있지 않니?

여 응. 그래서 말인데, 혹시 사진기가 있으면 나 대신 그 일을 해달라고 부탁해도 될까?

남 그래, 내가 할 수 있어.

여 고마워.

해설 여자는 남자에게 자기 대신에 학교 축제에서 사진을 찍어달라고 부탁하고 있다.

16 이유 파악 | ④
해석

남 너 무엇을 보고 있니?

여 웅변대회 신청 용지를 보고 있어.

남 거기에 참가할 거니?

여 그러고 싶지만, 많은 사람들 앞에서 연설을 하는 것이 너무 두려워.

남 이봐, 너 뉴스 기자가 되고 싶다고 말했잖아. 그렇지 않니?

여 응, 그랬지.

남 넌 대중 앞에서 말하는 것을 연습해야 해.

여 네 말이 맞아. 시도해 봐야겠어.

해설 여자는 많은 사람들 앞에서 연설하는 것이 두려워 웅변대회 참가를 망설였다.

17 그림 상황에 어울리는 대화 찾기 | ①
해석

① 남 이 약을 얼마나 자주 먹어야 하죠?

　 여 하루에 세 번이요.

② 남 미래에 뭐가 되고 싶어?

　 여 나는 약사가 되고 싶어.

③ 남 나 감기 나은 것 같아.

여 그거 다행이다.

④ 남 강아지에게 무슨 문제가 있나요?

　 여 전혀 먹지 않아요.

⑤ 남 할머니께서 편찮으셔.

　 여 곧 회복되시길 바랄게.

해설 남자가 약을 받으면서 약사에게 질문을 하는 상황이다.

18 언급하지 않은 것 | ②
해석

여 지난밤에 잠을 잘 못 잤어. 새벽 3시까지 깨어 있었지.

남 안됐구나.

여 어떻게 해야 잠을 푹 잘 수 있는지 아니?

남 글쎄. 뜨거운 차나 따뜻한 우유를 마시는 건 어때?

여 그건 매일 해.

남 그럼, 음악을 들어.

여 어떤 음악이 좋을까?

남 감미로운 음악이어야 해. 또한 가벼운 저녁을 먹는 것도 도움이 돼.

여 조언 고마워. 시도해 볼게.

해설 잠을 푹 잘 수 있는 방법으로 운동하는 것은 언급하지 않았다.

19 알맞은 응답 찾기 | ④
해석

여 여름 방학에 무슨 계획 있니?

남 아니, 별로. 너는?

여 나는 부산에 사는 친구를 방문할 거야.

남 멋지다. 부산은 흥미롭고 역동적인 도시야.

여 전에 그곳에 가 본 적이 있니?

남 물론이지, 여러 번 가 봤어. 내 조부모님이 그곳에 사시거든.

여 정말? 부산에서 네가 가장 좋아하는 곳은 어디니?

남 아름다운 해변인 해운대야.

① 그것을 놓쳐서는 안 돼.

② 신선한 해산물을 먹는 것이 최고야.

③ 나는 가족과 함께 그곳에 갔었어.

⑤ 조부모님은 부산을 가장 좋아하셔.

해설 부산에서 가장 좋아하는 곳이 어딘지 물었으므로, 장소를 말하는 응답이 와야 가장 적절하다.

20 알맞은 응답 찾기 | ④
해석

남 뭐 하고 있니? 바빠 보인다.

여 오늘 사회 시간에 필요한 발표를 준비하고 있어.

남 무엇에 대한 거야?

여 전 세계의 축제에 대한 거야. 난 일주일 내내 그것을 준비했어.

남 네가 얼마나 성실한지 알아. 발표가 언제니?

여 다음 시간이야. 오, 정말 긴장된다.

남 걱정 마. 넌 잘할 거라고 확신해.

① 신경 쓰지 마. 난 괜찮아.

② 맞아. 전적으로 네 말에 동의해.

③ 의도하지 않았어. 오해하지 마.

⑤ 물어봐 줘서 고마워. 정말 친절하구나.

해설 발표 때문에 긴장하는 여자를 격려하는 응답이 와야 가장 적절하다.

01 ②	02 ③	03 ③	04 ③	05 ⑤
06 ②	07 ⑤	08 ②	09 ④	10 ④
11 ⑤	12 ③	13 ③	14 ②	15 ②
16 ⑤	17 ①	18 ⑤	19 ④	20 ⑤

Dictation Test 07회   pp. 66~71

01 ❶ have less sunshine this week **❷** see clear skies **❸** will be sunny but cold

02 ❶ the role of a witch **❷** this hat with a ribbon **❸** a star at the top

03 ❶ made me feel bright **❷** what to say **❸** would cheer you up

04 ❶ cook my favorite food **❷** took the math exam **❸** buy me a new bicycle

05 ❶ send this package **❷** need to buy stamps **❸** wait a second

06 ❶ record a video with it **❷** get a full refund **❸** waiting for your reply

07 ❶ The weather forecast says **❷** forget to bring your blanket **❸** stay at a guest house

08 ❶ How can I assist **❷** our relatives are coming over **❸** clean the living room

09 ❶ your school librarian **❷** all genres in the library **❸** Don't forget to

10 ❶ use the computer room **❷** delete or install any programs **❸** no drinks are allowed

11 ❶ announce the results **❷** second place goes to **❸** give them a big hand

12 ❶ Can I speak to **❷** An old woman found **❸** tell my daughter about that

13 ❶ need anything else **❷** much do they cost **❸** take them all

14 ❶ the success of this movie **❷** wanted to be like her **❸** are impressed by my movies

15 ❶ still go on a picnic **❷** A bit of rain **❸** do you feel satisfied

16 ❶ get the result **❷** took a dance audition **❸** whether I passed or not

17 ❶ caught a big fish **❷** fishing in the lake **❸** I had no idea

18 ❶ have an escape drill **❷** gather in the school gym **❸** then go outside

19 ❶ some wild animals from Africa **❷** going to the zoo **❸** what kinds of animals came

20 ❶ what to buy for them **❷** don't have enough money **❸** they like the cases

---

01   그림 정보 파악 – 날씨 | ②

해석

남 이번 주 일기 예보 시간입니다. 지난주에는 화창한 날이 많았습니다. 이번 주에는 햇살이 덜 비치겠습니다. 이번 주 수요일까지는 화창하겠습니다. 목요일에는 하늘이 흐려지고 밤에 비가 내리겠습니다. 비는 토요일 오전까지 계속되겠지만, 오후부터는 맑은 하늘을 보겠습니다. 일요일은 화창하고 춥겠습니다.

해설 목요일 밤부터 토요일 오전까지 비가 내릴 것이라고 했다.

02   그림 정보 파악 – 사물 | ③

해석

남 Kate, 컴퓨터 화면에서 무엇을 보고 있니?

여 난 모자를 하나 사야 하거든. 학교 연극에서 마녀 역할을 연기할 거야.

남 오, 그렇구나. 그 모자는 뾰족해야겠다, 그렇지?

여 응.

남 리본이 달린 이 모자가 좋을 것 같아. 그렇게 생각하지 않니?

여 글쎄, 네 말에 동의하지 않아. 그 모자는 귀여우면 안 되거든.

남 꼭대기에 별이 달린 이것은 어때?

여 훨씬 낫네. 당장 그것을 주문해야겠어.

해설 여자는 뾰족한 모양이며, 꼭대기에 별이 달린 모자를 구입할 것이다.

03   심정 파악 | ③

해석

[전화벨이 울린다.]

남 여보세요, 나 Jean이야. 너 내가 보낸 것 받았니?

여 응, 고마워. 네가 보낸 소포가 나를 밝아지게 했어. 어떻게 내 생일을 알았니?

남 기억하기 쉽잖아. 12월 24일, 매년 크리스마스이브인걸.

여 뭐라고 말해야 할지 모르겠어. 다시 한 번 고마워.

남 천만에. 가족도 없이 혼자 사는 게 힘들다는 것을 알아. 이 선물이 너를 기분 좋게 해 주었길 바라.

여 넌 정말 친절한 사람이야.

해설 여자는 남자에게 생일 선물을 받아서 고마워하고 있다.

04   한 일 / 할 일 파악 | ③

해석

남 너 오늘 행복해 보이는구나.

여 응, 나 아주 기뻐. 우리 엄마가 내가 가장 좋아하는 피자를 요리해 주겠다고 하셨거든.

남 왜? 너 뭔가 대단한 일을 했니?

여 응, 나 어제 수학 시험을 봤는데 만점을 받았어.

남 놀랍다! 축하해!

여 고마워. 우리 엄마가 내 생일에 새 자전거도 사 주실 거야.

해설 여자는 어제 수학 시험을 봐서 만점을 받았다고 했다.

05   장소 추론 | ⑤

해석

남 이 짐을 발송하고 싶어요.

여　어디로요?

남　캐나다로요. 우편 요금이 얼마죠?

여　킬로그램 당 2달러예요.

남　이것은 얼마나 돈을 내야 하나요?

여　어디 보자. 4달러 20센트짜리 우표를 사야 할 겁니다.

남　네, 여기 있어요. 영수증을 받을 수 있을까요?

여　물론이죠, 잠시 기다리세요.

해설　우편 요금이 얼마인지 묻고 답하고 있으므로 두 사람이 대화하는 장소는 우체국이다.

06　의도 파악　| ②

해석

여　저는 지난 일요일에 당신의 매장에서 최신 비디오카메라를 구입했습니다. 하지만, 문제가 발생했고, 그것에 대해 불만을 말하고 싶습니다. 저는 그것으로 녹화는 할 수는 있지만, 파일이 재생이 되지 않습니다. 저는 그 제품을 전액 환불 받길 원합니다. 수리를 받고 싶지 않아요. 당신의 답변을 기다리겠습니다.

해설　여자는 구입한 비디오카메라의 파일이 재생되지 않아 불만을 나타내며 환불을 요청하고 있다.

07　특정 정보 파악　| ⑤

해석

여　내일은 '별 관측의 밤'이야.

남　응. 일기 예보에 따르면 내일 하늘이 맑을 거래.

여　좋아. 하지만 추울지도 몰라. 담요 가져오는 것을 잊지 마.

남　알겠어. 그 외에 무엇이 필요하지?

여　사진기와 망원경, 그리고 간식이 좀 필요해.

남　우리 침낭도 필요할까?

여　아니, 밖에서 자기에는 너무 추워. 우리는 게스트 하우스에서 머물 거야.

남　멋지다. 정말 기대돼!

해설　밖에서 자기에는 너무 춥기 때문에 두 사람은 침낭을 가져가지 않기로 했다.

08　한 일 / 할 일 파악　| ②

해석

여　David, 너 바쁘니? 네 도움이 필요하구나.

남　바쁘지 않아요. 어떻게 도와 드릴까요, 엄마?

여　오늘 할아버지 생신이잖아. 친척들 몇 분이 오늘 밤에 오실 거야. 곧 이곳에 도착하실 거란다.

남　알았어요. 먼저 무엇을 할까요?

여　나는 생일 케이크를 주문하고 저녁 식사도 만들 거야. 네가 거실 청소를 시작하는 게 어떠니?

남　좋아요.

해설　남자는 엄마의 제안대로 거실을 청소할 것이다.

09　언급하지 않은 것　| ④

해석

여　안녕하세요, ABC 중학교 학생 여러분! 저는 학교 사서입니다. 오늘 저는 여러분에게 도서관 시스템에 대해 말씀드리겠습니다. 도서관은 본관 2층에 있습니다. 오전 9시에 열고 오후 5시에 닫습니다. 도서관에는 모든 장르의 책들이 약 만 권 가량 있습니다. 여러분은 이곳에서 책을 읽거나 빌려 갈 수 있습니다. 책을 대출하러 올 때 학생증을 가져오는

것을 잊지 마세요. 감사합니다.

해설　도서관을 이용할 때 대출 기간에 대한 내용은 언급하지 않았다.

10　주제 파악　| ④

해석

여　안녕하세요, 학생 여러분. 수업 전에 중요한 사항 몇 가지를 알려드리고 싶어요. 여러분도 알다시피, 컴퓨터실을 이용할 때 몇 가지 규칙이 있습니다. 첫째, 선생님의 허락 없이 어떤 프로그램도 삭제하거나 설치해서는 안 됩니다. 둘째, 컴퓨터실을 나갈 때는 언제나 컴퓨터의 전원을 꺼야 합니다. 마지막으로, 컴퓨터실에서는 음료의 반입이 허락되지 않습니다. 여러분이 이 규칙을 따라 주기를 바랍니다.

해설　컴퓨터실을 이용할 때 지켜야 할 규칙에 관한 안내이다.

11　내용 일치 / 불일치　| ⑤

해석

남　심사단의 일원으로서 저는 여러분 모두에게 감사하다고 말하고 싶습니다. 이제 이번 영어 연극 대회의 결과를 발표하겠습니다. 준비되셨나요? 3등은 '신데렐라', 2등은 '피노키오'입니다. 그리고 마지막으로 연극 대회의 우승은 서유나와 그녀의 팀, '백설 공주와 일곱 난쟁이'입니다! 여러분, 수상자들에게 큰 박수를 보내 주세요!

해설　수상자 모두가 부상을 받는다는 말은 언급하지 않았다.

12　목적 파악　| ②

해석

[전화벨이 울린다.]

남　이지민 씨와 통화할 수 있을까요?

여　그녀는 지금 안에 없어요. 전 그 애의 엄마인데요. 실례지만 누구시죠?

남　여기는 분실물 센터입니다.

여　오, 무슨 일이시죠?

남　이지민 씨가 어젯밤 휴대 전화를 전철에 놓고 내리셨어요. 한 노부인이 찾아서 우리에게 돌려주었죠.

여　친절한 분이시군요! 딸에게 그것에 대해 말할게요. 전화 주셔서 감사합니다.

해설　남자는 지하철에 놓고 간 휴대 전화를 찾아 주려고 전화했다.

13　숫자 정보 파악 – 금액　| ③

해석

여　도와드릴까요?

남　네, 전 검정색 펜 세 개가 필요해요.

여　개당 1달러입니다. 그 밖에 다른 것도 필요하시나요?

남　네. 스케치북 두 권과 붓도 한 자루 필요해요.

여　여기 있습니다.

남　그것들은 얼마인가요?

여　스케치북 두 권과 붓 한 자루는 전부해서 7달러예요.

남　알겠습니다. 전부 다 살게요.

해설　7달러인 스케치북 두 권과 붓 한 자루, 그리고 1달러짜리 펜을 세 개 구입할 것이므로 총 10달러를 지불해야 한다.

14　관계 추론　| ②

해석

여　Clark 씨, 이번 영화의 성공을 축하드립니다. 어떻게 영화계에 입문하시게 되었나요?

남 제 어머니께서는 훌륭한 배우였고, 저는 언제나 그녀처럼 되고 싶었어요.

여 좋습니다. 다음 질문으로 넘어갈게요. 배우로서 가장 행복한 순간은 언제인가요?

남 사람들이 제 영화에 감동받았다는 말을 들을 때마다 저는 제 자신이 자랑스럽습니다.

해설 영화계에 입문한 이유와 배우로서 가장 행복한 순간에 대해 인터뷰를 하고 있으므로, 두 사람은 기자와 배우의 관계일 것이다.

---

15 한 일 / 할 일 파악 | ②

해석

여 오늘은 구름이 꼈네. 내일 비가 와도 우리는 소풍을 가는 거니?

남 응. 그건 바뀌지 않아.

여 정말이야? 우린 감기에 걸릴지도 몰라.

남 왜 그래! 약간의 비 정도는 우리에게 전혀 문제가 되지 않아.

여 하지만 난 아프고 싶지 않단 말이야.

남 그러면 널 위해 우비를 준비할게. 이제 만족해?

여 응. 갈게.

해설 두 사람은 내일 소풍을 갈 것이다.

---

16 이유 파악 | ⑤

해석

남 무슨 일이야? 너 창백해 보인다.

여 난 지금 정말 초조해.

남 무엇 때문에? 시험이라도 있니?

여 아니. 나는 오디션 결과를 보러 극장에 가야 해. 지난주에 댄스 오디션을 봤거든.

남 맘 편히 가져. 다 괜찮을 거야.

여 그러기를 바라. 하지만 나는 여전히 내가 통과했는지 아닌지 걱정 돼.

남 내가 그곳에 너와 함께 가 줄게.

해설 여자는 오디션 결과 때문에 초조해하고 있다.

---

17 그림 상황에 어울리는 대화 찾기 | ①

해석

① 여 봐! 내가 큰 물고기를 잡았어!
　남 우아! 진짜 크다!

② 여 네가 가장 좋아하는 여가 활동은 무엇이니?
　남 나는 호수에서 낚시하는 것을 좋아해.

③ 여 그 전화는 보이스 피싱이었어.
　남 그 남자가 뭐라고 했어?

④ 여 생선 가격이 최근에 정말 많이 오른 것을 알고 있었니?
　남 아니, 몰랐어.

⑤ 여 영화 '빅 피쉬'를 본 적 있니?
　남 아니, 본 적 없어. 무슨 내용이야?

해설 큰 물고기를 잡은 여자가 옆에 있는 남자와 함께 기뻐하는 상황이다.

---

18 언급하지 않은 것 | ⑤

해석

여 학생 여러분, 잠시 주목해 주시겠습니까? 여러분도 아시다시피, 어제 지진이 있었습니다. 오늘 우리는 학교에서 대피 훈련을 할 예정입니다. 오후에는 수업이 없겠습니다. 점심 식사를 일찍 끝내고 1시까지 체육관에 모이세요. 그곳에서 영상을 보고 밖으로 나가겠습니다. 늦지 마세요!

해설 여자는 지진 대피 훈련이 끝나는 시간을 언급하지 않았다.

---

19 알맞은 응답 찾기 | ④

해석

남 너 그거 아니? 아프리카에서 몇몇 야생 동물들이 국립 동물원으로 왔대.

여 우아! 이번 주 일요일에 동물원에 가는 게 어때?

남 너는 야생 동물을 좋아하니?

여 물론이지. 어떤 종류의 동물들이 그곳에 왔는지 넌 아니?

남 치타, 사자, 그리고 뱀 등이야.

여 오, 정말? 나는 하이에나도 보고 싶어. 하이에나가 왔는지 아니면 오지 않았는지 아니?

남 글쎄, 그것에 대해서는 잘 모르겠어.

① 그건 하이에나처럼 보여.

② 미안한데, 난 그것들이 싫어.

③ 응, 난 그것들에 만족해.

⑤ 아니, 난 아프리카에 전혀 가고 싶지 않아.

해설 국립 동물원에 하이에나도 있는지 묻는 질문에 잘 모르겠다는 응답이 와야 가장 적절하다.

---

20 알맞은 응답 찾기 | ⑤

해석

남 걱정 있어 보인다. 무슨 문제가 있니?

여 응. 이번 주 토요일이 부모님 결혼기념일이야. 그런데 나는 그분들에게 무엇을 사 드려야 할지 결정하지 못했어.

남 아빠에게는 넥타이, 엄마에게는 스카프를 사 드리는 것은 어떻게 생각해?

여 좋긴 한데, 돈이 충분하지 않아. 휴대 전화 케이스를 사 드리는 건 어때?

남 우아, 좋은 생각이야!

여 부모님이 그 케이스를 좋아하시길 바라.

남 내 생각에, 그분들은 정말 좋아하실 거야!

① 너무 많이 사지 마.

② 실망하지 마.

③ 그것들을 사는 게 어때?

④ 너 정말로 그것들을 사고 싶니?

해설 부모님이 휴대 전화 케이스 선물을 좋아하시길 바란다는 말에 그분들은 좋아할 것이다라고 답하는 것이 가장 자연스럽다.

08회	영어 듣기모의고사			pp. 72~73
01 ④	02 ③	03 ②	04 ④	05 ②
06 ①	07 ③	08 ④	09 ⑤	10 ②
11 ⑤	12 ③	13 ③	14 ⑤	15 ②
16 ⑤	17 ②	18 ④	19 ②	20 ③

Dictation Test 08회　　　　pp. 74~79

01 ❶ going to rain at night　❷ be cloudy all day long
　❸ the rainy weather will continue

02 ❶ here to buy a dish　❷ I'd prefer a square one
　❸ I'll get a new one

03 ❶ I'm dying to see　❷ Surely she did　❸ can't wait to
　eat them

04 ❶ run in the marathon race ❷ fill out a form ❸ Could you tell me

05 ❶ didn't expect to see ❷ came here to buy one ❸ like your new school

06 ❶ where have you been ❷ to do my homework ❸ to return these books

07 ❶ some grape juice instead ❷ where can I find ❸ the end of the hall

08 ❶ heard you were absent yesterday ❷ I feel much better ❸ Can you make it

09 ❶ on the first basement level ❷ use all the facilities ❸ you enjoy your stay

10 ❶ brush your teeth ❷ can be used up ❸ will suffer from a lack

11 ❶ take a look at ❷ not far from here ❸ take our own supplies

12 ❶ I don't have the time ❷ meet one of my friends ❸ returning from abroad

13 ❶ come and cheer you up ❷ prepare one more set ❸ he said he would come

14 ❶ new to this country ❷ used to the traffic signs ❸ How long have you stayed

15 ❶ you don't look well ❷ bored with doing it ❸ Let's go jogging

16 ❶ where are you running ❷ I had left my wallet ❸ I'm in a hurry

17 ❶ ready to order ❷ have a stomachache ❸ make this food yourself

18 ❶ during the last few decades ❷ I asked you about it ❸ Let me give you

19 ❶ tell me the reason ❷ As a matter of fact ❸ hit the bus

20 ❶ to be a gold medalist ❷ I started skating ❸ if I go to see

01 그림 정보 파악 – 날씨 | ④
해석
남 안녕하세요. 주간 일기 예보입니다. 월요일 오후는 맑겠지만 밤에는 비가 올 것입니다. 화요일에는 오전에 비가 그치고 하루 종일 흐리겠습니다. 수요일에는 비가 다시 시작되어, 비 오는 날씨가 토요일까지 계속되겠습니다. 하지만 일요일에는 맑겠습니다. 감사합니다.
해설 수요일부터 토요일까지 비가 온다고 했다.

02 그림 정보 파악 – 사물 | ③
해석
여 무엇을 도와드릴까요, 손님?
남 접시를 사려고요.

여 알겠습니다. 하트 무늬가 있는 이 둥근 접시는 어떤가요?
남 좋네요. 하지만 저는 사각형 접시를 더 좋아해요.
여 알겠습니다. 그렇다면 가운데에 커다란 꽃무늬가 있는 이 사각형 접시가 정말 인기가 많습니다.
남 마음에 들어요. 그것으로 할게요.
여 좋아요. 새 것을 가져다 드리겠습니다.
해설 남자는 가운데 커다란 꽃무늬가 있는 사각형 모양의 접시를 구입할 것이다.

03 심정 파악 | ②
해석
여 아빠, 조부모님 댁에 도착하려면 얼마나 걸리나요?
남 30분 정도 걸린단다.
여 곧 도착하면 좋겠어요. 할아버지와 할머니가 정말 보고 싶어요.
남 여기는 교통량이 그다지 많지 않구나. 그러니까 곧 도착할 수 있어.
여 할머니께서 사과파이를 만드셨을까요?
남 사랑스러운 손녀를 위해서 분명히 만드셨을 거야.
여 그것들이 정말 먹고 싶어요.
해설 여자는 조부모님을 곧 뵐 수 있어서 신이 났다.

04 한 일 / 할 일 파악 | ④
해석
[전화벨이 울린다.]
여 여보세요, 서울 마라톤 축제의 책임자 Emma Yoon입니다.
남 안녕하세요, 저는 마라톤 경기에 참가하고 싶은데요. 어떻게 지원하나요?
여 서식을 하나 작성하셔야 해요. 서식은 저희 홈페이지에서 내려 받으실 수 있습니다.
남 작성한 후에 그 서식을 우편으로 부쳐야 하나요?
여 이메일로 보내거나 우편으로 보내시면 됩니다.
남 이메일 주소 좀 알려 주시겠어요?
여 그것 또한 저희 홈페이지에 있답니다.
남 알겠습니다. 감사합니다.
해설 남자는 마라톤 경기에 지원하기 위해 참가 신청서를 작성할 것이다.

05 장소 추론 | ②
해석
여 너 Peter Jackson 아니니?
남 오, 너 Mary지, 맞지?
여 응. 여기서 너를 볼 줄 몰랐네.
남 나도 그래. 넌 책을 좋아하니?
여 그다지. 나는 친구에게 줄 책 한 권을 사려고 왔어. 내일이 그녀의 생일이거든.
남 그렇구나. 그런데, 새 학교와 새 친구들은 마음에 드니?
여 응. 둘 다 좋아.
해설 여자는 책을 구입하러 왔다고 했으므로, 두 사람은 서점에서 대화하고 있음을 알 수 있다.

06 의도 파악 | ①
해석
남 엄마, 저 왔어요.

여 Jack, 어디 있었니?

남 숙제하러 도서관에 있었어요.

여 오, 오늘 또 도서관에 갈 거니?

남 네. 점심 먹고 거기 갈 거예요. 왜요?

여 잘됐구나! 이 책들을 네가 도서관에 반납해 주면 좋겠어. 오늘이 반납일이거든.

해설 여자는 도서관에 가는 남자에게 책을 반납해 달라고 부탁하고 있다.

07 특정 정보 파악 | ③

해석

남 도와드릴까요?

여 네. 저는 신선한 샐러드가 곁들여진 햄버거 스테이크를 원합니다.

남 알겠습니다. 콜라도 필요하신가요?

여 아니요. 대신에 저는 포도 주스를 원해요.

남 네. 디저트로는 아이스크림과 커피 중에 무엇을 원하시나요?

여 아이스크림 부탁합니다. 그리고 화장실은 어디에 있나요?

남 복도 끝에 있습니다.

여 감사합니다.

해설 여자는 탄산음료를 주문하지 않았다.

08 한 일 / 할 일 파악 | ④

해석

여 안녕. Jack, 나는 네가 어제 결석했다고 들었어. 괜찮니?

남 응, 훨씬 좋아졌어. 고마워. 수지야. 우리 숙제 같은 것이라도 있니?

여 오, 내일 영어 시험이 있을 거야.

남 정말? 어떻게 해야 하지?

여 걱정 마. 방과 후에 내가 너를 도와줄 수 있어.

남 고마워. 5시에 만날 수 있니? 그냥 우리 집으로 와.

여 알겠어. 이따 봐. 안녕.

해설 여자는 남자의 영어 공부를 도와줄 것이다.

09 언급하지 않은 것 | ⑤

해석

남 서울 호텔을 방문해주셔서 감사합니다. 우리는 지하 1층에 큰 수영장이 있습니다. 수영장은 오전 8시부터 오후 9시까지 이용할 수 있습니다. 수영장 옆에는 헬스클럽과 사우나가 있습니다. 헬스클럽과 사우나는 24시간 운영합니다. 손님들은 모든 시설들을 무료로 이용할 수 있습니다. 우리는 또한 비즈니스 라운지를 갖고 있습니다. 그곳에서 여러분은 컴퓨터와 프린터를 이용하실 수 있습니다. 우리 호텔에서 머무시는 동안 즐거운 시간이 되기를 기원합니다.

해설 비즈니스 라운지의 이용시간에 대해서는 언급하지 않았다.

10 주제 파악 | ②

해석

여 여러분은 10분 이상 샤워를 하나요? 여러분은 수도꼭지를 틀어놓은 채 양치질을 하나요? 두 가지 질문 중 하나라도 '그렇다'고 답했다면, 여러분은 물을 낭비하고 있는 것입니다. 물은 풍력이나 태양 에너지와 같은 무한 자원이 아닙니다. 다 써버릴 수 있습니다. 만일 우리가 지구에 있는 물의 제한된 공급을 고려하지 않는다면, 우리의 다음 세대는 물 부족을 겪을 것입니다. 두 번 생각하고 물을 현명하게 사용합시다.

해설 여자는 다음 세대를 위해 물을 아껴 써야 한다고 말하고 있다.

11 내용 일치 / 불일치 | ⑤

해석

여 Andrew, 여기 와서 이 광고 좀 봐.

남 무엇에 관한 거야?

여 중학생들을 위한 미술 강좌들이야. 무료로 회화와 미술의 역사 수업을 해 준대.

남 6번가? 여기서 멀지 않구나.

여 맞아. 그 수업들 중 하나를 함께 수강하는 것은 어때?

남 좋은 생각이야. 미술 강좌들은 언제야?

여 화요일과 목요일마다 있어. 우리는 필기도구만 준비하면 돼.

남 좋아. 가서 수업이 어떤지 보자.

해설 필기도구를 준비해야 한다고 했다.

12 목적 파악 | ③

해석

남 수진아, 어디 가는 중이니?

여 공항에 가고 있어.

남 해외에 가는 거야?

여 그랬으면 좋겠지만, 그럴 시간이 없어.

남 그러면 너는 왜 가는 건데?

여 내 친구들 중 한 명을 만나러 가.

남 오? 해외에서 귀국하는 친구니?

여 아니, 그녀는 사실 그곳에서 일해.

해설 여자는 공항에서 일하는 친구를 만나러 간다고 했다.

13 숫자 정보 파악 – 인원수 | ③

해석

여 Mark, 금요일에 네 친구들이 와서 널 응원해 줄까?

남 네. 저의 가장 친한 친구들이 대회에 올 예정이에요.

여 오, 그 다섯 명의 남자애들 말이니?

남 네. 엄마. 그날 그들에게 점심을 사 주실 수 있으세요?

여 물론이지. 너를 포함해서 6명용으로 햄버거 세트를 가져갈게. 괜찮니?

남 잠깐만요, 엄마. 한 세트 더 준비해 주실 수 있으세요?

여 왜?

남 제가 새로운 친구인 Brian을 초대했는데, 그도 오겠다고 했거든요.

해설 Mark를 응원하기 위해 가장 친한 다섯 명의 친구들과 새로운 친구인 Brian이 대회에 올 것이다.

14 관계 추론 | ⑤

해석

여 실례합니다. 선생님.

남 오, 제가 뭘 잘못했나요?

여 네. 선생님께서는 이 길로 운전을 하실 수 없습니다. 여기는 일방통행로예요.

남 오, 저는 이 나라가 초행이라 몰랐습니다.

여 여행객이십니까?

남 네. 저는 미국에서 와서 한국의 교통 표지판에 익숙하지 않아요.

여 이해합니다. 한국에서는 얼마나 오랫동안 머무셨나요?

남 이틀 밖에 되지 않았어요. 그런데 제가 벌금 같은 것을 내야 하나요?

여 아니요. 그러실 필요 없어요. 하지만 다음번에는 조심하세요.

해설 여자는 남자에게 일방통행로에서 운전을 하면 안 된다고 경고하고 있으므로, 두 사람은 교통 경찰관과 운전자의 관계임을 알 수 있다.

15 부탁한 일 파악 | ②

해석

남 Liz, 너 요즘 안 좋아 보여.

여 글쎄, 쉽게 피곤해지네. 왜 그런지 모르겠어.

남 병원에 가 보는 게 어때?

여 가 봤는데 의사는 문제가 없대.

남 흠……, 내 생각에는 넌 운동이 좀 필요한 것 같아.

여 운동이라고? 혼자서 운동을 하는 것은 지루해. 아마 나는 곧 그만둘 거야. 나랑 함께 운동해 줄래?

남 물론이지. 내일 아침부터 조깅하러 가자.

해설 여자는 남자에게 함께 운동하자고 부탁하고 있다.

16 이유 파악 | ⑤

해석

여 민수야, 어디로 달려가고 있니?

남 학교에 가고 있어.

여 오늘은 일요일인데. 축구 경기나 뭐가 있는 거니?

남 아니. 교실에 지갑을 두고 왔다는 것을 방금 알았거든.

여 오, 정말? 아직도 거기 있기를 바라.

남 응. 그게 바로 내가 서두르는 이유야.

해설 남자는 교실에 지갑을 두고 와서 학교에 가고 있다고 했다.

17 그림 상황에 어울리는 대화 찾기 | ②

해석

① 여 주문하시겠습니까?

남 네, 치킨 샌드위치 하나 주세요.

② 여 스파게티 더 먹을래?

남 아니요, 괜찮아요. 배가 불러요.

③ 여 너는 어떤 음식을 좋아하니?

남 나는 이탈리아 음식을 좋아해.

④ 여 나 배가 아파.

남 너는 그렇게 많이 먹지 말았어야 했어.

⑤ 여 이 음식을 네가 직접 만들었니?

남 응, 나는 요리하는 것을 좋아해.

해설 여자가 음식을 더 권하자 남자가 거절하는 상황이다.

18 언급하지 않은 것 | ④

해석

남 바비 인형 전시회에 대해 알고 있니?

여 응, 5월 1일부터 크리스털 홀에서 열리잖아, 그렇지?

남 맞아. 지난 몇 십 년 간 제작된 바비 인형들을 전시할 거야.

여 끝내준다! 너도 알다시피, 내 취미가 바비 인형 수집이잖아.

남 그래서 내가 너에게 이야기하는 거야.

여 고마워. 어떻게 티켓을 구입하는지 알고 있니?

남 온라인에서 티켓을 사면 돼. 내가 웹사이트 주소를 알려 줄게.

여 그래. 정말 고마워.

해설 입장료에 대한 언급은 하지 않았다.

19 알맞은 응답 찾기 | ②

해석

남 Cindy, 너 늦었구나.

여 죄송해요, 이 선생님.

남 이유를 말해 줄래?

여 실은 교통사고가 있었어요.

남 교통사고라고? 그것에 대해 좀 더 말해 보렴.

여 어떤 차가 제가 타고 있던 버스를 쳤어요.

남 오, 저런! 넌 괜찮니?

여 다행히도, 저는 괜찮아요.

① 재미있네요.

③ 아니요. 우리는 택시를 타는 게 좋겠어요.

④ 좋아요. 버스 정류장에서 봬요.

⑤ 제가 더 조심해야 한다고 생각해요.

해설 교통사고를 당한 여자에게 괜찮은지 묻는 말에, 다행히도 괜찮다고 답하는 것이 가장 적절하다.

20 알맞은 응답 찾기 | ③

해석

남 미래야, 너는 장래에 무엇이 되고 싶니?

여 나는 올림픽 경기에서 금메달 수상자가 되고 싶어.

남 오, 그건 몰랐네. 그런데, 넌 어떤 종목에서 그 메달을 따고 싶니?

여 스케이트에서. 실은 몇 달 전에 스케이트를 타기 시작했거든.

남 정말? 네가 스케이트 타는 것을 보러 가도 되니?

여 물론이지. 언제든지 오렴.

① 물론이지. 나도 그것을 배우고 싶어.

② 꼭 그렇지는 않아. 나는 스케이트 타는 것을 싫어해.

④ 문제없어. 내가 곧 가르쳐 줄게.

⑤ 응. 내가 가장 좋아하는 운동이 스케이트 타기야.

해설 스케이트 타는 것을 보러 가도 되는지 묻고 있으므로, 언제든지 와도 된다는 응답이 와야 가장 적절하다.

09회 영어 듣기모의고사 pp. 80~81

01 ③	02 ④	03 ①	04 ②	05 ②
06 ③	07 ③	08 ⑤	09 ④	10 ④
11 ④	12 ②	13 ④	14 ③	15 ④
16 ③	17 ②	18 ②	19 ⑤	20 ⑤

Dictation Test 09회 pp. 82~87

01 ❶ except for the weather ❷ wet with sweat ❸ turn it on low

02 ❶ What do you want ❷ you needed one last time ❸ do you want a backpack

03 ❶ an endless shopping list ❷ have many things to buy ❸ I want to celebrate it

04 ❶ I just stayed home ❷ How about riding a bike ❸ play basketball with some friends

05 ❶ to the international airport ❷ how many stops are left ❸ You should get off

06 ❶ I lost track of time ❷ two blocks away ❸ you will like it

07 ❶ why this is happening ❷ slow down global warming ❸ to use public transportation

08 ❶ miss other classes ❷ give me a low mark ❸ let you go home

09 ❶ your captain speaking ❷ we're expecting to land ❸ we reach our destination

10 ❶ one of the best forms ❷ to walk outside ❸ How about walking

11 ❶ give you a discount on ❷ as a free gift ❸ The sale will last

12 ❶ going to do tonight ❷ free tickets for the movie ❸ In that case

13 ❶ this is my first visit ❷ you can rent them ❸ If you pay in cash

14 ❶ keep two things in mind ❷ throwing the ball higher ❸ do my best to train

15 ❶ I've been waiting for it ❷ to pick it up ❸ pay a delivery fee

16 ❶ got it cut and permed ❷ I'm not satisfied with ❸ you can dye it again

17 ❶ have butterflies in my stomach ❷ realized your dream ❸ go on the stage

18 ❶ started playing the violin ❷ tap dancing in elementary school ❸ She had learned French

19 ❶ must clean every day ❷ I need your help ❸ What should I do

20 ❶ should take a test again ❷ You can do well ❸ fail it again

01 그림 정보 파악 – 날씨 | ③
해석
남 오늘 기분이 어때?

여 음, 날씨를 제외한 모든 것이 훌륭해. 나는 사막에 있는 것 같아.

남 동감이야. 내가 오늘 아침 학교에 도착했을 때, 나는 땀으로 젖어 있었어.

여 하지만 에어컨 덕분에 교실은 시원하잖아?

남 아니야, 우리는 에너지 절약을 위해 에어컨을 종종 꺼야 해. 너희 교실은 어때?

여 우리는 자주 에어컨을 약하게 틀어 놔. 어쨌든, 온종일 덥다.

남 응, 한여름 같아.

해설 현재 날씨는 사막 한가운데에 있는 것처럼 느껴지고 한여름 같다고 했다.

02 그림 정보 파악 – 사물 | ④
해석
남 너는 생일 선물로 무엇을 원하니?

여 음……. 생각해 볼게. 나는 아직 결정하지 못했어.

남 지갑은 어떠니? 너는 지난번에 그것이 필요하다고 말했잖아.

여 맞아, 하지만 이미 그것을 샀어.

남 그러면 배낭을 갖고 싶니?

여 응. 사실, 나는 큰 배낭이 필요해.

남 빨간색이나 초록색 중에 어떤 색을 좋아하니?

여 빨간색.

해설 여자는 배낭이 필요한데 빨간색을 좋아한다고 했다.

03 심정 파악 | ①
해석
남 안녕하세요, Wilson 부인. 끝이 없는 쇼핑 목록을 갖고 계시네요.

여 우리 아들을 위해 파티를 준비하고 있기 때문이에요. 사야 할 것들이 많습니다.

남 파티는 왜 하시려고요?

여 아들이 축구 결승전에서 MVP로 선정되었어요. 저는 너무 기뻐서 축하해 주고 싶어요.

남 오, 멋지네요! 축하합니다!

해설 여자는 아들이 축구 결승전에서 MVP로 선정되어 파티를 준비하고 있다고 했으므로, 아들이 자랑스러울 것이다.

04 한 일 / 할 일 파악 | ②
해석
여 오늘은 무엇을 했니?

남 그냥 집에 머무르며 온종일 DVD를 봤어.

여 DVD를 보면서 너의 방학을 낭비해서는 안 돼. 우리 함께 재미있는 뭔가를 하자. 강을 따라 자전거를 타는 건 어때?

남 그다지 재미있을 것 같지 않아.

여 친구들하고 농구하는 건 어때?

남 그게 더 좋겠다. 지금 가자.

해설 두 사람은 친구들과 함께 농구를 할 것이다.

05 장소 추론 | ②
해석
여 국제공항에 가시나요?

남 네.

여 요금이 얼마인가요?

남 1,200원입니다.

여 감사합니다. 그럼, 공항까지 몇 개의 정류장이 남았나요?

남 다음 정류장에서 내리셔야 합니다.

여 대단히 감사합니다.

남 천만에요.

해설 교통 요금은 얼마이며 정류장은 얼마나 남아 있는지 대화하고 있으므로, 두 사람은 버스에 있음을 알 수 있다.

06 의도 파악 | ③
해석
여 Simon, 벌써 두 시야. 점심을 먹는 게 어때?

남 오, 소설을 읽느라 시간 가는 줄 몰랐네.

여 어디 가고 싶어?

남 두 블록 거리에 유명한 인도 식당이 있다고 들었어. 거기에 가 본 적 있니?

여 오, '뉴델리'를 말하는 거구나. 난 지난주에 가족과 함께 그곳에서 식사를 했어.

남 어땠어?

여 너도 분명 좋아할 거야.

해설 여자는 남자에게 레스토랑을 추천하고 있다.

07 언급하지 않은 것 | ③

해석

여 요즘 너무 덥구나, Greg.

남 맞아요. 지금은 봄이지만 벌써 너무 더워요. 이런 일이 왜 일어나고 있는지 아세요?

여 응. 바로 지구 온난화 때문이지.

남 맞아요. 학교에서 그것을 배웠어요. 그럼, 지구 온난화를 늦추려면 우리가 무엇을 할 수 있을까요?

여 재활용하기, 재사용하기, 에너지 절약하기 등과 같은 몇몇 방법들이 있지.

남 그 밖에는요?

여 대중교통을 이용하는 것도 잊지 마.

해설 지구 온난화를 늦추기 위한 방법으로 나무 심기는 언급하지 않았다.

08 한 일 / 할 일 파악 | ⑤

해석

남 한 선생님. 지금 제가 집에 가도 될까요?

여 무슨 일이 있니?

남 영어 수업 숙제를 안 가져왔어요.

여 그것 때문에 다른 수업을 빠져서는 안 돼.

남 하지만 제가 숙제를 제출하지 않으면 영어 선생님께서는 낮은 점수를 주실 거예요.

여 생각 좀 해보자. 음……, 점심시간에 네가 집에 가도록 해 줄게.

남 감사합니다.

해설 남자는 점심시간에 영어 숙제를 가지러 집에 갔다 올 것이다.

09 언급하지 않은 것 | ④

해석

남 승객 여러분, 안녕하세요. 저는 기장입니다. FL90 항공기에 탑승하신 것을 환영합니다. 현재 시간은 오전 9시 20분입니다. 날씨는 좋고 우리는 계획보다 10분가량 일찍 로마에 착륙할 것으로 예상됩니다. 로마의 날씨는 맑고 화창합니다. 목적지에 다다르기 전에 다시 말씀드리겠습니다. 감사드리며 즐거운 비행되십시오.

해설 기장은 예정보다 로마에 10분 먼저 도착할 거라고만 언급했고, 도착 시간에 대해서는 말하지 않았다.

10 주제 파악 | ④

해석

여 요즘 많은 사람들이 요가, 자전거 타기, 에어로빅과 같은 많은 다양한 종류의 운동을 즐깁니다. 하지만 많은 의사들은 걷기가 가장 좋은 형태의 운동 중 하나라고 말합니다. 그것은 저렴하고, 쉽고, 어떠한 장비도 필요로 하지 않습니다. 유일한 문제는 밖에서 걸어 다니기에 때때로 날씨가 좋지 않다는 것입니다. 걱정 마세요. 그런 경우에는 학교나 직장에서 더 많이 걸으려고 노력하면 됩니다. 하루에 만 보를 걸어보는 건 어떤가요?

해설 여자는 걷기 운동의 장점에 대해 말하고 있다.

11 내용 일치 / 불일치 | ④

해석

남 고객 여러분, 주목해 주세요! 다음 30분 동안 과일을 할인해 드립니다. 오렌지와 포도는 30% 할인합니다. 바나나와 멜론은 지금 20% 할인합니다. 할인 상품이 더 있습니다. 만약 3만 원 이상 구매하시면, 사은품으로 비누를 받으실 수 있습니다. 서두르세요! 할인행사는 30분 동안만 지속될 것입니다.

해설 멜론은 20% 할인한다고 했다.

12 목적 파악 | ②

해석

[휴대 전화가 울린다.]

여 여보세요? Jane입니다.

남 Jane, 나 Jim이야. 너 지금 바쁘니?

여 아니, 무슨 일이야?

남 오늘 밤에 뭐 할 거니?

여 확실하지 않아. 왜?

남 영화 'Super Heroes' 무료 티켓이 두 장 있어.

여 'Super Heroes'? 그것은 아주 인기 있잖아, 그렇지 않니?

남 그래! 나와 함께 그 영화를 보는 게 어때?

여 그런 경우라면, 내가 함께해야지.

해설 남자는 여자에게 영화를 함께 보자고 전화를 걸었다.

13 숫자 정보 파악 – 금액 | ④

해석

여 Morgan Ski에 오신 것을 환영합니다.

남 안녕하세요, 저는 처음 방문하는데요. 스키와 스키복을 어떻게 대여할 수 있나요?

여 먼저, 우리 가게의 회원이 되셔야 합니다. 그렇게 하면, 20% 할인된 가격으로 그것들을 대여하실 수 있습니다.

남 알겠습니다. 회비는 얼마인가요?

여 20달러입니다. 현금으로 지불하시면 10% 할인해 드립니다.

남 좋아요. 회원으로 가입할게요. 그리고 현금으로 지불하겠습니다.

해설 회원 가입비는 20달러이지만 남자는 현금으로 지불하여 10% 할인을 받았으므로 18달러를 지불했다.

14 관계 추론 | ③

해석

남 넌 코트에서 정말 잘했어.

여 감사합니다.

남 두 가지만 마음에 새기렴.

여 네. 그것들이 뭔데요?

남 공을 더 높이 던지는 연습을 해. 그리고 공을 던질 때 주저하지 않도록 확실하게 하렴.

여 알겠어요. 그렇게 할게요. 저는 정말로 중학교 선수권 대회에서 이기고 싶어요.

남 좋아! 나 역시 최선을 다해 널 훈련시킬게. 오늘은 이만 하자. 내일 체육관에서 보자.

해설 남자는 여자에게 최선을 다해 훈련을 시키겠다고 말하고 있으므로, 두 사람의 관계는 코치와 운동선수임을 알 수 있다.

15 요청한 일 파악 | ④

해석

[전화벨이 울린다.]

남 여보세요?

여 여보세요. 대한 북스에서 전화 드렸습니다. Smith 씨와 통화할 수 있을까요?

남 제가 John Smith입니다.

여 안녕하세요. 요청하신 책이 막 도착했습니다.

남 그거 좋은 소식이네요. 2주 동안 기다리고 있었거든요.

여 죄송합니다. 책을 받는 데 시간이 오래 걸렸네요. 가지러 오시겠습니까?

남 이번 주에는 서점에 갈 시간이 없어요. 책을 우편으로 보내주실 수 있나요?

여 그렇게 해드릴 수 있지만, 배송료를 지불하게 될 거예요. 괜찮으세요?

남 괜찮습니다.

해설 남자는 여자에게 우편으로 책을 보내 줄 것을 요청했다.

16 이유 파악 | ③

해석

남 너 맞니, 지나야? 머리 스타일을 바꿨구나. 너무 달라 보인다.

여 응, 머리카락을 자르고 파마를 했어.

남 머리색도 바꿨지, 그렇지?

여 맞아. 염색도 했어. 마음에 드니?

남 응, 나는 너의 새로운 머리 스타일이 마음에 들어.

여 하지만 나는 내 색깔이 마음에 들지 않아. 너무 밝아.

남 그렇게 생각하니? 그러면 좀 더 어둡게 다시 염색하면 되겠다.

여 그래야 할 것 같아.

해설 여자는 머리색이 너무 밝아서 새로운 머리 스타일이 마음에 들지 않는다고 했다.

17 그림 상황에 어울리는 대화 찾기 | ②

해석

① 여 이번 주 토요일에 콘서트에 가자.
   남 좋지. 몇 시에 만날까?

② 여 너무 긴장돼요.
   남 겁먹지 마. 모든 게 잘 될 거야.

③ 여 나 드디어 오디션에 합격했어.
   남 축하해! 꿈을 이뤘구나!

④ 여 무대 위에서 노래하고 있는 소년이 누구니?
   남 오, 그 아이는 민수야. 우리 반 회장이야.

⑤ 여 당신 차례예요. 무대에 오르세요.
   남 네. 최선을 다할게요.

해설 무대에 오르기 전에 긴장하고 있는 여자를 남자가 안심시키고 있는 상황이다.

18 언급하지 않은 것 | ②

해석

여 수지는 재능이 많은 소녀이다. 그녀는 바이올린을 정말 잘 연주한다. 그녀는 8살 때 바이올린 연주를 시작했다. 그녀는 또한 초등학교 때 탭 댄스를 배웠다. 그녀는 10살 때 부모님에게서 스키를 배웠다. 중학교에 들어가기 전에 그녀는 프랑스어를 배웠다. 나는 그녀가 어렸을 때 아주 바빴음에 틀림없다고 확신한다.

해설 수지가 첼로를 배웠다는 말은 언급하지 않았다.

19 알맞은 응답 찾기 | ⑤

해석

여 James, 집 청소하는 것을 도와줄 수 있니?

남 엄마, 어제 청소하셨잖아요.

여 우린 날마다 청소해야 해.

남 하지만 지금은 안 돼요. 제가 무척 보고 싶어 하는 TV 쇼가 곧 시작해요.

여 오늘 나는 아주 바쁘고 할 일이 많단다. 네 도움이 필요해, 아들아.

남 알겠어요. 제가 먼저 무엇을 해야 하나요?

여 거실을 청소해 줄래?

① 오늘밤은 외식하자.

② 저것은 유용한 세제구나.

③ 내가 먼저 음식을 다 먹을게.

④ 함께 운동하는 건 어때?

해설 무엇을 먼저 해야 하는지 묻는 질문에, 거실을 먼저 청소해 달라고 요청하는 응답이 와야 가장 적절하다.

20 알맞은 응답 찾기 | ⑤

해석

남 오늘 영어 말하기 시험은 어땠니?

여 아주 어려웠어. 잘하지 못했거든. 그래서 선생님께서 다음 주 월요일에 내가 다시 시험을 봐야 할 거라고 하셨어.

남 안됐다. 포기하지 마! 다음에는 잘할 수 있을 거야.

여 하지만 그 시험에서 또 떨어질까 봐 걱정이야.

남 더 열심히 노력해 봐. 그러면 다음 시험에 합격할 거야.

여 격려해 줘서 고마워!

① 그거 유감이네.

② 도와주셔서 감사합니다.

③ 당신은 그것을 포기하는 게 나아요.

④ 더 열심히 공부하는 게 어때요?

해설 노력하면 시험에 합격할 거라고 격려해 주고 있으므로, 격려해 줘서 고맙다는 응답이 와야 가장 적절하다.

10회 영어 듣기모의고사 pp. 88~89

01 ①	02 ③	03 ⑤	04 ⑤	05 ③
06 ③	07 ⑤	08 ④	09 ②	10 ①
11 ⑤	12 ③	13 ②	14 ①	15 ③
16 ②	17 ①	18 ③	19 ⑤	20 ③

Dictation Test 10회 pp. 90~95

01 ❶ have a beautiful Sunday today ❷ pour down heavily ❸ get cold and windy

02 ❶ some lost items ❷ a fabric pencil case ❸ a picture of pencils

03 ❶ who just called you ❷ go to a wedding ceremony ❸ spend a boring afternoon alone

04 ❶ your school's sports day ❷ take part in a race
❸ miss the best part

05 ❶ have your ticket and passport ❷ How many
pieces of baggage ❸ You have to pay

06 ❶ Have you ever been to ❷ which aquarium to go
to ❸ I'll let you know

07 ❶ how you keep your health ❷ get a good night's
sleep ❸ good for my mental health

08 ❶ have several things to do ❷ you must be busy
❸ sorry about not helping you

09 ❶ rides a bike to school ❷ friendly to everyone
❸ wants to be a vet

10 ❶ it is open to everyone ❷ the dirt from your
shoes ❸ keep the gym clean

11 ❶ earlier than usual ❷ it was a false rumor ❸ the
rumor is not true

12 ❶ to take it to you ❷ enough time to return home
❸ be there in a minute

13 ❶ see the game with me ❷ before the game starts
❸ buy you dinner

14 ❶ in the last exhibition ❷ interested in making
sculptures ❸ nice talking with you

15 ❶ I'm short of hands ❷ buy some snacks and
drinks ❸ write down things you need

16 ❶ can you arrange these books ❷ somebody
threw it away ❸ when I come back

17 ❶ broke my glasses ❷ look good on you ❸ my
eyesight is getting worse

18 ❶ take your temperature ❷ have any other
symptoms ❸ if you don't get better

19 ❶ have you ever heard about ❷ take some
interesting classes ❸ I'm thinking of

20 ❶ You look very tired ❷ preparing for the debate
contest ❸ go and cheer you up

01   그림 정보 파악 – 날씨 | ①
해석
여   안녕하세요, 여러분. 오늘은 화창한 일요일이 되겠습니다. 하지만 내일
부터 수요일까지는 비가 오기 시작하겠습니다. 비는 억수 같이 내릴 것
입니다. 목요일에는 또 다시 화창하고 맑겠습니다. 하지만 금요일에는
추워지고 바람이 불 것입니다.
해설 목요일은 화창하고 맑을 것이라고 했다.

02   그림 정보 파악 – 사물 | ③
해석
여   실례합니다, David 선생님. 이 교실에서 제 필통을 보셨나요?
남   안녕, 유미야. 나는 분실물을 내 서랍 속에 모으고 있단다. 그건 어떻게

생겼니?
여   천으로 된 필통이고 지퍼가 있어요.
남   그것에 네 이름이 있니?
여   아니요. 가운데에 연필 그림이 있어요.
남   어디 보자. 이것이 네 것이니?
여   네, 맞아요. 감사합니다.
해설 여자는 지퍼가 있고 가운데에 연필 그림이 있는 천으로 된 필통을 찾고
있다.

03   심정 파악 | ⑤
해석
남   엄마, 방금 누가 전화했어요?
여   네 이모야. 이모네가 오늘 못 온다는구나.
남   뭐라고요? 저는 Brian과 Jeremy를 만나는 걸 무척 기대하고 있었
어요.
여   글쎄, 이모네가 결혼식에 가야 한다는구나.
남   안 돼요. 오기로 약속했잖아요, 그렇지 않나요?
여   그래, 그랬지. 하지만 결혼식에 참석해야 하는 것을 완전히 잊었다고
하네.
남   엄마, 전 혼자서 지루한 오후를 보내는 게 정말 싫어요.
해설 남자는 이모네 가족들이 오는 것을 기대했는데, 오지 않는다고 하여 실
망하고 있다.

04   한 일 / 할 일 파악 | ⑤
해석
여   학교 운동회는 어땠니?
남   아주 좋았어. 정말 재미있었어.
여   달리기 경주에 참가했니?
남   그럴 계획이었는데, 오늘 아침에 발목을 다쳐서 그럴 수 없었어.
여   오, 그거 유감이구나. 지금은 괜찮니?
남   응. 오후에는 훨씬 좋아져서 줄다리기에는 참가했어.
여   적어도 최고의 부분은 놓치지 않았구나.
해설 남자는 발목을 다쳐서 달리기 경주에는 참여하지 못했지만, 오후에 열
린 줄다리기에는 참가했다고 했다.

05   장소 추론 | ③
해석
남   안녕하세요. 표와 여권을 보여 주시겠어요?
여   네, 여기 있습니다.
남   짐은 몇 개나 부치실 건가요?
여   두 개요.
남   짐이 한도에서 3kg 초과입니다. 37달러의 추가 비용을 지불하셔야 합
니다.
여   문제없어요.
남   감사합니다. 즐거운 비행 되세요.
해설 표와 여권을 보여 준 다음, 짐을 부치고 있으므로 두 사람은 공항에서
대화하고 있음을 알 수 있다.

06   의도 파악 | ③
해석
여   수족관에 가 본 적 있니?
남   응.

여 나는 내 친구들과 내일 수족관에 갈 생각이야. 하지만 어떤 수족관으로 가야 할지 모르겠어.

남 그럼 내가 좋은 곳을 알려 줄게.

여 오, 고마워.

남 돌고래 수족관에 가 보는 건 어때? 그곳은 내가 가 본 곳 중에서 최고 야. 일주일에 두 번 돌고래 쇼도 볼 수 있어.

해설 남자는 여자에게 돌고래 수족관에 가 볼 것을 추천하고 있다.

07 　언급하지 않은 것 　| ⑤

해석

여 Chris, 난 네가 어떻게 너의 건강을 좋은 상태로 유지하는지 궁금해.

남 좋아, 그 비결을 알려 줄게. 먼저, 균형 잡힌 식사를 하고 잠을 푹 자야 해.

여 그리고?

남 규칙적인 운동을 하는 것도 중요해.

여 또 다른 것은?

남 난 친구들과 좋은 관계를 유지하는 것도 도움이 된다고 생각해. 그것은 내 정신 건강에 좋거든.

여 흥미롭구나. 나도 건강해지기 위해 그것들을 시도해 봐야겠어.

해설 건강을 유지하는 방법으로 충분한 수분을 섭취하라는 말은 언급하지 않았다.

08 　한 일 / 할 일 파악 　| ④

해석

남 Mary, 네가 오늘 오후에 내 영어 숙제 좀 도와줄 수 있는지 궁금해.

여 미안하지만, 오늘 오후에는 널 도와줄 수 없어. 엄마가 집에 돌아오시기 전에 해야 할 일이 몇 가지 있거든.

남 엄마가 출장에서 돌아오시니?

여 응. 그래서 여동생도 돌보고 집 청소도 해야 해.

남 오, 너 오늘 오후에 틀림없이 바쁘겠구나.

여 응. 게다가 채소를 사서 엄마를 위해 음식을 만들어야 해.

남 너희 엄마가 기뻐하시겠다.

여 나도 그러길 바라. 어쨌든 널 도와줄 수 없어서 미안해.

해설 여자는 친구의 숙제를 도와줄 수 없다고 했다.

09 　언급하지 않은 것 　| ②

해석

남 제 친구인 Sarah를 소개합니다. 그녀는 부산에 사는 18살 고등학생 입니다. 그녀는 학교가 집에서 가까워서 매일 아침 자전거를 타고 학교 에 갑니다. 그녀는 활동적이고 모든 사람들에게 친절합니다. 그녀는 동 물을 돌보는 것을 매우 좋아합니다. 그녀는 고슴도치나 이구아나를 포 함한 다양한 종류의 애완동물을 기릅니다. 그녀는 장래에 수의사가 되 고 싶어 합니다.

해설 남자는 Sarah의 특기에 대해서는 언급하지 않았다.

10 　주제 파악 　| ①

해석

여 주목해 주세요. 학교 체육관 보수가 마침내 끝났습니다. 모든 학생들은 내일부터 체육관을 이용할 수 있습니다. 수업 시간 중에 체육관은 체육 수업을 위해 이용되고, 점심시간과 방과 후에는 모든 학생들에게 개방 됩니다. 체육관에 들어가기 전에는, 신발의 먼지를 제거할 것을 기억하 세요. 체육관을 깨끗하게 유지하는 데 모두 협조해주세요. 감사합니다.

해설 여자는 보수가 끝난 체육관 이용에 관해 안내하고 있다.

11 　내용 일치 / 불일치 　| ⑤

해석

남 정말 좋은 소식이야!

여 무슨 소식인데?

남 여름 방학이 평소보다 열흘 일찍 시작할 거래.

여 나도 그 이야기를 들었어. 하지만 잘못된 소문이었어.

남 '잘못된 소문'이 무슨 뜻이야?

여 그 소문이 사실이 아니라는 뜻이지. 방학은 보통 때처럼 7월 21일에 시작해. 2주 남았어.

남 실망스럽구나.

해설 여름 방학은 평소처럼 7월 21일에 시작할 것이고, 아직 2주가 남았다 고 했다.

12 　목적 파악 　| ③

해석

[전화벨이 울린다.]

여 여보세요.

남 여보세요, Annie? 나야. 엄마는 집에 계시니?

여 아니요. 지금 외출하셨어요. 무슨 일이에요, 아빠?

남 소파에 내 지갑을 두고 왔단다.

여 지금 제가 아빠께 가져다 드릴까요?

남 그래, 집에 돌아갈 시간이 충분하지 않구나. 회의에 늦을까 봐 걱정이 란다.

여 걱정 마세요, 아빠. 제가 곧 갈게요.

남 고마워. 버스 정류장에서 기다리고 있으마.

해설 남자는 소파에 지갑을 두고 와서 갖다 달라고 부탁하기 위해 전화를 걸 었다.

13 　숫자 정보 파악 – 시각 　| ②

해석

여 지호야. 나는 야구 경기 표가 있어. 나와 그 경기를 보러 가는 게 어때?

남 한번 보자. 우아, 이건 내가 가장 좋아하는 팀의 경기표구나.

여 잘됐네. 그럼 5시 30분에 지하철역에서 만나자.

남 경기가 6시에 시작하지, 맞지?

여 응.

남 그러면 경기가 시작하기 한 시간 전에 만나자. 내가 저녁을 살게.

여 넌 정말 친절하구나! 그때 보자.

해설 두 사람은 야구 경기가 시작하는 6시보다 한 시간 전에 만나기로 했으 므로 5시에 만날 것이다.

14 　관계 추론 　| ①

해석

남 와 주셔서 기쁩니다, Wilson 씨.

여 만나서 반가워요, Brown 씨.

남 지난 전시회에서 선생님의 그림을 보았습니다. 훌륭했어요.

여 감사합니다.

남 제가 알기로는 선생님의 작품들 모두가 회화입니다. 조각품을 만드는 데는 관심이 없으신가요?

여 글쎄요, 없습니다. 저는 당분간은 계속해서 회화에 집중할 것입니다.

남 감사합니다, Wilson 씨. 이 인터뷰는 내일 신문에 실릴 것입니다.

여 이야기를 나누게 되어 즐거웠습니다.

해설 그림 작품에 대해 인터뷰를 하고 있으므로, 두 사람의 관계는 기자와 화가임을 알 수 있다.

15 한 일 / 할 일 파악 | ③

해석

여 Brian, 난 지금 당신 도움이 필요해요.

남 뭔데요, 여보?

여 오늘 저녁에 손님이 오실 거예요. 그래서 손이 모자라요.

남 내가 집 청소하기를 원해요?

여 아니요. 그건 내가 이미 했어요. 상점에 가서 간식과 음료수를 사다 줄래요?

남 물론이죠. 당신이 필요한 것을 적어 주기만 해요.

여 알겠어요.

해설 여자는 남자가 상점에서 사야 할 물건들의 목록을 적어 줄 것이다.

16 이유 파악 | ②

해석

여 Jimmy, 테이블 위에 있는 이 책들을 나 대신 정리해 줄 수 있니?

남 미안해, Susan. 난 지금 도서관에 가야 해.

여 왜? 넌 방금 책을 반납하러 거기에 다녀왔잖아.

남 그곳에 학생증을 두고 왔어. 누군가가 그것을 버렸을까 봐 걱정돼.

여 걱정 마. 도서관에서 누군가가 틀림없이 그것을 보관하고 있을 거야.

남 나도 그러길 바라. 내가 돌아오면 도와줄게.

해설 남자는 도서관에 학생증을 두고 와서 다시 가려고 한다.

17 그림 상황에 어울리는 대화 찾기 | ①

해석

① 여 수호가 제 안경을 망가뜨렸어요! 너무 화나요.
　남 진정하렴! 새 것을 사줄게.

② 여 어제 이 안경을 구입했어요. 어때요?
　남 너에게 잘 어울리는 구나.

③ 여 내일 말하기 대회가 있어요. 긴장돼요.
　남 행운을 빌어! 너는 잘할 수 있어.

④ 여 안경을 못 찾겠어요.
　남 어디에 뒀는지 기억하니?

⑤ 여 제 시력이 점점 나빠지는 것 같아요.
　남 너는 네 스마트폰을 너무 많이 사용해.

해설 망가진 안경을 보고 화를 내는 딸을 아빠가 진정시키고 있는 상황이다.

18 언급하지 않은 것 | ③

해석

여 어떻게 도와드릴까요?

남 머리가 아파요. 어지럽기도 하고요.

여 그래요. 체온을 재볼게요.

남 네.

여 체온은 정상이네요. 다른 증상이 있나요?

남 콧물이 나고 목이 아파요.

여 당신은 감기에 걸린 것 같군요. 이 알약을 드시고, 나아지지 않으면 병원에 가세요.

해설 남자는 자기의 증상으로 고열이 있다고 언급하지 않았다.

19 알맞은 응답 찾기 | ⑤

해석

남 Mary, 여름학교 프로그램에 대해 들어 본 적 있니?

여 아니, 없는데. 그게 뭐야?

남 우리는 중국어, 요리, 별 관측과 같은 흥미로운 수업들을 들을 수 있어.

여 재미있겠다. 난 그 수업들 중 하나를 듣고 싶어.

남 그럼 같은 수업을 듣자.

여 좋은 생각이야.

남 나는 별 관측 수업에 대해 생각 중이야. 넌 어때?

여 <u>나도 별에 대해 궁금해. 그것을 듣자.</u>

① 난 네가 그 수업을 좋아하는지 아닌지 궁금해.

② 난 어떤 프로그램에도 관심 없어.

③ 난 이번 여름에 바쁠 거야. 너와 함께하지 못하겠어.

④ 너와 함께 그런 수업들을 들어서 무척 좋았어.

해설 별 관측 수업을 같이 들어 보자는 남자의 제안에, 함께 듣자고 답하는 것이 가장 적절하다.

20 알맞은 응답 찾기 | ③

해석

여 안녕, Brian.

남 안녕, 미나야. 오늘 무척 지쳐 보이는구나. 무슨 일이니?

여 어젯밤에 늦게 잤거든.

남 왜?

여 요즘 토론 대회 준비를 하고 있어.

남 오, 알겠다. 그 대회는 언제 열리는데?

여 이번 금요일이야.

남 내가 가서 널 응원해도 되겠니?

여 응. 네가 오면 기쁠 거야.

① 문제없어. 내가 널 도울 수 있어.

② 그게 언제 열리는지 난 몰라.

④ 힘 내. 넌 그 경기에서 이길 수 있어.

⑤ 경기를 함께 준비하자.

해설 토론 대회에 응원하러 가도 되는지 묻는 말에, 오면 좋을 것 같다는 응답이 와야 가장 적절하다.

11회 영어 듣기모의고사　　pp. 96~97

01 ①	02 ④	03 ⑤	04 ④	05 ③
06 ⑤	07 ⑤	08 ⑤	09 ②	10 ⑤
11 ③	12 ⑤	13 ③	14 ③	15 ⑤
16 ④	17 ④	18 ④	19 ①	20 ⑤

Dictation Test 11회　　pp. 98~103

01 ❶ since the day before yesterday ❷ The sky will clear up ❸ get cloudy again

02 ❶ buy a pot ❷ do you like better ❸ the simple design without patterns

03 ❶ if I improve my grades ❷ did you get better grades ❸ you could make it

04 ❶ What a great tower ❷ enjoy the city view ❸ Let's look it up

05 ❶ get to the airport ❷ finish cleaning this classroom ❸ I'll sweep the floor

06 ❶ listen to music loudly here ❷ allowed in a public place ❸ wear headphones for sure

07 ❶ drive safely to there ❷ we will have heavy snow ❸ Let's go skiing the day

08 ❶ the final exam was delayed ❷ I don't feel like it ❸ I'll check them

09 ❶ decided to make it ourselves ❷ we had no eggs ❸ put everything back

10 ❶ small and unreliable ❷ I didn't receive the bicycle ❸ we shouldn't buy anything

11 ❶ the principal of our school ❷ about school violence ❸ start later than usual

12 ❶ Can I invite my friends ❷ have dinner at home ❸ I'll make pizza

13 ❶ calling to change my reservation ❷ you're supposed to come here ❸ can arrive at that time

14 ❶ perfect weather for exercise ❷ the office of this park ❸ good for running

15 ❶ often looks in my desk ❷ Many private things ❸ lock my drawer

16 ❶ I sent a text message ❷ against the school rules ❸ apologize to my science teacher

17 ❶ I didn't mean it ❷ paper is jammed ❸ forget to make a copy

18 ❶ On my way home ❷ I couldn't shout at all ❸ because of the heavy rain

19 ❶ it's been a long time ❷ during this summer vacation ❸ How was the weather

20 ❶ move into a new apartment ❷ have another reason to move ❸ bother me a lot

---

01 **그림 정보 파악 – 날씨** | ①

해석

여 안녕하세요, 여러분. 일기 예보입니다. 그저께부터 날씨가 흐렸습니다. 금요일 아침인 오늘은 하루 종일 비가 내리겠습니다. 밤사이에 하늘은 개고, 내일은 화창하겠습니다. 오후에는 20도까지 기온이 오르겠습니다. 밤에는 다시 흐려지고, 일요일에는 비가 내리겠습니다.

해설 금요일 밤에 비가 그치고, 그 다음날은 화창할 것이라고 했다.

---

02 **그림 정보 파악 – 사물** | ④

해석

여 도와드릴까요?

남 네, 저는 절친한 친구를 위해 화분을 사고 싶어요.

여 이 사각형 모양의 화분은 어떠세요? 매우 인기 있답니다.

남 좋습니다만, 그것을 원하지 않아요. 저는 손잡이가 달린 둥근 모양의 화분을 원해요.

여 음……, 두 개의 모델이 있네요. 어떤 것이 더 좋으세요?

남 저는 무늬가 없는 단순한 디자인이 좋아요.

해설 남자는 무늬가 없으며 손잡이가 달린 둥근 모양의 화분을 구입할 것이다.

---

03 **심정 파악** | ⑤

해석

남 기말고사에서 성적이 향상되면 자전거를 사 주시겠다고 약속하셨어요, 그러셨죠?

여 응, 그랬지. 그래서 더 좋은 성적을 받았니?

남 저는 이번 시험에서 만점을 받았어요. 놀라셨죠?

여 잘했구나! 정말 놀라워! 나는 네가 해낼 것이라고 생각했단다.

남 감사해요. 언제 쇼핑하러 갈까요?

여 지금 당장 자전거를 사러 가자!

해설 남자는 시험에서 만점을 받아 자전거를 살 수 있게 되었으므로 행복할 것이다.

---

04 **한 일 / 할 일 파악** | ④

해석

남 이 사진 속의 탑은 근사하구나! 그건 뭐야?

여 N 서울타워야. 서울 남산 꼭대기에 있어.

남 매우 높아 보인다.

여 맞아. 우리는 그 타워의 정상에서 도시 경관을 즐길 수 있어.

남 정말 환상적인데. N 서울타워가 얼마나 높은지 궁금해.

여 나도 모르는데. 인터넷에서 찾아보도록 하자.

해설 두 사람은 N 서울타워의 높이가 얼마인지 인터넷에서 찾아볼 것이다.

---

05 **장소 추론** | ③

해석

여 수진이가 탄 비행기가 언제 도착하는지 알고 있니?

남 응. 알고 있어. 그 비행기는 오후 5시 30분에 공항에 도착할 거야.

여 그녀를 마중하러 내가 너와 함께 가도 되니?

남 물론이지. 하지만 그곳에 가기 전에 이 교실 청소를 끝마쳐야 해.

여 좋아. 나는 빗자루로 바닥을 쓸게.

남 그러면 나는 모든 책상들을 정리할게.

해설 남자가 여자에게 공항에 가기 전에 먼저 교실 청소를 마치자고 한 것으로 보아, 두 사람은 교실에서 대화하고 있음을 알 수 있다.

---

06 **의도 파악** | ⑤

해석

여 여기서 음악을 크게 들으면 안 돼요.

남 왜 안 되죠?

여 공공장소에서 시끄럽게 하는 것은 허락되지 않아요.

남 모든 공공장소에서요?

여 네. 지금부터라도 음악을 크게 듣는 것을 멈추는 게 어때요?

남 알겠어요, 미안해요. 반드시 헤드폰을 착용할게요.

해설 여자는 남자에게 음악을 크게 듣는 것을 멈추도록 권유하고 있다.

07 특정 정보 파악 | ⑤

해석

여 눈이 너무 많이 내리고 있어서 스키 리조트에 못 가겠어.

남 맞아. 내 생각에 우리는 거기까지 안전하게 운전할 수 없을 거 같아. 일기 예보에서 오늘 폭설이 내릴 거라고 했어.

여 나도 그렇게 생각해. 길은 매우 미끄러울 거야.

남 내일 스키 타러 가는 게 어떨까?

여 목요일에? 그날 친구와 계획이 있는데. 그러면 그 다음날에 스키를 타러 가자.

남 음……, 좋아!

해설 남자가 목요일에 스키 타러 갈 것을 제안했지만 여자가 그 다음날 가자고 했으므로, 두 사람은 금요일에 스키를 타러 갈 것이다.

08 한 일 / 할 일 파악 | ⑤

해석

여 오늘따라 매우 기분이 좋아 보이네. 대체 무슨 일이야?

남 기말 시험이 연기됐다고 들었어.

여 그래서 안심했구나?

남 물론이지! 나와 자전거 타러 갈래?

여 아니, 별로 그럴 기분이 아니야.

남 그러면 뭐 하고 싶어? 쇼핑하러 갈까 아니면 테니스를 칠까?

여 글쎄, 영화를 보고 싶은데 신작 영화를 잘 모르겠어.

남 좋아, 내가 확인해 볼게.

해설 남자는 신작 영화가 무엇이 있는지 알아볼 것이다.

09 특정 정보 파악 | ②

해석

남 지난밤에 Lisa와 나는 오믈렛이 먹고 싶었다. 그래서 우리는 직접 그것을 만들기로 결심했다. 우리는 냉장고에서 당근, 감자, 양파, 치즈 등과 같은 재료들을 찾을 수 있었다. 토마토케첩도 찾았다. 하지만 불행하게도 우리에게는 달걀이 없었다. 우리는 모든 것을 다시 제자리에 두어야 했다.

해설 냉장고에는 달걀이 없었다고 했다.

10 주제 파악 | ⑤

해석

남 저는 한 온라인 쇼핑몰에서 자전거를 구입했습니다. 쇼핑몰은 작고, 신뢰가 가지 않았습니다. 하지만 자전거 가격이 매우 저렴해서 그것을 구매하기로 결정했습니다. 저는 쇼핑몰 소유자에게 송금을 했으나, 자전거를 받지 못했습니다. 저는 경찰에게 제 상황을 신고했습니다. 경찰은 제 문제를 해결해 주었고, 저는 돈을 돌려받았습니다. 요컨대, 우리는 신뢰가 가지 않는 온라인 쇼핑몰에서 어떤 것도 구매해서는 안 됩니다.

해설 남자는 신뢰가 가지 않는 온라인 쇼핑몰에서 물건을 구입하지 말 것을 당부하고 있다.

11 내용 일치 / 불일치 | ③

해석

남 교실에 있는 학생과 선생님께서는 주목해 주세요. 저는 이 학교의 교장입니다. 교실에 있는 TV를 켜 주세요. 우리는 학교 폭력에 대한 교육용 비디오 영상을 보도록 하겠습니다. 이 영상은 15분 정도의 분량입니다. 그런 후에, 5분간 쉬는 시간을 갖도록 하겠습니다. 따라서 1교시는 평

소보다 늦은 9시 20분에 시작하도록 하겠습니다. 감사합니다.

해설 영상은 15분 분량이라고 했다.

12 목적 파악 | ⑤

해석

[휴대 전화가 울린다.]

여 여보세요.

남 엄마, 저예요. 뭐 좀 부탁드려도 될까요?

여 무엇이냐에 따라 다르지. 무엇인데?

남 친구들을 집에 초대해서 함께 공부해도 될까요?

여 물론이지. 집에서 저녁을 먹는 것은 어떠니?

남 정말요?

여 응. 내가 너희들을 위해 피자를 만들어 줄게.

남 감사해요.

해설 남자는 친구들을 집에 초대해도 되는지 엄마에게 허락을 받기 위해 전화를 걸었다.

13 숫자 정보 파악 – 시각 | ⑤

해석

[전화벨이 울린다.]

여 여보세요. 최 박사님 병원입니다.

남 안녕하세요, 저는 Jay Wilson입니다. 예약을 변경하려고 전화했어요.

여 그럼, 오늘 저녁 6시에 오실 수 없다는 거죠, 그렇죠?

남 오, 저는 5시로 생각했었어요.

여 아니에요, 오늘 밤 6시에 오시기로 되어 있어요.

남 미안합니다. 제가 혼동했네요. 그때는 도착할 수 있어요.

여 알겠습니다, 그때 뵙겠습니다.

해설 남자는 원래 예약했던 오후 6시에 병원을 가기로 했다.

14 관계 추론 | ③

해석

남 안녕하세요? 오늘 날씨가 참 좋네요.

여 네. 운동을 하기에 완벽한 날씨네요.

남 얼마나 자주 이곳에서 운동을 하시나요?

여 보통 일주일에 세 번 정도 해요.

남 저는 이 공원의 사무실에서 일을 할 때 사람들이 이곳에서 달리기를 하는 것을 자주 봅니다.

여 이 공원은 달리기를 하기에 좋죠.

남 맞아요. 많은 이웃들이 이 공원을 애용하고 있습니다.

해설 남자는 공원의 사무실에서 일을 한다고 했으므로 공원 관리자이고, 여자는 공원을 사용하는 시민이다.

15 한 일 / 할 일 파악 | ③

해석

남 Sally, 너 어디 가고 있니?

여 쇼핑몰에. 자물쇠를 사야 해.

남 자물쇠? 왜?

여 내 남동생이 종종 내 책상을 뒤지거든. 그것이 나를 화나게 해.

남 그래서 책상을 잠그려고 하는 거니?

여 응. 개인적인 물건들이 그 안에 많거든. 난 동생이 재미로 내 책상 서랍을 뒤지는 것이 싫어.

남 나는 네가 그 점에 대해 먼저 그와 이야기를 해야 한다고 생각해.

여 절대 싫어! 나는 그냥 서랍을 잠글 거야.

해설 여자는 남동생이 자신의 책상을 뒤지지 않도록 자물쇠를 구입할 것이다.

16 이유 파악 | ④

해석

남 안녕, 지나야. 어디 가고 있니?

여 교무실에 가고 있어.

남 왜?

여 과학 시간에 John에게 문자를 보내다가 과학 선생님에게 걸렸거든.

남 그것은 교칙 위반인데.

여 나도 알아. 그래서 과학 선생님에게 사과드리고 싶어.

남 걱정하지 마. 선생님께서는 널 용서해 주실 거야. 그는 매우 너그러우신 분이잖아.

해설 여자는 수업 중에 문자를 보내서 선생님께 사과드리기 위해 교무실로 가고 있다고 했다.

17 그림 상황에 어울리는 대화 찾기 | ④

해석

① 여 이 복사기는 얼마죠?

　 남 1,000달러입니다.

② 여 이 종이를 복사해 주시겠습니까?

　 남 그럼요. 저에게 주세요.

③ 여 나 좀 그만 따라해! 너는 나를 당황스럽게 만들고 있어.

　 남 미안해, 그럴 의도는 아니었어.

④ 여 복사기가 작동하지 않아요.

　 남 내 생각에는 종이가 낀 것 같아요.

⑤ 여 예비로 리포트를 복사해두는 것을 잊지 마.

　 남 그럴게.

해설 두 사람이 작동하지 않는 복사기를 보면서 대화를 나누고 있는 상황이다.

18 내용 일치 / 불일치 | ④

해석

남 안녕, 일기장아. 오늘 나는 공원에 가서 오후 3시까지 친구들과 야구를 했어. 집에 오는 길에 나는 오토바이에 치일 뻔 했지. 너무 무서워서 소리를 전혀 지를 수가 없었어. 집으로 돌아온 후에, 나는 도서관에 가기 위해 책을 몇 권 챙겼지. 폭우 때문에 자전거를 타지 않았어. 나는 내일 있을 시험 때문에 과학 공부를 하기 위해 그곳까지 걸어갔어.

해설 남자는 비가 와서 도서관에 걸어갔다고 했다.

19 알맞은 응답 찾기 | ①

해석

여 안녕, Andy. 오랜만이야!

남 그래, 정말 오랜만이구나.

여 어떻게 지냈어?

남 아주 잘 지냈어. 나는 부모님과 함께 런던에 갔었어.

여 그곳에 얼마나 오래 있었어?

남 이번 여름 방학 동안 약 한 달간.

여 런던의 날씨는 어땠어?

남 <u>너무 더운 날씨는 아니었어.</u>

② 우린 여름 방학이 좋아.

③ 올 여름은 무척 더울 거야.

④ 그곳은 대한민국처럼 사계절이 있어.

⑤ 난 겨울보다 여름이 좋아.

해설 런던의 날씨는 어땠는지 묻고 있으므로, 날씨와 관련된 응답이 와야 자연스럽다.

20 알맞은 응답 찾기 | ⑤

해석

남 나는 다음 주 월요일에 새 아파트로 이사 갈 예정이야.

여 정말? 왜?

남 집에서 사무실까지의 거리가 너무 멀거든.

여 이사 가는 또 다른 이유라도 있어?

남 응. 시끄러운 이웃이 날 너무 괴롭게 해.

여 이해해. 내가 도와주길 원하니?

남 <u>아니, 괜찮아. 내가 모든 것을 처리할 수 있어.</u>

① 난 더 많은 방이 필요해.

② 난 여름에 이사하고 싶어.

③ 내 이웃이 먼저 이사할 거야.

④ 내 아내가 이 아파트를 좋아해요.

해설 이사갈 때 도와주기를 원하는지 묻는 여자의 질문에 혼자 할 수 있어서 괜찮다며 거절하는 응답이 와야 가장 적절하다.

12회 영어 듣기모의고사 　　 pp. 104~105

01 ①	02 ③	03 ③	04 ④	05 ④
06 ④	07 ③	08 ④	09 ④	10 ⑤
11 ⑤	12 ④	13 ②	14 ①	15 ③
16 ②	17 ①	18 ④	19 ④	20 ⑤

Dictation Test 12회 　　 pp. 106~111

01 ❶ for the school trip tomorrow ❷ forgot to pack your umbrella ❸ expected on the third day

02 ❶ Let's buy a wall clock ❷ have anything special in mind ❸ a clock with big numbers

03 ❶ come and see me ❷ win first prize ❸ not to make a mistake

04 ❶ enjoy playing badminton these days ❷ have to take my cat ❸ it gets better soon

05 ❶ want them to be cleaned ❷ need to be washed ❸ pick up my laundry

06 ❶ help with the house chores ❷ I don't need to clean ❸ Your little brother is sick

07 ❶ needs running shoes for walking ❷ get dirty too easily ❸ recommend this pair with laces

08 ❶ exchange this jacket ❷ wear the same clothes ❸ change the design by yourself

09 ❶ planning a fund raising concert ❷ a special show performed ❸ help your neighbors

10 ❶ you'd like to purchase ❷ for shopping with us tonight ❸ have a good night

11 ❶ about a real superhero ❷ he managed to land it ❸ what I'm saying

12 ❶ have left my English textbook ❷ call me back ❸ appreciate it if you would

13 ❶ I'm looking for a gift ❷ do you have in mind ❸ They're slightly used

14 ❶ have you had the problem ❷ have a high fever ❸ go to see a doctor

15 ❶ get into the English newspaper ❷ Traveling and sharing information ❸ to check for spelling errors

16 ❶ You didn't show up ❷ be very forgetful these days ❸ get a medical checkup

17 ❶ the purpose of your visit ❷ all the baggage you have ❸ What time should I arrive

18 ❶ going to bake a cake ❷ making a cream cake ❸ prepare the ingredients

19 ❶ for your winter vacation ❷ take snowboarding lessons ❸ looking forward to it

20 ❶ your second visit to Korea ❷ do you want to go ❸ get to the palace

---

01 그림 정보 파악 – 날씨 | ①

해석

여 너는 내일 수학여행 가방을 챙겼니?
남 네. 옷과 간식을 좀 챙겼어요.
여 내가 생각하기에 넌 아직 준비가 되지 않은 것 같구나.
남 그게 무슨 뜻이죠?
여 우산을 챙기는 걸 잊었다는 뜻이야.
남 오, 맙소사. 내일 비가 오나요?
여 내일과 모레는 흐릴 거야. 비는 네가 집에 오는 셋째 날에 내릴 예정이란다.
해설 내일과 모레는 흐릴 것이라고 했다.

02 그림 정보 파악 – 사물 | ③

해석

여 할아버지께 드릴 벽시계를 구입하자꾸나.
남 좋아요. 특별히 생각해 둔 게 있으세요, 엄마?
여 둥근 것 보다 사각형의 시계를 더 선호해.
남 이건 어떠세요?
여 숫자가 없기 때문에 맘에 들지 않구나.
남 숫자가 있는 저것은요?
여 할아버지는 시력이 나쁘시기 때문에 큰 숫자가 있는 시계를 사는 게 좋겠어.

남 맞아요. 저것으로 사요.
해설 두 사람은 사각형 모양의 커다란 숫자가 있는 벽시계를 고를 것이다.

03 심정 파악 | ③

해석

여 너 그거 아니? 난 곧 태권도 대회에 나갈 거야.
남 정말? 언제인데?
여 다음 주 월요일이야. 겨우 이틀 남았네. 와서 직접 보는 게 어때?
남 응, 기꺼이 그럴게.
여 나는 내가 1등을 할 것 같은 기분이 들어.
남 내 생각에 넌 해낼 거야. 하지만 반드시 대회에서는 절대 실수하지 않도록 해.
해설 여자는 곧 출전할 태권도 대회에서 1등을 할 것 같다고 말하며 자신 있는 모습을 보이고 있다.

04 한 일 / 할 일 파악 | ④

해석

남 Susan, 너는 방과 후에 무엇을 하는 것을 좋아하니?
여 나는 요즘 배드민턴 치는 것을 즐겨.
남 너는 배드민턴을 잘 치니?
여 응, 나는 우리 학교의 배드민턴 선수야.
남 그럼, 오늘 방과 후에 나와 배드민턴을 칠래?
여 미안하지만 안 돼. 나는 내 고양이를 데리고 동물 병원에 데려가야 해. 지난 수요일부터 고양이가 아팠거든.
남 유감이네. 고양이가 곧 회복되기를 바랄게.
해설 여자는 방과 후에 아픈 고양이를 데리고 동물 병원에 갈 것이라고 했다.

05 장소 추론 | ④

해석

여 안녕하세요. 어떻게 도와드릴까요?
남 여기 재킷 하나와 셔츠 두 벌입니다. 그것들을 세탁해 주길 원해요.
여 알겠습니다. 다른 것은요?
남 운동화 세탁도 취급하나요? 제 운동화를 빨아야 해서요.
여 물론이지요. 우리에게 맡겨 주세요.
남 언제 제 세탁물을 받으러 올까요?
여 금요일이요.
남 꼭 그때까지 해 주세요.
해설 옷과 운동화 세탁을 요청하고 있으므로, 두 사람은 세탁소에서 대화하고 있음을 알 수 있다.

06 의도 파악 | ④

해석

남 엄마, 저 나가요.
여 잠깐만! 거실 청소 다했니? 집안일을 도와준다고 약속했잖니.
남 물론 했죠. 보세요! 바닥을 청소기로 청소하고 걸레질도 했어요.
여 잘했구나. 화장실은? 청소했니?
남 그건 Tony가 할 일이에요. 저는 화장실 청소를 할 필요가 없어요.
여 얘야! 네 남동생은 지금 아프잖니. 네가 해야지.
남 그건 공평하지 않아요!
해설 엄마가 몸이 아픈 남동생을 대신해서 화장실 청소를 하라고 하자 남자는 공평하지 않다고 불평하고 있다.

07 언급하지 않은 것 | ③

해석

남 안녕하세요. 도와드릴까요?

여 네, 저는 딸이 신을 신발 한 켤레를 찾고 있습니다.

남 이것과 같은 샌들을 원하나요?

여 아니요, 산책을 위한 운동화를 원해요.

남 이 하얀색 운동화는 어떤가요? 새로운 디자인이에요.

여 저는 검은색 운동화를 선호해요. 흰색은 너무 쉽게 더러워지거든요.

남 좋아요. 그러면 신발 끈이 있는 이 신발을 추천해 드립니다.

여 마음에 들어요. 이것으로 10 사이즈가 있나요?

남 물론이죠. 잠시만 기다려주세요.

해설 여자는 신발의 디자인에 대해서는 언급하지 않았다.

08 한 일 / 할 일 파악 | ④

해석

여 Tommy, 너 바빠 보이는구나. 무슨 일이니?

남 이 재킷을 교환하고 싶은데 영수증이 어디 있는지 모르겠어.

여 왜 그것을 교환하려고 하니?

남 축구 동아리의 한 회원이 똑같은 재킷을 가지고 있어. 그와 같은 옷을 입고 싶지 않아.

여 응, 충분히 이해해. 직접 디자인을 바꿔 보는 건 어때?

남 좋은 생각이야. 어깨에 금속 단추들이 달린 재킷을 만드는 건 어떨까?

여 멋지다!

해설 남자는 자신과 똑같은 재킷을 갖고 있는 친구가 있어서 재킷의 디자인을 직접 바꿔 보려고 할 것이다.

09 언급하지 않은 것 | ④

해석

남 여러분, 안녕하세요. 작은 마을의 시장으로서, 저는 중요한 소식을 전하고자 합니다. 우리는 마을의 불쌍한 사람들을 위한 기금 모음 콘서트를 계획하고 있습니다. 그것은 4월 1일에 센트럴 파크에서 개최될 것입니다. 시 오케스트라가 콘서트를 열고, 유명 록 그룹의 특별 공연이 있을 것입니다. 표는 성인은 30달러, 아이는 20달러입니다. 콘서트를 즐기고 여러분의 이웃을 도와주세요. 감사합니다.

해설 불우이웃을 돕기 위한 콘서트의 개최 시간은 언급되지 않았다.

10 주제 파악 | ⑤

해석

여 주목해 주시겠습니까? 지금 시각은 9시 50분이고, 저희는 10분 뒤에 폐장합니다. 구입을 원하시는 상품은 계산대로 가져가주시기 바랍니다. 오늘 밤 저희와 함께 쇼핑해 주셔서 감사드리며, 내일은 오전 9시부터 오후 10시까지 영업한다는 것을 다시 한 번 알려드립니다. 감사드리며, 편안한 밤 되세요.

해설 10분 뒤에 폐장할 것이므로 계산을 서둘러 줄 것을 촉구하면서 운영시간에 대해 다시 한 번 안내하고 있다.

11 내용 일치 / 불일치 | ⑤

해석

여 나는 너에게 진짜 슈퍼 영웅에 대해 얘기하고 싶어.

남 그러렴.

여 그는 Chesley Burnett이라는 비행기 조종사야. 그가 조종하는 비행

기는 고장이 났지만, 그는 그것을 가까스로 강 위에 착륙시켰어. 그 사람 덕분에 아무도 다치지 않았어.

남 대단하다. 나는 그가 어떻게 재앙을 피할 수 있었는지 모르겠어.

여 내 말이 그 말이야. 그의 비행 기술은 뛰어났음에 틀림없어.

해설 Chesley Burnett는 비행기가 고장 났음에도 강 위로 착륙하여 아무도 다치지 않았다고 했으므로 그의 비행 기술은 뛰어났음을 알 수 있다.

12 목적 파악 | ④

해석

[휴대 전화가 울린다.]

여 안녕, 명준아. 어쩐 일로 내게 전화를 했니?

남 안녕, Cindy. 음, 나 교실 책상에 영어 교과서를 놓고 온 것 같아.

여 나는 아직 학교에 있는데. 내가 무엇을 해 줄까?

남 내 영어 교과서가 책상에 있는지 확인해서 내게 다시 전화해 줄 수 있니?

여 물론이지. 그렇게 할게. 만약에 교과서를 찾으면, 집에 가는 길에 너에게 가져다 줄까?

남 네가 그렇게 해 주면 나야 정말 고맙지.

해설 남자는 여자에게 자신의 영어 교과서가 책상에 있는지 확인해 달라고 요청하기 위해 전화를 걸었다.

13 숫자 정보 파악 – 금액 | ②

해석

남 우리 차고 세일에 오신 것을 환영합니다.

여 저는 어린 남동생에게 줄 선물을 찾고 있어요.

남 생각해두신 것이 있나요?

여 크레용을 생각하고 있답니다.

남 우리는 12색과 24색 크레용이 있습니다.

여 그것들은 얼마인가요?

남 약간 사용한 것들이지만, 매우 싸죠. 12색은 4달러이고, 24색은 6달러 50센트입니다.

여 24색으로 살게요. 여기 10달러입니다.

해설 여자는 6달러 50센트($6.5)인 24색 크레용을 구입하면서 10달러를 지불했으므로, 3달러 50센트($3.5)를 거슬러 받을 것이다.

14 관계 추론 | ①

해석

남 무엇을 도와드릴까요?

여 저는 두통이 심해요.

남 얼마나 오랫동안 그 문제가 있었습니까?

여 지난밤부터요. 고열도 있습니다.

남 이 아스피린을 먹는 게 좋겠군요.

여 얼마나 자주 이걸 먹어야 하나요?

남 하루 세 번, 매 끼니 후에 드세요. 만약 열이 떨어지지 않으면 곧장 병원으로 가세요.

여 알겠습니다, 고맙습니다.

해설 고열이 있고 두통이 심한 여자에게 남자는 약을 처방해 주고 있으므로, 두 사람은 약사와 환자의 관계임을 알 수 있다.

15 부탁한 일 파악 | ③

해석

여 안녕, 준호야. 뭘 하고 있니?

남 나의 미래 직업에 대한 글을 쓰는 중이야. 이것은 우리 학교 영자 신문에 실릴 거야.
여 넌 장래에 무엇이 되고 싶니?
남 여행 가이드. 여행하면서 다른 사람들과 정보를 공유하는 것에 흥미가 많거든.
여 멋지다. 네 글이 완성되면 읽어 보고 싶어.
남 정말? 그러면 다 완성되면 철자 오류 점검을 부탁해도 될까? 너는 원어민이잖아, Jane.
여 문제없어. 그냥 내게 맡겨.
해설 남자는 여자에게 자신이 쓴 글의 철자 오류를 점검해 달라고 부탁하고 있다.

16 이유 파악 | ②

해석
여 Andy, 너 어제 아팠니? 동아리 모임에 나타나지 않았잖아, 그렇지?
남 무슨 동아리 모임?
여 수요일마다 정기 동아리 모임이 있잖아.
남 오, 맙소사! 나 완전히 잊어버렸어.
여 너 요새 굉장히 잘 잊어버리는 것 같아. 무슨 일 있어?
남 잘 모르겠어. 아마도 건강검진을 받아야 할 것 같아.
여 걱정 마. 학기 초반이고, 많은 일들이 진행 중이잖아. 학기 초라서 그런 거라고 확신해.
해설 남자는 동아리 모임이 있다는 사실을 잊어버려서 모임에 나가지 못했다고 했다.

17 그림 상황에 어울리는 대화 찾기 | ①

해석
① 남 여권과 탑승권을 보여 주시겠습니까?
　여 여기 있습니다.
② 남 방문 목적이 무엇입니까?
　여 관광입니다.
③ 남 짐은 이게 전부인가요?
　여 네, 그렇습니다.
④ 남 창가 쪽 좌석을 선호하십니까, 아니면 복도 쪽 좌석을 선호하십니까?
　여 창가 쪽 좌석을 선호합니다.
⑤ 남 공항에 몇 시에 도착해야 하죠?
　여 출발하기 세 시간 전에 도착해야 합니다.
해설 비행기에 탑승하려고 하는 승객에게 직원이 여권과 탑승권을 보여달라고 요구하고 있는 상황이다.

18 언급하지 않은 것 | ④

해석
남 무엇을 하고 계세요, 엄마?
여 내일 파티를 위한 케이크를 구우려고 해. 도와줄래?
남 물론이죠. 밀가루와 달걀이 필요한가요?
여 응, 또 약간의 우유와 버터, 설탕도 필요해.
남 코코아 가루는요?
여 우리는 크림 케이크를 만들 거라서 그건 필요 없단다. 케이크를 장식할 과일만 있으면 돼.
남 알겠어요. 제가 재료를 준비할게요.
해설 여자는 크림 케이크를 만들 것이므로 코코아 가루는 필요하지 않다고 했다.

19 알맞은 응답 찾기 | ④

해석
남 너무 추워.
여 응. 벌써 겨울이네.
남 겨울 방학 동안에 어떤 계획이라도 있니?
여 실은 있어. 나는 스노보드 수업을 받을 거야.
남 잘됐구나!
여 응. 나는 정말 기대돼. 너는 어때?
남 난 아직 어떤 계획도 없어.
① 나와 함께 스키를 탈래?
② 날씨가 추워질 거야.
③ 제가 창문을 닫아도 될까요?
⑤ 난 네가 그것을 할 수 있는지 궁금해.
해설 겨울 방학에 무슨 계획이 있는지 묻는 말에 아직 아무 계획이 없다고 답하는 것이 가장 적절하다.

20 알맞은 응답 찾기 | ⑤

해석
남 Wilson 부인, 이번이 한국에 두 번째 방문이시죠, 그렇죠?
여 네, 이곳에 다시 와서 기쁘네요.
남 가장 먼저 어디에 가고 싶으세요?
여 모르겠어요. 볼만한 좋은 곳을 추천해 주시겠어요?
남 그럼, 경복궁에 가 보셨나요?
여 아니요, 하지만 그것을 보고 싶네요. 여기서 그 궁까지는 어떻게 가나요?
남 여기서 멀지 않아요. 제가 그곳까지 데려다 드릴게요.
① 안됐네요.
② 그건 굉장하다고 생각해요!
③ 그곳에 도착하는 데 30분이 걸립니다.
④ 여러 번 그곳에 꼭 방문하셔야 해요.
해설 여기서 경복궁까지 어떻게 가는지 묻는 말에 여기서 멀지 않으니 거기까지 데려다주겠다는 응답이 가장 적절하다.

13회 영어 듣기모의고사　　pp. 112~113

01 ④	02 ②	03 ⑤	04 ⑤	05 ③
06 ①	07 ④	08 ①	09 ③	10 ②
11 ⑤	12 ③	13 ②	14 ⑤	15 ①
16 ④	17 ③	18 ⑤	19 ④	20 ②

Dictation Test 13회　　pp. 114~119

01 ❶ start the first day　❷ continue for two days more　❸ you'd better put it off
02 ❶ to wear for outdoor sports　❷ the latest item among　❸ block out sunlight effectively
03 ❶ go to see the musical　❷ looking forward to seeing it　❸ see the most exciting part
04 ❶ to turn on the heater　❷ make me some hot soup　❸ bring it to your room

05 ❶ I'm waiting for a bus ❷ you'll know the arrival time ❸ how to search for it

06 ❶ you got a call ❷ the plans we made ❸ because of so much homework

07 ❶ compete on sandy ground ❷ put on a cloth belt ❸ he becomes the winner

08 ❶ I don't know much about ❷ many tourist spots to visit ❸ I'll show you some places

09 ❶ to check the following things ❷ prepare spare ones ❸ fill up the oil

10 ❶ holds a special event ❷ present a variety of awards ❸ Show off your talent

11 ❶ try to keep it ❷ to get more exercise ❸ to stop playing online games

12 ❶ long time no see ❷ sign up for the class ❸ brought him here

13 ❶ we won't be late ❷ is expected to be heavy ❸ leave for the concert hall

14 ❶ your used bicycle ad ❷ posted it on that board ❸ make a direct deal

15 ❶ get a few things ❷ Can you make a list ❸ would be better

16 ❶ We're not supposed to ❷ put it in your bag ❸ Of course you wouldn't know

17 ❶ bike was stolen ❷ fix my bike ❸ riding a bike is fun

18 ❶ delicious Korean food ❷ tea with rice in it ❸ cold and sweet

19 ❶ tell me the fastest way ❷ run at a speed of ❸ How can I buy

20 ❶ learning how to swim ❷ in such a short time ❸ How did you spend

01 　그림 정보 파악 – 날씨 　| ④
해석
여　주간 일기 예보의 Sarah Jin입니다. 한 주를 시작하는 첫 번째 날을 여러분은 즐겁게 시작할 수 있겠습니다. 날씨가 화창할 걸로 예상되기 때문입니다. 그리고 그 날씨는 이틀 더 계속될 것입니다. 그러나 목요일과 금요일에는 날씨가 흐릴 것입니다. 만약 이번 주말에 소풍 갈 계획이 있다면, 연기하시는 것이 좋겠습니다. 토요일부터 비가 많이 내릴 예정이기 때문입니다.
해설　토요일부터는 비가 많이 내릴 것이라고 했다.

02 　그림 정보 파악 – 사물 　| ②
해석
남　어서 오세요! 어떤 종류의 모자를 찾으시나요?
여　야외 스포츠나 해변에서 쓸 모자를 원해요.

남　이 야구모자는 어떤가요? 이것은 이 모자들 중에 최신 상품입니다.
여　저는 이미 야구모자가 있어요. 다른 스타일을 보여 주세요.
남　제 생각에 손님은 이 모자를 좋아하실 거예요. 이것은 머리를 덮지 않지만 햇빛은 효과적으로 막을 수 있어요.
여　좋군요. 그걸로 할게요.
해설　여자는 머리를 덮지 않지만 햇빛을 효과적으로 막아 줄 수 있는 ②를 구입할 것이다.

03 　심정 파악 　| ⑤
해석
남　안녕, 수지야.
여　안녕. 너 어제 뮤지컬 보러 갔었니?
남　응. 너도 알다시피, 나는 그걸 보는 것을 정말로 기대했었잖아.
여　네가 기대한 만큼 재미있었니?
남　확실히 모르겠어.
여　무슨 말이야?
남　심각한 교통 체증 때문에 나는 어제 뮤지컬 극장에 많이 늦었거든. 그래서 뮤지컬의 가장 흥미 있는 부분을 볼 수 없었어.
해설　남자는 교통 체증 때문에 뮤지컬을 제대로 볼 수 없었다고 했으므로 속상할 것이다.

04 　한 일 / 할 일 파악 　| ⑤
해석
남　저 감기 기운이 있는 것 같아요.
여　방에 가서 좀 쉬지 그러니?
남　네, 그럴게요. 춥고 피곤하네요.
여　내가 네 방에 히터를 틀어 줄까?
남　아니요, 그러실 필요 없어요. 제가 켤게요.
여　내가 널 위해 해 줄 일은 없니?
남　따뜻한 수프 좀 만들어 주시겠어요?
여　물론이지. 내가 방으로 갖다 줄게.
해설　여자는 감기에 걸린 남자를 위해 따뜻한 수프를 만들어 줄 것이다.

05 　장소 추론 　| ③
해석
여　John, 무엇을 하는 중이니?
남　안녕, 지수야. 난 새로 나온 소설을 읽고 있어.
여　왜 여기서 그걸 읽고 있어?
남　일종의 시간 때우기지. 왜냐하면 시청으로 가는 버스를 기다리고 있는데, 버스가 오지 않고 있거든.
여　스마트폰을 이용하면, 너는 버스의 도착 시각을 알게 될 거야.
남　정말? 그것을 찾는 법을 내게 가르쳐 줄래?
여　물론이지. 그건 매우 쉬워.
해설　남자는 시청으로 가는 버스를 기다리고 있다고 했으므로, 두 사람은 버스 정류장에서 대화하고 있음을 알 수 있다.

06 　의도 파악 　| ①
해석
[휴대 전화가 울린다.]
남　안녕. Anna. 무슨 일이야?
여　이봐, 재훈아! 너는 이제야 전화를 받는구나. 나 정말 너에게 실망했어.

남 왜 나에게 그렇게 화가 난 거야? 이유를 모르겠어.

여 우리가 한 계획을 기억하니?

남 무슨 계획?

여 오늘 오후 2시에 시청 앞에서 만나기로 했잖아.

남 오, 이런! 너무 많은 숙제 때문에 완전히 잊고 있었어.

해설 남자는 숙제가 너무 많아서 여자와의 약속을 잊었다고 해명하고 있다.

07 주제 파악 | ④

해석

남 이것은 일종의 한국 전통 레슬링입니다. 두 명의 레슬러는 모래판 위에서 겨루기를 합니다. 그들은 허리와 넓적다리 둘레에 천으로 된 띠를 착용합니다. 사람들은 이 띠를 '샅바'라고 부릅니다. 각각의 선수는 상대 선수의 띠를 잡습니다. 만약에 한 선수가 상대 선수를 모래판 위에 쓰러뜨리면, 그 사람이 승자가 됩니다.

해설 샅바를 착용한 두 선수가 모래판 위에서 겨루는 것은 씨름이다.

08 한 일 / 할 일 파악 | ①

해석

남 나는 이번 주말에 친구들과 경주로 여행을 갈 거야.

여 나도 그곳에 가고 싶어.

남 솔직히 말해서, 나는 그 도시에 대해서 잘 몰라.

여 정말? 경주에는 방문할 만한 관광 명소가 많이 있어.

남 추천 하나 해줘.

여 물론이지, 그런데 그것에 대해 얘기하기 전에 우리 숙제 먼저 끝내자. 그 후에 방문할 만한 곳들을 네게 보여 줄게.

남 좋아. 고마워.

해설 두 사람은 숙제를 먼저 한 다음에 경주의 관광 명소를 알아볼 것이다.

09 언급하지 않은 것 | ③

해석

남 가족과 함께 긴 여행을 떠나기 전에, 반드시 차에서 다음의 것들을 확인하시기 바랍니다. 먼저, 타이어가 마모되었는지 아닌지 점검하십시오. 또한 여분의 타이어를 준비해 놓으십시오. 둘째, 모든 라이트와 와이퍼를 점검하십시오. 셋째, 브레이크를 확인하십시오. 저는 그것이 가장 중요한 일이라고 생각합니다. 마지막으로, 기름을 가득 채우는 것을 잊지 마세요.

해설 여행 전 차량 점검 사항으로 에어백은 언급하지 않았다.

10 주제 파악 | ②

해석

여 안녕하세요, 학생 여러분. 매년 우리 학교는 학교 축제기간 동안 특별한 행사를 개최합니다. 올해, 우리는 분장 파티를 계획하고 있습니다. 여러분은 유명인이나 여러분이 가장 좋아하는 영화나 만화책 속의 유명한 등장인물로 분장할 수 있습니다. 멋진 분장을 한 학생들에게 베스트 드레서나 베스트 포즈상과 같은 다양한 상을 수여할 것입니다. 이번 행사에서 여러분의 재능을 뽐내 보세요.

해설 여자는 학교 축제의 특별 행사인 분장 파티에 대해 설명하고 있다.

11 특정 정보 파악 | ⑤

해석

남 대부분의 사람들이 새해의 결심을 하고, 그것을 실천하려고 노력합니다. 사람들이 하는 가장 일반적인 새해 결심들은 무엇일까요? 다이어트를 하는 것이 1위를 차지했습니다. 담배를 끊는 것은 2위를 차지했고요. 그리고 더 많이 운동을 하는 것과 돈을 저축하는 것이 각각 3위와 4위를 차지했습니다. 놀랍게도, 인터넷 게임을 끊는 것은 새해 결심 4위 안에 포함되지 않았습니다.

해설 온라인 게임을 하지 않는 것은 상위 4개의 새해 목표에 포함되지 않았다고 했다.

12 목적 파악 | ③

해석

남 미나야, 오랜만이다.

여 오, 진수야. 그동안 어떻게 지냈니?

남 잘 지냈어. 여기 문화 센터에서 너를 만날 거라고는 예상하지 못했는걸. 수업을 신청하러 왔니?

여 아니야. 남동생이 여기에서 태권도 수업을 듣거든. 그를 데리러 왔어. 너는?

남 나는 이곳에 기타 수업이 있다고 해서 신청하러 왔어.

여 잘됐다. 나는 네가 기타를 얼마나 좋아하는지 알고 있어.

남 오, 너 그것을 기억하는구나.

해설 여자는 문화 센터에서 태권도 수업을 수강하는 남동생을 데리러 왔다고 했다.

13 숫자 정보 파악 – 시각 | ②

해석

여 아빠, 콘서트장까지 가는 데 얼마나 걸릴까요?

남 아마 차로 대략 40분 정도 걸릴 거야.

여 그럼, 오후 5시에 집을 나서요. 콘서트는 오후 6시에 시작하니까 늦지 않을 거예요.

남 나는 그렇게 생각하지 않는단다. 오늘은 금요일이잖니. 차가 많이 막힐 걸로 예상되는구나.

여 그건 그래요.

남 1시간 30분 정도 일찍 콘서트장으로 가자. 그러면, 우리는 늦지 않을 거야.

여 좋아요.

해설 6시에 시작하는 콘서트를 보기 위해 1시간 30분 일찍 집에서 나서기로 했으므로 두 사람은 집에서 4시 30분에 출발할 것이다.

14 관계 추론 | ⑤

해석

[휴대 전화가 울린다.]

여 안녕하세요. Jane입니다. 누구시죠?

남 김상민이라고 합니다. 학교 게시판에서 중고 자전거 광고를 보았어요.

여 네, 제가 어제 그 게시판에 광고를 붙였어요.

남 저는 당신의 자전거를 사고 싶어요. 하지만 조금 비싼 것 같아요. 할인해 주실 수 있나요?

여 물론이죠. 얼마를 지불하기를 원하세요?

남 저는 100달러에 사고 싶습니다.

여 음, 좋아요. 내일 오후 4시에 학교 식당에서 만나서 직거래를 하도록 해요.

해설 중고 자전거를 판매하고 구매하려고 있으므로, 두 사람은 중고품 구매자와 중고품 판매자의 관계임을 알 수 있다.

15 요청한 일 파악 | ①

해석

여 Mike, 너 외출하니?

남 응, 음식을 사러 식료품점에 가려고 해.

여 잘됐다. 나를 위해 몇 가지를 사다줄 수 있어?

남 물론 가능하지. 무엇이 필요하니?

여 달걀과 우유, 빵 한 덩어리와 그리고...

남 기다려. 내가 모든 것들을 기억할 수 있을지 모르겠어. 네가 필요한 것의 목록을 만들어 줄 수 있니?

여 그래. 그게 낫겠다. 잠깐만 기다려.

해설 남자는 여자에게 식료품점에서 구입할 것들의 목록을 작성해 달라고 요청했다.

16 이유 파악 | ④

해석

여 오늘 학교 어땠어, 민수야?

남 끔찍했어요. 선생님께 혼났거든요.

여 무슨 일이 있었니?

남 수업 중에 제 휴대 전화가 울렸어요. 저희는 학교에서 휴대 전화를 가지고 다니면 안 되거든요.

여 오, 그건 모두 내 잘못이구나. 네가 필요할 거라고 생각해서 내가 휴대 전화를 가방에 넣었거든. 휴대 전화 규칙에 대해서는 몰랐구나.

남 그것은 새로운 규정이에요. 물론 엄마는 모르셨을 거예요.

여 내가 선생님께 전화를 해서 설명해 드릴까?

남 아니요, 괜찮아요.

해설 남자는 수업 중에 휴대 전화가 울려서 선생님에게 혼났다고 했다.

17 그림 상황에 어울리는 대화 찾기 | ③

해석

① 여 너는 학교에 어떻게 가니?
　　남 나는 보통 자전거를 타.

② 여 내 자전거를 도둑맞았어. 믿을 수가 없어!
　　남 경찰에 전화했니?

③ 여 내 자전거를 고쳐 줄 수 있니?
　　남 할 수 있을 것 같아. 나는 물건을 고치는 데 꽤 능숙하거든.

④ 여 자전거를 타는 것은 재미있는 것 같아.
　　남 나도 동의해. 하지만 조심해야 해.

⑤ 여 기둥 옆에 세워둔 자전거를 못 봤니?
　　남 응, 못 봤어.

해설 여자의 고장 난 자전거를 남자가 수리해 주려고 하는 상황이다.

18 언급하지 않은 것 | ⑤

해석

남 Susan, 너는 지난 주말에 한국 친구의 집에 초대받았다고 들었어.

여 응. 그들은 매우 친절했어. 맛있는 한국 음식을 많이 대접해 주었어.

남 무엇을 먹었니?

여 불고기, 김치, 김밥을 먹었고, 안에 쌀이 들어 있는 한국 전통 차를 마셨어.

남 오, 식혜 말이구나. 어땠니?

여 차갑고 달콤했어. 정말 맛있었어.

남 떡은 먹지 않니? 식혜랑 잘 어울리는데.

여 아니, 안 먹었어. 우리는 디저트로 치즈 케이크를 먹었어.

해설 디저트로는 떡이 아닌 치즈 케이크를 먹었다고 했다.

19 알맞은 응답 찾기 | ④

해석

남 부산으로 가는 가장 빠른 길을 말해 줄래?

여 내 생각엔, KTX가 가장 빨라.

남 KTX? 그게 뭔데?

여 KTX는 '한국고속철도'를 의미해.

남 그건 얼마나 빠르니?

여 KTX는 시속 300km까지의 속도로 달릴 수 있어. 보통 서울에서 부산까지 2시간 30분 정도 걸려.

남 내가 KTX 기차표를 어떻게 살 수 있을까?

여 <u>너는 스마트폰을 이용해서 표를 살 수 있어.</u>

① 한국이 KTX를 개발했어.

② KTX 요금은 너무 비싸.

③ 비행기가 KTX보다 빨라.

⑤ 서울에서 부산까지 차로 5시간 걸려.

해설 KTX 기차표를 어디서 구입하는지 묻고 있으므로, 스마트폰을 이용하면 된다는 응답이 와야 가장 적절하다.

20 알맞은 응답 찾기 | ②

해석

여 여름 방학 동안에 좋은 시간을 보냈니?

남 응. 나는 방학의 대부분을 수영을 배우며 보냈어.

여 너 자유형을 할 수 있니?

남 물론이지. 나는 접영도 할 수 있어.

여 대단해! 짧은 시간에 많이 배웠구나.

남 고마워. 너는 방학을 어떻게 보냈어?

여 <u>나는 다양한 종류의 책을 읽었어.</u>

① 나는 너에게 수영하는 방법을 가르쳐 줄 수 있어.

③ 나는 접영을 할 수 있어.

④ 나는 우리 학교의 수영 선수였어.

⑤ 나는 방학이 너무 기다려져.

해설 방학을 어떻게 보냈는지 묻는 질문에 다양한 종류의 책을 읽었다는 응답이 와야 가장 적절하다.

14회 영어 듣기모의고사　　pp. 120~121

01 ①	02 ④	03 ②	04 ④	05 ②
06 ⑤	07 ⑤	08 ②	09 ④	10 ②
11 ④	12 ⑤	13 ③	14 ④	15 ⑤
16 ⑤	17 ②	18 ④	19 ⑤	20 ③

Dictation Test 14회　　pp. 122~127

01 ❶ go on a business trip ❷ checked the weather forecast ❸ It'll have clear skies

02 ❶ I'm looking for a present ❷ an eraser on the end ❸ the eraser look like

03 ❶ find my purse anywhere ❷ Maybe you dropped it ❸ something under the sofa

04 ❶ finish writing your speech ❷ some of your photos ❸ email me some of them

05 ❶ have a fantastic parade ❷ behind the yellow line ❸ enjoy fun rides

06 ❶ hurry to go to work ❷ skip eating something ❸ try to eat something

07 ❶ for volunteer work on Saturday ❷ read storybooks to the kids ❸ made it for them

08 ❶ a weekly bakery lesson ❷ you come with me ❸ too hard to change

09 ❶ keep at the swimming pool ❷ right after you eat food ❸ may pollute the water

10 ❶ You're free to turn on ❷ when you leave your classroom ❸ join our campaign

11 ❶ goes down without any reason ❷ isn't that expensive ❸ you need some extra money

12 ❶ go to the hospital alone ❷ I can't move at all ❸ come right away

13 ❶ is this yellow pencil case ❷ cheaper than the yellow one ❸ your change

14 ❶ let's practice it once again ❷ singing it on the stage ❸ sing it with a smile

15 ❶ change it for personal reasons ❷ a week earlier ❸ with the new date

16 ❶ need to buy things sometimes ❷ You can return goods ❸ can't compare one with another

17 ❶ look it up ❷ all kinds of noodles ❸ calls me a walking dictionary

18 ❶ decided to lose some weight ❷ too tight or too short ❸ feel confident about myself

19 ❶ looking for her lost necklace ❷ in my drawer at home ❸ I totally forgot about it

20 ❶ how to study ❷ Can you help me ❸ sending you the file

---

01 그림 정보 파악 – 날씨 | ①

해석

여 당신은 내일 출장을 갈 수 있을 것 같아요?

남 물론이죠. 왜 그런 걸 묻는 거죠?

여 날씨가 걱정이 되어서요. 여긴 비가 올지도 모르거든요.

남 그것에 대해 걱정할 필요는 없어요. 제가 일기 예보를 확인했거든요.

여 오, 그래요? 사업차 방문하는 도시는 어때요?

남 흐리지도 않고 비도 오지 않을 거랍니다. 당분간 맑은 하늘이 지속될 거예요.

해설 남자가 출장을 갈 곳의 날씨는 맑은 하늘이 지속될 것이라고 했다.

---

02 그림 정보 파악 – 사물 | ④

해석

여 도와드릴까요?

남 네. 저는 제 여동생을 위한 선물을 찾고 있어요.

여 음, 이 곰 인형 모양의 지우개는 어떠세요?

남 한 번 볼게요. 그다지 마음에 들지 않네요. 끝에 지우개가 달린 연필 있나요?

여 물론이죠.

남 지우개가 무슨 모양인가요?

여 호랑이 모양의 지우개가 달린 연필이 있어요.

남 좋네요. 그것으로 살게요.

해설 남자는 여동생의 선물로 호랑이 모양의 지우개가 달린 연필을 구입할 것이다.

---

03 심정 파악 | ②

해석

여 Brian, 어디서도 내 지갑을 찾을 수가 없어. 어떻게 해야 하지?

남 Alice, 네 가방 안을 봤니?

여 응, 하지만 거기에 없었어.

남 아마도 집에 오는 길에 떨어뜨렸나 보네.

여 학교까지 이미 걸어가 봤어. 여전히 그것을 찾을 수가 없었어.

남 잠깐. 소파 아래 뭔가가 보이는데.

여 오, 그게 내 지갑이야. 거기에 있구나. 정말 고마워, Brian.

남 천만에.

해설 지갑을 잃어버린 줄 알았는데 소파 아래에서 찾게 되어 여자는 안도감을 느꼈을 것이다.

---

04 한 일 / 할 일 파악 | ④

해석

[전화벨이 울린다.]

남 여보세요.

여 이봐, Jack. 연설문 쓰는 것을 끝냈어?

남 음, 거의 끝냈지.

여 정말? 그거 읽어 보고 싶다. 읽어 봐도 돼?

남 물론이지. 내일 학교에서 보여 줄게. 그리고 선거 포스터는 어떻게 되어 가니?

여 그것을 만들기 위해서는 네 사진이 몇 장 필요해.

남 디지털 사진 밖에 없는데. 그것들도 괜찮니?

여 문제없어. 그것들 중 몇 장을 내게 이메일로 보내 주기만 하면 돼.

남 좋아. 당장 할게.

해설 남자는 여자에게 선거 포스터를 만드는데 필요한 사진을 메일로 보내 줄 것이다.

---

05 장소 추론 | ②

해석

남 신사 숙녀 여러분. 10분 뒤에 환상적인 퍼레이드가 있을 예정입니다. 안전을 위해서 노란 선 뒤에서 퍼레이드를 관람해 주십시오. 퍼레이드 중에는 모든 불이 꺼질 것입니다. 그러므로 넘어지지 않도록 주의해 주십시오. 퍼레이드는 30분 동안 지속될 것입니다. 퍼레이드 중에도 여러분은 여전히 재미있는 놀이기구를 즐기실 수 있습니다.

해설 퍼레이드 관람 시 주의 사항에 대한 방송이 나오는 곳은 놀이공원이다.

06 주제 파악 | ⑤

해석

남 여러분 대부분은 아침을 바쁘게 보낼지도 모릅니다. 여러분은 씻어야 하고, 옷을 입어야 하고, 서둘러 직장에 가야 합니다. 그래서 여러분은 무언가 먹는 것을 건너뛸지도 모릅니다. 그러면 여러분은 더 피곤함을 느낄 겁니다. 아침에 식사를 건너뛰는 것은 여러분의 신체적, 정신적 건강에 좋지 않습니다. 그러므로 집을 나서기 전에, 시리얼이나 토스트, 그리고 우유 같은 것들을 먹도록 노력하세요.

해설 남자는 아침 식사를 하지 않는 것은 신체 및 정신적 건강에 좋지 않기 때문에 아침 식사하는 것을 강조하고 있다.

07 특정 정보 파악 | ⑤

해석

여 주말 어땠니?

남 좋았어. 나는 토요일에 봉사 활동으로 어린이 병원을 방문했어.

여 그곳에서 무엇을 했는데?

남 한 시간 정도 병원을 청소했어. 그 후에 아이들에게 이야기책을 읽어주고 함께 보드게임을 했지. 아이들에게 랩송도 가르쳐 줬어.

여 많은 일을 했구나. 어떤 노래를 가르쳤니?

남 'Yellow Trees'를 가르쳤어. 사실, 내가 아이들을 위해 그 노래를 만들었어.

여 정말 멋지다.

해설 남자가 봉사 활동으로 숙제를 도와줬다는 말은 하지 않았다.

08 한 일 / 할 일 파악 | ②

해석

남 Marisa, 내일 무슨 계획 있니?

여 나는 제빵을 배우러 주 1회 제과 수업을 들으러 갈 거야.

남 그 수업은 오래 걸리니?

여 아니, 대략 2시간 정도 걸릴 거야. 왜?

남 나 내일 있을 뮤지컬 '레 미제라블'의 무료 티켓이 두 장 있거든. 나랑 같이 갈래?

여 가고 싶어. 아마도 제빵 수업은 오늘 밤에 듣는 게 낫겠어. 수업 일정을 변경하는 게 그다지 어려울 것 같지 않아.

해설 여자는 오늘 밤에 제빵 수업을 듣겠다고 했다

09 언급하지 않은 것 | ④

해석

남 수영장에서 지켜야 할 몇 가지 중요한 규칙에 대해 말씀드리겠습니다. 첫째, 수영장 근처에서 뛰지 마세요. 바닥이 미끄러워서 넘어질 수 있습니다. 둘째, 음식을 먹은 직후에 물에 들어가지 마세요. 수영하기 전에 준비 운동을 해야 합니다. 마지막으로, 수영장 옆에서 음식을 먹거나 음료를 드시지 마세요. 물을 오염시킬 수 있습니다. 협조에 감사드립니다.

해설 물에 들어가기 전에 샤워를 해야 한다는 말은 하지 않았다.

10 주제 파악 | ②

해석

여 안녕하세요, 학생 여러분. 올해는 여름이 매우 더울 것입니다. 너무 더우면 여러분은 에어컨을 자유롭게 켜셔도 좋습니다. 하지만 여러분이 교실에서 나갈 때 끄는 것을 잊지 마세요. 여러분은 불도 꺼야 합니다. 우리 학교 학생 모두가 에너지를 절약하기 위한 캠페인에 동참하기를 바랍니다.

해설 에너지 절약 캠페인에 모두 동참하기를 바란다는 안내 방송이다.

11 내용 일치 / 불일치 | ④

해석

여 아빠, 저는 제가 모아둔 돈으로 새 컴퓨터를 살까 생각 중이에요.

남 뭐라고? 컴퓨터가 그렇게 낡았니?

여 제 컴퓨터는 가끔 이유도 없이 꺼져버려서 저는 제 중요한 파일 몇 개를 잃어버렸어요.

남 그러니? 몰랐구나. 그렇다면 아마도 새것을 사는 게 좋겠어. 돈은 충분히 있니?

여 제가 사고자 하는 것은 그렇게 비싸지 않아서 구입할 수 있을 것 같아요.

남 그래. 돈이 더 필요하면 나에게 말하렴.

여 감사해요, 아빠.

해설 여자가 사려고 하는 컴퓨터는 비싸지 않다고 했다.

12 목적 파악 | ⑤

해석

[전화벨이 울린다.]

여 여보세요.

남 엄마? 저 Mike예요. 문제가 하나 생겼어요.

여 오, Mike. 무슨 일이니?

남 저 배탈이 났어요. 당장 병원에 가야 해요.

여 혼자 병원에 갈 수 있겠니?

남 아니요, 전혀 못 움직이겠어요. 오셔서 저를 좀 데려가실 수 있어요?

여 좋아. 곧 너희 학교로 가마.

남 고마워요. 바로 와 주세요.

해설 남자는 배탈이 나서 여자에게 병원에 데려다 달라고 부탁하기 위해 전화를 걸었다.

13 숫자 정보 파악 – 금액 | ③

해석

남 실례합니다. 이 노란색 필통은 얼마인가요?

여 6달러입니다.

남 그러면 저 파란색은 얼마인가요?

여 오, 이것은 할인 품목이라서 노란색보다 2달러 더 저렴합니다.

남 좋아요. 파란색으로 할게요. 여기 10달러 있습니다.

여 거스름돈입니다. 감사합니다.

해설 남자가 구입한 파란색 필통은 6달러인 노란색 필통보다 2달러가 더 싸다고 했으므로 4달러이며, 남자는 10달러를 지불했으므로 6달러를 거슬러 받아야 한다.

14 관계 추론 | ④

해석

여 Greg, 쉬고 나서 그것을 다시 한 번 연습해 봅시다.

남 좋아요. White 씨, 이것은 사랑스럽군요.

여 전 세계의 어린이들을 위해 그것을 만들었답니다.

남 오, 그렇군요. 저는 무대에서 그것을 부르는 것을 무척 기대하고 있습니다.

여 Greg, 무대에서는 미소를 지으며 부르는 게 더 나을 것 같아요.

남 네, 유념하겠습니다.

해설 여자는 어린이들을 위해 노래를 만들었다고 했고 남자는 무대에서 노래 부르는 것을 기대한다고 했으므로, 두 사람은 작곡가와 가수의 관계임을 알 수 있다.

15 요청한 일 파악 | ⑤

해석

여 도와드릴까요?

남 이번 주 초에 Green 박사님에게 예약을 했는데, 개인적인 이유로 예약을 변경하고 싶어서요.

여 성함과 약속 날짜를 알려주세요.

남 Andy Jackson이고, 4월 5일 2시 예약이에요.

여 어떻게 바꾸기를 원하시나요?

남 그 주에 출장이 있어서 일주일 당겨서 Green 박사님을 만날 수 있을까요?

여 잠시만요. 3월 26일 3시는 어떤가요?

남 좋아요. 새로운 날짜와 시간을 저에게 문자로 전송해 주실 수 있나요?

여 그럼요.

해설 남자는 여자에게 변경된 예약 내용을 문자로 전송해 줄 것을 요청하고 있다.

16 이유 파악 | ⑤

해석

여 난 쇼핑가는 길이야. 너도 나와 같이 갈래?

남 아니, 안 갈래. 쇼핑몰은 항상 너무 붐벼.

여 그렇지만 너는 때때로 물건들을 사야 하잖아.

남 난 온라인 쇼핑이 더 좋아. 시간을 많이 절약할 수 있어.

여 그렇지만 사진만 볼 수 있잖아. 사진은 진짜가 아니야.

남 원하면 상품을 반품할 수 있어.

여 그래도 네가 물건을 선택하기 전에 다른 것과 서로 비교해 볼 수 없어.

해설 남자는 쇼핑몰이 항상 붐벼서 가지 않는다고 했다.

17 그림 상황에 어울리는 대화 찾기 | ②

해석

① 남 중국 여행은 어땠어?

　 여 좋았어. 중국 친구들을 좀 사귀었지.

② 남 중국어로 '나는 배가 고파'가 뭐지?

　 여 사전에서 찾아보자.

③ 남 가장 좋아하는 중국 음식이 뭐야?

　 여 나는 모든 종류의 면 음식을 좋아해.

④ 남 중국의 수도를 아니?

　 여 물론 알지. 베이징이야.

⑤ 남 모두가 나를 걸어 다니는 사전이라고 불러.

　 여 분명 너는 많은 단어들을 알고 있나 보구나.

해설 남자가 중국어 표현에 대해서 궁금해하자 여자가 사전을 찾아보고 있는 상황이다.

18 언급하지 않은 것 | ④

해석

여 있잖아. 나 살을 빼기로 결심했어.

남 왜? 넌 이대로도 좋아 보이는데.

여 작년부터 5킬로그램이나 쪘어. 이제는 모든 옷들이 너무 딱 맞거나 너무 짧아.

남 정말? 나는 깨닫지 못했어. 건강 상태는 어때?

여 역시 좋지 않아. 움직일 때마다 무겁게 느껴지고 가끔 무릎이 아파.

남 그거 문제구나. 그런 경우라면, 다이어트를 시작하는 게 좋겠다.

여 응, 나 자신에 대해 자신감을 느끼고 싶어.

해설 여자가 살을 빼기로 결심한 이유로 부모님의 권유는 언급하지 않았다.

19 알맞은 응답 찾기 | ⑤

해석

남 Amy, 왜 우울하니?

여 너도 알다시피 Kelly가 그녀의 잃어버린 목걸이를 찾고 있잖아.

남 그렇지.

여 사실 나는 집에 있는 내 서랍에서 그것을 찾았어.

남 정말? 어떻게 된 일이야?

여 지난 크리스마스 파티를 위해서 내가 그것을 빌렸거든. 하지만 나는 그것에 대해서 완전히 잊어버리고 있었어.

남 그렇다면 그녀에게 말해.

여 하지만 그녀가 내게 그것을 보았는지 물어 봤을 때, 난 '아니'라고 말했거든. 어떻게 해야 할까?

남 **네가 사실을 말한다면, 그녀는 화내지 않을 거야.**

① 나는 그녀가 네게 그것을 빌려줄 것이라고 확신해.

② 그 목걸이는 네게 어울리지 않는다고 생각해.

③ 너는 항상 약속을 지켜야 해.

④ 미안하지만, 그것이 어디 있는지 모르겠어.

해설 친구에게 거짓말을 한 것 같아서 걱정하는 여자에게 사실을 말하면 친구는 화내지 않을 것이라는 응답이 와야 자연스럽다.

20 알맞은 응답 찾기 | ③

해석

[전화벨이 울린다.]

남 여보세요. 선희야, 밤늦게 전화해서 미안해. 너도 알다시피 우리 내일 오후에 시험이 있어. 하지만 난 어떻게 공부해야 할지 모르겠어.

여 한국 문학 시험 말이니?

남 맞아. 네가 그것에 대해 날 도와줄 수 있니?

여 물론이지. 내가 그 과목에 대해 짧게 요약한 것이 있어. 그 파일을 네게 보내 줄게.

남 너무 고맙다. 네가 날 살렸어.

① 뭐라고? 그거 안됐네.

② 좋아. 내가 당장 제출할게.

④ 가능한 일찍 그것을 보낼게.

⑤ 컴퓨터를 사용하지 않을 때는 그것을 꺼 놓아라.

해설 한국 문학 시험으로 걱정하는 남자에게 여자가 요약본을 보내며 도와주고 있으므로, 고맙다고 답하는 것이 가장 적절하다.

Dictation Test 15회　　　　pp. 130~135

01 ❶ the rain will continue ❷ will not be very good ❸ recheck the weather forecast

02 ❶ buy a scarf ❷ with a small flower pattern ❸ this heart-shaped hairpin is

03 ❶ getting better and better ❷ I'm in good condition ❸ you look nervous

04 ❶ tell me more about it ❷ my bike had broken down ❸ spent all day repairing it

05 ❶ as good as I expected ❷ decided what to order ❸ I'll treat you dinner

06 ❶ what should we buy ❷ Are you sure ❸ do you think is better

07 ❶ an adventure of a pig ❷ came up with the idea ❸ thought about the plot

08 ❶ got injured while playing soccer ❷ can't walk well ❸ I'll follow your advice

09 ❶ an exchange student from Japan ❷ like listening to classical music ❸ play the musical instrument

10 ❶ get out of this building ❷ Please check the location ❸ go to the nearest exit

11 ❶ Are you ready to order ❷ what would you like ❸ can you refill it

12 ❶ meet at the ticket booth ❷ change the meeting place ❸ where shall we meet

13 ❶ to borrow some chairs ❷ I can lend you some ❸ the rest from another teacher

14 ❶ Where can I find books ❷ how can I get to ❸ extend them for another week

15 ❶ is suffering from ❷ give me a ride ❸ need to get some groceries

16 ❶ came home from Europe ❷ I left my jacket there ❸ pick it up

17 ❶ how to spell your name ❷ a pen to write with ❸ Did you take notes

18 ❶ When you hear the alarm ❷ go outside to the playground ❸ do a head count

19 ❶ visited the flower exhibition ❷ I've ever been to ❸ What's your favorite plant

20 ❶ I'm looking for a bookmark ❷ wrap it up ❸ is it possible to exchange

---

01 　그림 정보 파악 – 날씨 ｜③
해석
남　안녕하세요, 여러분. 다음 주 일기 예보입니다. 월요일에는 비가 올 것이고, 그 비는 수요일까지 계속될 것입니다. 비는 수요일 밤에 그치겠지만, 여전히 날씨는 그다지 좋지는 않을 것입니다. 목요일은 구름이 낄 것입니다. 금요일부터 주말까지는 따스하고 화창하겠습니다. 만약 다음 주에 외출 계획이 있다면, 일기 예보를 다시 확인하세요.

해설　목요일에는 구름이 잔뜩 낀 날씨라고 했다.

02 　그림 정보 파악 – 사물 ｜④
해석
여　도와드릴까요?
남　네. 저는 친구를 위해서 스카프를 하나 사고 싶어요.
여　줄무늬가 있는 이것은 어떠신가요?
남　글쎄요. 좋아 보이기는 하지만, 그녀는 그것을 좋아하지 않을 거예요.
여　그렇다면 작은 꽃무늬가 있는 이것은 어떤가요?
남　좋아 보이네요. 그것으로 할게요. 그리고 이 하트 모양의 머리핀은 얼마인지 궁금합니다.
여　7달러입니다.
남　좋아요. 그것도 살게요

해설　남자는 작은 꽃무늬가 있는 스카프와 하트 모양의 머리핀을 구입할 것이다.

03 　심정 파악 ｜④
해석
남　Kate, 너의 춤 경연 대회 준비는 어떻게 되어 가니?
여　정말 열심히 연습하고 있어요. 게다가 제 춤 실력은 점점 더 나아지고 있어요, 아빠.
남　잘됐구나. 네가 대회에서 실수할까 봐 계속 걱정하고 있단다.
여　걱정 마세요. 그런 일은 제게 일어나지 않을 거예요. 저는 요즘 컨디션이 좋거든요.
남　알겠어. Kate, 내가 네 춤을 좀 봐도 되겠니?
여　물론이죠. 아빠, 긴장되어 보이시네요. 걱정할 것 없어요.

해설　여자는 춤 경연 대회 준비를 열심히 하고 있고, 컨디션이 좋다고 하면서 자신감 있는 모습을 보여 주고 있다.

04 　한 일 / 할 일 파악 ｜③
해석
여　Sam, 나는 어제 가족과 좋은 시간을 보냈어.
남　더 자세히 얘기해 줄 수 있니?
여　물론이지. 우리는 수족관에 갔어. 그러고 나서 영화를 봤어.
남　우아, 네가 부러워.
여　너는 어땠니?
남　나는 내 여자 친구와 함께 자전거를 타고 싶었어. 하지만 내 자전거가 고장 나있다는 것을 발견했지 뭐야.
여　오, 유감이구나.
남　그래서 그것을 수리하는 데 하루를 보냈어. 그게 전부야.

해설　남자는 어제 자전거를 타고 싶었지만 자전거가 고장이 나서 온종일 자전거를 수리했다고 했다.

05 　장소 추론 ｜②
해석
남　민지야, 여기에 앉자. 영화는 어땠니?
여　음, 내가 예상했던 것만큼 좋지는 않았어.
남　내 생각도 정확히 그래. 액션 장면들이 충분히 신나지가 않았지.
여　맞아. 어쨌든 어떤 것을 주문할지 결정했니?
남　응. 난 치킨버거 세트를 먹을 거야.
여　좋아. 네가 영화를 보여 주었으니, 내가 저녁을 대접할게.

남 오, 정말? 고마워.

여 여기서 그냥 기다려. 내가 가서 음식을 가져올게.

해설 남자가 치킨버거 세트를 먹겠다고 말하고 여자는 음식을 가져오겠다고 말했으므로, 두 사람은 음식점에 있음을 알 수 있다.

06 의도 파악 | ⑤

해석

남 Lisa, 엄마 생신 선물로 뭘 사야 할까?

여 나는 이 양산을 살까 생각 중이야.

남 엄마가 좋아하실 거라고 확신하니?

여 그럼. 요즘 날씨가 너무 더우니까 엄마는 좋아하실 거야.

남 그래. 흠, 나는 이 디자인이 마음에 들어. 어떻게 생각해?

여 나도 마음에 드는데, 두 가지 색깔이 있네. 어떤 것이 더 좋아?

남 노란색을 사자.

해설 어떤 양산이 더 좋은지 묻는 여자의 말에 남자는 노란색 양산을 사자고 제안하고 있다.

07 언급하지 않은 것 | ④

해석

남 오늘, 우리는 특별 손님으로 소설가 박유미씨를 모셨습니다. 안녕하세요. 당신의 새로운 소설을 소개해 주시겠습니까?

여 네, 그것은 돼지의 모험에 관한 이야기입니다. 그는 저녁 식탁에서 생을 끝내고 싶지 않아 다른 동물 친구들과 함께 농장을 탈출합니다.

남 흥미롭게 들리는군요. 어떻게 그런 이야기에 대해 생각하셨어요?

여 저는 농장에서 자랐고, 많은 동물들을 키웠습니다. 아기 돼지들을 돌보는 동안 그 생각이 떠올랐어요.

남 이야기를 쓰는 데 얼마나 오래 걸렸나요?

여 그렇게 오래 걸리지는 않았어요, 약 1년 정도예요. 하지만 저는 항상 그 줄거리에 대해 생각하고 있었지요.

남 확실히 흥미로운 줄거리네요. 분명 모든 사람들이 좋아할 거예요.

해설 여자는 아기 돼지들을 돌보다가 아이디어가 생각났다고 했다.

08 한 일 / 할 일 파악 | ④

해석

여 Jack, 네 다리에 무슨 일이 생긴 거니?

남 축구를 하다가 다쳤어.

여 병원에는 가 봤니?

남 아니. 아프긴 하지만 심각한 것 같지는 않아.

여 하지만 나는 네 다리가 걱정되는걸. 봐? 너 잘 걷지도 못하잖아.

남 흠……, 정말 내가 병원에 가야 한다고 생각하니?

여 그렇고말고. 너는 당장 엑스선 검진을 받아야 해.

남 알겠어. 그럼 네 충고를 따를게.

해설 남자는 여자의 충고에 따라 병원에 가서 엑스선 검진을 받을 것이다.

09 언급하지 않은 것 | ②

해석

남 안녕, 친구들. 내 이름은 무카이 다나카이고 일본에서 온 교환 학생이야. 나는 한국의 언어와 문화를 배우러 한국에 왔어. 나는 고전 음악 감상과 그림 그리기를 좋아해. 요즘에 나는 한국 전통 음악에 관심이 있어. 사실 나는 가야금이라 불리는 악기를 배우기 시작했어. 이곳 한국에서 친구들을 많이 사귀고 싶어.

해설 일본에서 온 교환 학생인 무카이 다나카는 자신의 나이를 언급하지 않았다.

10 주제 파악 | ②

해석

여 신사 숙녀 여러분, 저희 화랑에 오신 것을 환영합니다. 이제 여러분에게 비상 상황에 이 건물을 빠져나갈 수 있는 방법을 알려 드리겠습니다. 각 층에는 4개의 비상구가 있습니다. 현재 이 층의 비상구 위치를 확인해 주세요. 비상 상황의 경우, 침착함을 유지하고 가장 가까운 비상구로 가십시오. 감사합니다.

해설 비상사태 발생 시 건물을 빠져나갈 수 있는 4개의 비상구에 대한 안내 방송이다.

11 언급되지 않은 것 | ⑤

해석

여 손님, 주문하실 준비는 되셨나요?

남 네. 해산물 스파게티로 하고 싶어요.

여 네. 다른 것은요?

남 치킨 샐러드도 먹고 싶네요.

여 그리고 어떤 음료를 원하세요?

남 포도 주스 부탁합니다. 그런데 탄산음료로 다시 채워 주실 수 있나요?

여 물론이죠. 맛있는 치즈 케이크도 있습니다. 한번 맛보시겠어요?

남 좋아요. 그것도 주문하죠.

해설 남자는 해산물 피자를 주문하지 않았다.

12 목적 파악 | ⑤

해석

[휴대 전화가 울린다.]

여 여보세요. 나 Jane이야.

남 안녕, Jane. 무슨 일이니?

여 너 내일 콘서트에 가는 것 기억하지, 그렇지?

남 물론이지. 우리 매표소에서 만날 거잖아, 맞지?

여 응, 그러기로 했지. 그런데 나는 만날 장소를 바꾸려고 전화했어. 내 생각에 그곳은 사람들로 너무 붐빌 것 같아.

남 그럴 수 있지. 그러면 어디서 만날까?

여 지하철역 7번 출구로 올 수 있어?

남 문제없어. 내일 보자.

해설 여자는 약속 장소를 바꾸려고 남자에게 전화했다.

13 숫자 정보 파악 – 개수 | ②

해석

남 Smith 선생님, 선생님 교실에서 의자를 좀 빌려도 될까요?

여 무엇 때문에 필요하니?

남 학생회장 선거 때문이에요.

여 그렇구나. 그런 목적이라면 몇 개 빌려줄 수 있단다. 얼마나 많이 필요하니?

남 서른 개요.

여 미안하지만 내 교실에는 의자 30개는 없어. 20개밖에 없단다.

남 괜찮아요. 나머지는 다른 선생님께 빌릴게요.

해설 남자는 의자 30개가 필요한데 현재 Smith 선생님에게서 20개를 빌렸으므로, 앞으로 의자 10개를 더 빌려야 한다.

14 관계 추론 | ⑤

해석

여 음악의 역사에 관한 책을 어디에서 찾을 수 있을까요?

남 2층에 있어요.

여 계단이 어디에 있는지 알려주실 수 있나요?

남 컴퓨터실이 보일 때까지 곧장 가세요. 계단은 바로 그 옆에 있습니다.

여 감사합니다. 그리고 책을 얼마나 오랫동안 빌릴 수 있는지 궁금합니다.

남 일주일 동안입니다. 일주일 더 연장하실 수 있고요.

여 오, 알겠습니다. 감사합니다.

해설 여자가 남자에게 도서의 위치 및 대출 기간에 대해 물어보고 있으므로, 두 사람의 관계는 사서와 도서관 이용객임을 알 수 있다.

15 부탁한 일 파악 | ④

해석

여 안녕, Mike! 너 어디 가니?

남 약국에 가려는 길이야.

여 왜? 너 아프니?

남 아니, 내가 아니야. 엄마가 두통으로 편찮으셔.

여 그러면 나를 약국 근처에 있는 슈퍼마켓에 태워다 줄 수 있니? 식료품을 좀 사야 해서.

남 물론이야. 어서 타렴.

여 고마워.

해설 여자는 남자에게 슈퍼마켓까지 태워 달라고 부탁하고 있다.

16 이유 파악 | ④

해석

여 Bill이 어젯밤에 유럽에서 돌아왔다는 것을 들었니?

남 응, 들었어.

여 지금 나와 그를 만나러 가는 게 어때?

남 미안하지만 그럴 수가 없어. 난 공항에 가야 하거든.

여 거기에는 왜 가는데?

남 사실은 아침에 할머니를 태워 드리러 공항에 갔었거든. 그리고 불행히도, 거기에 내 외투를 두고 왔어.

여 오, 그것을 가지러 그곳에 가는 것이구나, 그렇지?

남 맞아. 난 서둘러야 해. 나중에 보자.

해설 남자는 공항에 외투를 두고 와서 다시 가야 한다고 했다.

17 그림 상황에 어울리는 대화 찾기 | ①

해석

① 남 당신 이름을 어떻게 써야 할지 모르겠네요. 적어주실 수 있나요?
　여 물론이죠.

② 남 무슨 일 있어?
　여 중요한 메모를 잃어버렸어.

③ 남 펜을 빌려줄 수 있나요?
　여 유감이지만 저는 펜이 없어요.

④ 남 어제 철자 시험을 잘 못 봤어.
　여 포기하지 마! 다음에 더 잘할 거야.

⑤ 남 수업 중에 필기했니?
　여 아니, 잠이 들었어.

해설 남자가 여자에게 펜과 종이를 건네며 이름의 철자를 써 달라고 하는 상황이다.

18 언급하지 않은 것 | ④

해석

남 주목해 주세요, 여러분. 잠시 후에, 우리는 소방 훈련을 하겠습니다. 경보음이 울리면, 모든 사람들은 복도에서 줄을 서야 합니다. 빠르고 조용히 줄을 서 주세요. 여러분은 엘리베이터 대신에 계단을 이용할 것이고, 운동장으로 나갈 것입니다. 뛰거나 서로 밀어서는 안 됩니다. 밖에 있는 운동장에서 다시 줄을 서 주세요. 학급 반장들이 선생님과 함께 머릿수를 세도록 하겠습니다.

해설 최대한 빨리 뛰어서 이동해야 한다는 내용은 언급되지 않았다.

19 알맞은 응답 찾기 | ⑤

해석

남 주말 동안 무엇을 했니?

여 꽃 박람회에 갔었어.

남 어땠니?

여 내가 가 본 최고의 박람회였지.

남 그 박람회의 무엇이 좋았어?

여 다양한 꽃이 많이 있었어.

남 그것들 중에 네가 가장 좋아하는 식물이 뭐니?

여 <u>나는 다른 어떤 식물보다 백합이 좋아.</u>

① 넌 무엇을 가장 좋아해?

② 너도 좋아할 거라 확신해.

③ 난 꽃은 싫어하지만 동물은 좋아해.

④ 넌 정원에 무엇을 심을 거니?

해설 가장 좋아하는 식물이 무엇인지 묻는 말에 백합을 가장 좋아한다고 답하는 것이 가장 적절하다.

20 알맞은 응답 찾기 | ④

해석

여 도와드릴까요?

남 네, 부탁드립니다. 저는 친구를 위한 책갈피를 찾고 있어요.

여 알겠습니다. 이것은 어떠세요?

남 좋아 보이네요. 그걸로 사겠습니다.

여 네, 포장하시겠습니까?

남 네. 그것에 대해서도 돈을 내야 하나요?

여 아니요, 그럴 필요 없어요.

남 그리고 다른 것으로 바꾸는 것이 가능한가요? 그가 좋아하지 않을까봐 걱정되어서요.

여 <u>물론이죠. 영수증을 보여 주시기만 하면 됩니다.</u>

① 그가 그것을 좋아할지 아닐지 모르겠네요.

② 문제없습니다. 그는 독서를 좋아해요.

③ 그는 많은 선물을 받을 것이라고 확신합니다.

⑤ 죄송하지만, 어디에서 책갈피를 사는지 모르겠어요.

해설 구입한 책갈피를 다른 것으로 바꾸는 것이 가능한지 묻는 말에 영수증을 보여 주면 된다는 응답이 와야 가장 적절하다.

16회 영어 듣기모의고사 pp. 136~137

01 ③	02 ②	03 ③	04 ⑤	05 ③
06 ③	07 ②	08 ④	09 ④	10 ①
11 ④	12 ⑤	13 ③	14 ④	15 ③
16 ③	17 ④	18 ⑤	19 ④	20 ④

Dictation Test 16회 pp. 138~143

01 ❶ Let's check the weather ❷ fall below zero ❸ turn into snow

02 ❶ a cup with a handle ❷ She got promoted ❸ I'm thinking of drawing

03 ❶ I ran into him ❷ get his autograph ❸ I took pictures with him

04 ❶ go to see the panda ❷ you feed the animals ❸ clean up the animal cages

05 ❶ open a bank account ❷ fill out this form ❸ put a little money

06 ❶ talking about the match ❷ the final stone was thrown ❸ turned the game around

07 ❶ it made me better ❷ it really works for me ❸ I usually have hot water

08 ❶ where you left it ❷ a textbook on the lockers ❸ go back and check it

09 ❶ to watch a video clip ❷ give each of you ❸ You can taste water

10 ❶ You can take photos ❷ I recommend you to ❸ a large gas station nearby

11 ❶ visit all those countries ❷ thanks to him ❸ lives in Paris

12 ❶ run a farm ❷ help them plant some vegetables ❸ to go with me there

13 ❶ in a smaller size ❷ it is sold out ❸ I have no choice

14 ❶ some pages were missing ❷ keep your receipt ❸ get a refund or exchange

15 ❶ go to the dental clinic ❷ planning to do something ❸ change the time

16 ❶ to earn some money ❷ a box on my desk ❸ a note from my parents

17 ❶ have a driver's license ❷ take a walk ❸ pick up some milk

18 ❶ Before you enter the museum ❷ when you watch artworks ❸ take pictures without a flash

19 ❶ to express ourselves more clearly ❷ communicate by using many gestures ❸ what gesture do Koreans use

20 ❶ no cars on the street ❷ broke a traffic law ❸ give me a chance

---

01 그림 정보 파악 – 날씨 | ③

해석
남 대전 지역 뉴스 센터의 Tony입니다. 오늘 날씨를 확인해 보죠. 길 위의 물은 밤새 얼음으로 변했습니다. 오늘은 다시 눈이 오겠습니다. 부산에서는 바람이 불고 기온이 영하로 떨어지겠습니다. 서울은 다른 도시들처럼 춥겠으나, 서울의 모든 사람들은 맑은 하늘을 즐길 수 있겠습니다. 대구에서는 오전에 비가 내리고 오후에는 비가 눈으로 바뀌겠습니다.

해설 서울은 춥지만 맑은 하늘을 볼 수 있다고 했다.

02 그림 정보 파악 – 사물 | ②

해석
남 넌 뭘 만들고 있니?
여 손잡이가 있는 컵을 만들고 있어.
남 그 컵으로 뭘 할 건데?
여 엄마에게 선물로 이걸 드릴 거야. 이번에 승진하셨거든.
남 대단하시다! 그 컵을 어떻게 장식할 거야?
여 그 위에 꽃과 나비 한 마리 그리는 것을 생각 중이야.
남 분명히 근사할 거야.

해설 여자는 손잡이가 있는 컵에 꽃과 나비를 그릴 것이라고 했다.

03 심정 파악 | ③

해석
여 Kay에 대해 들어 본 적이 있니?
남 물론이야. 난 그를 매우 잘 알고 있어. 그는 세계적으로 유명한 가수잖아, 그렇지 않니?
여 맞아. 그거 알아? 나 극장 앞에서 우연히 그를 만났어.
남 믿을 수 없어! 그는 내가 가장 좋아하는 가수야. 그의 사인을 받았니?
여 당연하지. 더욱 놀라운 건 그와 함께 사진도 찍었다는 거야.
남 나도 그런 일이 있으면 좋겠어.

해설 여자는 유명한 가수에게서 사인을 받고 사진도 함께 찍어서 신이 났을 것이다.

04 한 일 / 할 일 파악 | ⑤

해석
남 너는 지난 주말에 뭘 했니?
여 나는 친구들과 국립 동물원에 갔어.
남 판다를 보러 갔니?
여 아니, 나는 그곳에서 한 달에 한 번 봉사 활동을 해.
남 정말? 어떤 종류의 일을 하니? 동물들에게 먹이를 주니?
여 아니. 동물들 먹이 주는 것은 네가 생각하는 것만큼 쉽지 않아. 우리는 동물의 우리를 치워.
남 오, 그거 힘들 것 같아.
여 응, 하지만 보람이 있어.

해설 여자는 동물원에서 봉사 활동으로 동물의 우리를 치웠다고 했다.

05 장소 추론 | ③

해석

여 어서 오세요. 무엇을 도와드릴까요?

남 안녕하세요. 저는 은행 계좌를 개설하고 싶은데요.

여 알겠습니다. 이쪽으로 와서 앉으세요. 신분증부터 보여 주시겠어요?

남 물론이지요, 여기 있습니다.

여 이 양식을 작성해 주세요.

남 오늘 예금을 해야 하나요?

여 네. 계좌에 약간의 돈을 넣으셔야 합니다.

남 알겠습니다. 얼마나 걸리나요?

여 오래 걸리지 않아요.

해설 은행 계좌 개설 및 예금과 관련된 대화를 하는 곳은 은행이다.

06 의도 파악 | ③

해석

남 어제 컬링 경기를 봤니?

여 일본과의 경기를 말하는 거니? 물론 봤지.

남 놀라운 경기였어, 그렇지? 마지막 스톤이 던져졌을 때, 우리 가족 모두 환호했어.

여 일본 팀이 역전했을 때 나는 한국 팀이 질 것 같아서 걱정했었어.

남 나도 그랬어.

여 어쨌든, 한국 팀은 전 세계의 많은 사람들을 놀라게 했어.

남 네 말에 전적으로 동의해.

해설 남자는 한국 컬링팀이 전 세계의 많은 사람들을 놀라게 했다는 여자의 말에 전적으로 동의하고 있다.

07 특정 정보 파악 | ②

해석

남 Claire, 지금은 괜찮니? 어제 몸이 안 좋았잖아.

여 응, 엄마가 내게 허브차를 만들어 주셔서 좀 더 나아졌어.

남 허브차 때문에 몸이 나았단 말이니?

여 맞아. 내가 아플 때마다 엄마는 그것을 만들어 주시는데 나한테는 정말로 효과가 있어.

남 글쎄, 나는 아플 때 뜨거운 물이나 닭고기 수프를 먹는데. 다음번에는 네 방법을 한번 시도해 볼게.

해설 여자는 아플 때 허브차를 마신다고 했다.

08 한 일 / 할 일 파악 | ④

해석

남 내가 오늘 네 과학 교과서를 빌릴 수 있을까?

여 미안해. 내가 시험이 있어서 그 책으로 공부를 해야 해. 네 것은 어디 있는데?

남 모르겠어. 어디에도 찾을 수가 없어.

여 네가 어디에 뒀는지 기억이 안 나니?

남 응, 하지만 교실 어딘가에 있다는 건 확실해.

여 교실의 사물함 위에 교과서가 한 권 있는 것을 봤어. 그게 아마 네 것인가 봐.

남 정말? 다시 가서 확인해 봐야겠다.

해설 남자는 교실로 돌아가서 사물함 위에 자신의 교과서가 있는지 찾아볼 것이다.

09 언급하지 않은 것 | ④

해석

여 서울 정수 센터에 오신 것을 환영합니다. 먼저 우리는 서울 수돗물의 역사에 관한 영상을 볼 것입니다. 그리고 나서, 한강의 물이 어떻게 여러분 집에 있는 수도꼭지로 가게 되는지 설명해 드리겠습니다. 그 다음에, 우리는 정수 처리장으로 가서 시설들을 볼 것입니다. 처리장을 떠나실 때 여러분 모두에게 각각 물 한 병을 드리겠습니다. 여러분은 막 정수된 물을 맛보실 수 있습니다.

해설 수돗물로 손을 씻는 활동은 일정에 없었다.

10 특정 정보 파악 | ①

해석

남 주목해 주세요. 10분 후에 우리는 Mystic 항구 도시에 들를 것입니다. 그곳은 관광을 하고 쇼핑을 하거나, 음식을 먹기에 매우 매력적인 장소랍니다. 원하시면 사진도 찍을 수 있습니다. 또한, 그곳의 다양한 음식들도 맛보시길 추천합니다. 하지만 근처에 대형 주유소가 있으므로 담배는 피지 마세요. 감사드리며 머무는 동안 즐겁게 보내세요.

해설 근처에 대형 주유소가 있으므로 담배를 피지 말라고 했다.

11 내용 일치 / 불일치 | ④

해석

여 사진들이 정말 멋지다! 넌 여행을 정말 많이 다녔음에 틀림없어.

남 맞아. 나는 10개국 이상을 여행했어.

여 우아, 언제 그 모든 나라들을 방문한 거야?

남 아빠가 외교관이시거든. 그는 많은 나라에서 근무하셔서 덕분에 우리는 여행할 수 있었어.

여 그렇구나. 그런데, 금발 머리의 이 소녀가 궁금해. 그녀는 누구야? 예쁘다.

남 내 사촌이야. 그녀는 파리에 살고 있어.

해설 사진 속의 예쁜 금발 여자아이는 남자의 사촌이라고 했다.

12 목적 파악 | ⑤

해석

남 Judy, 이번 주말에 계획이 어떻게 되니?

여 아직 확실하지 않아. 넌 특별한 계획이라도 있니?

남 응, 내 조부모님이 시골에서 농장을 경영하고 계셔. 그래서 농장에서 그들이 채소를 좀 심는 것을 도우려고 해.

여 그거 좋겠다.

남 나는 너에게 그곳에 같이 가자고 청하려고 전화한 거야.

여 물론, 좋아.

해설 남자는 여자에게 이번 주말에 자신의 조부모님이 계시는 시골에 함께 가자고 하기 위해서 전화를 걸었다.

13 숫자 정보 파악 – 금액 | ③

해석

남 실례합니다. 이 빨간색 셔츠를 더 작은 사이즈로 보여 주실 수 있나요?

여 죄송합니다만, 그것은 품절되었어요. 그 사이즈로는 검은색 셔츠와 흰색 민소매 셔츠가 있어요.

남 그것들은 얼마인가요?

여 검은색 셔츠는 35달러이고, 흰색 셔츠는 55달러입니다.

남 제가 50달러밖에 없네요. 검은색 셔츠로 사는 수밖에 없겠어요.

여 그게 더 저렴하지만 흰색 셔츠보다 더 인기가 많답니다.

해설 남자는 35달러짜리의 검은색 셔츠를 구입할 것이다.

14 관계 추론 | ④

해석

남 어떻게 도와드릴까요?

여 제가 어제 이 잡지를 이곳에서 샀는데 몇 장이 빠졌어요.

남 그 잡지 좀 보겠습니다. (잠시 후) 정말 죄송합니다. 영수증을 가지고 계신가요?

여 네, 여기 있습니다.

남 그것을 환불받고 싶으세요, 아니면 교환하고 싶으세요?

여 저는 그것을 새것으로 교환하고 싶어요.

남 알겠습니다. 다시 한 번 그 점에 대해 사과드립니다.

해설 영수증을 보여 주면서 구입한 잡지를 새것으로 교환하고 있으므로, 두 사람의 관계는 서점 직원과 고객임을 알 수 있다.

15 한 일 / 할 일 파악 | ③

해석

남 엄마, 학교 다녀오겠습니다.

여 오후 4시에 치과에 가는 것을 잊지 마라, 알았지?

남 오, 안 돼! 그것을 완전히 잊고 있었네요.

여 왜? 그때 뭔가를 할 예정이니?

남 4시 30분에 저와 친구들은 학교 연극제 연습을 할 거예요. 그 시간은 바꿀 수 없거든요.

여 그러면 내가 진료 시간을 더 빠른 시간인 3시로 옮길게.

남 감사해요, 엄마.

해설 여자는 남자의 치과 예약 시간을 변경해 줄 것이다.

16 특정 정보 파악 | ③

해석

남 우리 학교 신문사의 사진사로서 저는 새 사진기가 필요했어요. 그래서 돈을 벌기 위해 일주일에 세 번 식당에서 일을 했죠. 하지만 제가 원하던 사진기는 너무 비쌌어요. 그래서 저는 충분한 돈을 모을 수 없었어요. 오늘 오후에 집에 돌아왔을 때 저는 제 책상 위에 있는 상자를 발견했어요. 무엇인지 예상할 수 있겠어요? 제 부모님의 메모와 함께 새로운 사진기가 들어 있었어요. 메모에는 '미래의 사진작가에게. 행운을 빈다, 아들아!'라고 쓰여 있었어요.

해설 부모님이 남자에게 사진기를 선물해 주었다고 했다.

17 그림 상황에 어울리는 대화 찾기 | ④

해석

① 여 너는 운전할 줄 아니?

　 남 아니, 하지만 운전면허증은 있어.

② 여 우리 산책하는 게 어때?

　 남 좋은 생각이야.

③ 여 나 이 꽃을 꺾었어.

　 남 너는 그러면 안 돼.

④ 여 내가 태워다 줄까?

　 남 고맙지만 괜찮아요. 저는 걷는 게 더 좋아요.

⑤ 여 집에 오는 길에 우유 좀 사다 줄래?

　 남 네, 그럴게요.

해설 여자가 길을 걷고 있는 남자에게 차에 탈 것을 제안하는 상황이다.

18 내용 일치 / 불일치 | ⑤

해석

여 주목해 주세요. 박물관에 들어가기 전에, 여러분은 몇 가지 규칙을 알아야 합니다. 이곳에는 다양한 예술 작품이 있으므로, 내부에는 음료와 음식의 반입이 안 됩니다. 또한 여러분은 작품을 보는 중에는 정숙하셔야 합니다. 작품을 만지거나 사진 촬영을 할 수 없습니다. 하지만 플래시 없이는 촬영할 수 있습니다.

해설 플래시가 허용되지 않을 뿐, 사진 촬영은 가능하다고 했다.

19 알맞은 응답 찾기 | ④

해석

남 우리는 다른 사람들과 이야기할 때 종종 제스처를 사용합니다.

여 맞아요. 저는 제스처가 우리 자신을 더 명확하게 표현하도록 도와준다고 생각해요.

남 맞아요. 그것은 거의 '제2언어'와 같아요. 한국인들도 제스처를 자주 사용하나요?

여 물론이죠. 우리는 다양한 제스처로 의사소통을 해요.

남 그러면, 한국인들은 '안녕하세요.' 인사할 때 어떤 제스처를 취하나요?

여 <u>우리는 누군가에게 고개를 숙여요.</u>

① 저는 제스처를 좋아해요.

② 우리는 '안녕하세요.'라고 말해요.

③ 그것은 몸짓 언어를 의미해요.

⑤ 한국어는 과학적인 언어예요.

해설 인사를 할 때 한국인들의 제스처가 무엇인지 묻고 있으므로, 고개를 숙인다는 응답이 와야 가장 적절하다

20 알맞은 응답 찾기 | ④

해석

여 실례합니다만 여기서 유턴을 하실 수 없습니다.

남 알지만 해야 할 중요한 일이 있어서요. 그리고 도로에 차도 없잖아요.

여 이해합니다만 어쨌든 당신에게 위반 티켓을 발부해야겠습니다.

남 뭐라고요? 진심이세요?

여 네. 당신은 교통 법규를 어겼습니다. 운전면허증을 보여 주세요.

남 오, 제발 한 번만 봐주세요!

여 <u>죄송하지만 그게 법입니다.</u>

① 정말 친절하시군요.

② 저도 법을 공부하고 있어요.

③ 더 이상 운전하지 않을게요.

⑤ 안 돼. 그 기회를 놓치지 말아요.

해설 법규를 어겨서 한 번만 봐달라는 요청에, 죄송하지만 그것이 법이기 때문에 어쩔 수 없다는 응답이 와야 가장 적절하다.

17회 영어 듣기모의고사 pp. 144~145

01 ⑤	02 ②	03 ③	04 ②	05 ④
06 ①	07 ④	08 ④	09 ⑤	10 ③
11 ④	12 ④	13 ②	14 ①	15 ③
16 ③	17 ①	18 ④	19 ④	20 ①

01 ❶ humid and hot ❷ there's no chance of rain ❸ continue to Sunday

02 ❶ left my backpack here in ❷ on each side ❸ have anything

03 ❶ you're interested in cooking ❷ how hard it was ❸ learn a lot

04 ❶ feed his two dogs ❷ I worked in the field ❸ a busy weekend

05 ❶ I'm taking photos of ❷ It may damage the artworks ❸ you should be more careful

06 ❶ might have a hard time ❷ someone to work with ❸ he is the right man

07 ❶ you should follow some rules ❷ increase the speed too much ❸ Make sure to ride it

08 ❶ a car accident this morning ❷ not seriously injured ❸ After going to the gym

09 ❶ opened a flower shop ❷ flowerpots are also available ❸ offer a delivery service

10 ❶ decided to control the use ❷ the lack of electricity ❸ Please turn it off

11 ❶ our parents in the countryside ❷ my leather bags are missing ❸ check the house right now

12 ❶ I'm a regular customer ❷ What sandwich did you buy ❸ I'm going out with

13 ❶ glasses are broken ❷ in half an hour ❸ get new ones

14 ❶ I've lived in this area ❷ Go straight one block ❸ you're one of my students

15 ❶ once I start to play ❷ give me something to drink ❸ bring it to you

16 ❶ can I go to classroom ❷ not allowed to open it ❸ borrowing one from the library

17 ❶ holding it in your hand ❷ on sale now ❸ have the wrong number

18 ❶ located in a beautiful area ❷ enjoy many exciting activities ❸ sign up for it

19 ❶ I want to buy ❷ show me your phone ❸ doesn't appeal to me

20 ❶ the top of the mountain ❷ makes me feel refreshed ❸ be good for our health

01　그림 정보 파악 – 날씨 | ⑤

해석

남　좋은 아침입니다. 저는 Korea Weather Report의 Jason Kim입니다. 오늘의 날씨는 습하고 덥겠습니다. 때때로 소나기도 올 것입니다.

다음 날인 화요일에는 구름이 낄 것입니다. 그러나 비가 올 확률은 없습니다. 비는 수요일 오후에 시작하여 일요일까지 계속될 것입니다.

해설　비는 수요일부터 일요일까지 내린다고 했다.

02　그림 정보 파악 – 사물 | ②

해석

여　제가 도와드릴까요, 손님?

남　제가 오늘 아침 도서관에 제 배낭을 두고 온 것 같아요.

여　그것은 어떻게 생겼나요?

남　앞쪽에 커다란 주머니가 하나 있고, 양 옆에는 작은 주머니가 있어요.

여　큰 주머니에 별 모양이 있나요?

남　아니요, 아무것도 없어요. 완전히 검은색이에요.

여　이것이 손님이 찾고 계신 가방 같네요.

남　네, 그게 제 것이에요. 정말 감사합니다.

해설　남자가 찾고 있는 배낭은 앞부분과 양쪽에 주머니가 있고, 앞주머니에는 아무 무늬도 없는 검은색이다.

03　심정 파악 | ③

해석

여　네 손에 있는 게 뭐니?

남　이건 요리 강좌의 수료증이야.

여　멋지다! 네가 요리에 관심이 있는지 몰랐어.

남　난 미래에 요리 전문가가 되고 싶어.

여　넌 대단한 요리사가 될 거야. 수업은 어땠어?

남　꽤 힘들었어. 학생 중 몇 명은 완료하지 못했어.

여　얼마나 힘들었는지 알겠다. 그런데 너는 그것을 끝마쳤구나.

남　난 최선을 다했거든. 그래서 그 수업에서 많은 것을 배울 수 있었어.

해설　남자는 요리 강좌 수료증을 받아서 자랑스러워하고 있다.

04　한 일 / 할 일 파악 | ②

해석

남　네 주말은 어땠어?

여　난 매우 바빴어. 조부모님 댁에 갔거든.

남　거기서 무엇을 했니?

여　할아버지를 도와서 두 마리의 개에게 먹이를 주고 집 청소를 했어.

남　그 밖에 무엇을 했니?

여　조부모님을 위해 밭에서 일도 하고 저녁 식사도 준비했어.

남　우아! 바쁜 주말이었음에 분명하구나.

해설　여자는 개집을 청소했다는 말은 하지 않았다.

05　장소 추론 | ④

해석

여　실례합니다. 여기서 뭘 하고 있나요?

남　다양한 작품들의 사진을 찍고 있는데요.

여　죄송하지만 여기서는 허용되지 않습니다.

남　왜 안 되죠?

여　그림이나 조각품과 같은 미술품에 해를 끼칠지도 모릅니다.

남　오, 몰랐습니다. 정말 죄송합니다.

여　괜찮습니다. 하지만 앞으로는 더 주의해 주십시오.

해설　여자가 남자에게 그림과 조각품 사진을 찍지 말라고 경고하고 있으므로, 두 사람은 미술관에 있음을 알 수 있다.

06 의도 파악 | ①
해석

여 오늘 바빠 보이네. 무슨 일 있니?

남 내 가게의 시간제 직원이 어제 일을 그만뒀어.

여 유감스러운 일이네. 너 힘들겠구나.

남 맞아. 내가 혼자서 모든 것을 해야 해.

여 너 함께 일할 사람이 필요하니?

남 당연하지. 추천 좀 해 줘. 부지런한 사람으로 말이야.

여 내 남동생은 어때? 내 생각에 그가 딱 맞는 사람인 것 같아.

해설 여자는 시간제 직원으로 자신의 남동생을 남자에게 추천하고 있다.

07 언급되지 않은 것 | ④
해석

남 나는 평소에 한강을 따라 자전거를 타.

여 그거 재미있겠다. 나도 해보고 싶어.

남 좋아, 그런데 자전거를 탈 때는 안전을 위해 몇 가지 규칙을 지켜야 해.

여 무슨 규칙?

남 먼저, 안전모를 써야 해. 둘째, 속도를 너무 높이거나 경주를 해서는 안 돼.

여 그 밖에 다른 것은?

남 반드시 자전거 도로를 따라서 타야 한다는 것을 명심해.

여 명심할게.

해설 자전거를 탈 때 산책하는 사람들을 보호해야 한다는 말은 언급되지 않았다.

08 한 일 / 할 일 파악 | ④
해석

여 중호야, 어디에 가는 길이니?

남 병원에 가는 중이야.

여 왜?

남 오늘 아침 자동차 사고 때문에 Jasmin이 병원에 있거든.

여 그거 너무 안됐다. 그녀는 괜찮니?

남 다행히도 그녀는 심각하게 다치지 않았어. 하지만 3일 동안 병원에 있어야 해.

여 운동하러 체육관에 다녀온 다음에 나도 그녀를 방문해야겠어.

해설 여자는 먼저 운동을 하러 체육관에 갔다 온 다음에 친구 병문안을 가겠다고 했다.

09 언급하지 않은 것 | ⑤
해석

남 너의 이모가 꽃 가게를 열었다고 들었어.

여 맞아. 5번가에 있어.

남 여기서 그다지 멀지 않구나. 몇 시에 열어?

여 10시에 열어서 9시에 닫아.

남 꽃과 꽃다발만 파시니?

여 아니, 화분도 가능해.

남 그녀는 배달 서비스도 제공하니?

여 아니, 그렇지 않아. 혼자서 가게를 운영하시거든.

해설 여자는 자신의 이모가 하는 꽃 가게의 전화번호를 언급하지 않았다.

10 주제 파악 | ③
해석

여 교실에 있는 학생들과 선생님들께서는 주목해 주시기 바랍니다. 최근

정부는 에어컨의 사용을 규제하기로 결정했습니다. 왜냐하면 에어컨의 사용이 여름철에 전기 부족을 초래하기 때문입니다. 우리 학교 또한 이 결정을 따라야 합니다. 여러분이 교실을 나갈 때, 또는 너무 덥지 않을 때에는 에어컨을 꺼 주시기 바랍니다. 감사합니다.

해설 정부의 에어컨 사용 규제 방침을 학교도 따라야 한다는 내용이다.

11 내용 일치 / 불일치 | ④
해석

남 어떻게 도와드릴까요, 부인?

여 누군가가 어젯밤에 우리 집에 침입했어요. 우리는 시골에 계신 부모님을 방문하고 있었어요.

남 집에서 없어진 것이 있었나요?

여 네. 제 보석류 중 일부가 사라졌고, 가죽 가방 몇 점도 없어졌어요.

남 돈은요?

여 다행히도 집안에 돈은 없었어요.

남 어떤 단서를 발견했나요?

여 네, 곳곳에 발자국이 있어요.

남 함께 가서 당장 집을 확인해 보겠습니다.

해설 여자는 다행히도 집에 현금이 없었다고 했다.

12 목적 파악 | ④
해석

남 지난주 금요일에 Joe의 샌드위치 가게에서 너를 봤어.

여 오, 나는 그 가게의 단골손님이야.

남 나도 그 가게를 좋아해. 그날은 무슨 샌드위치를 샀니?

여 아무것도 사지 않았어.

남 그러면, 거기서 뭘 하고 있었어?

여 사실은 나 그 가게의 시간제 직원과 사귀고 있어.

남 정말? 그거 굉장한 소식인데.

해설 여자는 샌드위치 가게에서 시간제 직원으로 일하고 있는 남자 친구를 만나기 위해 샌드위치 가게에 갔다고 했다.

13 숫자 정보 파악 – 시각 | ②
해석

[휴대 전화가 울린다.]

여 여보세요.

남 여보세요. 엄마예요? 저 동민이에요. 언제 집에 오세요?

여 지금이 오후 4시니까 4시 40분 정도에 도착할 거야. 왜 그러니?

남 제 안경이 부러졌어요. 새것이 필요해요.

여 30분 뒤에 백화점에서 만나는 게 어떠니? 그곳의 상점에서 새 안경을 살 수 있을 거야.

남 알겠어요. 그때 봐요.

해설 현재 시간은 오후 4시이고, 두 사람은 30분 뒤에 만나기로 했다.

14 관계 추론 | ①
해석

남 저기, 수진이지? 여기서 널 보다니 반갑구나. 여기에 사니?

여 네, 저는 5년 동안 이 지역에 살고 있어요. 여기서 무엇을 하고 계세요?

남 난 우체국을 찾고 있는 중이란다. 거기에 어떻게 가야 하니?

여 여기서 멀지 않아요. 한 블록 곧장 가서 왼쪽으로 돌면 돼요.

남 고맙구나. 그나저나 어제 동물에 관한 네 리포트를 보았단다.

여 그것에 대해서 어떻게 생각하세요?

남 아주 좋았어! 나는 네가 내 학생들 중 한 명이라는 것이 자랑스럽구나.

해설 마지막에 남자는 여자가 자신의 학생이라는 것이 자랑스럽다고 말했으므로, 남자는 교사이고 여자는 학생임을 알 수 있다.

15 한 일 / 할 일 파악 | ③

해석

남 너는 2시간 동안 테니스를 치고 있구나.

여 나는 이 운동에 푹 빠졌어. 일단 치기 시작하면 멈출 수 없어.

남 잠시 휴식을 취하는 게 어때?

여 좋아. 목이 마르네. 마실 것을 좀 줘.

남 잠시만 기다려. 내가 가져다줄게.

여 고마워!

해설 남자는 목이 마른 여자를 위해 마실 것을 가져다줄 것이다.

16 이유 파악 | ③

해석

남 김 선생님, 제가 205호 교실에 가도 되나요?

여 왜? 아마 잠겨 있을 텐데.

남 저도 알아요. 그런데 제가 그곳에 영어 교과서를 두고 왔어요.

여 미안하지만 방과 후에 교실을 여는 것은 허락되지 않아.

남 오, 안돼요! 내일 영어 시험이 있어요. 전 그 책이 필요해요.

여 도서관에서 한 권 빌리는 게 어떠니? 너는 거기서 그것을 빌릴 수 있을 거야.

남 알겠어요. 빌려 볼게요.

해설 남자는 영어 교과서를 빌리기 위해 도서관에 갈 것이다.

17 그림 상황에 어울리는 대화 찾기 | ①

해석

① 남 내 휴대 전화를 못 찾겠어.

여 너 지금 농담하는 거지? 네 손에 들고 있잖아.

② 남 전화번호 좀 알려주실래요?

여 물론이죠. 010-123-4567입니다.

③ 남 잠시 당신의 휴대 전화를 사용할 수 있을까요?

여 미안하지만, 지금 제가 쓰고 있어요.

④ 남 이 휴대 전화는 얼마인가요?

여 지금 할인 중이에요. 5만원밖에 하지 않아요.

⑤ 남 민지와 통화할 수 있을까요?

여 잘못 거셨어요.

해설 휴대 전화를 든 채 두리번거리는 남자를 여자가 황당한 듯이 쳐다보고 있는 것으로 보아, 전화기를 손에 든 채 찾고 있는 상황임을 짐작할 수 있다.

18 언급하지 않은 것 | ④

해석

남 안녕하세요, 여러분. 저는 여러분을 여름 캠프에 초대하고 싶습니다. 캠프는 7월 24일부터 7월 31일까지 열릴 것입니다. 캠프장은 속초의 한 아름다운 지역에 위치하고 있습니다. 여러분은 수영, 하이킹, 승마, 그리고 서핑과 같은 많은 흥미로운 활동들을 즐길 것입니다. 캠프에 참가하려면, 저희 웹사이트를 방문하셔서 7월 1일까지 신청해주시면 됩니다. 곧 여러분을 뵙게 되기를 희망합니다.

해설 남자는 여름 캠프 참가비에 대한 언급은 하지 않았다.

19 알맞은 응답 찾기 | ④

해석

남 어서 오세요. 무엇을 도와드릴까요?

여 네, 저는 스마트폰 케이스를 구매하고 싶어요.

남 알겠습니다. 손님의 휴대 전화를 보여 주세요. 모델을 확인해야 해서요.

여 여기 있습니다.

남 손님의 전화기에 맞는 몇 개의 케이스가 있네요. 이것은 어떠신가요?

여 끌리지 않네요. 다른 케이스를 보여 주시겠어요?

남 네. 음, 이 검은색은 지금 유행하는 것이에요.

여 좋아요. 이것으로 다른 색깔은 없나요?

남 죄송하지만, 검은색밖에 없어요.

① 그건 작동하지 않아요.

② 그건 문제가 안 돼요.

③ 여기에는 케이스가 없어요.

⑤ 그건 우리 삶에 매우 편리한 것이죠.

해설 동일한 휴대 전화 케이스 모델의 다른 색은 없는지 묻는 말에 검은색밖에 없다는 응답이 와야 가장 적절하다.

20 알맞은 응답 찾기 | ①

해석

남 우리는 마침내 산의 정상에 도착했어.

여 우아! 경관이 아름답네.

남 등산은 상쾌하게 만들어.

여 맞아. 정기적으로 등산하는 게 어때?

남 좋아! 그건 우리의 건강에 좋을 거야.

여 그러면 한 달에 한 번 등산을 하도록 하자.

남 그거 좋은 생각이야.

② 아니. 난 건강해지고 싶어.

③ 좋아. 네 동아리에 가입할게.

④ 전망 좋은 방을 주세요.

⑤ 건강이 가장 중요하지.

해설 정기적으로 등산하자는 여자의 제안에 '좋은 생각이야.'라고 답하는 응답이 와야 가장 적절하다.

18회 영어 듣기모의고사				pp. 152~153
01 ③	02 ③	03 ②	04 ②	05 ③
06 ④	07 ④	08 ②	09 ④	10 ②
11 ③	12 ④	13 ⑤	14 ②	15 ①
16 ④	17 ②	18 ④	19 ②	20 ④

Dictation Test 18회　　　　pp. 154~159

01 ❶ take an umbrella with you ❷ have a heavy snowfall ❸ be back in the afternoon

02 ❶ receive it with the present ❷ a cake print looks better ❸ how about this one

03 ❶ Your school report arrived today ❷ do you remember I got ❸ I'm so proud of you

04 ❶ need to print it out ❷ I should stay home ❸ Let's meet at the park

05 ❶ do I need to take ❷ Should I take it here ❸ how long does it take

06 ❶ was lying on the ground ❷ had a heart attack ❸ With the help of

07 ❶ about the cells of plants ❷ the characters of a novel ❸ we were taught about

08 ❶ do you need a printer ❷ print out my report ❸ use it for free

09 ❶ may I have your attention ❷ looking for his mom ❸ visit the customer center

10 ❶ when they tell lies ❷ lie to save a situation ❸ to tell the truth

11 ❶ The report card says ❷ write the answers correctly ❸ I handed in the paper

12 ❶ had a bad cold ❷ ask you a favor ❸ don't know his phone number

13 ❶ to buy some flowers ❷ expensive than a rose ❸ twice as much as

14 ❶ I've had a high fever ❷ check your throat ❸ avoid going out

15 ❶ let me wash the dishes ❷ put the main dish ❸ can you set the table

16 ❶ You have to be responsible ❷ I won't be late again ❸ Never break your words

17 ❶ go to the concert ❷ I'm thinking of buying ❸ Did you see the poster

18 ❶ eyesight is also getting worse ❷ be visiting inappropriate websites ❸ Let's have a talk with

19 ❶ like to book a flight ❷ How many seats ❸ return tickets

20 ❶ What makes you like ❷ solving a difficult problem ❸ what happened in the past

01 그림 정보 파악 – 날씨 | ③
해석

여 안녕하세요. 세계 일기 예보입니다. 오늘 서울은 비가 많이 내릴 것이므로 우산을 챙기세요. 싱가포르는 하루 종일 맑고 따뜻하겠습니다. 런던은 흐리고 바람이 불겠습니다. 베이징은 눈이 많이 내리고, 도쿄 역시 폭설이 내리겠습니다. 여기까지입니다. 오후에 더 많은 정보를 가지고 다시 돌아오겠습니다. 감사합니다.
해설 런던의 오늘 날씨는 흐리고 바람이 불 것이라고 했다.

02 그림 정보 파악 – 사물 | ③
해석

남 Amy, 우리 Jenny를 위한 생일 카드를 하나 사자. 선물과 함께 받으

면 좋아할 거야.
여 좋은 생각이야.
남 카드 위에 작은 리본이 달린 이것은 어떨까?
여 그것은 너무 단순해. 나는 꽃무늬가 있는 이 카드가 마음에 드는걸.
남 글쎄, 내 생각에는 케이크가 있는 이 카드가 더 나아 보여.
여 그것도 좋아 보이네, David. 하지만……, '생일 축하해'라는 글자가 적힌 이 카드는 어때?
남 멋지다! 좋아, 그것으로 하자.
해설 두 사람은 '생일 축하해'라는 글자가 적힌 카드를 구입할 것이다.

03 심정 파악 | ②
해석

남 엄마, 저 왔어요.
여 오, Jack. 네 성적표가 오늘 도착했단다.
남 정말요? 그건 어디에 있어요?
여 네 방 책상 위에 있어.
남 읽어 보셨어요?
여 그래. 놀라지 마라, Jack. 너는 모두 A를 받았어.
남 오, 믿을 수가 없어요. 엄마, 제가 중간고사에서는 B를 많이 받았던 것을 기억하시죠?
여 그래, 기억하지. 기말고사는 잘 쳤구나. 난 네가 무척 자랑스럽단다, Jack.
해설 여자는 아들의 성적이 좋아서 기뻐하고 있다.

04 한 일 / 할 일 파악 | ②
해석

여 안녕, Jerry. 숙제는 어떻게 되어 가니?
남 다 끝냈어. 출력만 하면 돼. 넌 어때, 보라야?
여 나도 거의 끝났어.
남 잘됐네. 그럼, 오늘 오후에 자전거나 타러 갈까?
여 글쎄, 지금은 몸이 안 좋아. 집에 있어야 할 것 같아.
남 이봐. 너는 밖에서 기분 전환을 할 필요가 있어.
여 하지만 자전거를 타는 것은 내게 너무 과해. 연날리기를 하는 것은 어때?
남 좋은 생각이야. 1시간 뒤에 공원에서 보자.
해설 두 사람은 한 시간 뒤에 공원에서 만나 연날리기를 할 것이다.

05 장소 추론 | ③
해석

여 실례합니다. 저는 국립 예술 센터로 가고 싶습니다. 어떤 버스를 타야 하나요?
남 한번 봅시다. 7번 버스를 타시면 됩니다.
여 여기서 타야 하나요, 아니면 길 건너편에서 타야 하나요?
남 길 건너편에서요.
여 감사합니다. 그런데 거기에 도착하는 데 얼마나 오래 걸리나요?
남 버스로 약 15분 걸릴 것으로 생각합니다.
여 매우 감사합니다.
남 천만에요.
해설 국립 예술 센터로 가려면 몇 번 버스를 어디서 타야 하는지 묻고 답하고 있으므로, 두 사람은 버스 정류장에 있음을 알 수 있다.

06 의도 파악 | ④
해석

남 학생 여러분, 어제 우리 학생들 중 한 명이 바닥에 쓰러져 있던 한 노부

인을 도와주었습니다. 그 여성분은 심장 마비에 걸려 고통 받고 있었습니다. 그런데 Jack Williams는 그분을 발견하자마자 119에 전화를 걸었습니다. Jack의 도움으로 그녀는 생존할 수 있었습니다. 저는 Jack Williams가 무척 자랑스럽습니다.

해설 남자는 Jack Williams가 심장 마비로 쓰러져 있던 노부인을 도와 목숨을 살려 줬다며 칭찬하고 있다.

07 언급되지 않은 것 | ④

해석

여 우리는 오전에 4개의 수업이 있었습니다. 먼저, 우리는 식물의 세포에 대해 배웠습니다. 다음 수업에서는 소설의 등장인물들에 대해 영어로 이야기했습니다. 다음으로 우리는 체육관에 가서 배드민턴을 쳤습니다. 무척 재미있었죠. 점심 식사를 하기 전에, 우리는 고려 시대 사람들의 생활에 대해 배웠습니다.

해설 오전 수업 내용으로 요리 실습은 언급되지 않았다.

08 한 일 / 할 일 파악 | ②

해석

남 너는 집에 프린터가 있니?

여 아니, 없어. 너는 왜 프린터가 필요하니?

남 보고서를 출력해야 하는데 내 프린터가 작동하지 않아.

여 도서관에 프린터가 있잖아.

남 그것을 내가 사용해도 될까?

여 물론이지. 3페이지까지는 무료로 사용할 수 있어.

남 그거 잘됐다. 지금 도서관으로 가야겠어.

해설 남자는 보고서를 출력하기 위해 도서관에 갈 것이다.

09 언급하지 않은 것 | ④

해석

여 손님 여러분, 주목해 주시겠습니까? 저희는 Roy라는 이름의 길을 잃은 소년을 데리고 있습니다. 다시 말씀드리면, 길 잃은 소년의 이름은 Roy입니다. 그는 2층 여성복 매장에서 발견되었습니다. 그는 현재 엄마를 찾고 있습니다. 그는 6살이고, 빨간색 티셔츠와 청바지, 그리고 하얀색 운동화를 신고 있습니다. 그를 알거나 찾고 있는 사람을 알고 계시다면 1층의 고객 센터로 와주세요. 감사합니다.

해설 여자는 아이가 사는 곳에 대해서는 언급하지 않았다.

10 주제 파악 | ②

해석

남 여러분들 중 많은 분들이 거짓말을 한 경험이 있을 것입니다. 많은 사람들이 거짓말을 할 때 진실이 결코 드러나지 않기를 희망합니다. 하지만 사실상 진실은 종종 드러납니다. 만약 여러분이 상황을 모면하고자 거짓말을 한다면, 그것은 그 상황을 더 나쁘게 만듭니다. 그러므로 여러분은 진실을 말하는 것이 훨씬 더 낫다는 점을 기억해야 합니다.

해설 남자는 거짓말을 하는 것은 상황을 악화시키기 때문에 진실을 말하는 것이 훨씬 낫다고 말하고 있다.

11 내용 일치 / 불일치 | ③

해석

남 말도 안 돼!

여 무슨 일이야?

남 나는 수학에서 A를 받을 거라고 생각했는데, 이것 좀 봐!

여 성적표에 C라고 쓰여 있네.

남 나는 분명 기말고사를 잘 봤어.

여 너는 답안지에 답을 정확하게 적었니?

남 물론이지. 답안지를 제출하기 전에 재확인도 했어. 수학 선생님께 이번 성적을 확인하는 게 좋겠어.

해설 남자는 수학 시험을 잘 봤다고 확신하고 있다.

12 목적 파악 | ④

해석

[휴대 전화가 울린다.]

남 여보세요. 수진아. 나 John이야.

여 안녕, John.

남 나 어제 독감에 걸려서 학교에 갈 수 없었어.

여 정말 안됐구나. 지금은 괜찮니?

남 응. 좀 더 좋아졌어. 너에게 부탁 좀 해도 될까?

여 물론이야. 뭔데?

남 수영이에게 숙제에 대해서 전화를 해야 하는데, 전화번호를 모르겠어.

여 그의 번호는 내 전화에 있어. 내가 알려 줄게.

해설 남자는 숙제와 관련해 수영이에게 전화를 해야 하는데, 전화번호를 몰라서 여자에게 전화를 걸었다.

13 숫자 정보 파악 – 금액 | ⑤

해석

여 도와드릴까요?

남 네, 부탁드립니다. 저는 꽃을 좀 사고 싶어요.

여 네. 이 장미들은 어떤가요?

남 정말 아름답네요. 송이 당 얼마인가요?

여 한 송이에 2달러입니다.

남 그렇다면 두 송이 살게요. 그리고 이 백합은 얼마인가요?

여 그것은 장미보다 더 비쌉니다. 장미의 2배입니다.

남 알겠습니다. 한 송이 살게요. 그게 다예요.

해설 남자는 한 송이에 2달러인 장미를 두 송이, 한 송이에 4달러인 백합을 한 송이 구입했으므로 총 8달러를 지불해야 한다.

14 관계 추론 | ②

해석

남 안녕하세요. 어떤 문제로 오셨죠?

여 어제부터 고열이 있었어요.

남 다른 문제도 있으신가요?

여 목이 아프고 두통도 있어요.

남 목을 확인해 보겠습니다. (잠시 후) 감기에 걸리셨군요.

여 제가 어떻게 해야 하죠?

남 따뜻한 물을 자주 마시고 외출하는 것을 피하세요.

여 감사합니다.

해설 남자가 여자의 감기 증상을 진단해 주고 있는 것으로 보아 남자는 의사이고, 여자는 환자이다.

15 부탁한 일 파악 | ①

해석

남 우아, 이 토마토 샐러드는 신선해 보이네요.

여 원하면 좀 먹어 봐도 된단다.

남 네. (잠시 후) 맛있네요. 요리가 끝나셨으면 제가 설거지를 할게요.

여　아니야, 괜찮아, Mike. 이제 메인 요리를 접시에 담아야겠다.

남　좋아요! 제가 도와드릴 일이 있나요?

여　흠……. 그러면, 상 좀 차려 줄래?

남　물론이죠. 또 다른 것은요?

여　그런 다음에, 네가 해야 할 일은 저녁을 맛있게 먹는 게 전부란다.

해설　여자는 남자에게 상 차리는 것을 부탁했다.

16　이유 파악　| ④
해석

여　Mike, 나는 지금 너무 화가 나는 구나. 너는 또 네 약속을 어겼어.

남　정말 죄송해요, Jackson 선생님. 그럴 의도는 없었지만 엄마가 저를 깨워 주시지 않았어요.

여　그건 이치에 맞지 않는 것 같구나. 너는 그것에 대해 책임을 져야 해.

남　알겠어요. Jackson 선생님, 다시는 늦지 않을 것이라고 약속드릴게요.

여　다시는 절대 약속을 어기지 마라. 알겠니?

남　네.

해설　여자는 남자가 약속을 어기고 지각을 해서 화가 났다.

17　그림 상황에 어울리는 대화 찾기　| ②
해석

① 남　네가 가장 좋아하는 음악은 뭐니?

　 여　나는 힙합 음악을 좋아해.

② 남　우리 콘서트에 갈래?

　 여　나는 고전 음악에 관심이 없어.

③ 남　나는 새 기타를 살까 생각 중이야.

　 여　무엇 때문에? 너는 이미 기타가 있잖아.

④ 남　나는 10년 동안 피아노 치는 것을 배웠어.

　 여　너는 분명 잘 치겠구나.

⑤ 남　음악 콘서트 포스터 봤니?

　 여　응. 어제 봤어.

해설　콘서트에 가자는 남자의 제안에 여자가 고개를 저으며 거절하고 있는 상황이다.

18　언급하지 않은 것　| ④
해석

남　여보, 걱정스러워 보이네요. 무슨 일 있어요?

여　아이들이 요즘 휴대 전화에 너무 많은 시간을 보내고 있는 것 같아요.

남　그래서 학교 성적이 떨어지고 있는 거군요.

여　그들의 시력도 또한 나빠지고 있어요.

남　인터넷에서 부적절한 웹사이트를 방문할 수도 있어요.

여　맞아요. 뭔가 조치를 취해야 해요. 전 그들이 중독될까 두려워요.

남　아이들과 대화를 해 봅시다.

해설　두 사람은 휴대 전화의 데이터 요금에 대해서는 언급하지 않았다.

19　알맞은 응답 찾기　| ②
해석

여　도와드릴까요?

남　저는 시드니 행 항공권을 예매하고 싶어요.

여　언제 출발하실 건가요?

남　다음 금요일인 12일이요.

여　얼마나 많은 좌석을 원하시죠?

남　두 개 부탁합니다.

여　네. 왕복 항공권을 원하시나요?

남　네, 저희는 20일에 돌아올 것입니다.

① 네, 부탁드려요. 환불을 받고 싶어요.

③ 죄송하지만, 저는 제 항공권을 가져오지 않았어요.

④ 물론이죠. 전 그것들을 반드시 돌려 드릴게요.

⑤ 물론이죠. 저는 시드니 여행이 정말 좋았어요.

해설　왕복 항공권을 원하는지 묻는 질문에 그렇다고 말하며 20일에 돌아올 것이라고 답하는 것이 가장 적절하다.

20　알맞은 응답 찾기　| ④
해석

여　민수야, 너는 수학에 관심이 있니?

남　응. 그건 내가 가장 좋아하는 과목이야.

여　그것을 몰랐구나. 무엇이 네가 수학을 좋아하게 만들었니?

남　내가 어려운 문제를 푸는 데 성공했을 때마다 난 무척 행복해져.

여　이해해.

남　네가 가장 좋아하는 과목은 뭐니, Jenny?

여　맞혀 봐. 나는 과거에 일어났던 일을 배우는 것을 좋아해.

남　넌 역사를 좋아하나 보구나, 그렇지?

① 나도 수학에 흥미가 있어.

② 그때 네가 무엇을 했는지 모르겠어.

③ 네가 왜 수학을 좋아하는지 말해 줘.

⑤ 네가 왜 그것을 공부하지 않는지 이해가 안 돼.

해설　여자가 과거에 발생한 사건을 배우는 것을 좋아한다고 했으므로, 역사를 좋아하는 것이 아닌지 물어보는 것이 자연스럽다.

19회　영어 듣기모의고사　pp. 160~161

01 ②	02 ⑤	03 ①	04 ⑤	05 ④
06 ①	07 ②	08 ①	09 ③	10 ④
11 ⑤	12 ④	13 ③	14 ④	15 ④
16 ③	17 ①	18 ④	19 ③	20 ①

Dictation Test 19회　pp. 162~167

01 ❶ I'm planning to go fishing　❷ there will be no wind　❸ change the schedule or not

02 ❶ bought me a jacket　❷ get something more meaningful　❸ have to save more time

03 ❶ you were in my shoes　❷ made fun of me　❸ take my words seriously

04 ❶ did you take part in　❷ I joined the marathon event　❸ provided them with beverages

05 ❶ be more specific　❷ a big problem　❸ until you finish repairing it

06 ❶ practice baseball every day　❷ share the joy ❸ support the baseball team

07 ❶ I can't help it ❷ give you a penalty ❸ Clean this classroom alone

08 ❶ to be an early bird ❷ I will wake up early ❸ buy an alarm clock

09 ❶ check several things ❷ that are not in use ❸ close the gas valve

10 ❶ just a few clicks ❷ living almost anywhere on earth ❸ what you write on

11 ❶ my first impression didn't last ❷ made me laugh a lot ❸ We talked about movies

12 ❶ to ask you something about ❷ did you buy yours ❸ finally allowed me to buy

13 ❶ buy clothes for climbing ❷ discount all the clothes ❸ popular in our store

14 ❶ The traffic is heavy now ❷ take the subway ❸ to the nearest subway station

15 ❶ go to the restroom ❷ Hurry back ❸ Please keep my briefcase

16 ❶ got in a fight with ❷ behind my back ❸ to put up with it

17 ❶ Could you explain ❷ move to another school ❸ so boring to me

18 ❶ keep in mind the followings ❷ try to look tidy ❸ follow these simple rules

19 ❶ seems to be infected by ❷ ever been checked for viruses ❸ how to run the software

20 ❶ have something else to do ❷ had to meet my parents ❸ what did you do

01 그림 정보 파악 – 날씨 | ②

해석

여 이번 주말에 일정이 어떻게 돼?

남 아버지와 낚시하러 가려고 계획 중이야.

여 그거 재미있겠다!

남 그런데 일기 예보에서는 이번 주말에 비가 온다고 했어.

여 비올 때 낚시하러 가는 것은 위험해.

남 나도 그렇게 생각해. 다행히 바람은 불지 않을 거래. 어쨌든 나는 아버지에게 일정을 바꿀 수 있는지 없는지 여쭤볼 거야.

해설 일기 예보에서 이번 주말에 비가 온다고 했다.

02 그림 정보 파악 – 사물 | ⑤

해석

남 졸업을 축하한다.

여 감사해요, 아빠.

남 너에게 특별한 선물을 주고 싶구나. 새 재킷은 어떠니?

여 지난달에 생일 선물로 재킷을 사주셨잖아요.

남 그러면 신발은?

여 전 지갑이나 배낭 같은 좀 더 의미 있는 것을 받고 싶어요.

남 손목시계는 어떠니? 이제 고등학생이니 너는 시간을 더 아껴 써야 하잖니.

여 오, 그것은 생각 못했어요. 저에게 멋진 선물이 될 거예요.

해설 남자는 딸에게 시간을 더 아껴 쓰라는 의미로 손목시계를 선물로 사 주겠다고 했다.

03 심정 파악 | ①

해석

여 난 기분이 너무 안 좋아.

남 무슨 일인데?

여 내 친구 Jimmy가 내 체중을 공개적으로 말했어. 네가 내 입장이라면 어떡할래?

남 그냥 잊어버려. 나는 단지 그가 네 건강을 걱정하는 것이라고 생각해.

여 난 그렇게 생각하지 않아. 그는 날 놀렸어.

남 네 감정에 대해서 그와 얘기해 보는 게 좋겠다.

여 하지만 그는 내 말을 진지하게 듣지 않을 거야! 그리고 난 아직 그 애의 얼굴을 마주 보기 싫어!

해설 여자는 자신의 몸무게를 공개적으로 말한 친구 때문에 화가 나 있다.

04 한 일 / 할 일 파악 | ⑤

해석

여 넌 어제 무엇을 했니?

남 나는 시청에 갔어.

여 오, 마라톤 경주에 참가했니? 그곳에서 큰 행사가 있었잖아.

남 그렇기도 하고 아니기도 해.

여 그렇기도 하고 아니기도 한다고? 그게 정확히 무슨 말이야?

남 음, 난 마라톤 행사에 참여했지만, 달리지는 않았어. 자원봉사 활동을 했거든.

여 자원봉사자로 뭘 했는데? 마라톤 선수들을 응원했니?

남 아니. 그들에게 음료를 제공했어.

해설 남자는 어제 시청에서 열린 마라톤 경주에서 선수들을 위해 음료를 제공하는 봉사 활동을 했다.

05 장소 추론 | ④

해석

여 무엇을 도와드릴까요?

남 제 진공청소기에 문제가 생겼어요.

여 좀 더 구체적으로 말해 주시겠어요?

남 전원을 켤 수가 없어요.

여 어디 보자……, 큰 문제는 아니네요. 제가 고칠 수 있습니다.

남 그것을 수리하는 데 얼마나 오래 걸릴까요?

여 15분 정도요.

남 그럼 수리를 끝낼 때까지 기다릴게요.

해설 남자가 진공청소기에 문제가 생겼다고 하자 여자가 수리를 해 주겠다고 말하고 있으므로, 두 사람은 고객 서비스 센터에 있음을 알 수 있다.

06 의도 파악 | ①

해석

여 교장으로서 저는 우리 학교의 야구팀을 매우 자랑스럽게 생각합니다. 야구팀 선수들은 아주 열심히 하는 선수들입니다. 저는 선수들이 방과 후에 매일 야구 연습을 한다는 사실을 잘 압니다. 그 결과, 우리 야구팀은 리그 선수권대회에서 우승을 하였습니다. 저는 우리 학교의 모든 학생들이 이 기쁨을 야구팀과 함께 나누기를 바랍니다. 그리고 야구팀을 앞으로도 항상 지지해 줄 것을 잊지 마십시오.

해설 여자는 야구팀 선수들이 열심히 연습하여 대회에서 우승을 했다고 축하하고 있다.

07 특정 정보 파악 | ②

해석

남 Jane! 내 수업에 또 졸고 있니?

여 안 그러려고 했지만 어쩔 수 없었어요.

남 이번이 세 번째야. 나는 더 이상 참을 수가 없구나!

여 정말 죄송해요.

남 너에게 벌칙을 줘야겠어.

여 오, 안 돼요! 이번 한 번만 용서해 주세요.

남 절대 안 돼! 방과 후에 혼자서 이 교실을 청소하렴.

여 알겠습니다, 선생님.

해설 남자는 여자에게 교실을 혼자서 청소하라는 벌칙을 줬다.

08 한 일 / 할 일 파악 | ①

해석

여 나는 일찍 일어나는 새(부지런한 사람)가 되기로 결심했어.

남 그게 무슨 의미야?

여 아침에 일찍 일어나겠다는 의미야.

남 잘 생각했어! 일찍 일어나는 새가 벌레를 잡는 법이니까.

여 그러나 나를 깨워 줄 사람이 없어. 우리 부모님은 내가 일어나기 전에 일하러 가시거든.

남 알람 시계를 사는 게 어때?

여 그거 좋은 생각이야. 함께 알람 시계를 사러 가자.

해설 여자는 일찍 일어나기 위해 필요한 알람 시계를 사러 갈 것이다.

09 언급하지 않은 것 | ③

해석

여 집에서 나갈 때, 집을 안전하게 지키려면 몇 가지 사항을 점검해야 합니다. 첫 번째, 사용하지 않는 가전제품의 플러그를 뽑으세요. 두 번째, 전등을 끄세요. 세 번째, 창문을 닫는 것을 잊지 마세요. 마지막으로 반드시 가스 밸브를 잠그세요. 제 의견으로는 마지막 사항이 우리의 안전을 위해 가장 중요합니다.

해설 집을 비울 때 해야 할 일로 우편함을 비워야 한다는 말은 하지 않았다.

10 주제 파악 | ④

해석

남 안녕하세요, 학생 여러분. 오늘은 인터넷 사용에 대해서 이야기해봅시다. 인터넷은 매우 유용한 도구입니다. 여러분은 몇 번의 클릭만으로 많은 정보를 얻을 수 있고, 거의 전 세계 어디에서나 살고 있는 사람들과도 연락을 주고받을 수 있습니다. 하지만 그것은 또한 위험한 무기가 될 수 있습니다. 때때로 사람들은 컴퓨터에 적힌 글을 읽으면서 감정이 다칠 수 있습니다. 그러므로 여러분은 항상 인터넷상에 쓰는 것에 주의를 기울여야 합니다.

해설 인터넷상에서 다른 사람에게 상처를 주지 않도록 인터넷 사용 예절에 대해서 말하고 있다.

11 내용 일치 / 불일치 | ⑤

해석

여 수지를 처음으로 만났을 때 어떤 느낌이었니?

남 그녀는 수줍어 보였지만 나의 첫 인상은 그리 오래가지 않았어.

여 나에게 자세히 말해 줘.

남 시간이 지나면서 나는 수지가 밝고 명랑하다는 것을 깨달았어. 그녀는 나를 많이 웃게 만들었어.

여 그녀와 얼마나 오랫동안 있었니?

남 카페에서 대략 2시간 정도. 우리는 영화, 노래, 취미에 대해서 이야기를 했어.

해설 수지는 처음에 수줍어 보였지만 첫인상은 그리 오래가지 않았다고 했다. 수지가 남자를 웃게 했으며, 카페에서 2시간 정도 있었다고 했다.

12 목적 파악 | ④

해석

[전화벨이 울린다.]

여 여보세요.

남 여보세요. 나야, Peter.

여 안녕, Peter. 무슨 일이니?

남 네 컴퓨터에 관해서 묻고 싶은 것이 있어서.

여 뭔데? 말해 봐.

남 네 컴퓨터를 어디에서 샀니? 엄마가 마침내 새 컴퓨터를 사는 것을 허락하셨거든.

여 잘됐네. 난 Hello Mart에서 샀어.

남 아, 알겠어. 고마워.

해설 남자는 여자가 컴퓨터를 어디에서 구입했는지 물어보기 위해 전화를 걸었다.

13 숫자 정보 파악 – 금액 | ③

해석

여 저는 등산용 옷을 사고 싶어요.

남 참 운이 좋으신 숙녀시군요. 모든 등산복에 대한 할인이 오늘 시작되었답니다.

여 오, 잘됐네요! 저는 방수 재킷을 원해요.

남 이 재킷은 어떤가요? 우리 가게에서 인기 있답니다.

여 얼마인가요?

남 정가는 200달러이지만 30% 할인을 해 드려요.

여 좋아요. 그걸로 할게요.

해설 여자가 구입하고자 하는 재킷은 200달러에서 30% 할인이라고 했으므로, 140달러를 지불해야 한다.

14 관계 추론 | ④

해석

남 어디 가기를 원하시나요, 부인?

여 서울 파이낸스 센터에 가려고 합니다.

남 알겠습니다.

여 거기에 가는 데 얼마나 걸릴까요?

남 지금 차가 막혀서 한 시간 이상 걸릴 거예요.

여 오, 이런. 저는 한 시간 안에 가야하는걸요. 제가 지하철을 타야 할까요?

남 그래야 할 것 같아요. 가장 가까운 지하철역까지 태워다 드릴게요.

여 감사합니다.

해설 차가 막히는 바람에 시간이 많이 걸려 여자를 가까운 지하철역에 내려 주겠다고 한 것으로 보아, 남자는 택시 기사임을 짐작할 수 있다.

15 부탁한 일 파악 | ④

해석
남 잠시만 기다려. 난 화장실에 가고 싶어.
여 콘서트가 30분 후에 시작할 테니까 빨리 다녀와. 난 저 서점 앞에서 기다릴게.
남 알았어. 부탁 좀 해도 될까?
여 물론이지. 무슨 부탁인데?
남 내가 화장실에 다녀올 동안 내 서류 가방 좀 갖고 있어 줘.
여 알겠어! 나에게 가방을 줘.
해설 남자는 여자에게 자신이 화장실을 가는 동안 가방을 맡아 달라고 부탁하고 있다.

16 이유 파악 | ③

해석
남 수미야, 너 화가 나 보인다. 무슨 일이야?
여 민지와 싸웠어.
남 민지? 그녀는 너의 가장 친한 친구들 중 한 명이잖아. 왜 싸웠니?
여 그녀는 가끔씩 내 뒤에서 험담을 해.
남 뭐라고? 언제부터?
여 좀 됐어. 참아보려고 노력했는데, 더 이상은 못 참겠어.
남 어떤 기분인지 알아.
해설 여자는 뒤에서 자신을 험담한 친구와 싸웠다고 했다.

17 그림 상황에 어울리는 대화 찾기 | ①

해석
① 남 이 수학 문제를 설명해 주실 수 있나요? 이해가 되지 않아서요.
　여 그래. 잘 들어보렴.
② 남 최근에 제 눈에 문제가 생긴 것 같아요.
　여 병원에 가 보는 게 어떠니?
③ 남 어디가 아프신가요?
　여 기침을 심하게 하고 콧물이 나요.
④ 남 저 다른 학교로 전학을 갈 거예요.
　여 아쉽구나.
⑤ 남 수학은 저에게 너무 지루해요.
　여 그런데 너는 어떻게 잘하니?
해설 교실에서 남학생이 책을 들고 선생님께 말하고 있는 것으로 보아, 문제에 대한 설명을 요청하는 상황임을 알 수 있다.

18 언급하지 않은 것 | ④

해석
여 우리 중학교에 입학한 것을 축하드립니다! 저는 여러분들의 담임 선생님입니다. 다음의 사항들을 명심해 주시기 바랍니다. 첫 번째, 여러분은 학교에 늦어서는 안 됩니다. 두 번째, 반드시 학교에서는 교복을 입어 주세요. 세 번째, 단정해 보이도록 노력해 주세요. 마지막으로 학교 건물 내에서는 실내화만 신어 주세요. 저는 여러분이 이러한 단순한 규칙들을 지키길 바랍니다.
해설 선생님인 여자는 학교 내에서 지켜야 할 규칙으로 규정에 맞게 머리를 자르라는 말은 하지 않았다.

19 알맞은 응답 찾기 | ③

해석
여 네 컴퓨터는 오늘 매우 느리구나.
남 내 생각에 컴퓨터 바이러스에 감염된 것 같아.
여 네 컴퓨터는 바이러스 검사를 받아 본 적이 있니?
남 아니.
여 바이러스 퇴치용 소프트웨어로 네 컴퓨터를 정기적으로 검사해야 해.
남 그 소프트웨어를 실행하는 방법을 알려 줄 수 있니?
여 <u>응. 그것은 네가 생각하는 것보다 훨씬 쉬워.</u>
① 응. 나도 내 컴퓨터를 검사할게.
② 알겠어. 그건 네 건강에도 도움이 될 거야.
④ 응. 넌 규칙적으로 운동하는 게 좋겠다.
⑤ 아니. 넌 모든 바이러스 퇴치용 소프트웨어를 삭제해야 해.
해설 소프트웨어를 실행하는 방법을 알려 달라는 말에 알겠다고 말하며, 그것은 생각보다 쉽다고 답하는 것이 가장 적절하다.

20 알맞은 응답 찾기 | ①

해석
여 어제 우리 학교 팀이 농구 경기에서 이겼니?
남 응. 그 경기는 매우 흥미진진했어.
여 나는 그 경기를 보고 싶었는데, 그럴 수 없었어.
남 왜? 다른 할 일이 있었니?
여 응. 나는 시청에서 부모님을 만나야 했거든. 어제가 아빠의 생신이었어.
남 오, 그랬구나. 그래서 부모님과 무엇을 했니?
여 <u>부모님과 함께 박물관에 갔어.</u>
② 난 그들과 박물관에 간 것이 좋았어.
③ 난 농구선수가 되고 싶었어.
④ 난 아빠의 생일 파티를 즐길 거야.
⑤ 난 우연히 영어 선생님을 만났어.
해설 어제 부모님과 무엇을 했는지 묻는 말에, 함께 박물관에 갔다고 답하는 것이 자연스럽다.

20회 영어 듣기모의고사　　pp. 168~169

01 ②	02 ③	03 ④	04 ④	05 ④
06 ③	07 ⑤	08 ①	09 ⑤	10 ②
11 ③	12 ④	13 ②	14 ②	15 ①
16 ④	17 ②	18 ④	19 ⑤	20 ③

Dictation Test 20회　　pp. 170~175

01 ❶ start to rain overnight　❷ will be clear and sunny
　❸ rain again throughout the weekend
02 ❶ need a magic stick　❷ the moon with a star
　❸ let's order what you like
03 ❶ he hasn't gone too far　❷ he gets in an accident
　❸ stop thinking about bad things

04 ❶ how was your trip ❷ buy this key holder
❸ famous local product

05 ❶ haven't decide what to learn ❷ famous for
swimming classes ❸ take the morning class

06 ❶ won first prize ❷ announce the news ❸ all a
big hand

07 ❶ we need to shop for ❷ planning to have for
lunch ❸ make a shopping list

08 ❶ Speaking of the test ❷ an appointment with the
dentist ❸ Just tell me the titles

09 ❶ Here are some table manners ❷ not to put your
elbows ❸ with food in your mouth

10 ❶ want to make mistakes ❷ help you learn
English ❸ Don't waste a chance

11 ❶ should pack before traveling abroad ❷ in case
you get sick ❸ You might lose your passport

12 ❶ not a big fan of ❷ love figure skating ❸ dancing
on the ice

13 ❶ get out of there ❷ lots of things to see ❸ be
able to get home

14 ❶ slow down your speed ❷ see the signal ❸ broke
the law

15 ❶ try it on ❷ check the price ❸ the rest of the
money

16 ❶ just got back from school ❷ full of water ❸ go
to your room

17 ❶ come over to my house ❷ are there in your
party ❸ a little early for me

18 ❶ What did you do ❷ made lots of good friends
❸ The camp is run by

19 ❶ study science together ❷ are you leaving home
❸ to come straight there

20 ❶ Have you finished ❷ take these empty dishes
away ❸ remember I ordered cheesecake

01 그림 정보 파악 – 날씨 | ②
해석
남 안녕하세요. 다음 주 일기 예보입니다. 월요일에는 날이 흐리겠고 한밤
중에 비가 내리기 시작하겠습니다. 비는 수요일까지 계속될 것입니다.
목요일과 금요일에는 맑고 화창하겠습니다. 하지만 주말 내내 또 다시
비가 올 것입니다. 감사합니다.
해설 주말 내내 비가 올 것이라고 했다.

02 그림 정보 파악 – 사물 | ③
해석
남 Amy, 마술쇼를 위해 우리에게 마술 지팡이가 필요할 것 같지 않니?
여 응. 인터넷에서 하나 찾아보자. (잠시 후) 끝 부분에 별이 달린 이것은

어때?
남 글쎄, 그건 너무 흔해. 우린 좀 더 특별한 무언가가 필요해.
여 여기 별과 달이 모두 달린 것이 있네.
남 이봐, 여기 더 좋은 것이 있어. 하트와 왕관이 달린 이것은 어떻게 생각
하니?
여 좋아 보이기는 하는데, 별과 달이 달린 것이 더 낫다고 생각해.
남 좋아. 그럼 네가 마음에 들어 하는 것을 주문하자.
해설 두 사람은 별과 달이 달린 지팡이를 구입할 것이다.

03 심정 파악 | ④
해석
여 아빠, 우리 고양이 Happy는 어디에 있어요?
남 무슨 소리니? 네가 그와 함께 있었잖아.
여 아니요, 그렇지 않아요. 저는 줄넘기를 하고 있었는걸요. 전 아빠가 그
를 돌보고 계신다고 생각했어요.
남 오, 저런! 그럼 우리 고양이는 어디 있는 거니? 너무 멀리 가지 않았으
면 좋으련만.
여 저도 그래요. 만약 어떤 사고라도 당하면 어쩌죠?
남 그렇게 말하지 말거라. 틀림없이 괜찮을 거야.
여 하지만 나쁜 일에 대한 생각을 멈출 수가 없어요.
해설 여자는 고양이가 보이지 않아 혹시 사고라도 당할까 봐 걱정하고 있다.

04 특정 정보 파악 | ④
해석
여 Jimmy, 제주도 여행은 어땠어?
남 매우 좋았어. 난 한라산도 등반했어. 그리고 이건 널 위한 거야.
여 믿을 수 없어! 이건 내가 가장 좋아하는 것이잖아.
남 네가 좋아하니 기쁘다.
여 너무 고마워. 오, 그건 뭐니? 이 열쇠고리는 제주도에서 산 거니?
남 응. 이건 '돌하르방'이라고 불리는 건데, 유명한 지역 상품이야. 오, 원하
면 네게 줄게.
여 아니, 괜찮아. 넌 이미 내게 좋은 선물을 줬잖아. 난 이 오렌지 맛 초콜
릿이 굉장히 마음에 들어.
해설 마지막 여자의 말에서 남자는 여자에게 초콜릿을 선물로 줬음을 알 수
있다.

05 장소 추론 | ④
해석
남 도와드릴까요?
여 네, 부탁합니다. 제 건강을 위해 무엇을 배워야 할지 아직 결정하지 못
했어요.
남 저희 센터는 수영 강좌로 유명합니다. 수영에 대해서는 어떻게 생각하
시나요?
여 좋아요. 주말에 수업이 있나요?
남 물론이죠. 주말에는 오전과 오후에 두 개의 강좌가 있어요. 어떤 것이
더 좋으세요?
여 오전 강좌를 선택하겠습니다. 수강료는 얼마죠?
남 30달러입니다.
해설 남자가 이곳 센터에는 수영 강좌가 유명하다고 했으므로 두 사람은 스
포츠 센터에서 대화하고 있음을 알 수 있다.

06 의도 파악 | ③

해석

남 오늘 우리 학교가 발명 대회에서 우승했다고 들었습니다. 저는 그 소식을 발표하게 되어 무척 기뻤습니다. 우리 학교는 전국의 50개 이상의 중학교 중에서 상을 받은 것입니다. 우리 모두는 그것이 쉽지 않다는 것을 알고 있습니다. 저는 여러분이 그것에 대해 얼마나 많은 시간을 들였는지 알고 있습니다. 이제 저는 여러분 모두에게 큰 박수를 보내고 싶습니다. 우리의 승리를 함께 축하합시다!

해설 남자는 마지막 말에서 발명 대회에서 우승한 것을 축하하자고 제안하고 있다.

07 특정 정보 파악 | ⑤

해석

남 식료품점에 가요. 우유가 떨어졌거든요.

여 좋아. 실은 주말 소풍을 위해 장을 봐야 하거든.

남 우리는 수박을 살 건가요?

여 응. 음료수도 살 거란다.

남 소풍에서 점심으로 무엇을 먹을 계획이세요?

여 나는 참치 샌드위치를 만들 거란다. 그래서 참치 통조림과 빵도 필요할 거야.

남 제 생각엔 쇼핑 목록을 만드는 게 좋겠어요.

해설 여자는 소풍을 갈 때 샌드위치를 만들 것이라고 했을 뿐, 샌드위치를 마트에서 구입한다고는 하지 않았다.

08 한 일 / 할 일 파악 | ①

해석

여 이번 토요일에 네 계획이 뭐니?

남 난 기말시험을 준비해야만 해. 시험 얘기가 나와서 말인데, 우리 토요일에 도서관에 가는 건 어때?

여 못 갈 것 같아. 치과를 가야 하거든.

남 괜찮아. 다음번에 같이 가지 뭐.

여 저기……, 괜찮다면 나 대신 베스트셀러 소설을 몇 권 빌려줄 수 있니?

남 안 될 리가 있어? 토요일 전에 그냥 제목을 얘기해 줘.

해설 이번 토요일에 남자는 기말시험을 준비한다고 했고, 여자는 치과를 갈 것이라고 했다.

09 언급되지 않은 것 | ⑤

해석

여 여기 전형적인 저녁 식사를 위한 식사 예절이 있습니다. 다른 사람들이 먹기 시작하는 것을 기다리세요. 빨리 먹지 마세요. 대신에 모든 것을 조금씩 먹도록 하세요. 식탁에 팔꿈치를 올려두지 않도록 조심하세요. 어떤 것을 잡으려고 식탁을 가로질러 팔을 뻗지 마세요. 음식을 즐기되 이야기도 하세요. 하지만 음식이 입에 들어 있는 채로 말하지는 마세요!

해설 식사 예로로 음식을 즐기되 이야기도 하라고 했다.

10 주제 파악 | ②

해석

남 우리들 중 누구도 다른 사람들 앞에서 실수를 하고 싶어 하지 않습니다. 그러나 영어 학습에 있어서 여러분의 실수는 매우 중요하고, 사실 여러분이 영어를 배우는 것을 도와 줄 것입니다. 요점은 실수하는 것을 두려워하지 말라는 것입니다. 실수에 대해 너무 초조해 하는 바람에 영어로 말할 수 있는 기회를 허비하지 마십시오. 부끄러워하지 마세요. 자

신감을 가지세요.

해설 남자는 영어를 배울 때 실수하는 것을 두려워하지 말라고 강조하고 있다.

11 언급되지 않은 것 | ③

해석

여 해외로 여행을 떠나기 전에 여러분이 챙겨야 하는 가장 중요한 것들은 무엇일까요? 먼저 여러분의 여권과 항공권이 가장 중요합니다. 다른 어떤 것이 또 필요할까요? 여러분은 또한 아플 때를 대비해서 약이 좀 필요합니다. 여러분은 본인의 사진을 챙기는 것도 중요합니다. 여권을 잃어버릴지도 모르고, 그러면 그것들이 필요할 것입니다.

해설 해외여행을 떠날 때 지도를 챙기라는 말은 언급되지 않았다.

12 특정 정보 파악 | ④

해석

남 어젯밤에 야구 경기 봤니?

여 한국시리즈 말하는 거니?

남 맞아. 정말 멋진 경기였어. 너도 봤지?

여 아니, 보지 않았어. 난 야구를 별로 좋아하지 않거든.

남 믿을 수 없군! 야구는 가장 재미있는 스포츠야. 그럼 넌 어떤 운동을 좋아하니?

여 난 피겨스케이팅이 좋아. 그것은 아름다워서 좋아.

남 난 그렇게 생각하지 않아. 빙판에서 춤추는 것에 더 가깝잖아.

해설 여자는 피겨스케이팅이 아름다워서 좋아한다고 했다.

13 숫자 정보 파악 – 시각 | ②

해석

[휴대 전화가 울린다.]

남 여보세요?

여 Dave, 어디에 있니? 5시까지는 돌아올 거라고 했잖니.

남 그랬는데 지금 교통 체증이 무척 심해요. 아직도 버스를 타고 있는걸요.

여 박물관에서는 언제 나왔니? 넌 4시에 거기서 나오기로 되어 있었잖아.

남 박물관에서 30분 늦게 나왔어요. 볼 게 많았거든요.

여 오, 할 수 없지! 저녁 식사를 6시에 해도 되겠니?

남 물론이죠. 그때까지는 집에 도착할 수 있어요. 좀 있다 봐요, 엄마.

해설 남자는 박물관에서 원래 나오려던 시간인 4시보다 30분 더 늦게 나왔다고 했으므로 4시 30분에 박물관에서 출발했음을 알 수 있다.

14 관계 추론 | ②

해석

남 실례합니다.

여 네?

남 당신에게 딱지를 끊겠습니다.

여 제가 무엇을 잘못했나요?

남 서행 신호에도 속도를 늦추지 않았습니다.

여 오, 저는 그 신호를 보지 못했어요.

남 죄송하지만 당신은 분명히 법을 어기셨어요.

해설 여자가 속도를 늦추지 않아 딱지를 끊는 상황이므로, 두 사람은 교통경찰과 운전자의 관계임을 알 수 있다.

15 요청한 일 파악 | ①

해석

남 수지야, 이 야구모자 좀 봐.

여 멋지다. 너한테 잘 어울릴 것 같아. 써 보는 게 어때?

남 응. 잠깐만. 어때 보여?

여 멋져. 딱 너에게 잘 어울려. 너는 그것을 사야해.

남 가격을 확인해볼게. 오, 조금 비싸다.

여 얼마인데?

남 30달러인데 나는 20달러밖에 없어. 나머지 돈을 좀 빌려줄 수 있니?

여 물론이지, 여기 있어.

해설 남자가 모자를 사는데 돈이 부족해서 여자에게 돈을 빌려 달라고 요청했다.

16 이유 파악 | ④

해석

여 Kevin, 네 방 봤니?

남 아직요. 이제 막 학교에서 돌아왔거든요. 왜요?

여 바닥이 온통 젖어있어. 물을 흘렸니?

남 아니요. 꽃병이 깨졌나요? 물로 가득 차 있거든요.

여 아니, 그건 괜찮아.

남 오, 알겠어요. 오늘 아침에 소나기가 내렸잖아요. 창문 닫는 것을 깜빡했어요.

여 그거구나. 이제 방에 가서 바닥을 청소하렴.

해설 창문을 열어 놓았는데 오전에 소나기가 내려 방이 젖었다고 했다.

17 그림 상황에 어울리는 대화 찾기 | ②

해석

① 남 지금 우리 집에 들를 수 있니?
　 여 그래. 바로 갈게.

② 남 나를 초대해줘서 고마워.
　 여 네가 와서 기뻐. 들어와.

③ 남 무엇을 도와드릴까요?
　 여 저는 친구에게 줄 선물을 찾고 있어요.

④ 남 일행이 몇 명이시죠?
　 여 다섯 명이에요.

⑤ 남 3시에 만날 수 있니?
　 여 나에게는 좀 일러. 4시 어때?

해설 여자가 파티에 온 남자를 환영하고 있는 상황이다.

18 언급하지 않은 것 | ④

해석

여 네가 겨울 캠프에 참가했다고 들었어. 어땠어?

남 평창에서 너무 재미있었어.

여 그곳에서 뭘 했어?

남 스키랑 스노보드 타는 것을 배웠어. 나는 좋은 친구들도 많이 사귀었어. 2주가 너무 빨리 지났어.

여 캠프 비용이 많이 들었겠구나.

남 아니야, 무료였어. 캠프가 자선단체에 의해 운영되거든.

여 좋은 정보네. 다음에는 나도 참여하고 싶어.

해설 남자는 캠프 동행자에 대한 언급은 하지 않았다.

19 알맞은 응답 찾기 | ⑤

해석

여 Peter, 어디 가고 있는 중이니?

남 Brian네 집에 가요, 엄마. 그를 아시죠, 그렇죠? 우리는 같이 과학을

공부를 할 거예요.

여 알겠어. 언제 돌아올 거니?

남 글쎄요, 아마도 두세 시간 후에요. 왜요?

여 우리는 이모네 집에서 저녁 식사를 할 거야.

남 집에서 언제 나가실 거예요?

여 6시쯤. 네가 그곳으로 곧장 와도 되겠니?

남 문제없어요. 그곳에 어떻게 가는지 알고 있어요.

① 아니요. 아직 저녁 식사를 하지 않았어요.

② 네. 저녁은 집에서 먹을게요.

③ 아니요. 이제 당신 도움은 필요 없어요.

④ 네. 저를 Jane 이모네 집까지 태워 주세요.

해설 이모네 집으로 곧장 올 수 있는지 묻는 말에, 문제없다며 어떻게 가는지 안다고 답하는 것이 가장 적절하다.

20 알맞은 응답 찾기 | ③

해석

남 실례합니다, 부인. 점심 식사는 끝내셨나요?

여 네, 그렇습니다.

남 식사는 어떠셨어요?

여 모든 것이 좋았어요. 특히 여기 스테이크가 훌륭하군요.

남 매우 감사드립니다. 손님들 대부분이 스테이크 때문에 이곳에 오신답니다. 이 빈 접시들을 치워도 될까요?

여 물론이지요. 그런데 제가 디저트로 치즈 케이크를 주문한 것을 기억해 주세요.

남 오, 바로 치즈 케이크를 가져다 드리겠습니다.

① 아니, 됐습니다. 벌써 배불러요.

② 이곳은 치즈 케이크를 판매하지 않습니다.

④ 우리는 치즈 케이크를 포장할 수 있을 거야.

⑤ 고맙지만 전 후식은 사양하겠어요.

해설 주문한 치즈 케이크에 대해 언급하자 치즈 케이크를 갖고 곧 오겠다고 답하는 것이 가장 자연스럽다.

21회	영어 듣기모의고사			pp. 176~177
01 ①	02 ④	03 ⑤	04 ④	05 ④
06 ②	07 ⑤	08 ⑤	09 ③	10 ⑤
11 ⑤	12 ③	13 ④	14 ③	15 ⑤
16 ④	17 ⑤	18 ④	19 ⑤	20 ③

Dictation Test 21회　　　　pp. 178~183

01 ❶ to the convenient store ❷ buy something to eat ❸ it would be fine

02 ❶ isn't it hot ❷ not good for your teeth ❸ a glass of ice water

03 ❶ please come home early ❷ have a previous engagement ❸ be too late home

04 ❶ a mat to sit on ❷ put on sunscreen ❸ share it with me

05 ❶ put in some gas ❷ Turn off the engine ❸ pay in cash

06 ❶ for saying so ❷ haven't taken any lessons ❸ if you keep performing

07 ❶ the benefits of keeping pets ❷ reduce your stress ❸ make us act more responsibly

08 ❶ try some hot milk ❷ which was useless ❸ take a hot bath then

09 ❶ enter the gallery ❷ do not touch any paintings ❸ must not take any pictures

10 ❶ users of our school library ❷ change our library system ❸ return all the books

11 ❶ we lost it ❷ would have won the game ❸ participate in the game

12 ❶ catch a bus there ❷ Finding the way here ❸ Say hello to her

13 ❶ have a single room ❷ have a cheaper one ❸ It is the cheapest one

14 ❶ I couldn't meet you earlier ❷ a very talented student ❸ pay attention in class

15 ❶ get your bill ready ❷ Can I take the leftovers ❸ wrap them for you

16 ❶ any water in your bottle ❷ drink soda anytime I want ❸ better not drink it

17 ❶ Would you say that again ❷ met at a party before ❸ Have you already met

18 ❶ enjoy mountain biking ❷ I like extreme sports ❸ your favorite among them

19 ❶ any special plans this afternoon ❷ having pizza with me ❸ Pizza is your favorite food

20 ❶ a dream for the future ❷ sell it to famous singers ❸ too many talented artists

---

01 　그림 정보 파악 – 날씨　 | ①

해석

여　안녕, Brian. 어디에 가는 중이니?

남　안녕, Sally. 편의점에 가는 길이야. 내일 아빠랑 캠핑을 가기로 했거든. 그래서 먹을 걸 좀 사야 해.

여　재미있겠네! 일기 예보는 확인했어?

남　응. 일기 예보에서 이번 일요일까지는 맑을 것이라고 했어. 그런데 다음 주 월요일부터 비가 올 것이라고 예보했어.

여　정말 부럽다. 캠핑을 즐기길 바랄게.

해설　이번 일요일까지는 날씨가 맑을 것이라고 했다.

02 　그림 정보 파악 – 사물　 | ④

해석

남　수지야, 밖이 덥지 않니? 뭘 좀 마실래?

여　듣던 중 반가운 소리네. 콜라를 마실게.

남　그건 네 치아에 좋지 않아. 설탕이 잔뜩 들었거든.

여　알겠어. 그러면 커피 한 잔을 마실게.

남　그건 뜨겁잖아. 뭔가 차가운 것을 마셔.

여　알았어. 얼음물 한 잔만 부탁해.

해설　여자는 얼음이 들어 있는 물 한 잔을 마시겠다고 했다.

03 　심정 파악　 | ⑤

해석

[휴대 전화가 울린다.]

남　여보세요. 누구시죠?

여　안녕, 여보. 나예요. 당신을 위해 치킨 샐러드를 만들 테니 집에 일찍 와요.

남　여보, 고맙지만 그럴 필요 없어요.

여　무슨 말이에요?

남　선약이 있거든요. 옛 친구인 Jenny를 만나러 갈 거예요.

여　흠……. 유감이군요. 너무 늦지 않게 집에 와요.

해설　여자는 남자를 위해 치킨 샐러드를 만들려고 했지만 남자가 선약이 있다고 해서 실망하고 있다.

04 　특정 정보 파악　 | ④

해석

여　Bill, 내일 자전거 타러 공원에 가는 게 어때?

남　좋은 생각이야. 돗자리가 필요할까?

여　한번 생각해 보자. 응. 난 공원에서 낮잠 자고 싶거든.

남　그래. 그럼 그것은 내가 가지고 갈게.

여　좋아. 그 밖에 또 필요한 게 뭐지? 오, 자전거 헬멧 가져오는 걸 잊지 마.

남　잊지 않을게. 그리고 내가 물과 간식도 좀 가져갈게.

여　좋아. 그리고 너 선크림을 발라야 해.

남　선크림이라고? 글쎄. 난 그건 없는데.

여　그럼 내 것을 가져갈게. 나랑 같이 쓰면 될 거야.

해설　남자는 선크림이 없어서 여자가 선크림을 가져오기로 했다.

05 　장소 추론　 | ④

해석

여　안녕하세요, 선생님. 도와드릴까요?

남　네, 차에 주유 좀 해 주세요.

여　알겠습니다. 먼저 엔진부터 꺼 주세요.

남　그런데 신용카드로 결제해도 될까요?

여　물론이죠. 3만 5천 원입니다.

남　네. (잠시 후) 세상에나! 제 신용카드를 찾을 수 없군요. 현금으로 결제할게요.

여　고맙습니다. 여기 잔돈이에요.

해설　자동차 주유 요청과 함께 결제를 하고 있으므로, 두 사람은 주유소에서 대화하고 있음을 알 수 있다.

06 　의도 파악　 | ②

해석

여　진수야, 안녕.

남　안녕하세요, 김 선생님.

여 어제 네가 학교 음악 축제에서 노래 부르는 것을 들었어. 너무 인상적이었단다.

남 그렇게 말씀해주셔서 감사해요.

여 진심이야. 어디서 노래 부르는 것을 배웠니?

남 수업을 받은 적은 없어요. 저는 단지 노래 부르는 것을 좋아해요. 사실은 커서 가수가 되고 싶어요.

여 계속 그렇게 공연을 한다면, 너는 분명 훌륭한 가수가 될 것이라고 확신해.

해설 여자는 남자에게 계속 공연을 하다 보면 훌륭한 가수가 될 것이라고 말하며 남자를 격려하고 있다.

07 언급되지 않은 것 | ⑤

해석

남 애완동물을 기르는 것에 대해 생각해 본 적이 있나요? 아마도 여러분 중 많은 분들이 그렇다고 말할 것입니다. 그렇다면 애완동물을 기르는 것의 장점이 무엇이라고 생각하나요? 첫째, 여러분은 그들과 운동을 할 수 있습니다. 또 다른 이점 두 가지는 그들이 여러분의 스트레스를 줄여 줄 수 있고, 좋은 친구가 되어 줄 수도 있다는 것입니다. 마지막으로, 그들은 우리가 더 책임감 있게 행동하게 합니다. 자, 애완동물을 길러 보는 게 어떠세요?

해설 애완동물의 장점으로 면역력을 강하게 한다는 말은 언급되지 않았다.

08 한 일 / 할 일 파악 | ⑤

해석

남 엄마, 지금 잠이 안 와요.

여 무슨 일인데 그러니?

남 내일 마라톤 경기 때문에 매우 긴장되고 걱정이 돼요.

여 열심히 연습했으니 잘할 거야. 뜨거운 우유를 좀 마셔 보렴.

남 마셨는데, 효과가 없어요. 조용한 음악도 들었지만 그것도 소용없었죠.

여 그렇다면 뜨거운 물에서 목욕을 하는 게 좋겠구나.

남 네. 해볼게요.

해설 남자는 엄마의 조언에 따라 뜨거운 물로 목욕을 할 것이다.

09 언급하지 않은 것 | ③

해석

남 미술관에 들어가기 전에, 여러분이 따라야 하는 몇 가지 규칙에 대해 말씀드리겠습니다. 우선, 어떤 그림도 만지지 마세요. 둘째, 미술관에서는 뛰면 안 됩니다. 다음으로, 조용히 해주세요. 마지막으로, 어떤 사진도 찍으면 안 됩니다. 요약하면, 만지지 않기, 뛰지 않기, 소리 지르지 않기, 사진 찍지 않기입니다. 좋은 시간 보내시고 무언가를 배워 가시기 바랍니다. 감사합니다.

해설 남자는 미술관 관람 규칙으로 음식물 반입에 대한 언급은 하지 않았다.

10 주제 파악 | ⑤

해석

여 알립니다. 우리 학교 도서관 이용자들에 대한 안내 방송입니다. 우리는 도서관 시스템을 전자시스템으로 변경할 예정입니다. 따라서 다음 주 동안 도서관을 휴관합니다. 도서관에서 대출하신 모든 책을 이번 주 금요일까지 반납해 주시기 바랍니다. 불편을 끼쳐드려 죄송합니다.

해설 도서관 시스템 변경에 따른 도서관 휴관 및 도서 반납에 대해 안내하는 방송이다.

11 내용 일치 / 불일치 | ⑤

해석

여 주호야, 너 실망한 듯 보인다. 무슨 일이야?

남 우리 축구팀이 어제 중요한 경기를 했는데, 나 때문에 졌어.

여 그게 무슨 말이야?

남 내가 마지막 골을 놓쳤어. 만일 내가 그 골을 넣었더라면, 우리가 이겼을 거야.

여 스스로를 원망하지 마, 누구나 실수를 하는 걸. 너는 최고의 스트라이커들 중 하나야.

남 어쩌면 나는 아닌가봐. 다음 주 경기에 참가하지 않을까 해.

여 이봐. 낙담하지 마. 팀을 위해 네가 있어야 해.

해설 남자는 낙담해서 다음 경기에서 빠지고 싶어 한다.

12 목적 파악 | ③

해석

여 유빈아, 왜 서두르니?

남 3시까지 버스 터미널에 가야해.

여 그곳에서 버스를 타야하니?

남 아니. 할머니께서 울산에서 서울로 올라오시거든. 그녀를 모셔 와야 해.

여 그렇구나. 혼자서 여기에 오는 길을 찾으시는 건 쉽지 않으실 거야.

남 맞아. 그리고 나는 할머니께서 나를 기다리게 하고 싶지 않아.

여 행운을 빌어. 할머니께 안부 전해줘.

해설 남자는 울산에서 서울로 오시는 할머니를 모시러 버스 터미널에 간다고 했다.

13 숫자 정보 파악 – 금액 | ④

해석

남 1인실 있나요?

여 네. 얼마나 오래 머무를 건가요?

남 3박이요.

여 요금은 1박에 40달러예요.

남 예산 초과네요. 더 저렴한 방은 없나요?

여 죄송합니다. 그게 우리가 가진 가장 저렴한 방이랍니다.

남 흠……, 알겠습니다. 그 방으로 할게요.

해설 남자는 1박에 40달러인 방에서 3박 4일 동안 머물 것이므로 총 120달러를 지불할 것이다.

14 관계 추론 | ③

해석

여 안녕하세요, Smith 선생님.

남 안녕하세요, 어머님. 와 주셔서 고맙습니다.

여 천만에요. 더 일찍 찾아뵈었어야 했는데 죄송합니다.

남 괜찮습니다. 음……, 지영이의 태도에 대해 말씀드릴 게 있어서요.

여 제 딸에게 무슨 문제가 있나요?

남 그녀는 매우 재능 있는 학생이지만 선생님들의 말을 듣지 않습니다.

여 무슨 말씀이신지요?

남 그녀는 수업에 집중하지 않아요.

해설 남자가 여자에게 지영이의 학교생활에 대해 얘기하는 것으로 보아, 남자는 지영이의 선생님이고 여자는 지영이의 엄마인 학부모임을 알 수 있다.

15 요청한 일 파악 | ⑤

해석

남 식사 다 끝나셨습니까?

여 네, 다 먹었습니다.

남 음식은 마음에 드셨나요, 부인?

여 주문한 모든 음식과 서비스가 매우 만족스러웠습니다.

남 감사합니다. 음식이 마음에 드셨다니 기쁩니다. 계산서를 준비해드리겠습니다.

여 네. 오, 부탁 하나 해도 될까요?

남 무엇입니까?

여 남은 음식을 가져가도 될까요?

남 물론이죠. 제가 싸드리겠습니다.

해설 여자는 남자에게 남은 음식을 포장해 달라고 요청했다.

16 이유 파악 | ④

해석

여 너무 목말라. 네 물병에 물 좀 있니?

남 아니, 다 마셨어.

여 나는 학교에 왜 자판기가 없는지 이해가 되지 않아.

남 너는 정말 자판기가 있어야 한다고 생각하니?

여 물론이지. 자판기가 있으면, 내가 원할 때마다 언제나 탄산음료를 마실 수 있잖아.

남 나는 네 의견에 동의하지 않아. 탄산음료는 설탕과 카페인이 많아서 좋지 않거든. 마시지 않는 게 좋아.

여 네 말이 맞아. 하지만 마시지 않을 수가 없는걸.

해설 남자는 탄산음료가 건강에 좋지 않아서 마시지 않는 것이 낫다며 학교에 자판기를 두는 것을 반대하고 있다.

17 그림 상황에 어울리는 대화 찾기 | ⑤

해석

① 여 이제 모든 게 명확한가요?

　남 아니요, 저는 여전히 이해하지 못했어요. 한 번 더 말해 줄 수 있나요?

② 여 제가 당신을 아나요?

　남 네, 우리는 전에 파티에서 만났어요.

③ 여 7시에 만나자.

　남 좋아. 그 때 봐.

④ 여 너희 엄마께 안부 전해드려 줘.

　남 그럴게. 고마워.

⑤ 여 우리 언니를 만나본 적 있니? 이쪽은 Jenny야.

　남 안녕. 나는 Chris야. 만나서 반가워.

해설 여자가 남자에게 자신의 언니를 소개하는 상황이다.

18 특정 정보 파악 | ④

해석

남 자전거 멋지다. 너는 자전거 타기를 좋아하니?

여 응. 사실 이건 산악자전거야. 나는 산악자전거 타기를 즐겨.

남 우아. 위험하진 않니?

여 약간, 하지만 나는 번지 점핑과 암벽 등반, 스카이다이빙과 산악자전거 타기와 같은 극한 스포츠를 좋아해. 나는 그것들 모두를 시도해 봤지.

남 너는 정말 활동적이구나. 그 중에 제일 좋아하는 것은 무엇이니?

여 가장 좋아하는 것은 번지 점핑이야. 아주 짜릿해.

남 급류 타기는 어때?

여 아직 그것을 시도해 보지는 않았지만, 재미있다고 들었어.

해설 여자는 급류 타기를 해 본 적이 없다고 했다.

19 알맞은 응답 찾기 | ⑤

해석

[휴대 전화가 울린다.]

남 안녕! Cindy!

여 안녕, Jack! 무슨 일이야?

남 오늘 오후에 특별한 계획이라도 있니?

여 아니, 없어. 왜?

남 나랑 근사한 식당에서 피자를 먹는 것은 어때?

여 그러고 싶지만 안 돼.

남 왜? 피자는 네가 가장 좋아하는 음식이잖아, 그렇지 않니?

여 맞아. 하지만 살찌는 것이 걱정 돼.

① 피자 좀 먹어 봐.

② 피자를 먹기에 괜찮은 곳을 알고 있어.

③ 문제없어. 널 위해 피자를 만들어 줄게.

④ 잘했구나. 이 피자는 맛있어 보여.

해설 가장 좋아하는 음식이 피자인데 왜 피자를 먹으러 가지 않는지 묻는 말에, 그 이유를 답하는 말이 와야 자연스럽다.

20 알맞은 응답 찾기 | ③

해석

여 하루야, 넌 미래에 대한 꿈이 있니?

남 음……, 나는 연예계로 가고 싶어.

여 더 자세히 말해 주겠니?

남 랩 음악을 만들어서 유명한 가수들에게 팔고 싶어.

여 근사하다! 넌 할 수 있을 거야.

남 고마워, 하지만 쉽진 않을 거야. 재능 있는 예술가들이 너무 많으니까.

여 그런 말 하지 마. 네 자신을 믿어!

① 누구나 재능이 있지.

② 난 네 노래를 좋아하지 않아.

④ 힘 내! 넌 다음번에 노래를 할 거야.

⑤ 가수가 되는 쉬운 방법은 많아.

해설 남자는 작곡가가 되고 싶지만 쉽지 않을 것이라며 걱정하는 상황이므로, 격려하는 말이 와야 가장 자연스럽다.

22회 영어 듣기모의고사 pp. 184~185

01 ⑤	02 ④	03 ①	04 ⑤	05 ①
06 ②	07 ④	08 ⑤	09 ③	10 ③
11 ④	12 ②	13 ①	14 ④	15 ②
16 ①	17 ②	18 ④	19 ⑤	20 ③

Dictation Test 22회 pp. 186~191

01 ❶ enjoy the sun ❷ not to catch a cold ❸ move to the east

02 ❶ I was bored with ❷ makes you look active ❸ of you to say so

03 ❶ sorry for being late ❷ I had to change buses ❸ every time we meet

04 ❶ Please try some ❷ wanted to be a baker ❸ when I made clothes

05 ❶ much does your dog weigh ❷ this small bag will do ❸ you have a membership here

06 ❶ not working well anymore ❷ I can't go back to ❸ are you looking at me

07 ❶ travel all around the country ❷ summer vacation starts ❸ you'll never forget that trip

08 ❶ did you finish your homework ❷ how about watching a movie ❸ forgot to buy some snacks

09 ❶ any topic you want ❷ enter your video clip ❸ visit our school website

10 ❶ give it a second thought ❷ bother you all the time ❸ can be a nightmare

11 ❶ move to another country ❷ often rode bikes together ❸ Let's discuss it

12 ❶ what makes you call me ❷ we have to postpone it ❸ the time for the meeting

13 ❶ Just take the subway ❷ leave for the terminal ❸ stop by the bank

14 ❶ terrible headache is killing me ❷ take a good rest ❸ follow your advice

15 ❶ got an important role ❷ hard to read the lines ❸ help you with that

16 ❶ I didn't sleep a wink ❷ stayed up all night ❸ right after school

17 ❶ a bank around here ❷ walking along the bank ❸ do for a living

18 ❶ pack for the trip ❷ I'll put enough towels ❸ You have to carry it

19 ❶ do me a favor ❷ make a presentation in class ❸ don't know how to use

20 ❶ Did you go camping ❷ have a great time ❸ rained cats and dogs

---

01   그림 정보 파악 – 날씨 | ⑤

해석

남   유럽 일기 예보의 Sandy입니다. 파리부터 시작해보죠. 파리 사람들은 하루 종일 햇빛을 즐길 수 있겠습니다. 런던은 강한 바람이 불고 소나기 가능성이 있겠습니다. 베를린은 춥고 눈이 오겠습니다. 베를린 사람들은 감기에 걸리지 않기 위해서 옷을 껴입으셔야 겠습니다. 이제 동쪽으로 가볼까요. 프라하는 오전에 흐리고 오후에는 비가 내리겠습니다.

해설   베를린은 오늘 춥고 눈이 온다고 했다.

---

02   그림 정보 파악 – 사람 | ④

해석

남   오늘 근사해 보인다! 나는 네 새로운 헤어스타일이 마음에 들어.

여   고마워. 나는 내 긴 생머리가 지겨워졌었거든.

남   짧고 곱슬곱슬한 머리가 널 활발한 사람처럼 보이게 해.

여   정말 그렇게 생각해?

남   진심이야. 훨씬 더 어려 보여.

여   그렇게 말해 주니 고마워.

해설   여자는 긴 생머리에서 짧고 곱슬곱슬한 머리 모양으로 바꿨다.

---

03   심정 파악 | ①

해석

여   늦어서 미안해.

남   난 너를 30분 이상 기다리고 있었어.

여   버스를 잘못 타서 세 번이나 버스를 갈아타야 했어.

남   왜 나에게 전화를 하지 않니?

여   정말 미안해. 집에 휴대 전화를 두고 왔어.

남   그거 아니? 난 너에게 화가 났어. 너는 우리가 만날 때마다 늦잖아.

여   진정해. 화내지 마.

해설   남자는 여자가 매번 약속 시간에 늦어서 화가 났다.

---

04   특정 정보 파악 | ⑤

해석

남   쿠키와 케이크 맛 좀 봐.

여   고마워. 우아, 맛있는데! 그것들을 어디서 샀니?

남   내가 직접 만들었어.

여   믿을 수 없어. 정말 재주가 좋구나!

남   고마워. 내 취미는 빵 굽기야. 어렸을 때, 나는 제빵사가 되고 싶었어.

여   그렇지만 넌 지금 옷을 만들고 있잖아, 그렇지 않니?

남   나는 음식 만들기에 관심이 정말 많았어. 하지만 마침내 내가 옷을 만들 때 행복하다는 것을 알았지.

해설   남자는 어렸을 때 제빵사가 되고 싶었지만, 현재는 옷을 만드는 일을 한다.

---

05   장소 추론 | ①

해석

남   도와드릴까요?

여   네, 저는 애완견용 여행 가방을 찾고 있습니다.

남   손님의 애완견은 무게가 어떻게 되나요?

여   제 애완견인 Alice는 작은 몰티즈예요. 3kg밖에 나가지 않습니다.

남   그렇다면 이 작은 가방이면 되겠네요. 이 가방은 또한 매우 가볍답니다.

여   좋아 보이네요. 가격이 얼마인가요?

남   40달러입니다. 만약 여기 회원권이 있으면 10% 할인을 받으실 수 있습니다.

여   알겠습니다. 이것으로 살게요. 여기 회원권 있습니다.

해설   여자가 애완견용 여행 가방을 구입하고 있으므로, 두 사람은 애완동물 용품점에 있음을 알 수 있다.

---

06   의도 파악 | ②

해석

남   왜 그렇게 시무룩한 얼굴이야?

여   봐! 내 휴대 전화가 더 이상 잘 작동하지 않아.

남 어디 보자……. 작동하는 걸. 고장 난 것 같지 않아.

여 봐. 음악 재생은 잘 되는데, 이전 파일로 갈 수가 없어.

남 네 말이 맞구나. 왜 나를 그렇게 보는 거야?

여 네가 어제 내 휴대 전화를 사용했고, 그 전에는 작동이 잘 되었었거든.

남 내 잘못이 아니야. 맹세코 내가 사용할 때는 괜찮았다고.

해설 남자는 휴대 전화를 망가트렸다는 여자의 비난에 대해 자신의 잘못이 아니라고 부인하고 있다.

---

07 특정 정보 파악 | ④

해석

여 이번 방학에 무엇을 할 계획이니?

남 아빠와 함께 전국을 여행할 계획이야.

여 그것 참 재미있겠다!

남 여름 방학이 시작하자마자, 아빠와 나는 여행을 시작할 거야.

여 너의 아버지의 차를 타고 갈 거니?

남 아니. 우리는 자전거를 탈거야.

여 정말? 내 생각에 너는 이번 여행을 잊지 못할 거야.

해설 남자는 아빠와 함께 자전거를 타고 여행을 할 것이라고 했다.

---

08 한 일 / 할 일 파악 | ⑤

해석

남 Mary, 숙제는 끝냈니?

여 네, 아빠. 방금 끝났어요.

남 그럼 TV로 영화를 보는 것은 어때? 나도 방금 설거지를 끝냈거든.

여 죄송하지만 그럴 수가 없어요. 지금 가게에 가야 하거든요.

남 지금? 저녁 8시 30분이야. 내일 그곳에 가는 것이 낫겠다.

여 하지만 내일 학교 소풍을 위한 간식을 좀 사는 것을 잊어버렸어요.

남 그러면 내가 너와 함께 가마.

여 고마워요, 아빠.

해설 두 사람은 학교 소풍에 가져갈 간식을 사러 갈 것이다.

---

09 언급하지 않은 것 | ③

해석

여 안녕하세요, 학생 여러분. 교내에서 첫 번째로 열리는 UCC 대회를 알리게 돼서 기쁩니다. 교내의 누구나 참가가 가능합니다. 여러분은 원하는 어떤 주제에 대해서든 동영상을 만들 수 있습니다. 동영상은 최대 3분이어야 합니다. 고화질일 필요는 없습니다. 동영상 마감일은 5월 5일까지입니다. 마감일 전에 비디오 영상을 제출하는 것이 중요합니다. 더 많은 정보를 원하시면, 학교 웹사이트를 방문해 주세요. 감사합니다.

해설 여자는 UCC 대회의 시상 내역에 대해서는 언급하지 않았다.

---

10 주제 파악 | ③

해석

남 룸메이트가 생기는 것에 대해 어떻게 생각하시나요? 일단은 재미있을 것 같습니다. 함께 대화하고 외출할 수 있는 누군가가 있는 것이니까요. 그러나 다시 한 번 생각해 보세요. 만약 룸메이트가 지저분하고 시끄럽다면 어떨까요? 이 친구는 항상 여러분을 괴롭힐 수 있습니다. 항상 전화로 떠들고 웃는 사람이 여러분 옆에 있다고 상상해 보세요. 이 룸메이트는 악몽이 될 수도 있습니다.

해설 남자는 룸메이트가 악몽이 될 수도 있으므로 신중하게 룸메이트를 구해야 한다고 말하고 있다.

---

11 내용 일치 / 불일치 | ④

해석

여 도진이가 다른 나라로 떠난다는 소식을 들었니?

남 응, 그는 다음 주에 캐나다로 간대. 그게 나를 너무 슬프게 해.

여 분명 그렇겠다. 너희 둘은 좋은 친구잖아.

남 나는 그가 너무 그리울 거야.

여 나도. 우리는 종종 공원에서 함께 자전거를 탔거든.

남 우리 그를 위해 송별회를 열자. 어떻게 생각해?

여 그거 좋은 생각이야. 다른 친구들과 상의해 보자.

해설 도진이가 종종 공원에서 함께 자전거를 탄 사람은 남자가 아니라 여자이다.

---

12 목적 파악 | ②

해석

[전화벨이 울린다.]

남 여보세요. Cathy와 통화할 수 있을까요?

여 전데요. 전화 거신 분은 누구시죠?

남 오, 저는 David Kim이에요. 요즘 어떻게 지냈어요?

여 나쁘지 않아요. 무슨 일로 전화한 거예요, David?

남 이번 금요일 회의 때문에 전화했어요. 미안하지만 다음 금요일까지 회의를 미뤄야 해서요. 괜찮으세요?

여 그럼요.

남 회의 장소와 시간을 잡고 다시 전화할게요.

해설 남자는 이번 금요일에 있을 회의 일정을 다음 금요일로 바꾸기 위해 전화를 걸었다.

---

13 숫자 정보 파악 – 시각 | ①

해석

남 강남 고속 버스 터미널에 어떻게 가니?

여 간단해. 지하철 3호선을 타면 돼.

남 여기서 그곳까지 얼마나 걸려?

여 약 15분 걸려.

남 지금 몇 시야? 2시 30분까지 그곳에 가야 하거든.

여 1시 50분이야. 터미널로 언제 출발할 거니?

남 지금 당장. 은행에 들러야 하거든.

해설 지금 몇 시인지 묻는 남자의 말에 여자는 1시 50분이라고 답했다.

---

14 관계 추론 | ④

해석

남 문제가 뭔가요?

여 극심한 두통 때문에 괴로워요. 어지럽기도 하고요.

남 확인해 보죠. 흠……, 감기에 걸리셨네요. 약을 복용하세요.

여 약을 얼마나 자주 먹어야 하나요?

남 매 식사 후에 드시고 푹 쉬어야 합니다.

여 알겠습니다, 그렇게 할게요. 다른 건요?

남 또한 푹 주무세요.

여 알겠습니다. 충고를 따르도록 할게요.

해설 남자가 여자의 증상을 진단해 주고 약을 처방해 주는 것으로 보아, 남자는 의사이며 여자는 환자이다.

---

15 요청한 일 파악 | ②

해석

여 민호야, 너 오늘 즐거워 보인다. 무슨 일이야?

남 너도 알다시피 내가 영어 연극 동아리 멤버잖아, 그렇지? 내가 연극에서 중요한 역할을 맡게 되었어.
여 축하해. 정말 신나겠다.
남 응. 그런데 문제가 있어. 대사를 읽기가 어려워. 내 말은 발음 말이야. 여기 대사를 발음할 줄 아니?
여 어디 보자⋯⋯. 내가 너를 도와줄 수 있을 것 같아.
남 정말? 너 매우 친절하구나. 도와줘서 정말 고마워.
여 친구인데, 별거 아니야.
해설 남자는 영어 연극의 대사를 읽는 것이 어렵다며 여자에게 영어 발음을 알려 달라고 부탁했다.

16 이유 파악 | ①
해석
여 얘, 너 오늘 피곤해 보인다. 어젯밤에 잠을 잘 못 잤니?
남 전혀. 사실은 한숨도 못 잤어.
여 뭐라고? 밤을 샜다고? 왜?
남 내 개가 너무 아파서 돌보느라 그랬어.
여 안됐다. 지금은 어때?
남 훨씬 나아졌는데, 아직 약해.
여 안됐다. 수의사에게 데려갈 거니?
남 응, 수업 끝나면 바로 갈 거야.
해설 남자는 어제 아픈 개를 돌보느라 밤을 샜다고 했다.

17 그림 상황에 어울리는 대화 찾기 | ②
해석
① 남 이 근처에 은행이 있나요?
　 여 네, 길 건너편에 하나 있어요.
② 남 계좌를 개설하고 싶습니다.
　 여 이 양식을 작성하시고 신분증을 보여 주세요.
③ 남 강둑을 따라 걷는 게 어때?
　 여 좋아.
④ 남 내 생각에 은행원은 안정적인 직업이 아니야.
　 여 왜 그렇게 생각해?
⑤ 남 네 아버지의 직업은 무엇이니?
　 여 은행에서 일하셔.
해설 은행에서 남자가 은행 계좌를 만들고 있는 상황이다.

18 특정 정보 파악 | ④
해석
여 내일 해변으로 여행가는 것 때문에 신나. 그 여행에 챙겨야 할 물건들을 점검해 보자.
남 좋아. 내 수영복과 여별의 옷, 그리고 모자를 가방에 넣을게.
여 잘했어.
남 가방에 수건도 넣어야 하니?
여 아니, 그럴 필요 없어. 내가 가방에 수건을 충분히 넣을게.
남 오, 우산 가져가는 것을 잊어버릴 뻔 했어.
여 만약을 대비해서 어디에서나 그것을 가지고 다녀야 해.
남 맞아, 가방에 넣을게.
해설 수건은 남자가 아닌 여자가 가져간다고 했다.

19 알맞은 응답 찾기 | ⑤
해석
여 오늘 오후에 무엇을 할 거니?

남 특별한 거 없어.
여 그러면 부탁 하나 해도 되니?
남 물론이지. 어떤 부탁인데?
여 내가 수업 시간에 발표를 해야 하거든. 그런데 파워포인트 프로그램의 사용법을 모르겠어. 가르쳐 줄 수 있니?
남 물론이지. 간단해.
여 고마워. 언제 만날까?
남 4시에 컴퓨터실에서 만나자.
① 미안해. 난 너무 피곤해.
② 내 것을 언제든지 써도 좋아.
③ 내가 가장 좋아하는 계절은 여름이야.
④ 파워포인트는 매우 편리한 도구지.
해설 언제 만날지 묻고 있으므로, 4시에 컴퓨터실에서 만나자는 응답이 와야 가장 자연스럽다.

20 알맞은 응답 찾기 | ③
해석
여 너 지난주에 캠핑을 갔니?
남 물론 갔었지.
여 어땠니? 신나는 시간을 보냈어?
남 정말 신나는 캠핑이었지만 나는 전혀 잠을 잘 수 없었어.
여 무슨 일이 있었는데?
남 잠을 자려고 할 때 갑자기 비가 억수처럼 내리는 거야.
여 그게 무슨 말이야?
남 비가 매우 많이 왔다고.
① 너무 고요했다고.
② 동물들이 밖으로 나왔다고.
④ 내 말을 오해하지 마.
⑤ 날 놀리는 거니?
해설 남자가 한 말의 의미가 무엇인지 묻고 있으므로, 자신이 한 말의 의미를 설명해 주는 응답이 와야 한다.

01 ②	02 ②	03 ③	04 ⑤	05 ④
06 ②	07 ⑤	08 ②	09 ④	10 ③
11 ①	12 ④	13 ②	14 ②	15 ③
16 ⑤	17 ①	18 ④	19 ①	20 ④

Dictation Test **01**회 pp. 194~199

01 ❶ will be sunny ❷ don't forget your umbrella ❸ be getting colder

02 ❶ set the table ❷ Put it to the right ❸ we won't need it

03 ❶ practiced a lot ❷ get afraid ❸ take a deep breath

04 ❶ went shopping ❷ are you going camping ❸ has a lot of fun

05 ❶ How many tickets ❷ my credit card ❸ How long will it take

06 ❶ any Korean pop groups ❷ how about coming with me ❸ take a violin lesson

07 ❶ I saw big sharks ❷ What was your favorite ❸ see them

08 ❶ too much information ❷ find useful information ❸ go to the teachers' office

09 ❶ closed every Monday ❷ make sure to bring ❸ return books

10 ❶ turn off the lights ❷ reduce food waste ❸ to protect our environment

11 ❶ take lots of photos ❷ see a musical ❸ have enough time

12 ❶ change my flight schedule ❷ your reservation number ❸ pay a service fee

13 ❶ print out this picture ❷ offers two options ❸ I'd like two copies

14 ❶ will be delivered ❷ That's sooner ❸ I leave the package

15 ❶ for our field trip ❷ have lunch there ❸ find a good restaurant

16 ❶ go to the movies ❷ have any special plans ❸ my uncle's wedding

17 ❶ wear a swimming cap ❷ be careful ❸ on sale now

18 ❶ from the travel agency ❷ bring summer clothes ❸ ready for the trip

19 ❶ I've heard a lot ❷ a wonderful place for tourists

❸ a lovely view

20 ❶ the life of cheetahs ❷ very fast hunters ❸ How fast

---

01 그림 정보 파악 – 날씨 | ②

해석

여 이번 주 날씨에 대해 알아봅시다. 월요일에는 종일 맑겠습니다. 화요일부터 수요일까지는 비가 올 예정이니, 우산을 잊지 마세요. 목요일에는 많은 눈이 오겠습니다. 금요일에는 더 추워지겠지만, 눈은 멈추겠습니다.

해설 목요일에는 눈이 많이 올 것이라고 했다.

02 그림 정보 파악 – 사물 | ②

해석

남 엄마. 상 차리는 것을 도와드릴까요?

여 물론이지, Jake! 테이블 매트 왼쪽에 접시를 놔 주겠니?

남 네! 숟가락은요?

여 접시 오른쪽에 놔 주렴.

남 그러면 포크는 어떻게 할까요?

여 숟가락 오른쪽에 두렴.

남 문제없어요. 칼도 필요한가요?

여 아니, 오늘 밤에는 필요하지 않을 거야.

해설 테이블 매트 왼쪽에 접시를 두고, 접시 오른쪽에 숟가락과 포크를 두라고 했으므로 ②가 가장 적절하다.

03 심정 파악 | ③

해석

여 안녕, 준호야. 너 안 좋아 보여. 무슨 일 있니?

남 음……. 내일 영어 말하기 대회가 있어.

여 걱정하지 마! 너는 연습 많이 했잖아.

남 응……. 하지만 나는 많은 사람들 앞에서 말할 때 두려워져.

여 시작하기 전에 심호흡을 해 보는 게 좋겠어. 너는 할 수 있어.

남 나는 최선을 다하겠지만 이번 대회는 나를 불편하게 해.

해설 남자는 영어 말하기 대회를 앞두고 긴장하고 있다.

04 한 일 / 할 일 파악 | ⑤

해석

남 안녕, 수진아. 주말 어땠어?

여 나는 지난 일요일에 엄마와 함께 쇼핑하러 갔어.

남 멋지다. 무엇을 샀어?

여 캠핑에 필요한 새 손전등과 의자를 샀어.

남 오, 곧 캠핑하러 가니?

여 응, 우리 가족은 매달 캠핑하러 가.

남 너희 가족은 함께 매우 즐거운 시간을 보내겠구나.

해설 여자는 지난 일요일에 엄마와 함께 캠핑에 필요한 손전등과 의자를 샀다고 했다.

05 장소 추론 | ④

해석

여 안녕하세요, 손님. 어디로 가시나요?

남 저는 대전으로 갈 것입니다. 기차표는 얼마인가요?

여 25,000원입니다. 몇 장의 표가 필요하신가요?

남 한 장만 주세요. 신용카드 여기 있습니다.
여 네. (잠시 후) 표 여기 있습니다.
남 좋아요. 대전역까지 얼마나 걸리나요?
여 대략 한 시간 걸릴 거예요. 기차는 10분 후에 출발합니다.
남 감사합니다.
여 여행 잘 다녀오세요.
해설 기차표를 구입하고 있는 모습으로 보아, 두 사람은 기차역에서 대화하고 있음을 알 수 있다.

06 의도 파악 | ②
해석
남 Kate, 너는 한국 팝그룹을 좋아하니?
여 응. 나는 'Dreamers'라는 그룹을 매우 좋아해. 그들의 음악은 정말 굉장하거든.
남 응. 그러면 이번 주 금요일에 나와 함께 K-pop 축제에 갈래?
여 나도 그러고 싶지만 안 돼. 가족과 함께 저녁을 먹거든.
남 그러면 토요일은 어때?
여 정말 미안해. 나는 토요일마다 바이올린 수업이 있어.
해설 여자는 K-pop 축제에 함께 가자는 남자의 제안에 거절하고 있다.

07 특정 정보 파악 | ⑤
해석
남 오늘 현장 학습은 정말 좋았어, 그렇지 않니?
여 응. 수족관은 정말 멋있었어.
남 너는 무엇을 봤어?
여 나는 커다란 상어와 바다거북을 봤어.
남 나도 그것들을 봤어. 그 밖에 또 무엇을 보았니?
여 돌고래와 불가사리. 수족관에서 네가 가장 좋았던 것은 뭐야?
남 나는 펭귄들이 정말 좋았어. 그것들은 매우 귀여웠어.
여 펭귄? 그것들은 어디에 있었어?
남 2층에 있었어.
여 오, 정말? 나는 보지 못했어.
해설 여자는 상어와 바다거북, 돌고래, 불가사리는 보았지만, 펭귄은 보지 못했다고 했다.

08 한 일 / 할 일 파악 | ②
해석
여 Brian, 고대 건축물에 관한 프로젝트를 끝냈니?
남 아직. 그건 다음 주 월요일까지잖아, 맞지? 너는?
여 나는 도서관에 갔는데 정보가 너무 많았어.
남 나도 알아. 인터넷을 검색해봤지만, 유용한 정보를 찾는 것은 어려웠어.
여 음……. 우리 선생님에게 도움을 요청하는 게 어때?
남 그거 좋은 생각이야. 지금 교무실로 가자.
여 좋아.
해설 두 사람은 프로젝트에 대해서 선생님에게 도움을 요청하기 위해 교무실로 갈 것이다.

09 언급하지 않은 것 | ④
해석
여 Nara 공공 도서관에 오신 것을 환영합니다. 우리는 오전 9시부터 오후 6시까지 개관합니다. 매주 월요일은 휴관일입니다. 무료 어린이 수업은 매주 수요일 오전 10시부터 11시까지입니다. 책을 빌리고 싶으

시다면, 신분증을 반드시 가져오세요. 휴일에 책을 반납할 때는 앞문 옆에 위치한 상자에 책을 넣어 주세요. 감사합니다.
해설 여자는 대출 가능 권수에 대해서는 언급하지 않았다.

10 주제 파악 | ③
해석
남 자, 학생 여러분. 모든 훌륭한 아이디어에 감사드립니다. 여러분이 말한 대로, 우리는 전등을 사용하지 않을 때는 꺼야 합니다. 또한, 물을 절약하기 위해 우리는 이를 닦는 동안에 컵을 사용합시다. 다음으로, 우리는 종이와 캔, 그리고 플라스틱을 재활용해야 합니다. 마지막으로, 우리는 음식물 쓰레기를 줄이도록 노력해야 합니다. 우리 환경을 보호하기 위해 이것들을 기억합시다.
해설 남자는 전등불 끄기, 물 절약하기, 재활용하기, 음식물 쓰레기 줄이기 등 환경을 보호하는 방법에 대해 말하고 있다.

11 내용 일치 / 불일치 | ①
해석
여 있잖아, 민호야. 나는 런던을 방문할 거야.
남 우와! 얼마나 머물 거야?
여 일주일 동안 있을 거야. 유명한 장소들을 모두 방문하고 싶어.
남 네가 많은 사진을 찍을 수 있기를 바라.
여 물론이지. 돌아오면 너에게 보여 줄게.
남 멋지다. 너는 뮤지컬도 보러 갈 거니?
여 아니, 시간이 충분하지 않아.
남 알겠어. 아마도 다음번에 볼 수 있겠지.
해설 여자는 시간이 없어서 뮤지컬은 보지 않을 것이라고 했다.

12 목적 파악 | ④
해석
[전화벨이 울린다.]
남 여보세요. Blue Star Tours입니다. 도와드릴까요?
여 안녕하세요, 저는 제 비행 일정을 변경하고 싶어요.
남 알겠습니다. 예약번호를 알려주시겠어요?
여 네. KR1256입니다.
남 언제로 바꿔드릴까요?
여 다음 주 일요일로 비행을 바꾸고 싶어요.
남 알겠습니다. 하지만 30달러의 수수료를 지불하셔야 합니다.
여 문제없어요.
해설 여자는 다음 주 일요일로 비행 일정을 변경하기 위해 전화를 걸었다.

13 숫자 정보 파악 – 금액 | ②
해석
여 실례합니다. 이 사진을 인화하고 싶어요.
남 알겠습니다. 몇 장 필요하신가요?
여 두 장 필요합니다. 얼마인가요?
남 음. 우리 사진관은 두 가지 선택 사항을 제공해 드립니다.
여 알겠습니다. 무엇인가요?
남 흑백으로는 장당 1달러이고, 컬러로는 2달러입니다.
여 그러면 흑백으로 2장 주세요.
남 물론입니다. 잠시만 기다려 주세요.
해설 여자는 흑백으로 사진을 두 장 인화하려고 하는데, 흑백은 장당 1달러이므로, 총 2달러를 지불해야 한다.

14 관계 추론 | ②
해석

[전화벨이 울린다.]

여 여보세요?

남 여보세요. 여기는 White Rabbit Express입니다. 김지영 씨 되시나요?

여 네, 전데요.

남 소포가 오후 3시쯤에 배달될 것입니다.

여 정말요? 제가 예상했던 것보다 더 빨리 오네요.

남 그때 집에 계시나요?

여 유감스럽게도 집에 아무도 없을 거예요.

남 그러면 소포는 어디에다가 둘까요?

여 경비실에 맡겨주시겠어요?

남 알겠습니다. 그렇게 할게요.

해설 주문한 소포 배달의 도착 시간과 어디에 소포를 둬야 하는지 묻고 답하고 있으므로, 두 사람의 관계는 택배기사와 고객임을 알 수 있다.

15 부탁한 일 파악 | ③
해석

여 준규야, 우리 현장 학습으로 현대 미술관에 가는 게 어때?

남 학교에서 거기까지 가는 데 얼마나 걸리니?

여 버스로 약 한 시간 걸려.

남 그곳에서 점심을 먹을 수 있어?

여 음⋯⋯. 그렇게 생각하지 않아. 아마도 먹을 수 있는 장소를 찾아야 해.

남 근처에 좋은 식당을 찾을 수 있니?

여 응. 내가 찾아볼게.

해설 남자는 여자에게 미술관 근처에 식당이 있는지 알아봐 달라고 부탁했다.

16 이유 파악 | ⑤
해석

남 유나야, 내일 함께 영화 보러 가는 게 어때?

여 그러고 싶지만 안 돼.

남 정말? 무슨 특별한 계획이라도 있니?

여 응. 나는 가족과 함께 목포에 가야 해.

남 오, 거기는 왜 가는 거야?

여 내일이 삼촌 결혼식이거든.

남 우아, 멋지다. 좋은 시간 보내.

여 고마워. 다음 주에 영화 보러 가자.

해설 여자는 내일 삼촌 결혼식에 가야 해서 영화를 보자는 남자의 제안을 거절했다.

17 그림 상황에 어울리는 대화 찾기 | ①
해석

① 여 실례합니다. 여기서는 수영모를 착용하셔야 합니다.
　 남 오, 죄송해요. 오늘 그것을 가져 온다는 것을 깜박했어요.

② 여 조심해! 차가 오고 있어.
　 남 고마워. 조심할게.

③ 여 영화는 몇 시에 시작하니?
　 남 10분 뒤에 시작해.

④ 여 얼마나 걸리니?
　 남 버스로 두 시간 걸려.

⑤ 여 저는 이 셔츠가 마음에 들어요. 얼만인가요?
　 남 10달러입니다. 지금 세일 중이에요.

해설 수영모를 쓰지 않은 남자에게 여자가 수영모를 써야 한다고 말하고 있는 상황이다.

18 언급하지 않은 것 | ④
해석

여 아빠, 안녕하세요.

남 안녕, 지희야. 가족 여행으로 신이 났니?

여 물론이죠. 저는 필리핀에 빨리 가고 싶어요.

남 그래, 여행사에서 막 정보를 얻었단다.

여 멋져요. 날씨에 대해 뭔가를 말했나요?

남 그렇단다, 매우 더울 거라고 하는구나.

여 알겠어요. 그러면 여름옷을 가져가야겠어요.

남 그래. 그들은 또한 우리가 Star 호텔에서 머물 거라고 말해줬단다.

여 그러면 우리는 여행 준비를 다 한 것 같아요.

해설 두 사람은 필리핀 여행에서 먹을 식사 메뉴에 대해서는 언급하지 않았다.

19 알맞은 응답 찾기 | ①
해석

남 대한 타워에 가 본 적 있니?

여 아니, 하지만 그것에 대해 많이 들어 봤어.

남 응. 그 타워는 여행객들에게 아주 멋진 장소야.

여 정말? 그것에 대해 좀 더 말해주겠니?

남 물론이지. 그곳에서는 아주 아름다운 경관을 볼 수 있고 많은 유명한 식당들이 있어.

여 정말 좋은 장소처럼 들려.

남 맞아. 이번 주 일요일에 방문하는 게 어때?

여 ① 좋아, 함께 가자.

② 아마도 그가 너를 도와줄 수 있을 거야.

③ 저것은 내 필통이야.

④ 한 블록 곧장 가세요.

⑤ 나는 그것이 너의 문제였다고 생각해.

해설 이번 주 일요일에 대한 타워에 방문하자는 남자의 제안에 수락하는 응답이 와야 자연스럽다.

20 알맞은 응답 찾기 | ④
해석

여 안녕, Eric. 어제 TV에서 동물 다큐멘터리를 보았니?

남 아니, 무엇에 관한 거였니?

여 치타의 삶에 대한 것이었어.

남 어떤 흥미로운 점을 발견했니?

여 응. 그들은 매우 빠른 사냥꾼들이야.

남 호랑이보다도 빠르니?

여 응. 그들은 세상에서 가장 빠른 동물들 중 하나야.

남 정말? 얼마나 빠른데?

여 그것들은 시속 100km를 달릴 수 있어.

① 그것들은 밤에만 사냥을 해.

② 그것들은 남아프리카에 살아.

③ 그것들은 사슴과 물소를 잡아먹어.

⑤ 그것들은 몸에 검은색 점들이 있어.

해설 치타가 얼마나 빠른지 묻는 질문에 시속 100km를 달릴 수 있다고 답하는 것이 가장 적절하다.

01 ③	02 ④	03 ③	04 ⑤	05 ⑤
06 ③	07 ③	08 ⑤	09 ②	10 ⑤
11 ④	12 ①	13 ④	14 ⑤	15 ①
16 ⑤	17 ③	18 ④	19 ①	20 ④

Dictation Test 02회　　　pp. 202~207

01 ❶ expected to continue ❷ there will be showers ❸ Snow is expected

02 ❶ Bring me the tray ❷ on the shelf ❸ has two stars

03 ❶ won the first prize ❷ I worked on it ❸ so happy for you

04 ❶ made water bombs ❷ out of wooden chopsticks ❸ make chopstick airplanes

05 ❶ lost my bag ❷ a picture of a monkey ❸ We'll contact you

06 ❶ How do you like ❷ lots of sports programs ❸ check the schedule

07 ❶ join your new band ❷ Do you practice ❸ I'm free

08 ❶ I dropped my cellphone ❷ it doesn't work ❸ visit the service center

09 ❶ set your phone ❷ should not use the flash ❸ shouldn't talk loudly

10 ❶ how to use ❷ send text messages ❸ turn off your cellphone

11 ❶ look around the zoo ❷ give any food ❸ you must not throw

12 ❶ you back to Korea ❷ meet the main actor ❸ must be excited to see

13 ❶ This is the manager ❷ your band perform ❸ will be fine

14 ❶ get a haircut ❷ change my hair color ❸ Brown is trendy

15 ❶ hurt my knee ❷ to get better ❸ carry my bag

16 ❶ hear the good news ❷ why they chose me ❸ help your friends

17 ❶ take your order ❷ make a mistake ❸ see your passport

18 ❶ our school bus service ❷ check the bus stops ❸ fill out the form

19 ❶ stay with my family ❷ visit famous places ❸ you should take him

20 ❶ had some trouble with ❷ he's angry at me ❸ answer my call

---

01 　그림 정보 파악 – 날씨 ｜③
해석
남　안녕하세요! 여기는 오늘의 일기 예보입니다. 오늘 서울은 어젯밤부터 내린 비가 계속될 것으로 예상됩니다. 뉴욕은 소나기가 내리고 종일 천둥 번개가 칠 것입니다. 파리는 대부분 흐리겠습니다. 런던은 눈이 올 것으로 예상됩니다. 대단히 감사합니다.
해설　런던은 눈이 올 것이라고 했다.

02 　그림 정보 파악 – 사물 ｜④
해석
여　David, 잠시만 나를 도와줄 수 있니?
남　문제없어요. 무엇을 도와드릴까요?
여　부엌에 있는 쟁반을 나에게 가져다주렴.
남　알겠어요.
여　찾았니? 선반 위에 있단다.
남　동그라미가 그려진 쟁반을 말씀하시는 건가요?
여　그건 아니야. 별 두 개와 하트 모양 두 개가 있는 거란다.
남　알겠어요, 말씀하시는 걸 찾았어요.
해설　여자는 남자에게 하트 두 개와 별 두 개가 그려진 쟁반을 가져오라고 했으므로 ④가 정답이다.

03 　심정 파악 ｜③
해석
남　엄마, 중대한 소식이 있어요.
여　중대한 소식? 그것이 무엇이니?
남　저 웹툰 대회에서 일등 했어요.
여　우아, 축하한다! 너의 작품은 정말 훌륭했을 거야.
남　아시다시피 저는 두 달 넘게 그것을 작업했어요.
여　맞아. 너는 정말 열심히 했지.
남　네. 저는 정말 많이 즐기면서 했어요.
여　네 덕분에 너무 행복하구나, James.
해설　여자는 아들이 웹툰 대회에서 일등을 하여 자랑스러울 것이다.

04 　한 일 / 할 일 파악 ｜⑤
해석
여　정말 멋진 과학의 날이었어! 너도 즐거웠니?
남　물론이지. 나는 물 폭탄을 만들었어.
여　굉장하다. 나는 3D 영화를 보고 싶었는데, 볼 수 없었어.
남　그거 안됐구나. 그러면 너는 무엇을 했니?
여　나는 대신에 나무젓가락으로 비행기를 만들었어.
남　즐거웠니?
여　응, 정말 재미있었어.
남　굉장하다! 내년에는 나도 젓가락 비행기를 만들어보고 싶어.
해설　여자는 과학의 날에 나무젓가락으로 비행기를 만들었다고 했다.

05 　장소 추론 ｜⑤
해석
남　어서 오세요. 도와드릴까요?

여	네, 저는 이 공원에서 가방을 분실했어요.
남	그것은 어떻게 생겼나요?
여	빨간색 배낭이에요.
남	그리고 그것의 크기는 어느 정도인가요?
여	대략 책 10권을 넣을 수 있을 만큼 커요.
남	가방에 대해 더 말해 줄 것이 있나요?
여	흠…… 앞에 원숭이 그림이 있어요.
남	알겠습니다. 찾으면 연락드리겠습니다.
여	여기 제 전화번호입니다. 감사합니다.
해설	공원에서 분실한 가방의 크기와 생김새에 대해 말하고 있으므로, 두 사람은 공원 분실물 센터에 있음을 알 수 있다.

06 의도 파악 | ③
해석

남	이봐, Cathy. 새로운 문화 센터는 어때?
여	나는 정말 그곳이 좋아. 재미있는 프로그램이 많거든.
남	좋다. 어떤 프로그램들이 있니?
여	많은 스포츠 프로그램들이 있어.
남	정말? 예를 들면?
여	탁구나 배드민턴, 수영 프로그램이 있어.
남	나는 수영을 좋아해. 함께 갈래?
여	그거 좋다. 일정을 확인하고 등록하자.
남	그래. 좋은 생각이야.
해설	수영 프로그램 일정을 확인하고 등록하자는 여자의 제안에 남자는 동의하고 있다.

07 특정 정보 파악 | ③
해석

남	안녕, Katie 맞지?
여	응, 만나서 반가워. 나는 너의 새로운 밴드에 정말 가입하고 싶었어.
남	훌륭해. 우리는 피아니스트와 기타리스트 둘 다 필요해.
여	나는 피아노를 연주하고 싶어. 해도 되니?
남	물론이지, 다음 연습에 참여하는 게 어때?
여	좋아. 너희는 매일 연습하니?
남	아니, 우리는 화요일마다 연습해.
여	완벽해. 나는 화요일마다 일정이 없거든.
해설	여자는 밴드에서 피아노를 연주할 것이다.

08 한 일 / 할 일 파악 | ⑤
해석

여	Todd, 무슨 일 있니?
남	내 휴대 전화를 물에 빠뜨렸어.
여	오, 저런! 괜찮은 거야?
남	전원을 켜보려고 해봤는데, 전혀 작동이 되지 않아.
여	음…… 먼저 전화기를 말려보는 것을 시도해 봤니?
남	이미 해 봤지만 여전히 전원이 켜지지 않아.
여	그러면 너는 아마도 서비스 센터에 방문해야 할 것 같아.
남	좋아. 지금 가야겠어.
해설	남자는 전원이 켜지지 않는 휴대 전화 때문에 서비스 센터를 방문할 것이다.

09 언급하지 않은 것 | ②
해석

남	엄마, 우리는 지금 미술관에 들어갈 수 있나요?
여	물론이지. 먼저 너의 전화기를 무음 모드로 설정하렴.
남	이미 했어요. 미술관 안에서 사진을 찍어도 되나요?
여	물론이지. 하지만 플래시를 사용하면 안 돼.
남	알겠어요. 기다려요, 엄마. 아직 이 주스를 다 마시지 못했어요.
여	그러면 지금 다 마시렴. 그것을 들고 안에 들어갈 수 없단다.
남	알겠어요. 지금 가요.
여	미술관 안에서는 크게 얘기하면 안 되는 것을 기억하렴.
해설	여자는 미술관에서 전시 작품을 만지지 말라는 말은 언급하지 않았다.

10 주제 파악 | ⑤
해석

남	안녕하세요, 학생 여러분! 저는 여러분에게 휴대 전화를 현명하게 사용하는 방법을 알려드리겠습니다. 먼저, 대중교통을 이용할 때는 큰 소리로 전화 통화를 해서는 안 됩니다. 둘째, 걸어 다니는 동안에는 문자를 보내면 안 됩니다. 마지막으로, 영화관에서는 휴대 전화를 꺼야 합니다.
해설	남자는 대중교통을 이용하거나 걸어 다닐 때, 그리고 영화관에서 휴대 전화를 현명하게 사용하는 방법에 대해서 말하고 있다.

11 내용 일치 / 불일치 | ④
해석

남	Highlands 동물원에 방문해 주셔서 감사합니다. 우리는 전 세계에서 온 많은 종류의 동물들이 있습니다. 동물원을 둘러보시기 전에 특별한 소식을 전해드리겠습니다. 한 달 전에 중국에서 판다 두 마리가 왔는데 오늘 여러분은 그들을 볼 수 있습니다. 관람하기 전에, 동물들에게 어떤 먹이도 주면 안 된다는 것을 기억해 주세요. 또한 우리 안으로 어떤 것도 던져서는 안 됩니다. 준비되었나요? 갑시다!
해설	동물들에게 어떤 먹이도 주면 안 된다고 했다.

12 목적 파악 | ①
해석

남	한국에 돌아온 것을 환영해, Lucy.
여	다시 만나서 반가워.
남	나도. 무슨 일로 한국에 온 거야?
여	'Great Love' 영화의 주인공을 만나기 위해 왔어.
남	정말? 너는 그를 언제 볼 예정이야?
여	이번 주 토요일에 그의 팬미팅에 갈 거야.
남	네가 가장 좋아하는 배우를 만나게 되어서 신이 나겠구나.
해설	여자는 가장 좋아하는 배우를 만나기 위해 한국을 방문했다고 했다.

13 숫자 정보 파악 – 날짜 | ④
해석

[전화벨이 울린다.]

여	여보세요, Jackie의 록밴드입니다.
남	저는 대한 문화 센터의 관리자입니다.
여	무엇을 도와드릴까요?
남	우리 센터에서 밴드 공연을 해 주실 수 있나요?
여	공연이 언제인가요?
남	5월 9일이요.
여	죄송합니다. 11일만 가능해서요. 괜찮은가요?

해설 밴드는 5월 11일만 공연이 가능하다고 했고, 공연을 요청한 관리자 역시 괜찮다고 했으므로 5월 11일에 공연할 것이다.

14 관계 추론 | ②
해석
남 도와드릴까요?
여 저는 머리를 자르고 싶어요. 얼마인가요?
남 10달러입니다.
여 좋아요. 머리색도 바꿀 수 있나요?
남 어떤 색으로 원하시나요?
여 음……. 결정하지 못하겠어요. 최근에는 어떤 색이 인기 있나요?
남 갈색이 지금 인기가 있답니다.
여 그거 좋겠네요.
해설 여자는 남자에게 머리를 자르고 염색도 해 달라고 요청하고 있으므로, 두 사람의 관계는 미용사와 고객임을 알 수 있다.

15 부탁한 일 파악 | ①
해석
여 James, 무슨 일 있어?
남 어제 넘어져서 무릎을 다쳤어.
여 오, 그거 유감이구나. 병원에 갔니?
남 응, 갔어. 회복하는 데 3주가 걸릴 거라고 했어.
여 계단 올라갈 때 도움이 필요하니?
남 괜찮아, 고마워. 하지만 교실까지 내 가방 좀 들어줄 수 있니?
여 물론이지. 내가 들어줄게.
남 고마워. 정말 친절하구나.
해설 무릎을 다친 남자는 여자에게 자신의 가방을 들어줄 것을 부탁했다.

16 이유 파악 | ⑤
해석
남 축하한다, Mary!
여 무슨 일이죠?
남 네가 이 달의 모범생 상을 받게 될 거란다.
여 정말요? 기대하지 않았는데요. 좋은 소식을 들어 정말 행복해요.
남 그래, 너희 반 학생들이 너를 선택했어.
여 그들이 왜 저를 선택했는지 아세요?
남 너는 항상 학생들을 도와주기 위해 자원봉사를 했잖니.
여 우아. 엄마가 정말 기뻐하실 거예요.
해설 여자는 항상 친구들을 도와줘서 상을 받게 되었다고 했다.

17 그림 상황에 어울리는 대화 찾기 | ③
해석
① 남 너의 여행은 어땠니?
　　여 아주 좋았어. 나는 태국에서 바닷가에 가는 것을 즐겼어.
② 남 주문하시겠어요?
　　여 네, 치킨버거 하나와 탄산음료 하나 주세요.
③ 남 정말 죄송합니다. 치워드릴게요.
　　여 괜찮아요. 누구나 실수를 할 수 있죠.
④ 남 여권을 보여주시겠어요?
　　여 물론이죠, 여기 있습니다.
⑤ 남 실례합니다. 여기에 주차하실 수 없어요.

여 죄송합니다, 몰랐어요.
해설 남자가 실수로 여자의 컵을 쓰러뜨려서 여자에게 사과하고 있는 상황이다.

18 언급하지 않은 것 | ③
해석
여 안녕하세요, 신입생 여러분. 우리 학교 버스 서비스에 대해 말씀드리겠습니다. 6개의 버스 노선이 있습니다. 여러분은 학교 웹사이트에서 버스 승강장을 확인할 수 있습니다. 우리 학교 학생들은 버스 요금이 무료입니다. 만약 버스 서비스를 이용하길 원한다면, 양식을 작성하여 이번 주 금요일까지 Smith 선생님에게 전달해 주세요. 감사합니다.
해설 여자는 학교 버스에 대해 노선 수와 승강장 확인 방법, 이용 요금, 이용 신청 방법에 대해서는 언급했지만, 운영 시간에 대해서는 언급하지 않았다.

19 알맞은 응답 찾기 | ①
해석
남 수미야, 만나서 반가워.
여 안녕! 잘 지내니?
남 별일 없이 지내. 너는 Brian 기억하니?
여 물론이지. 너의 캐나다 친구잖아. 나는 그를 기억해.
남 그가 2주 동안 우리 가족과 머물기 위해 올 예정이야.
여 오! 정말?
남 그는 서울의 유명한 장소를 방문하고 싶다고 했어.
여 그러면 너는 그를 한옥 마을에 데려가야겠구나.
남 그거 좋다.
② 나를 용서해 줘.
③ 와 줘서 고마워.
④ 나를 소개할게.
⑤ 너에게는 큰 가방 같아.
해설 캐나다에서 친구가 온다는 남자의 말에 여자는 한옥 마을에 가 보라고 제안하고 있으므로, 이에 좋다고 말하는 응답이 와야 적절하다.

20 알맞은 응답 찾기 | ④
해석
여 Chris, 너에게 할 말이 있어.
남 뭔데, 미나야?
여 나 Danny와 싸웠어.
남 무슨 일 있었어?
여 나는 그룹 프로젝트에서 내가 해야 할 부분을 잊어버렸거든. 그래서 우리는 제시간에 끝낼 수 없었어.
남 정말?
여 응, 그래서 그가 나에게 화가 난 것 같아.
남 그는 화가 났겠구나. 그에게 전화해 봤니?
여 해봤지만 내 전화를 받지 않았어. 내가 어떻게 해야 할까?
남 미안하다고 그에게 문자를 보내 봐.
① 맛있게 먹어.
② 다음에 보자.
③ 좋은 시간 보내.
⑤ 물론, 나는 제시간에 도착할 거야.
해설 자신 때문에 화가 난 친구에게 어떻게 해야 하는지 묻고 있으므로, 사과 문자를 보내라는 응답이 와야 가장 적절하다.

memo.